U0242899

「十三五」国家重点出版物出版规划项目

国家出版基金项目
NATIONAL PUBLICATION FOUNDATION

中国中药资源大典

中国中药资源大典

资源大典

江苏卷

4

黄璐琦 / 总主编

段金廒 吴啟南 严 辉 郭 盛 / 主 编

北京科学技术出版社

图书在版编目（CIP）数据

中国中药资源大典 . 江苏卷 . 4 / 段金廒等主编 . —
北京：北京科学技术出版社，2022.12
ISBN 978-7-5714-2310-0

Ⅰ. ①中… Ⅱ. ①段… Ⅲ. ①中药资源－资源调查－
江苏 Ⅳ. ①R281.4

中国版本图书馆 CIP 数据核字（2022）第 078998 号

责任编辑：侍　伟　李兆弟　董桂红　吕　慧　庞璐璐
责任校对：贾　荣
图文制作：樊润琴
责任印制：李　茗
出 版 人：曾庆宇
出版发行：北京科学技术出版社
社　　址：北京西直门南大街16号
邮政编码：100035
电　　话：0086-10-66135495（总编室）　　0086-10-66113227（发行部）
网　　址：www.bkydw.cn
印　　刷：北京博海升彩色印刷有限公司
开　　本：889 mm × 1 194 mm　　1/16
字　　数：1 104千字
印　　张：49.75
版　　次：2022年12月第1版
印　　次：2022年12月第1次印刷
审 图 号：GS京（2023）1758号
ISBN 978-7-5714-2310-0

定　　价：590.00元

京科版图书，版权所有，侵权必究。
京科版图书，印装差错，负责退换。

《中国中药资源大典·江苏卷》

编写工作委员会

顾　问	肖培根（中国医学科学院药用植物研究所）
	黄璐琦（中国中医科学院）
	曹洪欣（中国中医科学院）
	袁昌齐（江苏省中国科学院植物研究所）
	周荣汉（中国药科大学）
	李大宁（国家中医药管理局）
	苏钢强（国家中医药管理局）
	李　昱（国家中医药管理局）
	陆建伟（国家中医药管理局）
	孙丽英（国家中医药管理局）
	周　杰（国家中医药管理局）
	陈榕虎（国家中医药管理局）
	吴勉华（南京中医药大学）
	胡　刚（南京中医药大学）
	赵润怀（中国中药有限公司）
主任委员	陈亦江（江苏省卫生健康委员会、江苏省中医药管理局）
	朱　岷（江苏省卫生健康委员会、江苏省中医药管理局）
	段金廒（南京中医药大学）
副主任委员	石志宇（江苏省中医药管理局）
	王卫红（江苏省中医药管理局）
	吴啟南（南京中医药大学）
	谭仁祥（南京中医药大学）
	程海波（南京中医药大学）

委　员　毕　磊（江苏省中医药管理局）

戴运良（江苏省中医药管理局）

王霞云（江苏省中医药管理局）

郭兰萍（中国中医科学院中药资源中心）

张小波（中国中医科学院中药资源中心）

刘跃光（南京中医药大学）

史丽云（南京中医药大学）

陈　军（南京中医药大学）

胡立宏（南京中医药大学）

冯　煦（江苏省中国科学院植物研究所）

曹　鹏（南京中医药大学）

李　亚（江苏省中国科学院植物研究所）

孔令义（中国药科大学）

余伯阳（中国药科大学）

丁艳峰（南京农业大学）

王佩娟（江苏省中医药研究院）

张朝晖（江苏省海洋水产研究所）

孙成忠（中国测绘科学研究院）

《中国中药资源大典·江苏卷 4》

编写委员会

总 主 编 黄璐琦

主 编 段金廒 吴啟南 严 辉 郭 盛

副 主 编 （按姓氏拼音排序）

巢建国 陈建伟 丁安伟 冯 煦 谷 巍 李 亚 刘启新 刘圣金

钱士辉 秦民坚 任全进 尚尔鑫 宋春凤 宿树兰 谈献和 唐晓清

田 方 汪 庆 王康才 吴宝成 于金平 张 瑜 张朝晖

编 委 （按姓氏拼音排序）

巢建国 陈建伟 陈佩东 褚晓芳 戴仕林 丁安伟 董晓宇 段金廒

冯 煦 谷 巍 郭建明 郭 盛 胡 杨 黄一平 江 曙 蒋 征

金国虔 居明乔 鞠建明 李会伟 李 琳 李孟洋 李思蒙 李帅锋

李文林 李 亚 李振麟 刘 晨 刘 培 刘启新 刘 睿 刘圣金

刘兴剑 刘 逊 刘训红 陆耕宇 马宏跃 马新飞 欧阳臻 濮社班

钱大玮 钱士辉 秦民坚 任全进 尚尔鑫 史业龙 束晓云 宋春凤

宿树兰 孙晓东 孙永娣 孙亚昕 谈献和 汤兴利 唐晓清 唐于平

陶伟伟 田 方 田 梅 万夕和 汪 庆 王康才 王 龙 王 旻

王年鹤 王淑安 王团结 王一帆 王旭红 王振中 魏丹丹 吴宝成

吴 闯 吴 刚 吴 健 吴啟南 吴 舟 肖 平 谢国勇 严 辉

严宝飞 杨念云 尹利民 于金平 张 芳 张 珂 张 丽 张 森

张兴德 张 瑜 张朝晖 赵 明 赵庆年 郑云枫 周桂生 周 婧

周 伟 周 卫 朱华旭 朱 悦 邹立思

《中国中药资源大典·江苏卷 4》

编辑委员会

主任委员　章　健

委　　员（按姓氏笔画排序）

尤竞爽　吕　慧　严　丹　李小丽　李兆弟　范　娅　侍　伟　庞璐璐

赵　晶　贾　荣　董桂红

肖 序

中华人民共和国成立后，我国先后组织过3次规模不等的中药资源专项调查，初步了解、掌握了当时我国中药资源的种类、分布和蕴藏量情况，为国家及各省（区、市）制定中药资源保护与利用策略和中药资源产业发展规划、发展中药材资源的种植养殖生产等提供了宝贵的第一手资料，为保障我国中医临床用药和中成药制造等民族医药事业和产业发展做出了重要贡献。人类社会对高质量生活及健康延寿目标的期冀，以及对源自中药及天然药物资源的健康产品的迫切需求，推动了以中药资源为原料的深加工产业的快速扩张和规模化发展，形成了以中成药、标准提取物、中药保健产品为主的中医药大健康产业集群，中药资源的保护与利用、生产与需求之间的协调平衡问题成为新的挑战。

在此背景下，国家中医药管理局牵头组织开展了第四次全国中药资源普查工作，以期了解和掌握当前我国中药资源状况，为国家制定有利于协调人口与资源关系的健康中国战略提供决策依据，为我国中药资源经济可持续发展和区域特色资源产业结构调整与布局优化提供科学依据。

《中国中药资源大典·江苏卷》客观反映了目前江苏区域中药资源家底。江苏第四次中药资源普查发现中药资源种类 2 289 种，较第三次资源普查多 769 种，其中，水生、耐盐植物，以及动物、矿物的种类大幅度增加。本次普查系统记录和分析了江苏中药资源的种类、分布、蕴藏量、传统知识、药材生产等中药资源本底资料；在查清药用植物、动物、矿物资源的基础上，提出了江苏中药资源区划方案，并指出其发展道地、大宗、特色药材的适宜生产区；建立了适宜于水生及耐盐药用植物资源调查的方法技术体系，并组织实施了我国东部沿海六省区域水生、耐盐药用植物资源的专项调查研究；完成了江苏药用动物及矿物资源调查，并给出了特色产业发展建议；系统提出了江苏乃至行业中药资源性产业高质量、绿色发展的策略与模式，构建了一套适宜推广应用的方法技术体系；制订了江苏及各地市中药资源产业发展规划等。特别宝贵的是，此次普查任务锻炼、培养了一支多学科交叉、结构稳定的中药资源普查团队，为社会提供了一批中药资源高层次专业人才，显著提升了中药资源学学科建设水平和能力。

《中国中药资源大典·江苏卷》是江苏中药资源人近 7 年的野外调查和内业整理汇集成的宝贵资料，不仅为江苏中药农业、中药工业和中药服务业全产业链的构建和战略规划的制订提供了翔实的科学依据，也为服务江苏乃至全国中医药事业和中药资源产业的发展提供了有力的支撑，必将为中药资源的保护与利用和资源的可持续发展做出应有的贡献。

中国工程院院士
中国医学科学院药用植物研究所名誉所长

2022 年 3 月

黄 序

　　中药资源是国家战略资源，是人口与健康可持续发展的宝贵资源，是中医药事业和中药资源经济产业健康发展的物质基础。中国共产党第十八次全国代表大会以来，以习近平同志为核心的党中央高度重视中医药在健康中国建设和保障人口健康中的战略地位和独特价值，制定出台了一系列推动中医药事业和产业高质量、绿色发展的政策措施，有力地推动了中医药各项事业的快速发展，取得了举世瞩目的成就。随着人类社会对源自中药资源的健康产品需求的日益增加，以及中药工业的快速扩张和规模化发展，中药资源的需求量也在不断增加。新时代新需求，中药资源的可持续发展正面临新的挑战。

　　基于此，在国家有关决策部门的高度重视和大力支持下，国家中医药管理局牵头组织协调全国中医药领域高校、科研院所、医疗机构等发挥各自优势，聚集全国中药资源及相关领域的优势资源和优秀人才，系统地开展了我国第四次中药资源普查工作。江苏中药资源普查领导小组本着"全国一盘棋"的思想，紧紧围绕国家中医药管理局的整体部署和目标导向，在全国中药资源普查技术指导专家组的帮助、指导下，委任南京中医药大学段金廒教授、吴啟南教授为项目技术负责人和牵头人，具体组织实施江苏第四次中药资源普查，动员了江苏10余家相关单位的百余名专业人员，以及江苏各地市县级中医药管理部门和中医院等医疗部门协同开展工作，历时近7年出色地完成了此项国家基础性工作科研任务。

《中国中药资源大典·江苏卷》分为上篇、中篇、下篇、附篇。上篇介绍了江苏的经济社会与生态环境概况，第四次中药资源普查实施情况，中药资源概况，中药资源区划及其资源特点，水生、耐盐药用植物资源特征与产业发展，中药资源循环利用与产业绿色发展，药用动物资源种类与产业发展，药用矿物资源种类与产业发展，中药资源产业发展规划。中篇介绍了43种江苏道地、大宗、特色药材品种，涉及植物、动物、矿物类药材，系统地阐述了江苏区域道地、大宗、特色药材资源的本草记述、形态特征、资源情况、采收加工、药材性状、品质评价、功效物质、功能主治、用法用量、传统知识、资源利用等10余项内容。每个品种都是基于第四次中药资源普查的第一手资料，并结合编者长期对它的研究积累编写而成。下篇记载了江苏的中药资源物种，包括药材名、形态特征、生境分布、资源情况、采收加工、药材性状、功效物质、功能主治、用法用量、附注等内容，同时附以基原彩色图片。附篇收录了131种药用动物、矿物资源。该书充分反映了江苏中药资源学领域深厚的积累和一代又一代中药资源人矢志不渝、辛勤奉献的劳动成果，内容丰富，创新性强。

该书的出版，必将为江苏中药资源的可持续发展和特色产业结构调整与布局优化提供科学依据，为实现健康江苏的目标、培育具有竞争优势的新增长极做出应有的贡献。

付梓之际，乐为序。

中国工程院院士
国家中医药管理局副局长
中国中医科学院院长
第四次全国中药资源普查技术指导专家组组长

2022年3月

2

前　言

　　资源是人类赖以生存和发展的物质基础。中医药作为我国独特的卫生资源、潜力巨大的经济资源、富有原创优势的科技资源、优秀的文化资源，在经济、社会发展中起着重要作用。中药资源是中医药事业和产业传承发展的战略资源，保护中药资源、发展中药产业对大力发展中医药事业、提高中医药健康服务水平、促进生态文明建设具有十分重要的意义。国家高度重视中药资源保护和可持续利用工作。随着中药资源需求量的日益增加，中药资源的可持续发展面临着新的挑战。

　　在此背景及国家有关决策部门的高度重视和大力支持下，国家中医药管理局牵头组织协调全国中医药领域高校、科研院所、医疗机构等，组成庞大的中药资源普查队伍；中国中医科学院院长黄璐琦院士牵头组织第四次全国中药资源普查技术指导专家组，发布普查指南与规范，编制普查技术方案，督导普查进度和工作质量。通过有效组织、整体部署、督察指导，第四次全国中药资源普查工作得以有序进行和系统完成。

　　江苏第四次中药资源普查工作是全国中药资源普查工作的重要组成部分。江苏中药资源普查领导小组紧紧围绕国家中医药管理局的整体部署和目标导向，在全国中药资源普查总牵头人黄璐琦院士及技术指导专家组的帮助和指导下，在江苏各级政府和江苏省中医药管理局的领导和支持下，委任南京中医药大学段金廒教授、吴啟南教授为项目技术负责人，协调组织江苏省中国科学院植物研究所、中国药科大学、南京农业大学、江苏省中医药研究院等10余家单位的百余名专业人员，组成专业普查技术队伍，历时近7年，圆满地完成了此项国家基础性工作科研任务，取得了一系列研究成果。

（1）首次实现江苏区域中药资源调查全覆盖，为江苏所有县域发展特色生物资源经济产业及优化产业布局提供了第一手资料。江苏第四次中药资源普查共发现中药资源种类2 289种，较第三次普查多769种，其中，水生、耐盐药用植物，以及动物、矿物的种类有大幅度增加。本次普查结果显示，江苏的野生药用植物资源有1 822种，较第三次普查多438种，主要涉及192科850属，其中，水生药用植物220种，耐盐药用植物116种；药用动物资源有401种，较第三次普查多291种；药用矿物资源有66种，较第三次普查多43种；其他类0种，较第三次普查少3种。本次普查调查样地2 715个，样方套11 769个；完成了栽培品种、市场流通、传统知识等信息的收集；采集、制作腊叶标本35 000余份，其中，经鉴定、核查上交国家中药资源普查办公室的有25 829份；上交药材标本7 239份，种质资源品种3 598份；拍摄并提交药用生物资源照片157 600余张。

本次普查在对江苏药用生物资源及其产业发展现状进行系统调查的基础上，创新编制了江苏水生和耐盐药用植物资源管理、保护及开发利用的发展规划；首次系统地提出了江苏所有县域中药资源产业发展规划，为江苏省委、省政府研究制订《江苏省中医药发展战略规划（2016—2030年）》等中药材及医药生物资源产业发展战略规划提供了科学依据；为江苏县以上行政单元根据辖区自然生态特点，研究制定当地自然资源保护与开发利用政策及措施提供了科学依据；结合当地生态条件、经济发展水平、养生文化等实际情况，为具有中药资源特色的乡镇研究制订了一批中医药特色小镇的建设方案，并提供项目咨询和论证服务等，代表性特色小镇有孟河中医特色小镇、射阳洋马菊花小镇、涟水万亩中药小镇、大泗中药养生小镇、溧水康养小镇。上述研究成果为江苏区域中药资源产业的发展与合理布局提供了第一手资料，为地方政府及企业发展中药资源产业提供了有力支撑。

（2）精心组织协调，注重顶层设计，促进了我国东部沿海六省水生、耐盐药用植物资源调查研究专项的顺利实施。在国家中医药公益性行业科研专项"我国水生、耐盐中药资源的合理利用研究"的支持下，项目牵头单位南京中医药大学组织江苏、辽宁、浙江、福建、山东、广东六省的任务承担单位及中医药管理部门负责人充分研讨，并达成注重项目顶层设计，完善水生、耐盐药用植物资源调查方案的共识。项目组与中国科学院南京地理与湖泊研究所、南京大学、中国中医科学院中药资源中心、中国测绘科学研究院等单位协同合作，在江苏第二次湿地调查所用湿地矢量数据的基础上，经数据融合形成了江苏水生、耐盐药用植物资源调查背景区域，并对接现有国家普查信息系统，集成现代空间网络技术，从水体测绘数据制作、水体样方设置、水体样线调查法探索、沿海滩涂地区分层抽样法研究等方面进行研究，探索性地提出并构建了适宜我国东部沿海地区水生、耐盐药用植物资源调查的方法技术体系，为我国水生、耐盐药用植物资源的调查及保护提供了方法支撑。

（3）提出了江苏中药资源区划方案及中药材生产发展规划。在资源调查的基础上，辨明地域分异规律，科学划定中药生产区划，充分发挥地区资源、经济和技术优势，因地制宜，合理布局生产基地，调整生产品种结构，发展适宜、优质药材生产，以实现资源的合理配置，为制定中药资源的保护和开发策略提供科学依据。

江苏中药资源区划实行二级分区，采用三名法，即"地理单元＋地貌＋药材类型"综合命名。全省共分为5个一级区和14个二级区，5个一级区包括宁镇扬低山丘陵道地药材区，太湖平原"四小"药材区，沿海平原滩涂野生、家种药材区，江淮中部平原家种药材区及徐淮平原家种药材区。

（4）创建了国家基本药物所需中药材种子种苗（江苏）繁育基地及江苏中药原料质量监测技术服务体系，服务于国家及区域精准扶贫与产业提质增效。按照国家整体部署，江苏建成了国家基本药物所需中药材种子种苗（江苏）繁育基地，基地育有苍术、银杏、芡实、黄蜀葵、桑、青蒿、荆芥等7个品种，具备了向行业提供优质种子、种苗的能力。在全国现代中药资源动态监测信息和技术服务体系的整体布局下，依据江苏中药资源分布和产业发展特点，江苏建成了江苏省中药原料质量监测技术服务中心及苏南、苏中、苏北3个动态监测站，有效辐射全省中药资源主产区，为区域内中药材生产企业及农户提供近百种药材生产基本信息，为培育区域性中药材交易市场、推动基于网络信息技术的现代市场交易体系建设、提升市场现代化水平提供了重要支撑。

（5）研融于教，中药资源普查工作的实施显著提升了江苏中药资源学学科建设水平和人才团队实力，打造了一支高层次、专业化的中药资源普查团队，有效补齐了该领域人才断档、青黄不接的短板。项目实施过程中研教融合，通过中药资源普查队老中青结合，本科生课程实践、研究生学位论文研究与普查研究的内容有机融合，中药资源调查研究成果转化为教学资源等方法与途径，创新了中药资源人才培养模式，重构了专业人才培养实践体系，创建了中药资源与开发专业教材体系，显著提升了中药资源人才培养质量及中药学学科建设水平。

《中国中药资源大典·江苏卷》基于20余支普查大队的百余人，历时近7年，风餐露宿、不畏困苦的外业调查和艰苦细致、一丝不苟的内业鉴定整理取得的第一手资料，并结合江苏中药资源学等相关领域一代又一代人深厚的积累和辛勤奉献的劳动成果编纂而成。借此著作出版之际，谨对为江苏中药资源事业做出贡献的前辈和专家学者们表示深深的敬意和衷心的感谢！

本书分为上篇、中篇、下篇、附篇。上篇分列9章，介绍了江苏省经济社会与生态环境概况，江苏省第四次中药资源普查实施情况，江苏省中药资源概况，江苏省中药资源区划及其资源特点，江苏省水生、耐盐药用植物资源特征与产业发展，江苏省中药资源循环利用与产业绿色发展，江苏省药用动物资源种类与产业发展，江苏省药用矿物资源种类与产业发展，江苏省中药资源产业发展规划；由段金廒教授、吴啟南教授整体规划顶层设计和主持编写，主要由段金廒、吴啟南、严辉、郭盛、宿树兰、刘圣金、孙成忠等同志执笔起草并数易其稿而成。中篇介绍了江苏道地、大宗、特色药材品种，收录了植物、动物、矿物类药材品种43个，系统地阐述了江苏区域道地、大宗、特色药材资源的本草记述、形态特征、资源情况、采收加工、药材性状、品质评价、功效物质、功能主治、用法用量、传统知识、资源利用等10余项内容。每个品种都是基于第四次中药资源普查的第一手资料，并结合撰写人所在团队对它的长期研究积累编写而成，内容翔实，创新性和实用性兼具。下篇记载了江苏的中药资源物种，包括药材名、形态特征、生境分布、资源情况、采收加工、药材性状、功效物质、功能主治、用法用量、附注等内容，同时附以基原彩色图片。附篇收录了131种药用动物、矿物资源。

资源学是一门研究资源的形成、演化、质量特征、时空分布及其与人类社会发展的相互关系的学科。中药资源调查研究的目的是摸清中华民族赖以生存和发展的独特、宝贵资源的家底，分析发现其与生态环境、人类活动相互作用演替发展的变化规律，化解我国人口基数大、可耕地少、水资源短缺等制约因素与国内外对中药资源性健康产品需求不断攀升之间的矛盾，根据我国国情制定出台有利于协调人口与资源、环境关系的政策措施，制定有利于促进和协调中医药事业与中药资源产业可持续发展的战略任务，选择有利于节约资源和保护环境的产业发展模式与生产方式，为有利于民众健康和社会和谐发展的健康中国建设提供保障，为我国中药资源经济结构调整与配置优化提供科学依据。

我们有理由相信，本书的出版必将为江苏中医药行业乃至整个中医药行业协调中药资源保护与利用的关系、促进区域特色生物医药产业结构调整与布局优化，以及中药资源的可持续发展提供科学依据，必将为健康江苏目标的实现做出应有的贡献。

段金廒　吴啟南
2022 年 2 月于南京

凡　例

（1）本书共收录江苏中药资源1522种，涉及植物药、动物药、矿物药资源，撰写过程中主要参考了《中华人民共和国药典》《中国植物志》《中华本草》等文献。

（2）本书分为上篇、中篇、下篇、附篇，共5册。上篇为"江苏省中药资源概论"，是第四次全国中药资源普查工作中江苏省中药资源情况的集中体现；中篇为"江苏省道地、大宗中药资源"，详细介绍了43种江苏道地、大宗中药资源；下篇为"江苏省中药资源各论"，介绍了江苏藻类植物、菌类植物、苔藓植物、蕨类植物、裸子植物、被子植物等中药资源；附篇为"江苏省药用动物、矿物资源"，共收录131种药用动物、矿物资源。为检索方便，本书在第1册正文前收录1～5册总目录，本书目录在页码前均标注了其所在册数（如"[1]"）。

（3）本书下篇"江苏省中药资源各论"在介绍每种中药资源时，以中药资源名为条目名，主要设药材名、形态特征、生境分布、资源情况、采收加工、药材性状、功效物质、功能主治、用法用量、附注项。上述各项的编写原则简述如下。

1）药材名。记述物种的药材名、药用部位、药材别名。同一物种作为多种药材的来源时，分别列出药材名、药用部位、药材别名。未查到药材别名的药材，该内容从略。

2）形态特征。记述物种的形态，突出其鉴别特征，并附以反映其形态特征的原色照片。其中，药用植物资源形态特征的描述顺序为习性、营养器官、繁殖器官。

3）生境分布。记述物种分布区域的海拔高度、地形地貌、周围植被、土壤等生境信息，同时记述其在江苏的主要分布区域（具体到市级或县级行政区域）。

4）资源情况。记述物种的野生、栽培情况。若该物种在江苏无野生资源，则其野生资源情况从略。同样，若该物种在江苏无栽培资源，则其栽培资源情况从略。当无法概括性评估物种的蕴藏量时，该项内容从略。

5）采收加工。记述药材的采收时间、采收方式、加工方法。当各药用部位的采收加工情况不同时，分别描述。当相应内容在文献记载中缺失时，其内容从略。

6）药材性状。记述药材的外观、质地、断面、臭、味等，在一定程度上反映药材的质量特性。当相应内容在文献记载中缺失时，其内容从略。

7）功效物质。记述物种的化学成分或其化学成分的药理作用。当相应内容在文献记载中缺失时，其内容从略。

8）功能主治。记述药材的性味、归经、毒性、功能、主治病证。当各药用部位的功能主治不同时，分别描述。当相应内容在文献记载中缺失时，其内容从略。

9）用法用量。记述药材的用法和用量。用量是指成人一日常用剂量，必要时可遵医嘱。当各药用部位的用法用量不同时，分别描述。当相应内容在文献记载中缺失时，其内容从略。

10）附注。记述物种的生长习性及其在江苏民间的药用情况等。

被子植物

报春花科 Primulaceae 点地梅属 Androsace 凭证标本号 320111150324009LY

点地梅 *Androsace umbellata* (Lour.) Merr.

| 药 材 名 | 喉咙草（药用部位：全草或果实）。

| 形 态 特 征 | 一年生或二年生草本，植物体有多细胞的细柔毛。叶基生，叶片近圆形或卵圆形，长 0.4 ~ 1 cm，宽 0.5 ~ 1.5 cm，先端钝圆，基部浅心形至近圆形，边缘具三角状钝牙齿，两面均被贴伏的短柔毛；叶柄长 1 ~ 4 cm，被开展的柔毛。花葶 5 ~ 17 自叶丛中抽出，直立，高 4 ~ 17 cm；伞形花序有花 3 ~ 15；苞片 5 ~ 10，卵形至披针形，长约 4 mm；花梗长 1 ~ 4 cm，果时伸长可达 6 cm，被柔毛并杂生短柄腺体；花萼杯状，分裂近达基部，裂片卵形，长 3 ~ 4 mm，密被短柔毛，果期增大并开展；花冠白色，筒部长约 2 mm，喉部黄色，裂片宽卵形，与花萼近等长。蒴果近球形，直径约 4 mm；果皮白色，近膜质。花果期 4 ~ 6 月。

| **生境分布** | 生于田野潮湿地。江苏各地均有分布。

| **资源情况** | 野生资源丰富。

| **采收加工** | 春季花开时采集，除去泥土，晒干。

| **功效物质** | 全草含有挥发油类、黄酮类、皂苷类、生物碱类等化学成分。

| **功能主治** | 苦，寒。清热解毒，消肿止痛。用于咽喉肿痛，口疮，牙痛，头痛，赤眼，风湿痹痛，哮喘，淋浊，疔疮肿毒，烫火伤，蛇咬伤，跌打损伤。

| **用法用量** | 内服煎汤，3～9 g。

报春花科 Primulaceae 珍珠菜属 *Lysimachia* 凭证标本号 320830150509003LY

泽珍珠菜 *Lysimachia candida* Lindl.

| 药 材 名 | 单条草（药用部位：全草或根）。

| 形态特征 | 一年生或二年生草本，全体无毛。叶、苞片、花萼的先端均带红色，两面均有紫色腺点。茎直立，高 20 ~ 40 cm，单生或丛生，无匍匐枝，上部有分枝，茎基部紫红色，向上色逐渐变淡。基生叶匙形，长 3 ~ 5 cm，宽 1 ~ 2 cm，有带狭翅的长柄；茎生叶互生，稀对生，叶片倒卵形、倒披针形或线形，长 2.5 ~ 3 cm，宽 0.5 ~ 1 cm，先端渐尖或钝，基部渐狭，下延，全缘或微被呈波状，两面均有黑色或带红色的小腺点，近无柄。总状花序顶生，幼时较短，呈宽圆锥状或伞房状，果时延长为 10 ~ 20 cm；苞片线形，长 3 ~ 5 mm；花梗长约为苞片的 2 倍，果时长 1.5 ~ 2 cm；花萼长 3 ~ 5 mm，分裂至基部，裂片披针形，先端渐尖，边缘膜质，背面沿中肋两侧有

黑色短腺条；花冠白色，钟状，长约 1 cm，筒部长 3 ~ 6 mm，裂片长圆形或倒卵状长圆形，先端圆钝，无腺点；雄蕊不超出花冠，花丝贴生至花冠的中下部，分离部分长约 1.5 mm，花药近线形；花柱在花蕾时伸出花冠外，开放后略短于花冠，长约 5 mm，柱头膨大。蒴果球形，直径约 2.5 mm，瓣裂。花果期 4 ~ 6 月。

| **生境分布** | 生于水边或湿地草丛。江苏各地均有分布。

| **资源情况** | 野生资源丰富。

| **采收加工** | 夏季采收，洗净，鲜用或晒干。

| **功效物质** | 含有单条草苷甲（Ⅰ）等三萜皂苷类成分及山柰酚、紫云英苷等黄酮类成分。此外，尚含有丰富的营养物质及微量元素。

| **功能主治** | 苦，凉；有毒。归脾、肾经。清热解毒，活血止痛，利湿消肿。用于咽喉肿痛，痈肿疮毒，乳痈，毒蛇咬伤，跌打骨折，风湿痹痛，脚气水肿，稻田性皮炎。

| **用法用量** | 内服煎汤，15 ~ 30 g；或泡酒；或鲜品捣汁。外用适量，煎汤洗；或鲜品捣敷。

报春花科 Primulaceae 珍珠菜属 Lysimachia 凭证标本号 320115170714062LY

过路黄
Lysimachia christiniae Hance

| 药 材 名 | 金钱草（药用部位：全草）。

| 形态特征 | 多年生草本。叶、花萼、花冠均有黑色条状腺体。茎匍匐，自基部向先端渐细弱成鞭状，长 20 ～ 60 cm，无毛、被疏毛或被锈色多细胞柔毛，幼嫩部分密被褐色无柄腺体；下部节间较短，常发出不定根，中部节间长 1.5 ～ 5 cm。叶对生，心形或宽卵形，长 2 ～ 6 cm，宽 1 ～ 5 cm，先端锐尖或圆钝，基部截形至浅心形，鲜时稍厚，密布透明腺条，干时腺条变黑色，两面无毛或密被糙伏毛；叶柄长 1 ～ 4 cm。花单生于叶腋，花梗长 1 ～ 5 cm，通常不超过叶长，具褐色无柄腺体；花萼 5 深裂，裂片倒披针形或匙形，长 4 ～ 8 mm；花冠黄色，长 0.7 ～ 1.5 cm，长约为花萼的 2 倍，裂片舌形，先端尖，具黑色长腺体；雄蕊不等长，花丝长 6 ～ 8 mm，基部合生成环，花

药卵圆形；子房卵形，表面具黑色腺体，花柱长 6 ~ 8 mm，略长于雄蕊。蒴果球形，直径 3 ~ 5 mm，有黑色腺条，瓣裂。花期 5 ~ 7 月，果期 7 ~ 10 月。

| **生境分布** | 生于路旁、山坡林下较阴湿处。分布于江苏南部等。

| **资源情况** | 野生资源较丰富。

| **采收加工** | 夏、秋季采收，除去杂质，鲜用或晒干。

| **药材性状** | 本品常缠结成团，无毛或被疏柔毛。茎扭曲，表面棕色或暗棕红色，有纵纹，下部茎节上有时具须根，断面实心。叶对生，多皱缩，展平后呈宽卵形或心形，长 2 ~ 6 cm，宽 1 ~ 5 cm，基部微凹，全缘；上表面灰绿色或棕褐色，下表面色较浅，主脉明显凸起，用水浸后，对光透视可见黑色或褐色条纹；叶柄长 1 ~ 4 cm。有的带花，花黄色，单生于叶腋，具长梗。蒴果球形。气微，味淡。

| **功效物质** | 全草富含的黄酮类成分主要包括槲皮素、异槲皮苷、山柰酚等，还含有对羟基苯甲酸、尿嘧啶、环腺苷酸、环鸟苷酸等。此外，尚含有多糖类及钙、镁、铁、锌、铜、锰、镉、镍、钴 9 种元素，其中钙、镁、铁含量最为丰富。金钱草中总黄酮具有促进胆汁分泌和排泄、利尿排石等作用。

| **功能主治** | 甘、咸，微寒。归肝、胆、肾、膀胱经。清利湿热，通淋，消肿。用于热淋，尿涩作痛，黄疸尿赤，痈肿疔疮，毒蛇咬伤，肝胆结石，尿路结石。

| **用法用量** | 内服煎汤，15 ~ 60 g，鲜品加倍。

报春花科 | Primulaceae | 珍珠菜属 | *Lysimachia* | 凭证标本号 | 320482180521114LY

矮桃

Lysimachia clethroides Duby

| 药 材 名 | 珍珠菜（药用部位：全草或根）。

| 形态特征 | 多年生草本，多少被黄褐色卷曲柔毛。有匍匐根茎。茎高40～
100 cm，直立，基部带红色。叶互生，椭圆形或宽披针形，长6～
16 cm，宽2～6 cm，先端渐尖，基部楔形并渐狭成短柄，两面疏
生黑色腺点；近无柄或具长0.2～1 cm的柄。总状花序顶生，初时
稍短，果时伸长为6～34 cm；苞片线形，长5～8 mm；花梗初时短，
果时长5～8 mm；花萼长3～4 mm，分裂近达基部，裂片卵圆形，
先端圆钝，边缘膜质，中间有黑色腺斑，有腺状缘毛；花冠白色，
长5～8 mm，基部合生部分长约1.5 mm，裂片长卵形，先端圆钝；
雄蕊内藏，花丝基部约1 mm联合并贴生于花冠管基部，长仅为花
冠之半，被腺毛，花药长圆形；子房卵形，花柱与雄蕊等长。蒴果

球形,直径约 2.5 mm,瓣裂。花果期 6 ~ 10 月。

| **生境分布** | 生于山坡林下及路旁湿润处。江苏各地均有分布。

| **资源情况** | 野生资源较丰富。

| **采收加工** | 夏、秋季采收,洗净,切细,鲜用或晒干。

| **功效物质** | 主要含有槲皮素、木犀草素、山柰酚及其糖苷等黄酮类成分,以及珍珠菜皂苷、紫金牛皂苷 E 等三萜皂苷类成分,具有细胞毒、抗菌消炎、免疫调节等生物活性。此外,其黄酮提取纯化物 ZE4 对宫颈癌有一定的抑制作用。

| **功能主治** | 苦、辛,平。归肝、脾经。清热利湿,活血散瘀,解毒消痈。用于水肿,热淋,黄疸,痢疾,风湿热痹,带下,闭经,跌打损伤,骨折,外伤出血,乳痈,疔疮,蛇咬伤。

| **用法用量** | 内服煎汤,15 ~ 30 g;或浸酒;或鲜品捣汁。外用适量,煎汤洗;或鲜品捣敷。

报春花科 Primulaceae 珍珠菜属 *Lysimachia* 凭证标本号 320111150517008LY

临时救 *Lysimachia congestiflora* Hemsl.

| 药 材 名 | 风寒草（药用部位：全草）。

| 形态特征 | 多年生草本，全体被多细胞柔毛。茎膝曲状，长 15 ~ 25 cm，基部节间较短，上部节间较长，中部节间最长，节上常生不定根。叶对生，茎端的 2 对间距短，近密聚，卵形至近圆形，长 1.5 ~ 3.5 cm，宽 0.7 ~ 2 cm，先端锐尖或钝，基部近圆形或截形，稀略呈心形，两面常疏生平伏毛，近边缘有暗红色或有时变为黑色的腺点；叶柄长 0.6 ~ 1.5 cm。花 2 ~ 8 簇生于茎和分枝的顶部，花序下方的 1 对叶腋有时具单花；花梗极短或长至 2 mm；花萼深裂至基部，裂片披针形，长约 6 mm，宽约 1.5 mm，背面被疏柔毛，先端有紫色腺点；花冠黄色，长约 1 cm，5 裂，稀 6 裂，裂片卵圆形，顶部有紫色腺点，花冠基部紫红色，合生部分长 2 ~ 3 mm；雄蕊短于花冠裂片，花丝

基部联合成高约 2.5 mm 的筒，分离部分长 2.5 ~ 4.5 mm，花药长圆形；花柱长 5 ~ 7 mm，略长于雄蕊，基部被毛。果实球形，直径约 0.8 cm，瓣裂。花果期 5 ~ 6 月。

| **生境分布** | 生于山区路旁、溪边。分布于江苏苏州等。

| **资源情况** | 野生资源一般。

| **采收加工** | 5 ~ 6 月、10 ~ 11 月采收，除去杂草，鲜用，晒干或炕干。

| **药材性状** | 本品常缠结成团。茎纤细，表面紫红色或暗红色，被柔毛，有的节上具须根。叶对生；叶片多皱缩，展平后呈卵形、广卵形或三角状卵形，长 1.5 ~ 3.5 cm，宽 1 ~ 2 cm，先端钝尖，基部楔形或近圆形，两面疏生柔毛，对光透视可见棕红色腺点，腺点近叶缘处多而明显。有时可见数花聚生于茎端；花冠黄色，5 裂，稀 6 裂，裂片先端具紫色腺点。气微，味微涩。

| **功效物质** | 全草含有朱砂根皂苷、β-豆甾醇、槲皮素、丁香色原酮、杨梅素、杨梅苷、蒲公英赛醇等化合物。

| **功能主治** | 辛、微苦，微温。祛风散寒，化痰止咳，解毒利湿，消积排石。用于风寒头痛，咳嗽痰多，咽喉肿痛，黄疸，胆道结石，尿路结石，疳积，痈疽疔疮，毒蛇咬伤。

| **用法用量** | 内服煎汤，9 ~ 15 g；或浸酒。

报春花科 Primulaceae 珍珠菜属 Lysimachia 凭证标本号 320124170821054LY

红根草
Lysimachia fortunei Maxim.

| 药 材 名 | 大田基黄（药用部位：全草或根）。

| 形 态 特 征 | 多年生草本，全体无毛。有横走根茎。茎直立，高 30 ～ 70 cm，有黑色腺点，基部带紫红色，向上色逐渐变淡。叶互生，有时近对生，长椭圆形至宽披针形，长 4 ～ 10 cm，宽 1 ～ 4 cm，先端渐尖，基部楔形，近无柄，两面均有黑色腺点，干后呈粒状凸起。总状花序顶生，细弱，长 5 ～ 24 cm；苞片三角状披针形，长 3 ～ 5 mm；花梗长 1 ～ 3 mm；花萼深裂，裂片卵形，长 2 mm，先端钝，边缘膜质，有腺状缘毛和密集的黑色腺点；花冠白色，长 3 ～ 4 mm，基部合生部分长约 1.5 mm，裂片椭圆形或卵状椭圆形，先端钝，有黑色腺点；雄蕊比花冠短，花丝贴生于花冠筒的喉部，长度仅为花冠裂片之半，分离部分长约 1 mm，花药卵圆形；子房卵圆形，花柱长约 1 mm，

短于雄蕊。蒴果球形，直径 2 ~ 3 mm。花果期 7 ~ 10 月。

| 生境分布 | 生于山坡灌丛中或路旁。分布于江苏高淳、溧阳等。

| 资源情况 | 野生资源较丰富。

| 采收加工 | 4 ~ 8 月采收，鲜用或晒干。

| 药材性状 | 本品地下茎呈紫红色。茎长 30 ~ 70 cm，基部带紫红色。叶互生，叶片皱缩，展平后呈阔披针形、倒披针形，长 4 ~ 6 cm，宽 1 ~ 2 cm，先端渐尖，基部渐狭，近无柄，两面有褐色腺点，干后呈粒状凸起。总花序长 10 ~ 20 cm；苞片三角状披针形；花冠白色，长约 3 mm，裂片倒卵形，背面有少数黑色腺点；雄蕊着生于花冠上部，短于花冠裂片。蒴果褐色，直径 2 ~ 2.5 mm。

| 功效物质 | 全草富含槲皮素、异鼠李素 -3-O-（6- 香豆酸酯）-β-D- 葡萄糖苷、山奈酚 -3-O-β-D- 半乳糖苷、金丝桃苷和山奈酚 -3-O-[6-（3- 羟基 -3- 甲基戊二酸单酯）]-β-D- 葡萄糖苷等黄酮类成分，具有抗菌、消炎、镇痛等生物活性。

| 功能主治 | 苦、辛，凉。清热利湿，凉血活血，解毒消肿。用于黄疸，泻痢，目赤，吐血，血淋，带下，崩漏，痛经，闭经，咽喉肿痛，痈肿疮毒，流火，瘰疬，跌打损伤，蛇虫咬伤。

| 用法用量 | 内服煎汤，15 ~ 30 g；或代茶饮。外用适量，鲜品捣敷；或煎汤洗。

报春花科 Primulaceae 珍珠菜属 Lysimachia 凭证标本号 320831180612092LY

金爪儿 *Lysimachia grammica* Hance

| **药 材 名** | 金爪儿（药用部位：全草）。

| **形态特征** | 多年生草本，全体有多细胞柔毛和显著的紫黑色条形腺体。茎丛生，
膝曲状，基部红色，向上色逐渐变淡，高 15 ~ 35 cm。茎下部的叶
对生，卵形至三角状卵形，长 1 ~ 3 cm，宽 1 ~ 2.5 cm，先端锐尖
或稍钝，基部截形，骤然收缩下延，茎上部的叶互生，较小，菱状
卵形，长 1.5 ~ 2 cm，宽约 1 cm；叶柄长 0.4 ~ 1.5 cm，具狭翅。
花单生于茎上部叶腋，花梗长 1 ~ 3 cm，密被柔毛，果时扭曲；花
萼长 7 ~ 9 mm，深裂至基部，裂片卵状披针形，先端渐尖，具缘
毛，背面疏被柔毛和紫黑色腺体；花冠黄色，长 6 ~ 9 mm，分裂
至中部，裂片开展，卵形或菱状卵圆形，与花萼等长或略长；雄蕊
长约为花冠之半，花丝基部联合成高约 0.5 mm 的环，分离部分长

1.5 ~ 2.5 mm；子房圆形，有毛，花柱长约 4.5 mm，略长于雄蕊。蒴果球形，淡褐色，直径 4 ~ 5 mm，瓣裂。花果期 4 ~ 10 月。

| 生境分布 |　生于山坡、路旁阴湿处。江苏各地均有分布。

| 资源情况 |　野生资源丰富。

| 采收加工 |　5 ~ 6 月采收，鲜用或晒干。

| 功能主治 |　辛、苦，凉。归心、肝经。理气活血，利尿，拔毒。用于小儿盘肠气痛，痈肿疮毒，毒蛇咬伤，跌打损伤。

| 用法用量 |　内服煎汤，15 ~ 30 g；或捣汁。外用适量，鲜品捣敷。

| 报春花科 | Primulaceae | 珍珠菜属 | Lysimachia | 凭证标本号 | 320102190525077LY

点腺过路黄 *Lysimachia hemsleyana* Maxim.

| **药 材 名** | 点腺过路黄（药用部位：全草）。

| **形态特征** | 多年生草本，全体均有多细胞短柔毛。茎匍匐，多分枝，自基部向先端逐渐细弱成鞭状，长可达 90 cm，先端有时着地生根。叶对生，心形或宽卵形，长 2 ~ 6 cm，宽 1 ~ 4 cm，先端锐尖，基部近圆形、截形至浅心形，两面有不显著凸起的褐色或黑色粒状小腺点，有时为透明腺点，边缘较密；叶柄长 0.5 ~ 1 cm。花单生于叶腋，花梗长 0.7 ~ 1.5 cm，不超过叶的先端，果时下弯，可增长至 2.5 cm；花萼分裂近达基部，裂片披针形，长 5 ~ 8 mm，宽 1 ~ 1.5 mm，背面中肋明显；花冠黄色，稍长于花萼或与之等长，5 深裂，裂片卵圆形，宽约 4 mm，先端锐尖或稍钝，基部合生部分长约 2 mm；花萼和花冠裂片的先端均有稀疏的红褐色腺点；雄蕊与花冠等长，

花丝基部联合成高约 2 mm 的筒，花丝下部合生，分离部分长 3 ~ 5 mm，花药长圆形；子房卵形，有毛，花柱与雄蕊等长。蒴果球形，直径约 3 mm。花果期 5 ~ 9 月。

| **生境分布** | 生于山坡、路旁阴湿处。分布于江苏无锡（宜兴）等。

| **资源情况** | 野生资源较少。

| **采收加工** | 夏季采收，鲜用或晒干。

| **功效物质** | 全草含有挥发油类、黄酮类、皂苷类、内酯类、有机酸、多糖类等化学成分。挥发油中芳樟醇能抑制黄曲霉的产生和生长，可作为食品添加剂使用；水杨酸甲酯常用作酯类药物，具有抗炎、止痒、麻醉等作用，多用于外用制剂。

| **功能主治** | 微苦，凉。清热利湿，通经。用于肝炎，肾盂肾炎，膀胱炎，闭经。

| **用法用量** | 内服煎汤，30 ~ 60 g。

| **附　　注** | 江苏以本种的全草入药，可利胆排石；民间用本种的茎、叶煎汤洗疮口。

报春花科 Primulaceae 珍珠菜属 Lysimachia 凭证标本号 321183150612721LY

小茄
Lysimachia japonica Thunb.

| 药 材 名 | 大散血（药用部位：全草）。

| 形态特征 | 多年生草本，全体被灰白色细柔毛。茎细弱，四棱形，初膝曲状，后匍匐生长，高 7 ~ 30 cm，节间长 2 ~ 5 cm。叶对生，宽卵形至圆形，长 1 ~ 2.5 cm，宽 0.7 ~ 2 cm，先端锐尖或圆钝，基部下延，两面均密生半透明的腺点，干后呈粒状凸起，被柔毛；叶柄长 0.5 ~ 1 cm。花单生于叶腋，花梗长 3 ~ 8 mm；花萼裂片狭披针形，长约 4 mm，果时增长至 8 mm，先端渐尖，背面被毛，密生腺点，边缘有睫毛；花冠黄色，直径 5 ~ 8 mm，5 深裂，裂片三角状卵形，与花萼等长，通常具透明腺点；花丝长 2 ~ 3 mm，基部联合不显著，花药卵形，长约 1 mm；子房被毛，花柱长 2 ~ 3 mm。蒴果球形，褐色，直径约 4 mm，顶部疏生白色长柔毛，瓣裂。花果期 4 ~ 6 月。

生境分布	生于林下阴处或溪边草地。分布于江苏无锡（宜兴）等。
资源情况	野生资源一般。
采收加工	7～8月采收，洗净，切段，晒干。
功效物质	全草含有的黄酮类成分主要有芸香苷、金丝桃苷、山柰酚-3-*O*-芸香糖苷等，具有一定的抗肿瘤和抑制 Na^+-K^+-ATP 酶的作用。
功能主治	甘、辛，温。散瘀接骨。用于跌打瘀肿，骨折。
用法用量	外用适量，鲜品加酒捣敷。

报春花科 Primulaceae 珍珠菜属 Lysimachia 凭证标本号 320111170513007LY

轮叶过路黄
Lysimachia klattiana Hance

| **药 材 名** | 黄开口（药用部位：全草）。 |

| **形态特征** | 多年生草本，全体密被多细胞锈色长毛。茎通常2至数条簇生，直立，高15～40 cm，不分枝或偶有分枝。叶3～4轮生，在茎的顶部密集，茎下部叶有时对生，椭圆形或披针形，先端急尖至渐尖，基部狭楔形，长2～5 cm，宽0.7～1.3 cm；无叶柄。花密集于茎顶成伞形花序，偶单生于下方叶腋，花梗长0.7～1.2 cm，被稀疏柔毛，果时下弯；花萼5深裂近达基部，裂片披针形，先端尖，长约1 cm，背部中脉凸起，有毛和不显著的黑色腺条；花冠黄色，长1.1～1.2 cm，5深裂，裂片狭椭圆形，较花萼略长，宽约5 mm，先端尖、钝或稍缺刻，有黑色腺条，基部合生部分长近3 mm；雄蕊长仅为花冠之半，花丝基部联合成高约2.5 mm的环，花药卵形；花 |

柱与雄蕊等长。蒴果近球形，直径约 4 mm。花果期 5 ~ 7 月。

| **生境分布** | 生于山坡、路边、疏林下、林缘。江苏各地均有分布。

| **资源情况** | 野生资源较丰富。

| **采收加工** | 5 ~ 6 月采收，晒干。

| **功能主治** | 苦、涩，微寒。归脾、肝经。凉血止血，平肝，解蛇毒。用于咯血，吐血，衄血，便血，外伤出血，失眠，高血压，毒蛇咬伤。

| **用法用量** | 内服煎汤，15 ~ 30 g；或捣汁。外用适量，鲜品捣敷。

| **附　　注** | 民间用本种的全草治疗高血压。

报春花科 Primulaceae 珍珠菜属 Lysimachia 凭证标本号 320282150904605LY

长梗过路黄
Lysimachia longipes Hemsl.

| 药材名 | 长梗排草（药用部位：全草）。

| 形态特征 | 一年生草本，高 30 ～ 70 cm，全体无毛。茎通常单生。叶对生，卵状披针形，长 4 ～ 10 cm，宽 1 ～ 3 cm，先端长渐尖，基部圆形，近无柄，两面均有暗紫色或黑色的腺点及短腺条。顶生或腋生总状花序具花 4 ～ 11，疏松；总梗纤细，长 6 ～ 12 cm；花梗丝状，长 1 ～ 3 cm；苞片线形，长 3 ～ 5 mm；花萼长 5 ～ 7 mm，分裂近达基部，裂片披针形，宽 1.2 ～ 1.5 mm，有暗紫色腺条和腺点，边缘膜质；花冠黄色，直径 1.2 ～ 1.5 cm，基部合生部分长近 2 mm，裂片卵圆形至狭长圆形，长约 5 mm，宽 3 ～ 4 mm，先端锐尖，上部常散生暗紫色短腺条；花丝下部合生成高 2 ～ 2.5 mm 的筒，分离部分长 1.5 ～ 3.5 mm，花药线状长圆形；子房无毛，花柱丝状，长约

5 mm。蒴果褐色，直径约 3 mm。花果期 5 ～ 7 月。

| **生境分布** | 生于山坡林下。分布于江苏南部丘陵山区等。

| **资源情况** | 野生资源较少。

| **采收加工** | 夏季采收，晒干。

| **功能主治** | 甘，平。息风定惊，收敛止血。用于小儿惊风，肺痨咯血，刀伤出血。

| **用法用量** | 内服煎汤，9 ～ 12 g。外用适量，鲜品捣敷。

| **附　　注** | 江苏民间以本种的全草入药，用于治疗疟疾或小儿惊风。

报春花科 Primulaceae 珍珠菜属 Lysimachia 凭证标本号 320722181016294LY

狭叶珍珠菜

Lysimachia pentapetala Bunge

| 药 材 名 |

狭叶珍珠菜（药用部位：全草）。

| 形态特征 |

一年生草本，全体无毛。茎直立，高 30 ~ 60 cm，圆柱形，多分枝，密被褐色无柄腺体。叶互生，狭披针形至线形，长 2 ~ 7 cm，宽 2 ~ 8 mm，先端锐尖，基部楔形，上面绿色，下面粉绿色，有褐色腺点；叶柄短，长约 0.5 mm。总状花序顶生，初时因花密集而呈圆头状，后渐伸长，果时长 4 ~ 13 cm；苞片钻形，长 5 ~ 6 mm；花梗长 5 ~ 10 mm；花萼长 2.5 ~ 3 mm，下部合生部分达全长的 1/3 或近 1/2，裂片狭三角形，边缘膜质；花冠白色，长约 5 mm，基部合生部分长仅 0.3 mm，近分离，裂片匙形或倒披针形，先端圆钝；雄蕊比花冠短，花丝贴生于花冠裂片的近中部，分离部分长约 0.5 mm，花药卵圆形，长约 1 mm；花粉粒具 3 孔沟，长球形 [（23.5 ~ 24.5）μm ×（15 ~ 17.5）μm]，表面具网状纹饰；子房无毛，花柱长约 2 mm。蒴果球形，直径 2 ~ 3 mm。花期 7 ~ 8 月，果期 8 ~ 9 月。

| **生境分布** | 生于山坡荒地、路旁、田边和疏林下。江苏各地均有分布。

| **资源情况** | 野生资源一般。

| **采收加工** | 春末夏初采收，除去杂质，鲜用或晒干。

| **功效物质** | 主要含有齐墩果酸型三萜及其苷类、山柰酚及其苷类、β-谷甾醇等，以及原儿茶酸、丁香酸等有机酸类，具有抗肿瘤、抗炎、抗氧化和抑制 α-葡萄糖苷酶等生物活性。此外，花中还含有挥发油类成分。

| **功能主治** | 解毒散瘀，活血调经。用于月经不调，带下，跌打损伤等；外用于蛇咬伤等。

| **用法用量** | 内服煎汤，15～30 g；或泡酒；或鲜品捣汁。外用适量，煎汤洗；或鲜品捣敷。

报春花科 Primulaceae 报春花属 *Primula* 凭证标本号 NAS00583840

藏报春

Primula sinensis Sabine ex Lindl.

| 药 材 名 |

藏报春（药用部位：全草）。

| 形态特征 |

多年生草本，全体密生多细胞的腺状柔毛。叶多簇生，心形，长 10 ~ 13 cm，宽 11 ~ 13 cm，先端钝圆，基部心形或近截形，边缘 9 ~ 18 浅裂至深裂，裂片有不规则的粗齿，侧脉 3 ~ 4 对，最下方的 1 对基出；叶柄长 17 ~ 24 cm，鲜时肥厚多汁，常带淡紫红色。花葶长 10 ~ 20 cm；轮伞花序 1 ~ 2 轮，每轮有花 4 ~ 14，均具线形至线状披针形的苞片；花梗长 2 ~ 8 cm；花萼长 1 ~ 1.5 cm，基部膨大成半球形，直径 0.7 ~ 1 cm，果时增大至 1.5 ~ 2 cm，先端 5 浅裂，裂片三角形；花冠白色、粉红色、红色或紫色，高脚碟状，冠筒口周围黄色，喉部无环状附属物，直径约 3 cm，裂片圆形，先端 2 深裂；长花柱花的花冠筒长约 1 cm，雄蕊近花冠筒中部着生，花柱长近达冠筒口；短花柱花的花冠筒长近 1.5 cm，雄蕊近冠筒口着生，花柱长 4 ~ 5 mm。蒴果卵球形，直径约 1 cm。花期 5 ~ 6 月。

| **生境分布** | 生于海拔 200 ~ 1 500 m 的有树荫和湿润的石灰岩缝隙中。

| **资源情况** | 野生资源一般。

| **采收加工** | 春、冬季采收，鲜用或晒干。

| **功能主治** | 苦，凉。清热解毒。用于疮疖，皮疹。

| **用法用量** | 内服煎汤，9 ~ 15 g。外用适量，鲜品捣敷；或煎汤洗。

报春花科 Primulaceae 假婆婆纳属 Stimpsonia 凭证标本号 320282160428369LY

假婆婆纳 *Stimpsonia chamaedryoides* C. Wright ex A. Gray

药 材 名

假婆婆纳（药用部位：全草）。

形态特征

一年生草本，全体被多细胞腺毛。茎纤细，直立或上升，常多数簇生，高 6 ~ 18 cm，不分枝或下部有少数纤细分枝。基生叶椭圆形至阔卵形，长 8 ~ 25 mm，先端圆钝，基部圆形或稍呈心形，边缘有不整齐的钝齿，叶柄与叶片等长或较之短；茎生叶互生，卵形至近圆形，位于茎下部者长可达 15 mm，向上渐次缩小成苞片状，具短柄或无柄，边缘齿较深且锐尖。花单生于茎上部苞片状的叶腋，呈总状花序状，花梗长 2 ~ 8 mm；花萼长约 2 mm，分裂近达基部，裂片线状长圆形，先端钝或稍锐尖；花冠白色，筒部长约 2.5 mm，喉部有细柔毛，裂片稍短于筒部，楔状倒卵形，先端微凹；花药近圆形，长约 0.3 mm；花柱棒状，长约 0.6 mm，下部稍粗，先端钝。蒴果球形，直径约 2.5 mm，比宿存花萼短。花期 4 ~ 5 月，果期 6 ~ 7 月。

生境分布

生于山脚及水田边。分布于江苏无锡（宜兴）、苏州等。

| **资源情况** | 野生资源较丰富。

| **功能主治** | 活血，消肿止痛。用于疮疡肿毒，毒蛇咬伤等。

白花丹科 Plumbaginaceae 补血草属 *Limonium* 凭证标本号 320922180915002LY

二色补血草
Limonium bicolor (Bunge) Kuntze

| 药 材 名 | 二色补血草（药用部位：全草或根）。

| 形态特征 | 多年生草本，高 20 ～ 50 cm，全体（除花萼外）无毛。叶基生，呈莲座状；叶片倒披针形或匙形，长 4 ～ 9 cm，宽 1 ～ 2.5 cm，先端急尖或圆钝，基部狭窄成柄。花序圆锥状，花序轴光滑，通常有棱角 3 ～ 4，有时有沟槽，稀主轴圆柱形，常自中部以上数回分枝，末级小枝二棱形，下部有不育枝；小聚伞花序具花 2 ～ 3（～ 5），3 ～ 5 小聚伞花序组成穗状花序，生于花序分枝的上部或先端；苞片棕褐色，边缘膜质；花萼宿存，白色，膜质，漏斗状，5 浅裂，直径约 8 mm，基部有纵棱，棱上有毛；花冠黄色，基部联合；雄蕊 5，与花冠裂片对生。花果期 6 ～ 10 月。

| **生境分布** | 生于平原、丘陵和海滨的盐碱地或沙地。分布于江苏连云港、盐城、南通等。

| **资源情况** | 野生资源丰富。

| **采收加工** | 春、秋、冬季采挖，洗净，晒干。

| **功效物质** | 含有黄酮类、多糖类、多酚类、维生素类、甾体类、有机酸类等多种活性成分，其中，黄酮类、多糖类、多酚类成分具有较强的抗氧化能力，多糖类成分对肿瘤细胞具有较强的抑制作用。此外，尚富含 18 种氨基酸。

| **功能主治** | 甘、微苦，平。补血益气，止血散瘀，活血调经，益脾健胃。用于崩漏，月经不调，带下，痔血，尿血，功能失调性子宫出血，子宫颈癌，出血，胃痛，消化不良等。

| **用法用量** | 内服煎汤，25 ~ 50 g。

白花丹科 Plumbaginaceae 补血草属 Limonium 凭证标本号 320703151015308LY

补血草 *Limonium sinense* (Girard) Kuntze

| **药 材 名** | 补血草（药用部位：根）。

| **形态特征** | 多年生草本，高 15 ~ 60 cm，全体光滑（除花萼外）。叶基生，呈莲座状，倒披针形，长 6 ~ 18 cm，宽 1.5 ~ 3 cm，全缘，先端急尖或钝，基部楔形并下延成柄。花常 2 ~ 3 组成小聚伞花序，穗状排列于花序轴分枝的先端或上部呈伞房状或圆锥状；花序轴具明显的棱槽，末级小枝二棱形，常无不育小枝；苞片紫褐色；花萼漏斗状，直径约 4 mm，白色稍带红色或黄色，干膜质，宿存，5 浅裂，萼外有纵棱，棱上有毛；花冠黄色，基部联合；雄蕊 5，与花冠裂片对生。花果期 5 ~ 10 月。

| **生境分布** | 生于海滩及盐碱地。分布于江苏徐州及沿海地区的连云港（灌云）、

盐城（射阳、东台）、南通（启东）等。

| **资源情况** | 野生资源丰富。

| **采收加工** | 全年均可采挖，洗净，切片，鲜用或晒干。

| **功效物质** | 富含异鼠李素、槲皮素、山柰酚及其糖苷等黄酮类化学成分，具有一定的抗氧化和抗肿瘤作用。

| **功能主治** | 苦、微咸，凉。清热利湿，止血解毒。用于湿热便血，脱肛，血淋，月经过多，带下，痈疮肿毒。

| **用法用量** | 内服煎汤，15 ~ 30 g，鲜品 60 g。外用适量，捣敷；或煎汤坐浴。

柿科 Ebenaceae 柿属 Diospyros 凭证标本号 320115170815018LY

柿树
Diospyros kaki Thunb.

| 药 材 名 | 柿蒂（药用部位：宿萼）。

| 形态特征 | 落叶大乔木，高 4 ~ 9 m。主干暗褐色，树皮鳞片状开裂成长方块状，沟纹较密。枝带绿色至褐色，幼枝有绒毛或无毛，初时有棱。冬芽小，卵形。叶片较大，肥厚，椭圆状卵形至长圆形或倒卵形，长 6 ~ 18 cm，宽 3 ~ 9 cm，先端渐尖或钝，基部楔形、圆形或近截形，稀心形，表面深绿色，有光泽，背面淡绿色，疏生褐色柔毛；叶柄长 1 ~ 2 cm，有毛。花雌雄异株或同株，雄花 3 ~ 5 集生或组成短聚伞花序，雌花单生于叶腋；花萼绿色，4 深裂，裂片三角形；肉质花冠淡黄白色或黄白色而带紫红色，壶形或近钟形，较花萼短小。浆果卵圆形或扁球形，直径 3 ~ 8 cm，橙黄色、橘红色或红色，有光泽；宿萼厚革质或干时近木质；种子褐色，椭圆形，侧扁。

花期 6 月，果熟期 9 ～ 10 月。

| **生境分布** | 江苏各地均有零星栽培，主要分布于连云港（赣榆、东海）、徐州（铜山）、南通（海门）、苏州等。

| **资源情况** | 野生及栽培资源丰富。

| **采收加工** | 冬季采摘成熟果实，收集果蒂（宿存花萼），洗净，晒干。

| **药材性状** | 本品呈近盘状，先端 4 裂，裂片宽三角形，多向外反卷或破碎、不完整，具纵脉纹，萼筒厚，平展，近方形，直径 1.5 ～ 2.5 cm。表面红棕色，被稀疏短毛，中央有短果柄或圆形凹陷的果柄痕；内面黄棕色，密被放射状排列的锈色短绒毛，具光泽，中心有果实脱落后圆形隆起的疤痕。裂片质脆，易碎，萼筒坚硬木质。质轻。气微，味涩。以个大而厚、质硬、色黄褐者为佳。

| **功效物质** | 宿萼含有齐墩果酸、熊果酸、白桦酸等三萜酸类成分。此外，尚含有葡萄糖、果糖。果实含有蔗糖、葡萄糖、果糖。未成熟果实含有鞣质类成分。宿萼提取物具有抗心律失常、镇静、抗生育、抗痉挛、抗氧化等作用。

| **功能主治** | 苦、涩，平。归胃经。降逆下气。用于呃逆。

| **用法用量** | 内服煎汤，5 ～ 10 g；或入散剂。外用适量，研末敷。

柿科 Ebenaceae 柿属 Diospyros 凭证标本号 320124170821027LY

野柿

Diospyros kaki Thunb. var. *silvestris* Makino

| **药 材 名** | 野柿（药用部位：根、叶、宿萼）。

| **形态特征** | 本变种是山野自生柿树。小枝及叶柄常密被黄褐色柔毛。叶较栽培柿树的叶小，叶片下面的毛较多。花较小。果实亦较小，直径2 ~ 5 cm。

| **生境分布** | 生于海拔 200 ~ 900 m 的山地自然林、次生林或山坡灌丛中。江苏各地的山地林中均有分布。

| **资源情况** | 野生资源一般。

| **采收加工** | 根、叶，夏、秋季采收，鲜用或晒干。果实，未成熟时采下，鲜用

或晒干。

| **功效物质** | 柿叶主要含有维生素C、黄酮类和多酚类成分。树皮含有鞣质。

| **功能主治** | 根、叶、宿萼，苦、涩、凉。开窍辟恶，行气活血，祛痰，清热凉血，润肠。用于吐血，痔疮出血，呃逆。

| **用法用量** | 内服煎汤，9 ~ 15 g。外用适量，研末撒敷。

| **附　　注** | 野柿叶具有一定的降压作用。果实，润肺止咳，生津，润肠。用于肺燥咳嗽，咽干，咽痛。柿漆可用于高血压。柿霜可用于咽痛，咳嗽。

柿科 Ebenaceae 柿属 Diospyros 凭证标本号 321112180621005LY

老鸦柿 *Diospyros rhombifolia* Hemsl.

| 药 材 名 |

老鸦柿（药用部位：根、枝）。

| 形态特征 |

落叶小乔木或灌木，高 2 ~ 4（~ 8）m。树皮灰褐色，平滑。枝有刺，无毛，深褐色或黑褐色，散生椭圆形皮孔，嫩枝带淡紫色，有柔毛。冬芽小，有柔毛及粗伏毛。叶片卵状菱形至倒卵形，长 3 ~ 6（~ 8）cm，宽 2 ~ 4 cm，先端短尖或钝，基部狭楔形，表面沿脉有黄色毛，后脱落，背面疏生柔毛，中脉及侧脉在上面凹陷，在下面隆起；叶柄纤细。花白色，单生于叶腋；花萼宿存，革质，裂片长椭圆形或披针形，有明显的直脉纹，花后增大，开展或向后反曲。浆果卵球形，直径约 2 cm，先端突尖，有长柔毛，成熟时橘红色或红色，有蜡质及光泽，果柄纤细，长约 2 cm；种子褐色，半球形或近三棱形。花期 4 月，果熟期 8 ~ 10 月。

| 生境分布 |

生于石灰岩山地的灌丛或林缘。分布于江苏有山地的地区等。江苏各地均有栽培。

| 资源情况 |

野生及栽培资源较丰富。

| 采收加工 |

全年均可采收，洗净，切片，晒干。

| 功效物质 |

主要含有多糖类、皂苷类和黄酮类等活性物质。

| 功能主治 |

苦，平。归肝经。清湿热，利肝胆，活血化瘀。用于急性黄疸性肝炎，肝硬化，跌打损伤。

| 用法用量 |

内服煎汤，10 ~ 30 g。

| 附　　注 |

民间用于肝硬化、急性黄疸性肝炎、病毒性肝炎、骨结核和跌打损伤。

安息香科 Styracaceae 安息香属 Styrax 凭证标本号 320282170426442LY

赛山梅 *Styrax confusus* Hemsl.

| 药 材 名 | 赛山梅（药用部位：叶、果实）。

| 形 态 特 征 | 落叶灌木或小乔木，高 2 ~ 8 m。树皮褐色。老枝紫褐色，幼枝有黄褐色星状短柔毛。叶卵形或长椭圆形，长 3 ~ 11 cm，宽 1.5 ~ 5 cm，先端急尖，基部圆形或阔楔形，边缘有不规则锯齿，初时两面有星状毛，后近无毛；叶柄长 1 ~ 3 mm，密被黄褐色星状柔毛。花长 1.5 ~ 2.2 cm，单生或 4 ~ 6 组成总状花序，腋生或顶生；花乳白色；花梗长 1 ~ 2 cm；花萼杯状，膜质，先端有齿，萼齿三角形，外面有黄色毛，并有开展的星状毛；花冠裂片披针形或长圆状披针形，外面密被白色星状毛。果实球形，表面有厚茸毛，3 瓣裂；种子黄褐色。花期 5 ~ 6 月，果期 9 ~ 10 月。

| **生境分布** | 生于山坡灌丛中。分布于江苏山区或丘陵地区等。

| **资源情况** | 野生资源一般。

| **采收加工** | 夏、秋季采收，晒干。

| **功能主治** | 祛风除湿，消痛散结。用于风湿痹痛，痈肿疮疖。

安息香科 Styracaceae 安息香属 Styrax 凭证标本号 320111150614014LY

垂珠花 *Styrax dasyanthus* Perk.

| 药 材 名 |　白克马叶（药用部位：叶）。

| 形态特征 |　落叶灌木或乔木，高达8 m。树皮灰褐色。嫩枝紫红色，密被灰黄色星状毛，后变无毛。叶薄革质，椭圆状长圆形至倒卵形，长5～10 cm，宽3～5 cm，先端急尖或钝尖，基部楔形或阔楔形，上半部边缘有细齿，两面疏被星状毛；叶柄长3～7 mm，密被星状短柔毛。花长2～8 mm，10余花排列成圆锥花序；花梗长6～8 mm；花萼宿存，有星状毛；花冠白色，5裂，裂片披针形；子房与花萼基部连生，花柱与花冠等长。果实卵形或球形，密被灰黄色星状短绒毛；种子褐色，表面平滑。花期5～6月，果期10～12月。

| 生境分布 | 生于海拔 100 ～ 1700 m 的向阳丘陵、山坡及溪边杂木林中。分布于江苏山区、丘陵地区等。 |

| 资源情况 | 野生资源一般。 |

| 采收加工 | 夏、秋季采收，晒干。 |

| 药材性状 | 本品多皱缩、破碎，完整者展平后呈矩圆状椭圆形、椭圆形或矩圆状倒卵形，长 3 ～ 10 cm，宽 2 ～ 5 cm，两侧多少不对称，脉在下面隆起，第 3 级小脉近平行，叶棕褐色，边缘有刺；叶柄短，长 1 ～ 3 mm。气微，味苦而甜。 |

| 功能主治 | 甘、苦，微寒。归肺、大肠经。止咳润肺。用于咳嗽，肺燥。 |

| 用法用量 | 内服煎汤，10 ～ 15 g。 |

安息香科 Styracaceae 安息香属 *Styrax* 凭证标本号 320282170627462LY

白花龙 *Styrax faberi* Perk.

药 材 名	白克马叶（药用部位：叶）。
形态特征	落叶灌木，高 1 ~ 2 m。嫩枝纤细，稍扁圆，密被星状柔毛，老枝紫红色，圆柱形。叶纸质，椭圆形或长圆状披针形，长 4 ~ 10 cm，宽 3 ~ 3.5 cm，先端渐尖，基部阔楔形，边缘具细锯齿；叶柄长 1 ~ 2 mm，密被黄褐色星状短柔毛。总状花序顶生，有花 3 ~ 5，白色，下部常单花腋生；花梗长 8 ~ 15 cm，常下垂；花萼杯状，膜质，外面密被灰黄色星状绒毛，萼齿 5，边缘常具褐色腺点；花冠裂片膜质，披针形，外面密被白色星状毛。果实倒卵形或近球形，外面密被灰色星状短柔毛，果皮平滑。花期 4 ~ 6 月，果期 8 ~ 10 月。

生境分布	生于平原、丘陵，以及山地的灌木林、路旁、溪边等。分布于江苏南京、镇江（句容）、无锡（宜兴）、苏州等。
资源情况	野生资源丰富。
采收加工	夏、秋季采收，晒干。
功能主治	止血，生肌，消肿。用于外伤出血，风湿痹痛，跌打损伤。
附　注	本种的根可用于治疗胃痛。果实可用于感冒发热。

安息香科 Styracaceae 安息香属 Styrax 凭证标本号 320703160906488LY

野茉莉
Styrax japonicus Sieb. et Zucc.

| 药 材 名 | 候风藤（药用部位：叶、果实）。

| 形态特征 | 落叶乔木，高达 10 m。树皮灰褐色或黑色，平滑。小枝细长，嫩枝有星状柔毛，后脱落。叶宽椭圆形至椭圆状长圆形，长 2 ~ 8 cm，宽 2.5 ~ 5 cm，先端急尖或钝渐尖，基部楔形，近全缘或仅上部具疏齿，两面无毛或仅在背面脉腋间有束白色长髯毛；叶柄长达 1 cm。花单生或 3 ~ 6 排成短总状花序，顶生；花梗纤细，下弯，长 2 ~ 3.5 cm，无毛；花萼无毛，膜质，萼齿短而不规则；花白色，长 1.4 ~ 1.7 cm；花冠裂片卵形或椭圆形，两面被星状毛，花蕾时呈覆瓦状排列。核果卵圆形，长约 1.5 cm，先端凸尖，有不规则皱纹，外面密被灰色星状绒毛；种子紫褐色，表面有皱纹。花期 6 ~ 7 月，果期 8 ~ 9 月。

| 生境分布 | 生于海拔 400 ~ 1 800 m 的山坡杂木林中或荒山坡。分布于江苏山区、丘陵地区等。 |

| 资源情况 | 野生资源一般。 |

| 采收加工 | 春、夏季采收叶，夏、秋季采摘成熟果实，鲜用或晒干。 |

| 功效物质 | 果实含有三萜皂苷类成分野茉莉皂苷 A、野茉莉皂苷 B、野茉莉皂苷 C、野茉莉皂苷 D；果皮含有野茉莉皂苷、齐墩果醇。 |

| 功能主治 | 辛、苦，温；有小毒。祛风除湿，舒筋通络。用于风湿痹痛，瘫痪。 |

| 用法用量 | 内服煎汤，3 ~ 10 g。 |

| 附　注 | 叶及果实研末外用，可祛风除湿。 |

安息香科 Styracaceae 安息香属 *Styrax* 凭证标本号 320703160908553LY

玉铃花
Styrax obassis Sieb. et Zucc.

| **药 材 名** | 玉铃花（药用部位：果实）。

| **形态特征** | 落叶乔木或灌木，高 1 ~ 5 m。树皮灰褐色。幼枝略扁，常被星状毛，后变无毛，紫红色。叶二型，小枝下部的叶较小而近对生，上部的叶互生，纸质，宽椭圆形或近圆形，长 10 ~ 14 cm，宽 8 ~ 10 cm，先端尖或渐尖，基部近圆形或宽楔形，具浅粗锯齿，齿端具芒尖，下面被灰白色星状毛；叶柄长 6 ~ 15 mm，基部膨大成鞘状而包着冬芽。总状花序顶生或腋生，长 6 ~ 16 cm，有花 10 ~ 20，花梗常下弯，基部常 2 ~ 3 分枝；花白色或粉红色，芳香，长 1.5 ~ 2 cm；花萼杯状，有 5 ~ 6 微棱脊；花冠裂片 5，膜质，椭圆形，在花蕾时呈覆瓦状排列。果实卵形或近卵形，直径 1 ~ 1.5 cm，先端具短尖头；种子近平滑，暗褐色。花期 5 ~ 7 月，果期 8 ~ 9 月。

| **生境分布** | 生于山地灌木林中。分布于江苏连云港等。 |

| **资源情况** | 野生资源一般。 |

| **采收加工** | 果实成熟时采收，晒干。 |

| **功效物质** | 果皮含有安息香醇。叶含有齐墩果醇。种子含有蛋白质 17.5%、脂肪油 46.6%。 |

| **功能主治** | 辛，微温。驱虫。用于蛲虫病。 |

| **用法用量** | 内服煎汤，3 ~ 10 g。 |

山矾科 Symplocaceae 山矾属 Symplocos 凭证标本号 321102200630051LY

山矾

Symplocos sumuntia Buch.-Ham. ex D. Don

| **药 材 名** | 山矾叶（药用部位：叶）、山矾花（药用部位：花）、山矾根（药用部位：根）。

| **形态特征** | 常绿灌木或小乔木，高 1.5 ~ 2.5 m。树皮灰褐色。小枝有皮孔。叶薄革质，卵状披针形、狭卵形或椭圆形，长 3.5 ~ 7.5 cm，宽 1.5 ~ 3 cm，先端尾状渐尖，基部楔形，边缘有浅锯齿，干后黄绿色，中脉在表面凹下，在背面凸起。总状花序腋生，长 2 ~ 4 cm，有开展的柔毛；花萼裂片三角状卵形，无毛；花冠白色或黄色，5 深裂几达基部，有微毛；雄蕊 23 ~ 40，基部合生；花盘环形，无毛；子房先端无毛。果实黄绿色，坛状，无毛，果皮薄而脆，宿存萼片内弯。花期 3 ~ 4 月，果熟期 8 月。

| **生境分布** | 生于山坡、谷地的杂木林中。分布于江苏无锡（宜兴）等。

| 资源情况 | 野生资源丰富。

| 采收加工 | 山矾叶：夏、秋季采收，鲜用或晒干。

山矾花：2 ~ 3 月采收，晒干。

山矾根：夏、秋季采挖，洗净，切片，晒干。

| 药材性状 | 山矾叶：本品多皱缩、破碎，薄革质，棕褐色或黄褐色，完整者展平后呈卵形、狭倒卵形或倒披针状椭圆形，长 4.8 ~ 6 cm，宽 1.8 ~ 2.1 cm，先端常呈尾状渐尖，基部楔形或圆形，边缘具浅锯齿或波状齿，有时近全缘，中脉在上面部分凹下，侧脉和网脉在两面均凸起，侧脉每边 4 ~ 6；叶柄长 2 ~ 7 mm。气微，味淡。

山矾花：本品总状花序长 2 ~ 4 cm，被开展的柔毛；苞片阔卵形至倒卵形，密被柔毛，小苞片和苞片圆形；花萼筒倒圆锥形，无毛，裂片三角状卵形，背面有微柔毛；花冠黄褐色，5 深裂几达基部，长 4 ~ 6 mm，裂片背面有微柔毛。气微，味淡。

| 功效物质 | 主要含有黄酮类、酚类、木脂素类、三萜类及三萜皂苷类等化学成分，具有抗肿瘤、降血糖、调血脂、抗菌、抗人类免疫缺陷病毒及抑制磷酸二酯酶等多种药理活性。

| 功能主治 | 山矾叶：酸、涩、微甘，平。归肺、胃经。清热解毒，收敛止血。用于久痢，风火赤眼，扁桃体炎，中耳炎，咯血，便血，鹅口疮。

山矾花：苦、辛，平。归肺经。化痰解郁，生津止渴。用于咳嗽胸闷，小儿消渴。

山矾根：苦、辛，平。归肝、胃经。清热利湿，凉血止血，祛风止痛。用于黄疸，泄泻，痢疾，血崩，风火牙痛，头痛，风湿痹痛。

| 用法用量 | 山矾叶：内服煎汤，15 ~ 30 g。外用适量，煎汤洗；或捣汁含漱；或捣汁滴耳。

山矾花：内服煎汤，6 ~ 9 g。

山矾根：内服煎汤，15 ~ 30 g。

| 附　　注 | 鲜山矾叶适量，捣汁含漱，可用于治疗急性扁桃体炎、鹅口疮；捣烂，布包绞汁，滴耳，可用于治疗急性中耳炎。

山矾科　Symplocaceae　山矾属　Symplocos　凭证标本号　320125141105063LY

白檀
Symplocos paniculata (Thunb.) Miq.

| 药 材 名 | 白檀（药用部位：根、叶、花、种子）。

| 形态特征 | 落叶灌木或小乔木。嫩枝、叶两面及花序疏生白色柔毛。叶纸质，卵状椭圆形或倒卵状圆形，长 3 ~ 9 cm，宽 2 ~ 4 cm，先端渐尖或尾尖，基部阔楔形，边缘有细锯齿，中脉在表面凹下。圆锥花序生于新枝先端或叶腋，长 3 ~ 8 cm；花白色，芳香，苞片早落；花萼裂片卵形或半圆形，长 2 ~ 3 mm；雄蕊 25 ~ 60，长短不一，花丝基部合生成 5 体雄蕊；花盘具 5 凸起的腺点；子房无毛。核果成熟时蓝黑色，斜卵状球形，萼宿存。花期 5 月，果熟期 7 月。

| 生境分布 | 生于海拔 760 ~ 2 950 m 的山坡，路边，疏、密林中。分布于江苏

南部及连云港等。

| **资源情况** | 野生资源丰富。

| **采收加工** | 秋、冬季挖取根，春、夏季采摘叶，5 ~ 7 月花果期采收花、种子，晒干。

| **功效物质** | 主要含有三萜类、黄酮类、木脂素类、甾体类等化学成分，具有显著的抗炎等活性。

| **功能主治** | 苦，微寒。清热解毒，调气散结，祛风止痒。用于乳腺炎，淋巴结炎，肠痈，疮疖，疝气，荨麻疹，皮肤瘙痒。

| **用法用量** | 内服煎汤，9 ~ 24 g，单用根 30 ~ 45 g。外用适量，煎汤洗；或研末调敷。

| **附　　注** | 本种喜湿，喜光，生于土壤肥沃的地方。

山矾科 Symplocaceae 山矾属 Symplocos 凭证标本号 320282170702498LY

四川山矾
Symplocos setchuensis Brand

| 药 材 名 | 四川山矾（药用部位：根、茎、叶）。

| 形态特征 | 常绿小乔木。嫩枝黄绿色，有棱。叶革质，倒卵状椭圆形或长椭圆形，长 7 ~ 10 cm，宽 3 ~ 3.5 cm，先端渐尖或长渐尖，基部楔形，边缘疏生小齿，中脉在两面均隆起；叶柄长 5 ~ 10 mm。花 5 ~ 6集成团伞花序，生于叶腋；萼外有 3 小苞片，有微毛；花萼 5 裂，外面有细毛；花冠淡黄色，花瓣倒卵状长圆形，长约 3 mm；雄蕊30 ~ 40，花丝长短不一，伸出花冠外，基部稍联合成 5 体雄蕊；花柱较雄蕊短，柱头 3 裂。核果卵状椭圆形，黑褐色，长约 7 mm，宿存萼直立，基部具宿存苞片；核骨质，具 3 分核。花期 3 ~ 4 月，果熟期 8 月。

| **生境分布** | 生于海拔 1 800 m 以下的较潮湿的山坡、谷地的杂木林中。分布于江苏无锡（宜兴）、苏州（吴中）等。 |

| **资源情况** | 野生资源丰富。 |

| **采收加工** | 夏、秋季采收，洗净，切片或切段，晒干。 |

| **药材性状** | 本品叶片多皱缩、破碎，黄褐色，薄革质，完整者展平后呈长圆形或狭椭圆形，长 7 ~ 10 cm，宽 2 ~ 3.5 cm，先端渐尖或长渐尖，基部楔形，边缘具尖锯齿，中脉在两面均凸起；叶柄长 5 ~ 10 mm。气微，味淡。 |

| **功效物质** | 主要含有酚酸类、三萜酸类、木脂素苷类等化学成分。 |

| **功能主治** | 苦，寒。归肺经。行水，定喘，清热解毒。用于水湿胀满，咳嗽喘逆，火眼，疮癣。 |

| **用法用量** | 内服煎汤，9 ~ 15 g。 |

| **附　　注** | 根具有止咳、消胀的功能，可用于水湿胀满；叶用于咳嗽喘逆。 |

木樨科 Oleaceae 流苏树属 Chionanthus 凭证标本号 321322180428114LY

流苏树

Chionanthus retusus Lindl. et Paxt.

| 药 材 名 | 流苏树（药用部位：叶）。

| 形态特征 | 落叶灌木或乔木，高可达 20 m。小枝灰褐色或黑灰色，被短柔毛。叶片革质或薄革质，长圆形、椭圆形或圆形，长 3 ~ 12 cm，先端圆钝，基部圆形或宽楔形至楔形，全缘或有小锯齿，叶缘稍反卷；叶柄长 0.5 ~ 2 cm，密被黄色卷曲的柔毛。聚伞状圆锥花序长 3 ~ 12 cm，顶生于枝端，近无毛；苞片线形，长 2 ~ 10 mm，被柔毛；花单性而雌雄异株或为两性花；花梗纤细，无毛；花萼长 1 ~ 3 mm，4 深裂，裂片尖三角形或披针形；花冠白色，4 深裂，裂片线状倒披针形，长（1 ~）1.5 ~ 2.5 cm，花冠管短；花药长卵形，长 1.5 ~ 2 mm，药隔突出；子房卵形，长 1.5 ~ 2 mm，柱头球形，稍 2 裂。果实椭圆球状，被白粉，长 1 ~ 1.5 cm，直径 6 ~ 10 mm，

呈蓝黑色或黑色。花期3～6月，果期6～11月。

| **生境分布** | 生于稀疏混交林、灌丛中或山坡、河边。分布于江苏连云港等。江苏各地均有栽培。

| **资源情况** | 栽培资源较丰富。

| **采收加工** | 春季采摘，阴干。

| **功效物质** | 主要富含黄酮类、多酚类、多糖类化学成分，具有良好的抗衰老、抗氧化、抗炎、抗菌作用。流苏花中亦含有较为丰富的黄酮类、多酚类化学成分，具有一定的抗氧化、抗衰老作用。

| **功能主治** | 清热止泻。

| **附　　注** | 民间亦有采摘流苏花制茶的习惯。果实可用于手足麻木。根可用于疮疡。

木樨科 Oleaceae 连翘属 Forsythia 凭证标本号 321322180718222LY

连翘
Forsythia suspensa (Thunb.) Vahl

| 药 材 名 | 连翘（药用部位：果实）。

| 形态特征 | 落叶灌木。枝开展或下垂，棕色、棕褐色或淡黄褐色；小枝土黄色或灰褐色，节间中空，节部具实心髓。叶通常为单叶，或3裂成三出复叶；叶片卵形、宽卵形或椭圆状卵形至椭圆形，长2～10 cm，宽1.5～5 cm，先端锐尖，基部圆形、宽楔形至楔形，叶缘除基部外具锐锯齿或粗锯齿；叶柄长0.8～1.5 cm。花通常单生或2至数朵着生于叶腋，先于叶开放；花梗长5～6 mm；花萼绿色，裂片长圆形或长圆状椭圆形，长（5～）6～7 mm，先端钝或锐尖，边缘具睫毛，与花冠管近等长；花冠黄色，裂片倒卵状长圆形或长圆形，长1.2～2 cm，宽6～10 mm；在雌蕊长5～7 mm的花中雄蕊长3～5 mm，在雄蕊长6～7 mm的花中雌蕊长约3 mm。果实

卵球状、椭圆形卵球状或长椭圆球状，长 1.2 ~ 2.5 cm，宽 0.6 ~ 1.2 cm；果柄长 0.7 ~ 1.5 cm。花期 3 ~ 4 月，果熟期 7 ~ 9 月。

| **生境分布** | 江苏各地常见栽培。

| **资源情况** | 栽培资源较丰富。

| **采收加工** | 秋季果实初熟尚带绿色时采收，除去杂质，蒸熟，晒干，习称"青翘"；果实熟透时采收，晒干，除去杂质，习称"老翘"。

| **药材性状** | 本品呈长卵形至卵形，稍扁，长 1 ~ 2.5 cm，直径 0.5 ~ 1.2 cm。"老翘"多自先端开裂，略向外反曲或裂成两瓣，基部有果柄或其断痕，果瓣外表面黄棕色，有不规则的纵皱纹及多数凸起的淡黄色瘤点，基部瘤点较少，中央有 1 纵凹沟；内表面淡黄棕色，平滑，略带光泽，中央有 1 纵隔。种子多已脱落，果皮硬脆，断面平坦。"青翘"多不开裂，表面绿褐色，瘤点较少，基部多具果柄，内有种子多数，披针形，微弯曲，长约 0.7 cm，宽约 0.2 cm，表面棕色，一侧有窄翅。气微香，味苦。"青翘"以色绿、不开裂者为佳；"老翘"以色黄、瓣大、壳厚者为佳。

| **功效物质** | 富含木脂素类、苯乙醇苷类化学成分，以连翘苷、连翘酯苷 A 为主。此外还含有萜类及黄酮类化学成分，果皮含齐墩果酸，具有抗菌、抗炎、抗病毒及保肝作用。

| **功能主治** | 苦，微寒。归肺、心、胆经。清热解毒，消肿散结，疏散风热。用于痈疽，瘰疬，乳痈，丹毒，风热感冒，温病初起，温热入营，高热烦渴，神昏发斑，热淋涩痛。

| **用法用量** | 内服煎汤，6 ~ 15 g；或入丸、散剂。

| **附　　注** | （1）本种的叶与果实成分相似，不仅在预防和治疗疾病方面有一定疗效，还具有丰富的营养物质，加入动物饲料中不但可为动物提供必需的营养物质，而且可以预防和治疗常见的动物疾病，这为本种叶的资源利用及动物饲料的开发指引了方向。

（2）本种喜光，具有一定的耐阴性；喜温暖、湿润的气候，亦耐寒；耐干旱瘠薄，怕涝；不择土壤，在中性、微酸性或碱性土壤中均能正常生长，适应性强。

木樨科 Oleaceae 连翘属 Forsythia 凭证标本号 320982170331260LY

金钟花 *Forsythia viridissima* Lindl.

| 药 材 名 | 金钟花（药用部位：根、叶、果实）。

| 形态特征 | 落叶灌木，高可达 3 m，全株除花萼裂片边缘具睫毛外，其余均无毛。小枝绿色或黄绿色，呈四棱状，皮孔明显，具片状髓。叶片长椭圆形至披针形，长 3.5 ~ 15 cm，宽 1 ~ 4 cm，先端锐尖，基部楔形，通常上半部具不规则锐锯齿或粗锯齿；叶柄长 6 ~ 12 mm。花 1 ~ 3（~ 4）着生于叶腋，先于叶开放；花梗长 3 ~ 7 mm；花萼长 3.5 ~ 5 mm，裂片绿色，卵形、宽卵形或宽长圆形，长 2 ~ 4 mm，具睫毛；花冠深黄色，长 1.1 ~ 2.5 cm，花冠管长 5 ~ 6 mm，裂片狭长圆形至长圆形，长 0.6 ~ 1.8 cm，宽 3 ~ 8 mm，内面基部具橙黄色条纹，反卷；在雄蕊长 3.5 ~ 5 mm 的花中雌蕊长 5.5 ~ 7 mm，在雄蕊长 6 ~ 7 mm 的花中雌蕊长约 3 mm。果实卵球状或

宽卵球状，长 1 ~ 1.5 cm，宽 0.6 ~ 1 cm；果柄长 3 ~ 7 mm。花期 3 ~ 4 月，果熟期 8 ~ 11 月。

| **生境分布** | 生于山地灌丛中。江苏各地均有栽培。

| **资源情况** | 栽培资源较丰富。

| **采收加工** | 全年均可挖取根，洗净，切段，鲜用或晒干；春、夏、秋季均可采集叶，鲜用或晒干；夏、秋季采收果实，晒干。

| **药材性状** | 本品叶片多皱缩、卷曲，展平后呈椭圆状矩圆形至披针形，长 5 ~ 14 cm，宽 1.5 ~ 4 cm，先端锐尖，基部楔形，边缘均有锯齿，上表面暗绿色，下表面淡绿色；叶柄长 0.5 ~ 1 cm。气微，味苦。果实呈卵球形，长 1 ~ 1.5 cm，直径约 1 cm，多开裂成 2 分离的果瓣，每瓣中间有残留的膜质中隔，先端向外反卷，基部钝圆；表面黄棕色至黄褐色，有不规则的纵横细脉纹，中部至顶部的纵沟两侧分布多数小瘤点，基部有果柄或果柄痕。质硬脆。气微，味苦。

| **功效物质** | 叶富含木脂素类化学成分，以牛蒡苷及牛蒡苷元为主，具有良好的清热解毒作用。果实中亦含有牛蒡苷、牛蒡苷元等。

| **功能主治** | 苦，凉。清热，解毒，散结。用于感冒发热，目赤肿痛，痈疮，丹毒，瘰疬。

| **用法用量** | 内服煎汤，10 ~ 15 g，鲜品加倍。外用适量，煎汤洗。

木樨科 Oleaceae 梣属 *Fraxinus* 凭证标本号 320703150428191LY

白蜡树 *Fraxinus chinensis* Roxb.

| 药 材 名 | 秦皮（药用部位：枝皮）、虫白蜡（药材来源：栖居白蜡虫分泌的蜡）。

| 形态特征 | 落叶乔木，高 10 ~ 20 m。树皮灰褐色，纵裂。芽阔卵形或圆锥形，被棕色柔毛或腺毛。小枝黄褐色，粗糙。羽状复叶长 15 ~ 25 cm；叶柄长 4 ~ 6 cm；小叶 5 ~ 7，硬纸质，卵形、倒卵状长圆形至披针形，长 3 ~ 10 cm，宽 2 ~ 4 cm，顶生小叶与侧生小叶近等大或稍大，先端锐尖至渐尖，基部钝圆或楔形，叶缘具整齐锯齿，侧脉 8 ~ 10 对，小叶柄长 3 ~ 5 mm。圆锥花序顶生或腋生于枝梢，长 8 ~ 10 cm；花序梗长 2 ~ 4 cm，无皮孔；花雌雄异株，雄花密集，雌花疏离；雄花花萼小，钟状，长约 1 mm，花冠无，花药与花丝近等长；雌花花萼大，桶状，长 2 ~ 3 mm，4 浅裂，花柱细长，柱头 2 裂。翅果

匙形，长 3 ~ 4 cm，宽 4 ~ 6 mm，上中部最宽，先端锐尖，常呈犁头状，基部渐狭，翅平展，下延至坚果中部，坚果圆柱形，长约 1.5 cm；宿存萼紧贴于坚果基部，常在一侧开口深裂。花期 4 ~ 5 月，果熟期 7 ~ 9 月。

| 生境分布 | 生于山地杂木林中。

| 资源情况 | 野生资源较丰富。

| 采收加工 | **秦皮**：春、秋季剥取，晒干。
虫白蜡：阴天、小雨或晨露未干时采收，熬蜡。

| 药材性状 | **秦皮**：本品呈卷筒状或槽状，长 10 ~ 60 cm，厚 1.5 ~ 3 mm。外表面灰白色、灰棕色至黑棕色或相间成斑状，平坦或稍粗糙，有灰白色圆点状皮孔及细斜皱纹，有的具分枝痕；内表面黄白色或棕色，平滑。质硬而脆，断面纤维性，黄白色。无臭，味苦。干品为长条状块片，厚 3 ~ 6 mm。外表面灰棕色，有红棕色圆形或横长的皮孔及龟裂状沟纹。质坚硬，断面纤维性较强。
虫白蜡：本品呈不规则块状，白色或类白色。表面平滑或稍有皱纹，具蜡样光泽。体轻，质硬而稍脆，搓捻则粉碎，断面呈条状或颗粒状。气微，味淡。

| 功效物质 | 枝皮中主要含有香豆素类成分，以秦皮甲素、秦皮乙素、秦皮素为主。此外还含有木脂素类、裂环烯醚萜类及黄酮类化学成分，具有抗炎镇痛、利尿等作用。

| 功能主治 | **秦皮**：苦、涩，寒。归肝、胆、大肠经。清热燥湿，收涩止痢，止带，明目。用于湿热泻痢，赤白带下，目赤肿痛，目生翳膜。
虫白蜡：甘、淡，温。归肝经。

| 用法用量 | **秦皮**：内服煎汤，6 ~ 12 g。外用适量，煎汤洗眼；或取汁点眼。
虫白蜡：内服入丸、散剂，3 ~ 6 g。外用适量，熔化调制药膏。

| 附　　注 | 民间还将虫白蜡用于雄激素性脱发等。

木樨科 Oleaceae 素馨属 *Jasminum* 凭证标本号 321323180522160LY

探春花 *Jasminum floridum* Bunge

| 药 材 名 | 小柳拐（药用部位：根、叶）。

| 形态特征 | 半常绿直立或蔓生灌木，高 0.4 ~ 3 m。小枝近无毛。叶互生，复叶，小叶 3 或 5，稀 7，小枝基部常有单叶；叶柄长 2 ~ 10 mm；小叶片卵形、卵状椭圆形至椭圆形，长 0.7 ~ 3.5 cm，宽 0.5 ~ 2 cm，先端急尖，具小尖头，基部楔形或圆形，顶生小叶片常稍大，具小叶柄；单叶通常为宽卵形、椭圆形或近圆形。聚伞花序或伞状聚伞花序顶生，有花 3 ~ 25；苞片锥形，长 3 ~ 7 mm；花梗无或长达 2 cm；花萼具 5 凸起的肋，萼管长 1 ~ 2 mm，裂片锥状线形，长 1 ~ 3 mm；花冠黄色，近漏斗状，花冠管长 0.9 ~ 1.5 cm，裂片卵形或长圆形，长 4 ~ 8 mm，宽 3 ~ 5 mm，先端锐尖，边缘具纤毛。果实长圆球状或球状，长 5 ~ 10 mm，直径 5 ~ 10 mm，成熟时呈

黑色。花期 5 ~ 9 月，果期 9 ~ 10 月。

| **生境分布** | 生于海拔 125 ~ 2 000 m 的坡地。栽培于庭园。

| **资源情况** | 野生及栽培资源丰富。

| **采收加工** | 自栽后 3 ~ 4 年起，每隔 1 年收获 1 次。全年均可采挖根，洗净，切片，晒干；夏、秋季生长茂盛时割下有叶的枝条，晒干，打下叶片，除去枝梗。

| **功能主治** | 苦、涩、辛，寒。归心、脾经。清热解毒，散瘀消食。用于咽喉肿痛，疮疡肿毒，跌打损伤，烫火伤，刀伤，食积腹胀。

| **用法用量** | 内服煎汤，10 ~ 20 g；或研末冲酒。外用适量，鲜品捣敷；或干品研末调敷。

| **附　　注** | （1）民间有采摘探春嫩花食用的习惯，其味甘甜。
（2）本种喜温暖、湿润的气候；喜光；较耐热，不耐寒；对土壤适应性较广，以肥沃、疏松、排水良好的土壤为佳。

木樨科 Oleaceae 素馨属 *Jasminum* 凭证标本号 320115160424015LY

野迎春
Jasminum mesnyi Hance

| **药 材 名** | 野迎春（药用部位：全株）。 |

| **形态特征** | 常绿直立亚灌木，高 0.5 ～ 5 m。枝条下垂；小枝四棱状，具沟，光滑，无毛。叶对生，三出复叶或小枝基部具单叶；叶柄具沟；叶片和小叶片近革质，两面近无毛，叶缘反卷，具睫毛；小叶片长卵形或长卵状披针形，先端钝或圆，具小尖头，基部楔形，顶生小叶片长 2.5 ～ 6.5 cm，基部延伸成短柄，侧生小叶片较小，无柄；单叶为宽卵形或椭圆形，有时近圆形，长 3 ～ 5 cm。花通常单生于叶腋；苞片叶状；花梗粗壮，长 3 ～ 8 mm；花萼钟状，裂片 5 ～ 8，小叶状，披针形，先端锐尖；花冠黄色，漏斗状，直径 3 ～ 4.5 cm，花冠管长 1 ～ 1.5 cm，裂片 6 ～ 8，宽倒卵形或长圆形，长 1.1 ～ 1.8 cm。果实椭圆状，2 心皮基部愈合，直径 6 ～ 8 mm。花期 11 月 |

至翌年 8 月，果期 3 ~ 5 月。

| **生境分布** | 江苏各地均有栽培。

| **资源情况** | 栽培资源较丰富。

| **功效物质** | 富含裂环烯醚萜苷类化学成分，以迎春花素、迎春花苷、野迎春叶苷为主，还含有生物碱类、黄酮类化学成分。

| **功能主治** | 清热解毒。用于肿毒，跌打损伤，发汗。

| **附　注** | （1）本种和迎春花形态相似，主要区别在于本种为常绿植物，花较大，花冠裂片极开展，长于花冠管；迎春花为落叶植物，花较小，花冠裂片较不开展，短于花冠管。
（2）本种的花可解热利尿，叶可用于治疗肿毒恶疮和跌打损伤，鲜叶还可灭杀蚊蝇的幼虫。
（3）本种喜温暖、湿润和光照充足的环境，怕严寒和积水，稍耐阴，喜排水良好、肥沃的酸性砂壤土。

木樨科 Oleaceae 素馨属 Jasminum 凭证标本号 320621181125068LY

迎春花 *Jasminum nudiflorum* Lindl.

| 药 材 名 | 迎春花（药用部位：花）、迎春花叶（药用部位：叶）、迎春花根（药用部位：根）。

| 形态特征 | 落叶灌木，高 0.3 ～ 5 m。茎直立或匍匐；枝条下垂，枝梢扭曲，四棱状，光滑，无毛。叶对生，三出复叶，小枝基部常具单叶；叶轴具狭翼，叶柄长 3 ～ 10 mm，无毛；小叶片卵形、长卵形、椭圆形或狭椭圆形，先端锐尖或钝，具短尖头，基部楔形，叶缘反卷；顶生小叶片较大，长 1 ～ 3 cm，宽 0.3 ～ 1.1 cm，侧生小叶片长，无柄；单叶为卵形或椭圆形。花单生于去年生小枝的叶腋，稀生于小枝先端；苞片小叶状，披针形、卵形或椭圆形，长 3 ～ 8 mm；花梗长 2 ～ 3 mm；花萼绿色，裂片 5 或 6，窄披针形，长 4 ～ 6 mm，先端锐尖；花冠黄色，直径 2 ～ 2.5 cm，花冠管长 0.8 ～ 2 cm，

基部直径 1.5 ~ 2 mm，裂片 5 或 6，长圆形或椭圆形，长 0.8 ~ 1.3 cm，宽 3 ~ 6 mm。花期 6 月。

| 生境分布 | 江苏各地均有栽培。

| 资源情况 | 栽培资源丰富。

| 采收加工 | 迎春花：花开时采收，鲜用或晒干。
迎春花叶：夏、秋季采收，鲜用或晒干。
迎春花根：全年或秋季采挖，洗净泥土，切片或切段，晒干。

| 药材性状 | 迎春花：本品多皱缩成团，展开后可见狭窄的黄绿色叶状苞片；萼片 5 ~ 6，条形或长圆状披针形，与萼筒等长或较长；花冠棕黄色，直径约 2 cm，花冠管长 1 ~ 1.5 cm，裂片通常 6，倒卵形或椭圆形，长约为花冠管的 1/2。气清香，味微涩。
迎春花叶：本品多卷曲、皱缩，小叶展平后呈卵形或矩圆状卵形，长 1 ~ 3 cm，先端凸尖，边缘有短睫毛，下面无毛，灰绿色。气微香，味微苦、涩。

| 功效物质 | 富含黄酮类、裂环烯醚萜类、花色素类、多糖类、挥发油类、脂肪酸类等化学成分，具有抗氧化、清除自由基、抑菌、消炎等活性。

| 功能主治 | 迎春花：苦、微辛，平。归肾、膀胱经。清热解毒，活血消肿。用于发热头痛，咽喉肿痛，小便热痛，恶疮肿毒，跌打损伤。
迎春花叶：苦，寒。清热利湿，解毒。用于感冒发热，小便淋痛，外阴瘙痒，肿毒恶疮，跌打损伤，刀伤出血。
迎春花根：苦，平。清热息风，活血调经。用于肺热咳嗽，小儿惊风，月经不调。

| 用法用量 | 迎春花：内服煎汤，10 ~ 15 g；或研末。外用适量，捣敷；或麻油调搽。
迎春花叶：内服煎汤，10 ~ 20 g。外用适量，煎汤洗；或捣敷。
迎春花根：内服煎汤，15 ~ 30 g。外用适量，研末撒；或调敷。

| 附　注 | 本种喜光，稍耐阴，略耐寒，怕涝，喜温暖、湿润的气候、疏松肥沃和排水良好的砂壤土，在酸性壤土中生长旺盛，在碱性壤土中生长不良。

木樨科 Oleaceae 素馨属 Jasminum 凭证标本号 320723190823187LY

茉莉花 *Jasminum sambac* (L.) Ait.

| 药 材 名 | 茉莉花（药用部位：花）、茉莉花露（药材来源：花之蒸馏液）、茉莉叶（药用部位：叶）、茉莉根（药用部位：根）。

| 形态特征 | 直立或攀缘灌木，高达 3 m。小枝疏被柔毛。单叶对生；叶片纸质，圆形、椭圆形、卵状椭圆形或倒卵形，长 4 ~ 12.5 cm，宽 2 ~ 7.5 cm，两端圆或钝，侧脉 4 ~ 6 对；叶柄长 2 ~ 6 mm，被短柔毛，具关节。花极芳香；聚伞花序顶生，通常有 3 花，有时为单花或多达 5 花；花序梗长 1 ~ 4.5 cm，被短柔毛；苞片微小，锥形，长 4 ~ 8 mm；花梗长 0.3 ~ 2 cm；花萼无毛或疏被短柔毛，裂片线形，长 5 ~ 7 mm；花冠白色，花冠管长 0.7 ~ 1.5 cm，裂片长圆形至近圆形，宽 5 ~ 9 mm，先端圆或钝。果实球状，呈紫黑色。花期 5 ~ 8 月，果期 7 ~ 9 月。

| 生境分布 | 江苏各地均有栽培。

| 资源情况 | 栽培资源较丰富。

| 采收加工 | **茉莉花**：夏季花初开时采收，立即晒干或烘干。

茉莉花露：取茉莉花浸泡 1 ~ 2 小时，放入蒸馏锅内，加适量水进行蒸馏，收集初蒸馏液，再蒸馏 1 次，收集重蒸馏液，过滤，分装，灭菌即得。

茉莉叶：夏、秋季采收，洗净，鲜用或晒干。

茉莉根：秋、冬季采挖，洗净，切片，鲜用或晒干。

| 药材性状 | **茉莉花**：本品多呈扁缩团状，长 1.5 ~ 2 cm，直径约 1 cm。花萼管状，有细长的裂齿 8 ~ 10。花瓣展平后呈椭圆形，长约 1 cm，宽约 5 mm，黄棕色至棕褐色，表面光滑无毛，基部联合成管状。质脆。气芳香，味涩。以朵大、色黄白、气香浓者为佳。

茉莉花露：本品为无色至浅黄白色液体。气芳香，味淡。

| 功效物质 | 富含黄酮类、多糖类、挥发油类化学成分，具有镇静安眠、抗心律失常、抗缺氧等多种生物活性。

| 功能主治 | **茉莉花**：辛、微甘，温。归脾、胃、肝经。理气止痛，辟秽开郁。用于湿浊中阻，胸膈不舒，泻痢腹痛，头晕头痛，目赤，疮毒。

茉莉花露：淡，温。归脾经。醒脾辟秽，理气，美容泽肌。用于胸膈陈腐之气。

茉莉叶：疏风解表，消肿止痛。用于外感发热，泻痢腹胀，脚气肿痛，毒虫蜇伤。

茉莉根：麻醉，止痛。用于跌打损伤，龋齿疼痛，头痛，失眠。

| 用法用量 | **茉莉花**：内服煎汤，3 ~ 10 g；或代茶饮。外用适量，煎汤洗眼；或菜油浸滴耳。

茉莉花露：内服适量，点茶。外用适量，涂搽；或兑水煎汤沐浴。

茉莉叶：内服煎汤，6 ~ 10 g。外用适量，煎汤洗或捣敷。

茉莉根：内服研末，1 ~ 1.5 g；或磨汁。外用适量，捣敷；或塞龋洞。

| 附　　注 | 本种喜温暖、湿润的气候，在通风良好、半阴的环境中生长最佳，土壤以富含腐殖质和排水良好的砂壤土为宜。

木樨科 Oleaceae 女贞属 Ligustrum 凭证标本号 320323161103937LY

女贞
Ligustrum lucidum Ait.

| 药 材 名 | 女贞子（药用部位：成熟果实）。

| 形态特征 | 常绿乔木。树冠卵形。树皮灰绿色，平滑、不开裂。枝条开展，光滑无毛，有皮孔。单叶对生，革质，卵形或卵状披针形，长 6 ～ 12 cm，宽 3 ～ 8 cm，先端渐尖，基部楔形或近圆形，全缘，叶面深绿色，有光泽，无毛，叶背浅绿色；叶柄长 1 ～ 3 cm。花两性，聚伞状圆锥花序顶生；花冠白色，花冠筒与花萼等长；雄蕊与花冠裂片近等长。浆果状核果近肾形，长约 1 cm，被白粉，成熟时深蓝色。花期 5 ～ 7 月，果熟期 10 ～ 11 月。

| 生境分布 | 江苏各地广泛栽培。

| **资源情况** | 栽培资源丰富。

| **采收加工** | 果实成熟变黑而被有白粉时采收，晒干；或将果实置沸水中略烫后，晒干；或稍蒸后，晒干。

| **药材性状** | 本品呈卵形、椭圆形或肾形，长 6 ~ 8.5 mm，直径 3.5 ~ 5.5 mm。表面黑紫色或棕黑色，皱缩不平，基部有果柄痕或具宿萼及短柄。外果皮薄，中果皮稍厚而松软，内果皮木质，黄棕色，有数条纵棱，破开后种子通常 1，椭圆形；一侧扁平或微弯曲，紫黑色，油性。气微，味微酸、涩。以粒大、饱满、色黑紫者为佳。

| **功效物质** | 成熟果实的主要成分有三萜类、黄酮类、环烯醚萜类、苯乙醇苷类、多糖类、脂肪酸类、氨基酸和微量元素等。三萜类化合物在女贞子中含量为 5.61%，包括齐墩果酸、齐墩果酸甲酯、熊果酸、3-O-乙酰熊果酸、3-羟基齐墩果酸、羽扇豆醇、19α-羟基熊果酸、3-O-乙酰齐墩果酸、白桦脂醇等。黄酮类化合物具有降脂作用，包括芹菜素、木犀草素、芹菜素-7-O-乙酰-β-D-葡萄糖苷、芦丁和槲皮素等。环烯醚萜类化合物包括女贞苷、10-羟基女贞苷、女贞苷酸、橄榄苦酸、特女贞苷等，其中特女贞苷是女贞子的特征性化合物，现已作为《中华人民共和国药典》（以下简称《中国药典》）含量测定的指标成分。

| **功能主治** | 甘、苦，凉。归肝、肾经。滋补肝肾，明目乌发。用于眩晕耳鸣，腰膝酸软，须发早白，目暗不明。

| **用法用量** | 内服煎汤，6 ~ 15 g；或入丸剂。外用适量，敷膏点眼。清虚热宜生用，补肝肾宜熟用。

| **附 注** | （1）女贞子的"抢青货"不能入药。
（2）本种适应性强，喜光，稍耐阴；喜温暖、湿润的气候，稍耐寒；不耐干旱和瘠薄，适生于肥沃深厚、湿润的微酸性至微碱性土壤。

木樨科 Oleaceae 女贞属 *Ligustrum* 凭证标本号 320703150522220LY

小叶女贞 *Ligustrum quihoui* Carr.

| 药 材 名 | 水白蜡（药用部位：叶）。

| 形态特征 | 落叶灌木，高 1 ~ 3 m。小枝淡棕色，圆柱形，密被微柔毛，后脱落无毛。叶片薄革质，形状和大小变异较大，披针形、长圆状椭圆形、椭圆形、倒卵状长圆形至倒披针形或倒卵形，长 1 ~ 4（~ 5.5）cm，宽 0.5 ~ 2（~ 3）cm，叶缘反卷，常具腺点，两面无毛，侧脉 2 ~ 6 对；叶柄长 0 ~ 5 mm，无毛或被微柔毛。圆锥花序顶生，近圆柱形，长 4 ~ 15（~ 22）cm，宽 2 ~ 4 cm；无花柄；花萼长 1.5 ~ 2 mm，萼齿宽卵形或钝三角形；花冠长 4 ~ 5 mm，花冠管长 2.5 ~ 3 mm，裂片卵形或椭圆形，长 1.5 ~ 3 mm，先端钝；雄蕊伸出裂片外，花丝与花冠裂片近等长或稍长。果实倒卵形、宽椭圆形或近球形，长 5 ~ 9 mm，直径 4 ~ 7 mm，呈紫黑

色。花期 5 ~ 7 月，果期 8 ~ 11 月。

| **生境分布** | 江苏各地均有栽培。

| **资源情况** | 栽培资源较丰富。

| **采收加工** | 7 ~ 10 月采收，鲜用或晒干。

| **功效物质** | 富含挥发油类、三萜类、苯乙醇类、黄酮类等化学成分，具有降血糖、降血脂、抗肿瘤、免疫调节、抗病毒等药理作用。果实中富含齐墩果酸、熊果酸及甘露醇，具有清除自由基和免疫调节等作用。

| **功能主治** | 清热祛湿，解毒消肿。用于伤暑发热，风火牙痛，咽喉肿痛，口舌生疮，痈肿疮毒，烫火伤。

| **用法用量** | 内服煎汤，9 ~ 15 g；或代茶饮。外用适量，捣敷；或绞汁涂；或煎汤洗；或研末撒。

| **附　　注** | 本种喜光，稍耐阴，较耐寒，性强健，耐修剪，萌发力强。

木樨科 Oleaceae 女贞属 Ligustrum 凭证标本号 320323161103899LY

小蜡

Ligustrum sinense Lour.

| 药 材 名 | 小蜡（药用部位：树皮、枝叶）。

| 形态特征 | 落叶灌木或小乔木，高 2 ~ 4（~ 7）m。小枝圆柱形，幼时被淡黄色短柔毛或柔毛，老时近无毛。叶片纸质或薄革质，卵形、椭圆状卵形、长圆形、长圆状椭圆形至披针形或近圆形，长 2 ~ 7（~ 9）cm，宽 1 ~ 3（~ 3.5）cm，先端锐尖、短渐尖至渐尖，基部宽楔形至近圆形，侧脉 4 ~ 8 对；叶柄长 2 ~ 8 mm，被短柔毛。圆锥花序顶生或腋生，塔形，长 4 ~ 11 cm，宽 3 ~ 8 cm；花序轴被较密、淡黄色短柔毛或柔毛，或近无毛；花梗细而明显，被短柔毛或无毛；花萼无毛，长 1 ~ 1.5 mm，先端呈截形或具浅波状齿；花冠长 3.5 ~ 5.5 mm，花冠管长 1.5 ~ 2.5 mm，裂片长圆状椭圆形或卵状椭圆形，长 2 ~ 4 mm；花丝与裂片近等长或长于裂片，花药长圆形，

长约 1 mm。果实近球状，直径 5 ~ 8 mm，具明显的果柄。花期 3 ~ 6 月，果熟期 9 ~ 12 月。

| **生境分布** | 江苏各地均有栽培。

| **资源情况** | 栽培资源丰富。

| **采收加工** | 夏、秋季采收，鲜用或晒干。

| **功效物质** | 富含萜类、香豆素类化学成分。

| **功能主治** | 苦，凉。清热利湿，解毒消肿。用于感冒发热，肺热咳嗽，咽喉肿痛，口舌生疮，湿热黄疸，痢疾，痈肿疮毒，湿疹，皮炎，跌打损伤，烫火伤。

| **用法用量** | 内服煎汤，10 ~ 15 g，鲜品加倍。外用适量，煎汤含漱；或熬膏涂；或捣敷；或绞汁涂敷。

| **附　　注** | 本种喜光，喜温暖或高温、湿润的气候，生命力强，耐寒，较耐瘠薄，耐修剪，土壤以肥沃的砂壤土为佳。

木樨科 Oleaceae 木樨属 *Osmanthus* 凭证标本号 320115151009004LY

宁波木樨
Osmanthus cooperi Hemsl.

| 药 材 名 | 宁波木樨（药用部位：叶、花、果实）。

| 形态特征 | 常绿小乔木或灌木，高 3 ~ 5（~ 8）m。小枝灰白色，幼枝黄白色，具较多皮孔。叶片革质，椭圆形或倒卵形，长（4 ~）6 ~ 8（~ 10）cm，先端渐尖，稍呈尾状，基部宽楔形至圆形，全缘，腺点在两面呈针尖状凸起，中脉在上面凹入，被短柔毛，近叶柄处尤密，在下面凸起，侧脉 7 或 8 对，在两面均极不明显；叶柄长 1 ~ 2 cm。花序簇生于叶腋，每腋内有花 4 ~ 12；苞片宽卵形，先端渐尖，被柔毛，稀无毛；花梗长 3 ~ 5 mm；花萼长 1.5 mm，裂片圆形；花冠白色，长约 4 mm，花冠管与裂片近等长，稀略短于裂片；雄蕊着生于花冠管下部，药隔延伸成明显的小尖头；

花柱长约 2 mm。果实长 1.5 ~ 2 cm，蓝黑色。花期 9 ~ 10 月，果期翌年 5 ~ 6 月。

| **生境分布** | 生于山坡、山谷林中阴湿地或沟边。分布于江苏南部等。

| **资源情况** | 野生资源较丰富。

| **采收加工** | 全年均可采叶，鲜用或晒干；9 ~ 10 月花开时采收花，除去杂质，阴干；5 ~ 6 月果实成熟时采收果实，晒干。

| **功效物质** | 富含环烯醚萜类、苯丙素类、黄酮类及挥发性化学成分。

| **功能主治** | 叶，祛风湿，散寒。花，化痰，散瘀。果实，暖胃，平肝，散寒。

| **附　　注** | 本种的根亦可祛风湿、散寒。

木樨科 Oleaceae 木樨属 Osmanthus 凭证标本号 320125161129024LY

木樨 *Osmanthus fragrans* (Thunb.) Lour.

药材名

桂花（药用部位：花）、桂花露（药材来源：花之蒸馏液）、桂花子（药用部位：果实）、桂花枝（药用部位：枝叶）、桂花根（药用部位：根或根皮）。

形态特征

常绿乔木或灌木，高 3 ~ 5（~ 18）m。树皮灰褐色。小枝黄褐色，无毛。叶片革质，椭圆形、长椭圆形或椭圆状披针形，长 7 ~ 14.5 cm，先端渐尖，基部渐狭成楔形或宽楔形，全缘或通常上半部具细锯齿，两面无毛，侧脉 6 ~ 8 对；叶柄长 0.8 ~ 1.2 cm。聚伞花序簇生于叶腋，或近帚状，每叶腋内有花多朵；苞片宽卵形，质厚，长 2 ~ 4 mm，具小尖头；花极芳香；花梗细弱；花萼长约 1 mm；花冠黄白色、淡黄色、黄色或橘红色，长 3 ~ 4 mm，花冠管长仅 0.5 ~ 1 mm；雄蕊着生于花冠管中部，花丝极短，长约 0.5 mm，花药先端有小尖头；花柱长约 0.5 mm。果实歪斜，椭圆球状，长 1 ~ 1.5 cm，紫黑色。花期通常在 9 ~ 10 月上旬，果期翌年 3 ~ 6 月。

生境分布

江苏各地普遍栽培。

| 资源情况 | 栽培资源较丰富。

| 采收加工 | 桂花：9～10 月花开时采收，除去杂质，阴干，密闭贮藏。

桂花露：花采收后阴干，蒸馏即得。

桂花子：4～5 月果实成熟时采收，用温水浸泡后，晒干。

桂花枝：全年均可采收，鲜用或晒干。

桂花根：秋季采挖老树的根或剥取根皮，洗净，切片，晒干。

| 药材性状 | 桂花：本品小，具细梗；花棒细小，4 浅裂，膜质；花冠 4 裂，裂片矩圆形，多皱缩，长 3～4 mm，淡黄色至黄棕色。气芳香，味淡。以身干、色淡黄、有香气者为佳。

桂花子：本品呈长卵形，表面棕色或紫棕色，有不规则的网状皱纹。外果皮薄，易脱落。果核淡黄色，表面具不规则的网状皱纹。种子 1，气微，味淡。胚乳坚硬，肥厚，黄白色，富油性。

| 功效物质 | 富含环烯醚萜类、苯丙素类、黄酮类及挥发油类化学成分，具有抗炎、抗菌、抗氧化、降血糖等生物活性。种子含有甾体类、环烯醚萜苷类、吲哚类和黄酮类成分。

| 功能主治 | 桂花：辛，温。归肺、脾、肾经。温肺化饮，散寒止痛。用于痰饮咳喘，脘腹冷痛，肠风血痢，闭经，痛经，寒疝腹痛，牙痛，口臭。

桂花露：微辛、苦，温。疏肝理气，醒脾辟秽，明目，润喉。用于肝气郁结，胸胁不舒，龈肿，牙痛，咽干，口燥，口臭。

桂花子：温中行气止痛。用于胃寒疼痛，肝胃气痛。

桂花枝：发表散寒，祛风止痒。用于风寒感冒，皮肤瘙痒，漆疮。

桂花根：祛风除湿，散寒止痛。用于风湿痹痛，肢体麻木，胃脘冷痛，肾虚牙痛。

| 用法用量 | 桂花：内服煎汤，3～9 g；或泡茶。外用适量，煎汤含漱；或蒸热外熨。

桂花露：内服炖温，30～60 g。

桂花枝：内服煎汤，5～10 g。外用适量，煎汤洗。

桂花根：内服煎汤，15～30 g；或炖肉；或泡酒。外用适量，煎汤洗；或熬膏贴。

| 附　注 | 本种为江苏苏州的市花。本种喜温暖的气候，抗逆性强，既耐高温，也较耐寒；喜光，亦能耐阴，在全光照下生长，其枝叶生长茂盛，花开繁密，在阴处生长，其枝叶稀疏，花稀少；性好湿润，忌积水，土壤以土层深厚、疏松肥沃、排水良好的微酸性砂壤土最为适宜。

木樨科 Oleaceae 丁香属 *Syringa* 凭证标本号 321323180408115LY

紫丁香 *Syringa oblata* Lindl.

| 药 材 名 |

紫丁香（药用部位：树皮、叶）。

| 形态特征 |

灌木或小乔木，高可达 5 m。小枝、花序轴、花梗、苞片、花萼、幼叶两面及叶柄均密被腺毛。树皮灰褐色或灰色。叶片革质或厚纸质，卵圆形至肾形，宽常大于长，长 2 ~ 14 cm，宽 2 ~ 15 cm，先端短凸尖至长渐尖或锐尖，基部心形、截形至近圆形或宽楔形；叶柄长 1 ~ 3 cm。圆锥花序直立，长 4 ~ 16（~ 20）cm，宽 3 ~ 7（~ 10）cm；花梗长 0.5 ~ 3 mm；花萼长约 3 mm；花冠紫色，长 1.1 ~ 2 cm，花冠管圆柱形，长 0.8 ~ 1.7 cm，裂片呈直角开展，卵圆形、椭圆形至倒卵圆形，长 3 ~ 6 mm，宽 3 ~ 5 mm；花药黄色，位于距花冠管喉部 0 ~ 4 mm 处。果实倒卵球状椭圆形、卵球状至长椭圆球状，长 1 ~ 1.5（~ 2）cm，宽 4 ~ 8 mm，先端长渐尖，光滑。花期 4 ~ 5 月，果期 6 ~ 10 月。

| 生境分布 |

江苏南京等有栽培。

资源情况	栽培资源较丰富。
采收加工	夏、秋季采收，鲜用或晒干。
功效物质	主要含环烯醚萜类、三萜类化学成分。
功能主治	树皮，苦，寒。归胃、肝、胆经。清热燥湿，止咳定喘。叶，辛，温。归胃、肝、胆经。清热，解毒，止咳，止痢。用于咳嗽痰喘，泄泻，痢疾，痄腮，肝炎。
用法用量	内服煎汤，2～6g。
附　注	（1）本种的花蕾可用于提炼精油，具有一定的药用和开发价值。 （2）本种喜光，能耐半阴，喜肥沃、疏松的湿润土壤；耐旱，忌水涝，抗寒性强，但不耐高温潮湿。

马钱科 Loganiaceae 醉鱼草属 Buddleja 凭证标本号 320831180613105LY

醉鱼草
Buddleja lindleyana Fortune

| **药 材 名** | 醉鱼草（药用部位：茎叶）、醉鱼草花（药用部位：花）、醉鱼草根（药用部位：根）。

| **形态特征** | 落叶灌木，高 1 ~ 2.5 m，幼枝、叶背、叶柄、花序、苞片及小苞片均密被星状短绒毛和腺毛。茎皮褐色。小枝具 4 棱，棱上略有窄翅。叶对生，萌芽枝条上的叶为互生或近轮生；叶片卵形、椭圆形至长圆状披针形，长 3 ~ 11 cm，先端渐尖，基部宽楔形至圆形，全缘或具波状齿，叶背灰黄绿色。穗状聚伞花序顶生，长 4 ~ 40 cm；花萼钟状，外面与花冠外面同被星状毛和小鳞片，内面无毛；花冠紫色，内面被柔毛，花冠管弯曲，长 11 ~ 17 mm，花冠裂片阔卵形或近圆形，长约 3.5 mm；雄蕊着生于花冠管下部或近基部，花丝极短；子房无毛。果序穗状；蒴果长圆球状或椭圆球状，长 5 ~

6 mm，有鳞片，基部常有宿存花萼。花期 4 ~ 10 月，果期 8 月至翌年 4 月。

| 生境分布 | 生于山地路旁、河边灌丛中或林缘。分布于江苏无锡（宜兴）、常州（溧阳）、南京等。

| 资源情况 | 野生资源较少。

| 采收加工 | 醉鱼草：夏、秋季采收，切碎，鲜用或晒干。
醉鱼草花：夏、秋季花盛开时采集，晒干。
醉鱼草根：全年均可采挖，洗净，晒干。

| 功效物质 | 主要含有黄酮类、木脂素类、甾体类活性成分，其中醉鱼草皂苷Ⅳ具有抗肿瘤活性，白桦脂醇具有杀疟原虫活性，挥发油具有抗真菌活性。

| 功能主治 | 醉鱼草：辛、苦，温；有毒。归心、大肠经。祛风除湿，止咳化痰，散瘀，杀虫。用于支气管炎，咳嗽，哮喘，风湿性关节炎，跌打损伤；外用于创伤出血，烫火伤。
醉鱼草花：辛、苦，温；有小毒。归肺、脾、胃经。祛痰，截疟，解毒。用于痰饮喘促，疟疾，疳积，烫火伤。
醉鱼草根：辛、苦，温；有小毒。活血化瘀，消积解毒。用于闭经，癥瘕，血崩，疳积，疟腮，哮喘，肺脓疡。

| 用法用量 | 醉鱼草：内服煎汤，10 ~ 15 g，鲜品 15 ~ 30 g；或捣汁。外用适量，捣敷。
醉鱼草花：内服煎汤，9 ~ 15 g。外用适量，捣敷；或研末调敷。
醉鱼草根：内服煎汤，9 ~ 15 g，鲜品 30 ~ 60 g。

| 附　　注 | 本种的全株可用以制作农药，枝叶还可治牛泻血。

马钱科 Loganiaceae 蓬莱葛属 Gardneria 凭证标本号 320282170428461LY

蓬莱葛
Gardneria multiflora Makino

| **药 材 名** | 蓬莱葛（药用部位：根、种子）。

| **形态特征** | 木质藤本，长可达 8 m。除花萼裂片边缘有睫毛外，全株均无毛。枝条有明显的叶痕。叶对生；叶片椭圆形、长椭圆形或卵形，长5 ~ 15 cm，先端渐尖或短渐尖，基部宽楔形、钝或圆；叶柄长1 ~ 1.5 cm，腹部具槽；叶柄间托叶线明显；叶腋内有钻状腺体。二或三歧聚伞花序，腋生，长 2 ~ 4 cm；苞片三角形，具小苞片；花 5 基数；花萼裂片半圆形，长和宽均约 1.5 mm；花冠辐状，黄色或黄白色，花冠裂片椭圆状披针形至披针形，厚肉质；花丝短，花药 4 室，基部 2 裂；花柱长 5 ~ 6 mm，柱头先端 2 浅裂，子房 2 室，每室有胚珠 1。浆果圆球状，直径约 7 mm，有时先端有宿存花柱，成熟时红色；种子圆球形，黑色。花期 3 ~ 7 月，果期 7 ~ 11 月。

| 生境分布 | 生于山地林下或山坡灌丛中。分布于江苏无锡（宜兴）、常州（溧阳）等。

| 资源情况 | 野生资源一般。

| 采收加工 | 全年均可采挖根，洗净，切片，鲜用或晒干；果实成熟时收取种子，鲜用。

| 功效物质 | 主要含有吲哚类生物碱和木脂素类化合物，吲哚类生物碱对神经末梢和中枢具有良好的药理活性。

| 功能主治 | 苦、辛，温。祛风通络，止血。用于风湿痹痛，创伤出血。

| 用法用量 | 根，内服煎汤，15 ~ 30 g，鲜品 60 ~ 90 g。种子，外用适量，鲜品捣敷。

马钱科 Loganiaceae 尖帽草属 *Mitrasacme* 凭证标本号 320703160908547LY

水田白 *Mitrasacme pygmaea* R. Br.

| 药 材 名 | 水田白（药用部位：全草）。

| 形态特征 | 一年生草本，高达 20 cm。茎圆柱形，直立，纤细，被长硬毛，老时渐无毛或近无毛。叶对生，疏离，在茎基部呈莲座式轮生；叶片卵形、长圆形或线状披针形，长 4 ~ 12 mm，先端钝、急尖至渐尖，基部阔楔形，叶背、边缘及叶脉被白色长硬毛，后近无毛。花单生于侧枝的先端或数朵组成稀疏而不规则的顶生或腋生伞形花序；苞片边缘被睫毛；花萼钟状，裂片 4，三角状披针形，与花萼管等长；花冠白色或淡黄色，钟状，长 3 ~ 6 mm，花冠管喉部被疏髯毛，花冠裂片 4，近圆形；雄蕊 4，内藏；花柱丝状，基部分离，1/3 以上合生，柱头先端 2 裂。蒴果近圆球状，基部被宿存花萼所包藏，先端具宿存的花柱；种子小，表面有小瘤状突起。花期 6 ~ 7 月，果

期 8 ~ 9 月。

| **生境分布** | 生于旷野草地。分布于江苏连云港、无锡（宜兴）等。

| **资源情况** | 野生资源一般。

| **采收加工** | 夏、秋季采收，晒干。

| **功效物质** | 主要含有酚类、黄酮类、生物碱类、糖类等化学成分。

| **功能主治** | 用于咳嗽，疳积，小儿惊风。

龙胆科 Gentianaceae 龙胆属 *Gentiana* 凭证标本号 320481160424109LY

条叶龙胆 *Gentiana manshurica* Kitag.

| **药 材 名** | 龙胆（药用部位：根及根茎）。

| **形态特征** | 多年生草本，高达 45 cm。茎直立，具 4 棱，花枝单一。茎下部叶片膜质，鳞片状，长 0.5 ~ 0.8 cm，中部以下叶片基部联合成鞘状，抱茎；茎中、上部叶片革质，线状披针形或线形，长 3 ~ 10 cm，宽达 0.9 cm，先端急尖，基部钝，边缘反卷，具 1 或 3 基出脉，叶片无柄。花 1 或 2 生于茎先端或腋生；每花具 2 苞片，苞片线状披针形，长达 2 cm；花无梗或具短梗；萼筒钟状，长达 1 cm，裂片线形或线状披针形，长达 1.5 cm；花冠蓝紫色或紫色，钟状，长 4 ~ 5 cm，裂片卵状三角形，褶片斜卵形，具不整齐细齿。蒴果内藏，宽椭圆形；种子具粗网纹，两端具翅。花果期 8 ~ 11 月。

| **生境分布** | 生于山坡、草地、潮湿地区。江苏各地均有分布，主要分布于淮安（盱眙）、盐城（东台）、南京（江宁、栖霞）、镇江（句容）、无锡（宜兴）等。 |

| **资源情况** | 野生资源一般。 |

| **采收加工** | 定植后 2 ~ 3 年即可采收。由于根中总有效成分含量在枯萎至萌动前为最高，所以每年应在此期采收，一般采用刨翻或挖取方式采收。挖出的根部，去掉茎叶，洗净泥土，阴干或于弱光下晒干，晒至七八成干时，捆成小把，再晒干入库。 |

| **药材性状** | 本品根茎呈不规则块状，长 1 ~ 3 cm，直径 0.3 ~ 1 cm；表面暗灰棕色或深棕色，上端有茎痕或残留茎基，周围和下端着生多数细长的根。根圆柱形，略扭曲，长 10 ~ 20 cm，直径 0.2 ~ 0.5 cm；表面淡黄色或黄棕色，上部多有显著的横皱纹，下部较细，有纵皱纹及支根痕。质脆，易折断，断面略平坦，皮部黄白色或淡黄棕色，木部色较浅，呈点状环列。气微，味甚苦。 |

| **功效物质** | 根含有裂环烯萜苷类苦味成分，此种成分以龙胆苦苷、当药苦苷、苦龙胆酯苷为主，总含量可达 4.35%，其中龙胆苦苷含量为 4.15%。此外，尚含有黄酮类成分，具有利胆保肝、抗炎、抗菌等作用。 |

| **功能主治** | 苦，寒。归肝、胆经。清热燥湿，泻肝胆火。用于湿热黄疸，阴肿阴痒，带下，湿疹瘙痒，肝火目赤，耳鸣耳聋，胁痛口苦，强中，惊风抽搐。 |

| **用法用量** | 内服煎汤，3 ~ 6 g。 |

龙胆科 Gentianaceae 龙胆属 Gentiana 凭证标本号 NAS00082730

龙胆 *Gentiana scabra* Bge.

| 药 材 名 |

龙胆（药用部位：根及根茎）。

| 形态特征 |

多年生草本，高达 60 cm。根黄白色，绳索状，长达 20 cm。茎直立，粗壮，常带紫褐色，棱上具乳突；花枝单一。茎基部叶片膜质，鳞片状，长 4 ~ 6 cm；茎中部以下叶片基部联合成筒状，抱茎；茎中上部叶片卵形或卵状披针形，长 2 ~ 8 cm，宽 0.5 ~ 3 cm，先端急尖或渐尖，边缘密被细乳突，具 3 或 5 基出脉，叶片无柄。花数朵簇生于茎先端或叶腋；花无梗；每花具 2 苞片，苞片披针形或线状披针形，长 2 ~ 2.5 cm；萼筒倒锥状筒形，长 1 ~ 1.2 cm，5 裂，裂片线形或线状披针形；花冠蓝紫色，有时喉部具黄绿色斑点，筒状钟形，长 4 ~ 5 cm，5浅裂，裂片卵形或卵圆形，褶片狭三角形；雄蕊 5，着生于花冠筒中部，花丝短，基部渐宽；花柱短。蒴果内藏，椭圆形，长达 2.5 cm；种子具粗网纹，两端具翅。花果期 5 ~ 11 月。

| 生境分布 |

生于向阳山坡疏林下及旱地。分布于江苏南

京、无锡（宜兴）等。

| **资源情况** | 野生资源一般。

| **采收加工** | 春、秋季均可采挖，以秋季采挖质量为佳，除去茎叶，洗净，晒干。

| **药材性状** | 本品根茎呈不规则的块状，长 1 ~ 3 cm，直径 0.3 ~ 1 cm；表面暗灰棕色或深棕色，上端有茎痕或残留茎基，周围和下端着生多数细长的根。根圆柱形，略扭曲，长 10 ~ 20 cm，直径 0.2 ~ 0.5 cm；表面淡黄色或黄棕色，上部多有显著的横皱纹，下部较细，有纵皱纹及支根痕。质脆，易折断，断面略平坦，皮部黄白色或淡黄棕色，木部色较浅，呈点状环列。气微，味甚苦。

| **功效物质** | 主要活性成分为环烯醚萜苷类成分，其中以龙胆苦苷活性最好，具有利胆保肝、抗炎、抗菌等作用。

| **功能主治** | 苦，寒。归肝、胆经。清热燥湿，泻肝胆火。用于湿热黄疸，阴肿阴痒，带下，湿疹瘙痒，肝火目赤，耳鸣耳聋，胁痛口苦，强中，惊风抽搐。

| **用法用量** | 内服煎汤，3 ~ 6 g。

| **附　注** | 研究表明，本种的地上部分与地下部分均具有抗炎作用，其地上部分的抗炎作用优于地下部分；地上部分与地下部分均具有明显的利尿作用，地下部分的利尿作用优于地上部分。

龙胆科 Gentianaceae 龙胆属 Gentiana 凭证标本号 320703170418625LY

笔龙胆 *Gentiana zollingeri* Fawc.

| 药 材 名 |

笔龙胆（药用部位：全草）。

| 形态特征 |

一年生或二年生草本，高达 12 cm。茎直立，常单一，稀少分枝。茎生叶密集；叶片宽卵形或宽卵状匙形，长 1 ~ 1.3 cm，先端钝圆或圆形，具小尖头，基部狭窄成短柄或近无柄，边缘软骨质，两面光滑，具 1 或 3 基出脉。单花生于茎先端，花枝短而密集，呈伞房状；苞片 2，披针形；花有短梗或近无梗；花萼漏斗状，长约 0.9 cm，5 裂，裂片窄三角形或卵状椭圆形，先端具短尖头；花冠淡蓝色，具黄绿色条纹，漏斗形，长达 1.8 cm，5 浅裂，裂片卵形，褶片卵形或宽长圆形，先端 2 浅裂或具不整齐细齿。蒴果倒卵状长圆形，长约 7 mm，先端具宽翅，两侧具窄翅；种子具细网纹。花期 3 ~ 5 月，果期 5 ~ 6 月。

| 生境分布 |

生于山路边或竹林下。分布于江苏南京（江宁）、镇江（句容）、无锡（宜兴）等。

| **资源情况** | 野生资源一般。 |

| **采收加工** | 春、夏季采收，晒干。 |

| **功效物质** | 主要含有环烯醚萜类、黄酮类等化学成分。 |

| **功能主治** | 清热解毒。用于黄疸，咳嗽，小便不利；外用于痈疖疮疡，烫火伤。 |

龙胆科 Gentianaceae 莕菜属 *Nymphoides* 凭证标本号 NAS00583978

金银莲花
Nymphoides indica (L.) O. Kuntze

| 药 材 名 | 铜苋菜（药用部位：全草）。

| 形态特征 | 多年生水生草本。茎不分枝。单叶顶生；叶片漂浮于水面，宽卵圆形或近圆形，长3～18 cm，基部心形，全缘，叶背密生腺体；叶柄短，长1～2 cm。花多数，簇生于节上；花梗细弱，不等长，长3～5 cm；花5基数；花萼长3～6 mm，分裂至近基部，裂片长椭圆形至披针形，先端钝；花冠白色，基部黄色，长7～12 mm，分裂至近基部，花冠筒短，喉部具5束长柔毛，裂片卵状椭圆形，先端钝，腹面密生流苏状长柔毛；雄蕊生于花冠筒上，花丝短，扁平，线形，花药箭形，长2～2.2 mm；子房圆锥形，花柱粗壮，圆柱形，柱头膨大，2裂，裂片三角形。蒴果椭圆球状；种子近球状，光滑。

花果期 8 ～ 10 月。

| **生境分布** | 生于池塘中。分布于江苏扬州（宝应）、南京、常州（溧阳）、苏州（吴江）、无锡等。

| **资源情况** | 野生资源一般。

| **采收加工** | 夏、秋季采收，洗净，晒干。

| **药材性状** | 本品多皱缩，光滑无毛。茎圆柱形，不分枝，形如叶柄，先端单生 1 叶。叶片近圆形，长 3 ～ 11 cm，基部深心形，全缘；革质。气微，味辛。

| **功效物质** | 主要有效成分为三萜类、甾醇类、黄酮类等成分。

| **功能主治** | 甘、微苦，寒。清热利尿，生津养胃。用于小便短赤不利，口干，口渴。

| **用法用量** | 内服煎汤，10 ～ 15 g。

龙胆科 Gentianaceae 荇菜属 Nymphoides 凭证标本号 320124151016007LY

荇菜
Nymphoides peltatum (Gmel.) O. Kuntze

| **药 材 名** | 荇菜（药用部位：全草）。

| **形态特征** | 多年生水生草本。茎长而多分枝，节上有不定根。茎下部叶互生，顶部叶对生；叶片浮于水面，圆形或卵圆形，直径 1.5 ~ 8 cm，基部心形，全缘或波状，叶面亮绿色，有不明显的掌状叶脉，叶背紫褐色，密生腺体，粗糙；叶柄基部抱茎。花 1 ~ 6，簇生于节上；花萼 5 深裂至近基部，裂片椭圆状披针形，先端钝，全缘；花冠金黄色，直径 2.5 ~ 3 cm，5 裂至近基部，裂片宽倒卵形，先端圆形或凹陷，中部质厚的部分呈卵状长圆形，边缘宽膜质，近透明，具不整齐的细条裂齿，花冠筒短，喉部具 5 束长柔毛；雄蕊 5，生于花冠筒上，花丝短且扁，基部疏被长毛，花药常弯曲，箭形；5 黄色腺体环绕子房基部。蒴果椭圆球状，长约 2 cm，不开裂。花果期

4 ~ 10 月。

| **生境分布** | 生于池塘或水流较缓的河溪中。江苏各地均有分布。

| **资源情况** | 野生资源较丰富。

| **采收加工** | 夏、秋季采收，鲜用或晒干。

| **药材性状** | 本品多缠绕成团。茎细长，多分枝，节处生不定根。叶片多皱缩，完整叶片近圆形或卵状圆形，长 1.5 ~ 7 cm，基部深心形，近革质；叶柄长 5 ~ 10 cm，基部渐宽，抱茎；上部的叶对生，其他部位叶互生。气微，味辛。

| **功效物质** | 主要含有三萜类、甾醇类、黄酮类等化学成分，其中三萜类的齐墩果酸、白桦脂酸为主要有效成分之一。

| **功能主治** | 辛、甘，寒。归膀胱经。发汗透疹，利尿通淋，清热解毒。用于感冒发热无汗，麻疹透发不畅，水肿，小便不利，热淋，诸疮肿毒，毒蛇咬伤。

| **用法用量** | 内服煎汤，10 ~ 15 g。外用适量，鲜品捣敷。

龙胆科 Gentianaceae 獐牙菜属 *Swertia* 凭证标本号 320125141104044LY

北方獐牙菜 *Swertia diluta* (Turcz.) Benth. et Hook. f.

| 药 材 名 | 淡花当药（药用部位：全草）。

| 形态特征 | 一年生草本，高 20 ~ 70 cm。茎具 4 棱，棱上具狭翅，多分枝。叶片线状披针形或线形，长 1 ~ 4.5 cm，宽达 0.9 cm，两端渐狭，具 1 ~ 3 基出脉。圆锥状复聚伞花序；花梗四棱形，长达 1.5 cm；花萼长于或等长于花冠，裂片线形，长达 1.2 cm，先端渐尖；花冠淡蓝色，裂片椭圆状披针形，长达 1.1 cm，先端急尖，基部具 2 沟状窄长圆形腺窝，边缘具流苏状长柔毛。蒴果长圆形，长达 1.2 cm；种子具小瘤状突起。

| 生境分布 | 生于山坡疏林下或草丛中。分布于江苏连云港（灌云）、无锡（宜兴）、南京（江宁、栖霞）等。

| 资源情况 | 野生资源较少。

| 采收加工 | 7 ~ 10 月采收，洗净，鲜用或晒干。

| 药材性状 | 本品长 20 ~ 40 cm。茎纤细，多分枝，具 4 棱，浅黄色，有时略带紫褐色。叶对生，多皱缩；完整叶片披针形或长椭圆形，长 2 ~ 4 cm，先端尖，基部楔形，全缘，无柄。有时在顶部或叶腋可见聚伞花序；花冠淡蓝紫色，5 深裂，基部内侧有 2 腺窝，边缘有流苏状毛。气微，味微苦。

| 功效物质 | 主要含有汕酮类、黄酮类、环烯醚萜类、三萜类、生物碱类等化学成分，其中汕酮类为主要化学成分和活性成分。

| 功能主治 | 苦，寒。归肝、胃、大肠经。清热解毒，利湿健胃。用于骨髓炎，咽喉炎，扁桃体炎，结膜炎，肝炎，消化不良，痢疾，疮痈疥癣，毒蛇咬伤。

| 用法用量 | 内服煎汤，5 ~ 15 g；或研末冲服。外用适量，捣敷；或捣汁搽。

| 附　　注 | 民间广泛用于治疗肝炎。

龙胆科 Gentianaceae 獐牙菜属 Swertia 凭证标本号 NAS00596930

浙江獐牙菜 *Swertia hickinii* Burkill.

| 药 材 名 |

浙江獐牙菜（药用部位：全草）。

| 形态特征 |

一年生草本，高达 45 cm。茎具 4 棱，棱上具狭翅，多分枝。叶片披针形、狭长椭圆形或倒披针形，长 2 ~ 4 cm，宽 0.3 ~ 1 cm，先端急尖，稀圆钝，基部狭窄，近无柄，具 1 ~ 3 基出脉；茎上部叶片逐渐缩小。圆锥状复聚伞花序；花梗细弱，四棱形，长达 1.5 cm；花萼短于花冠，裂片线状披针形，长 3 ~ 6 mm；花冠白色，具紫色条纹，裂片卵形或卵状披针形，长 0.5 ~ 0.9 cm，先端钝或渐尖，基部具 2 囊状腺窝，边缘有流苏状毛。蒴果卵形，长达 1 cm，2 瓣裂；种子近圆形，有网状凹点。

| 生境分布 |

生于山坡路边草丛中。分布于江苏镇江（句容）、南京（溧水、江宁）等。

| 资源情况 |

野生资源较少。

采收加工	7 ~ 10 月采收，洗净，鲜用或晒干。
功效物质	主要含有汕酮类、黄酮类、环烯醚萜类、三萜类、生物碱类等化学成分。
功能主治	清热，利湿，解毒。

夹竹桃科 Apocynaceae 罗布麻属 Apocynum 凭证标本号 320382180630038LY

罗布麻 *Apocynum venetum* L.

| 药 材 名 | 罗布麻叶（药用部位：叶）。

| 形态特征 | 半灌木，高1～2（～4）m。茎光滑，紫红色或淡红色，有乳汁。叶对生，叶片椭圆状披针形至长圆形，长2～4cm，先端钝圆并有小芒尖，基部宽楔形，边缘有不明显的细锯齿，两面无毛，侧脉在叶缘前网结；叶柄间具腺体，老时脱落。花序常顶生，被短柔毛；苞片和小苞片膜质；花萼5深裂，裂片披针形或卵圆状披针形，两面被短柔毛；花冠紫红色或粉红色，圆筒状钟形，两面密被颗粒状突起，长6～8mm，裂片卵状长圆形，每裂片内外均具3明显的紫红色脉纹；雄蕊与副花冠裂片互生，花药腹部黏生在柱头基部，黏合成锥状体，先端锥尖；花盘环状，肉质，先端不规则5裂，环绕子房，着生在花托上。蓇葖果双生，下垂，外果皮棕色；种子细小，

先端有白色种毛。花期 6 ~ 8 月，果期 9 ~ 10 月。

| **生境分布** | 生于盐碱沙荒地、海岸、沟旁、河流两岸的草丛中。分布于江苏北部等。

| **资源情况** | 野生及栽培资源较丰富。

| **采收加工** | 夏季采收，除去杂质，干燥。

| **药材性状** | 本品多皱缩、卷曲，有的破碎，完整者呈椭圆状披针形或卵圆状披针形，淡绿色或灰绿色，边缘具细齿，常反卷，叶脉于下表面凸起；叶柄细，长约 4 mm。质脆。气微，味淡。

| **功效物质** | 主要含有黄酮及黄烷类、苯乙醇苷类等化学成分，其中金丝桃苷活性最好，具有降压、保肝、利尿、保护心血管等作用。

| **功能主治** | 甘、苦，凉。平肝安神，清热利水。用于肝阳眩晕，心悸失眠，浮肿尿少，高血压，神经衰弱，肾炎浮肿。

| **用法用量** | 内服煎汤，3 ~ 10 g；或代茶饮。

夹竹桃科 Apocynaceae 长春花属 Catharanthus 凭证标本号 321112180719015LY

长春花
Catharanthus roseus (L.) G. Don

| **药 材 名** | 长春花（药用部位：全草）。

| **形态特征** | 多年生草本或半灌木，高达 80 cm。茎直立或外倾，近方形，有条纹。叶片膜质，倒卵形或椭圆形，长 3 ~ 9 cm，宽 1 ~ 3.5 cm，先端圆钝，有小尖头，基部广楔形至楔形，渐狭而成叶柄。聚伞花序腋生或顶生，有花 2 或 3；花梗短；花萼 5 深裂，内面无腺体或腺体不明显，萼片长约 3 mm，披针形或钻状渐尖，细而短；花冠淡红色、粉红色，高脚碟状，花冠筒细长，长 2 ~ 2.5 cm，内面具疏柔毛，喉部紧缩，具刚毛，花冠裂片宽倒卵形，长和宽均约 1.5 cm，左旋；雄蕊着生于花冠筒的上半部；花盘由 2 舌状腺体组成，与心皮互生；子房由 2 离生的心皮组成，胚珠多数，花柱丝状，柱头

头状。蓇葖果长约 2.5 cm，有纵纹和短毛；种子先端无种毛，有粒状小突起。花期几乎全年。

| **资源情况** | 栽培资源较少。

| **采收加工** | 全年均可采收，洗净，切段，鲜用或晒干。或当年 9 月下旬至 10 月上旬采收，选晴天收割地上部分，先切除植株茎部木质化硬茎，再切成长 6 cm 的小段，晒干。

| **药材性状** | 本品长 30 ～ 50 cm。主根圆锥形，略弯曲。茎枝绿色或红褐色，类圆柱形，有棱，折断面纤维性，髓部中空。叶对生，皱缩，展平后呈倒卵形或长圆形，长 3 ～ 6 cm，宽 1.5 ～ 2.5 cm，先端钝圆，具短尖，基部楔形，深绿色或绿褐色，羽状脉明显；叶柄甚短。枝端或叶腋有花，花冠高脚碟形，长约 3 cm，淡红色或紫红色。气微，味微甘、苦。以叶片多、带花者为佳。

| **功效物质** | 主要含有单萜吲哚生物碱类成分，多以长春碱、长春新碱的硫酸盐形式应用于临床。

| **功能主治** | 苦，寒；有毒。归肝、肾经。解毒，抗肿瘤，清热平肝。用于多种恶性肿瘤，高血压，痈肿疮毒，烫火伤等。

| **用法用量** | 内服煎汤，5 ～ 10 g；或将提取物制成注射剂静脉注射。外用适量，捣敷；或研末调敷。

| **附　注** | 本种喜温暖和稍干燥的气候，能耐干旱，但怕涝和严寒。

夹竹桃科 Apocynaceae 夹竹桃属 Nerium 凭证标本号 321084180607096LY

欧洲夹竹桃 *Nerium indicum* Mill.

| 药 材 名 | 夹竹桃 (药用部位：叶、枝皮)。

| 形态特征 | 常绿直立灌木，高可达 5 m。叶 3 或 4 轮生，枝条下部者常为对生；叶片线状披针形至长披针形，长 7 ~ 15 cm，先端急尖，基部楔形，侧脉密生而平行，直达叶缘，边缘稍反卷。聚伞花序顶生，具花数朵；苞片披针形；花芳香；花萼 5 深裂，红色，披针形，长 3 ~ 4 mm，内面基部具腺体；花冠深红色或粉红色，漏斗状，5 裂，长和直径均约 3 cm，花冠筒圆筒状，上部扩大成钟状，筒内面被长柔毛，喉部具 5 宽鳞片状副花冠，每片先端撕裂，并伸出花冠喉部外，花冠裂片倒卵形，先端圆形，长 1.5 cm；雄蕊着生于花冠筒中部以上，花丝被长柔毛，花药与柱头连生，基部具耳，先端渐尖，药隔延长成丝状，被柔毛；柱头近球状。蓇葖果 2，长 10 ~ 20 cm；种子先

端有黄褐色种毛。花果期 4 ～ 12 月。

| 生境分布 | 生于低海拔地区。江苏各地均有栽培。

| 资源情况 | 栽培资源丰富。

| 采收加工 | 对 2 ～ 3 年生以上的植株,结合整枝修剪采集,晒干或炕干。

| 药材性状 | 本品叶呈窄披针形,长可达 15 cm,宽约 2 cm,先端渐尖,基部楔形,边缘稍反卷,上面深绿色,下面淡绿色,主脉于下面凸起,侧脉细密而平行;叶柄长约 5 mm。厚革质而硬。气特异,味苦。

| 功效物质 | 含有夹竹桃苷、洋地黄苷、糖苷等多种成分。

| 功能主治 | 苦,寒;有大毒。归心经。强心利尿,祛痰定喘,镇痛,祛瘀。用于心力衰竭,喘咳,癫痫,跌打肿痛,血瘀闭经。

| 用法用量 | 内服煎汤,0.3 ～ 0.9 g;或研末,0.05 ～ 0.1 g。外用适量,捣敷;或制成酊剂涂。

| 附 注 | 本种喜温暖、湿润的气候,喜光,能耐一定干旱,不耐寒,具耐碱性。

夹竹桃科 Apocynaceae 络石属 Trachelospermum 凭证标本号 320116180415002LY

络石

Trachelospermum jasminoides (Lindl.) Lem.

| 药 材 名 | 络石藤（药用部位：带叶藤茎）。

| 形态特征 | 常绿木质藤本。茎长达 10 m，赤褐色，具乳汁。幼枝被黄色柔毛，常有气根。叶片革质或近革质，椭圆形至卵状椭圆形或宽倒卵形，长 2.5 ～ 8 cm，基部渐狭至钝，先端锐尖至渐尖或钝，有时微凹或有小凸尖，叶面无毛，叶背有柔毛。二歧聚伞花序腋生或顶生，圆锥状；苞片及小苞片狭披针形；花有香气；花萼 5 深裂，裂片线状披针形，花后外卷，外面被长柔毛及缘毛，内面无毛，基部具 10 鳞片状腺体；花冠白色，筒中部以上扩大，内面在喉部及雄蕊着生处被短柔毛；雄蕊着生于花冠筒中部，花药腹部黏生在柱头上，花药箭头状，基部具耳，内藏。蓇葖果 2，叉开，无毛，线状披针形，向先端渐尖，长约 15 cm；种子线形而扁，先端有白色种毛。花期

4 ~ 7 月，果期 7 ~ 10 月。

| **生境分布** | 生于山野、溪边、路旁、林缘或杂木林中，常缠绕于树上或攀缘于墙壁、岩石上。

| **资源情况** | 野生资源丰富。

| **采收加工** | 栽种 3 ~ 4 年后秋末剪取，截成 25 ~ 30 cm 长，扎成小把，晒干。

| **药材性状** | 本品呈圆柱形，多分枝，直径 0.2 ~ 1 cm；表面红棕色，具点状皮孔和不定根；质较硬，折断面纤维状，黄白色，有时中空。叶对生，具短柄，完整叶片呈椭圆形或卵状椭圆形，长 2.5 ~ 8 cm，宽 0.8 ~ 3.5 cm，先端渐尖或钝，有时微凹，叶缘略反卷，上表面黄绿色，下表面色较浅，叶脉羽状，下表面较清晰，稍凸起；革质，折断时可见白色绵毛状丝。气微，味微苦。以叶多、色绿者为佳。

| **功效物质** | 主要含有黄酮类、木脂素类、三萜类、紫罗兰酮衍生物类等成分，具有抑菌、抗痛风、兴奋中枢神经的作用，大剂量可引起呼吸衰竭，对心脏的作用较弱，对离体肠及子宫有抑制作用。

| **功能主治** | 苦、辛，微寒。归心、肝、肾经。祛风通络，凉血消肿。用于风湿热痹，筋脉拘挛，腰膝酸痛，喉痹，痈肿，跌打损伤。

| **用法用量** | 内服煎汤，6 ~ 15 g，单味可用至 30 g；或浸酒，30 ~ 60 g；或入丸、散剂。外用适量，研末调敷；或捣汁涂。

| **附　注** | 本种喜温暖、湿润、半阴的环境；不择土壤，耐一定干旱，但忌水涝。

夹竹桃科 Apocynaceae 蔓长春花属 Vinca 凭证标本号 320681160423047LY

蔓长春花
Vinca major L.

| 药 材 名 | 花叶蔓长春花（药用部位：地上部分）。

| 形态特征 | 蔓性半灌木。茎蔓卧，着花的茎直立。除叶柄、叶缘、花萼及花冠喉部有毛外，其余无毛。叶对生；叶片卵形，长 3 ~ 8 cm，宽 2 ~ 6 cm，先端急尖，基部宽或稍呈心形，叶缘具纤毛；叶柄长 1 cm。花单生于叶腋；花梗长 3 ~ 5 cm；花萼裂片狭披针形或线形，长约 1 cm，边缘具纤毛；花冠蓝色或紫蓝色，花冠筒漏斗状，筒部较短，裂片倒卵形，先端钝圆，长 12 mm，宽 7 mm；雄蕊生于花冠筒中下部，花丝短而扁平，花药先端具毛；子房由 2 离生的心皮组成。蓇葖果双生，直立，长约 5 cm；种子先端无毛。花期 5 ~ 7 月。

| 生境分布 | 栽培于公园或庭院。江苏各地均有栽培。

| **资源情况** | 栽培资源较少。

| **采收加工** | 8 ~ 9 月采收。

| **功效物质** | 主要含有单萜吲哚类生物碱及烟碱，长春胺是其主要活性成分。

| **功能主治** | 凉血降压，镇静安神。用于高血压，烫火伤，肿瘤。

| **附　　注** | 本种喜温暖、湿润的气候，对光线要求不高，对土壤要求不高，在壤土、黏壤土中都可正常生长。

萝藦科 Asclepiadaceae 鹅绒藤属 *Cynanchum* 凭证标本号 320116180719014LY

徐长卿
Cynanchum paniculatum (Bge.) Kitag.

| 药 材 名 | 徐长卿（药用部位：根及根茎）。

| 形态特征 | 多年生直立草本，高 60 ～ 80 cm。根须状，多至 50 余条。茎通常不分枝。叶对生；叶片狭披针形至线状披针形，长 5 ～ 12 cm，宽 3 ～ 12 mm，先端尖，基部楔形，两面无毛或叶面具疏柔毛，有缘毛，近无柄或有短柄；叶柄长约 3 mm。圆锥状聚伞花序在茎先端腋生，有 10 余花；花萼内面有腺体或无；花冠黄绿色，近辐状，裂片 5，三角状卵形，长达 4 mm，宽 3 mm；副花冠裂片 5，基部增厚，先端钝；柱头五角形。蓇葖果单生，长角形，长 6 cm，直径 6 mm；种子先端有白色绢质种毛。花期 7 ～ 8 月，果期 9 ～ 11 月。

| 生境分布 | 生于山坡路旁或草丛中。分布于江苏连云港（灌云）、无锡（宜兴）、

南京（江宁、栖霞）等。

| 资源情况 | 野生资源一般。

| 采收加工 | 夏、秋季采收，洗净，晒干。

| 药材性状 | 本品根茎呈不规则柱状，有盘节，长 0.5 ~ 3.5 cm，直径 2 ~ 4 mm；有的先端附圆柱形残茎，长 1 ~ 2 cm，断面中空。根簇生于根茎节处，圆柱形，细长而弯曲，长 10 ~ 16 cm，直径 1 ~ 1.5 mm；表面淡黄棕色至淡棕色，具微细纵皱纹，并有纤细须根；质脆，易折断，断面粉性，皮部类白色或黄白色，形成层环淡棕色，木部细小。气香，味微辛、凉。

| 功效物质 | 主要含有丹皮酚、多种苷元、黄酮、氨基酸、异丹皮酚及多糖类物质，其中丹皮酚为主要药效成分。

| 功能主治 | 辛，温。归肝、胃经。祛风，化湿，止痛，止痒。用于风湿痹痛，胃痛胀满，牙痛，腰痛，跌扑伤痛，风疹，湿疹。

| 用法用量 | 内服煎汤，3 ~ 9 g；不宜久煎；或入丸剂；或浸酒。

| 附　　注 | 现代又常用于登山呕吐、晕车晕船等。

萝藦科 Asclepiadaceae 鹅绒藤属 Cynanchum 凭证标本号 320830160712017LY

白薇
Cynanchum atratum Bunge

药 材 名

白薇（药用部位：根及根茎）。

形态特征

直立多年生草本，高 30 ~ 50 cm。根须状，有香味。叶对生；叶片卵形或卵状长圆形，长 5 ~ 8 cm，宽 3 ~ 5 cm，先端渐尖或急尖，基部圆形，两面均有淡白色绒毛，叶背及脉上更密；叶柄长 3 ~ 7 mm。聚伞花序伞状，无花序梗；有花 8 ~ 10；花萼外面有毛，内面基部有小腺体 5；花冠紫色或边缘带绿色，裂片 5，外面有短柔毛；副花冠 5 裂，裂片盾状，长圆形，与合蕊柱近等长；花药先端具 1 圆形的膜片；柱头扁平。蓇葖果单生，基部钝，向先端渐尖，中间膨大，长约 9 cm，直径 5 ~ 10 mm；种子先端具白色绢质种毛。花果期 5 ~ 8 月。

生境分布

生于山坡草地或荒地上。分布于江苏北部等。

资源情况

野生资源一般。

| **采收加工** | 春、秋季采挖，洗净，干燥。

| **药材性状** | 本品根茎多弯曲，粗短，有结节，直径 0.5 ~ 1.2 cm；先端有数个圆形凹陷的茎痕或有短的茎基，下方及两侧簇生多数须根。根圆柱形，略弯，形似马尾，长 5 ~ 25 cm，直径 1 ~ 2 mm；表面黄棕色至棕色，具细纵皱纹或平滑。质脆，易折断，断面平坦，皮部发达，黄白色至淡黄棕色，木部小，黄色。气微，味微苦。

| **功效物质** | 主要含有 C_{21} 甾体苷元及其苷类化合物，其中主要活性成分为直立白薇苷 A、直立白薇苷 B、直立白薇苷 C、直立白薇苷 D、直立白薇苷 E、直立白薇苷 F、白前苷 C、白前苷 H 和直立白薇新苷 A、直立白薇新苷 B、直立白薇新苷 C、直立白薇新苷 D 等。此外，尚含有生物碱类、挥发油类、脂肪酸类等成分。

| **功能主治** | 苦、咸，寒。归肺、胃、肝经。清热凉血，利尿通淋，解毒疗疮。用于温邪伤营发热，阴虚发热，骨蒸劳热，产后血虚发热，热淋，血淋，痈疽肿毒。

| **用法用量** | 内服煎汤，3 ~ 15 g；或入丸、散剂。

| **附　　注** | 民间用以清肺热，治疗吐血及老年咳嗽。

萝藦科 Asclepiadaceae 鹅绒藤属 Cynanchum 凭证标本号 320111140829010LY

牛皮消

Cynanchum auriculatum Royle ex Wight

药材名

白首乌（药用部位：块根）。

形态特征

蔓性半灌木，具乳汁。根肥厚，类圆柱形，表面黑褐色，断面白色。茎中空，被微柔毛，呈左旋相互缠绕。叶对生；叶片心形至卵状心形，长 4 ~ 10 cm，宽 5 ~ 10 cm，先端短渐尖，基部深心形，两侧呈耳状，内弯，全缘，被微柔毛。聚伞花序伞房状，腋生；花萼近 5 全裂，反折；花冠辐状，5 深裂，裂片反折，白色；副花冠浅杯状，长于合蕊柱，在每裂片内面中部有一三角形的舌状鳞片；雄蕊 5，花丝连成筒状，花药 2 室，附着于柱头周围，每室有黄色花粉块 1；雌蕊由 2 离生的心皮组成，柱头先端 2 裂。蓇葖果双生，基部较狭，中部圆柱形，上部渐尖，长约 8 cm，直径约 1 cm；种子卵状椭圆形至倒楔形，边缘具狭翅，先端有 1 束白亮的长绢毛。

生境分布

生于低海拔的沿海地区至山坡林缘、路旁灌丛中或河流、水沟边潮湿地。分布于江苏北部等。

| **资源情况** | 野生资源丰富。

| **采收加工** | 秋、冬季叶片脱落后或春末萌芽前采挖，洗去泥沙，削去残茎和须根，按大小分级。

| **药材性状** | 本品呈长圆柱形、长纺锤形或结节状圆柱形，稍弯曲，长 7 ~ 15 cm，直径 1 ~ 4 cm。表面浅棕色，有明显的纵皱纹及横长皮孔，栓皮脱落处为土黄色或浅黄棕色，具网状纹理。质坚硬，断面类白色，粉性，具鲜黄色放射状纹理。气微，味微甘而后苦。

| **功效物质** | 块根含有多种化学成分，其中最重要的为 C_{21} 甾苷类、多糖类、苯酮类等活性成分。此外，还含有钙、磷、铜等多种人体所必需的微量元素及粗蛋白、粗脂肪、游离的糖和淀粉等营养成分。

| **功能主治** | 苦、甘、涩，微温。归肝、肾经。滋补肝肾，强身壮体，养血补血，乌须黑发，生肌敛疮，润肠通便。用于久病虚弱，慢性风痹，腰膝酸软，贫血，肠出血，须发早白，神经衰弱，阴虚久疟，溃疡久不收口，老年便秘。

| **用法用量** | 内服煎汤，6 ~ 15 g，鲜品加倍；或研末，1 ~ 3 g；或浸酒。外用适量，鲜品捣敷。

萝摩科 Asclepiadaceae 鹅绒藤属 Cynanchum 凭证标本号 320703160905451LY

鹅绒藤 *Cynanchum chinense* R. Br.

| 药 材 名 | 鹅绒藤乳汁（药用部位：茎中的白色乳汁）、鹅绒藤根（药用部位：根）。

| 形态特征 | 缠绕草本，全体有短柔毛。主根圆柱状。叶对生；叶片心形或宽三角状心形，长 4 ~ 7 cm，宽 3 ~ 7 cm，先端锐尖，基部心形，叶面深绿色，叶背苍白色；叶柄长 2.5 ~ 5 cm。伞状聚伞花序腋生，二歧，有花约 20；花梗和花萼均有毛；花冠白色，长圆状披针形；副花冠二形，杯状，先端裂成 10 丝状体，分为 2 轮，外轮与花冠裂片近等长，内轮较短；花粉块每室 1，下垂；柱头略凸起，先端 2 裂。菁葵果双生或仅有 1 个发育，细圆柱形，向端部渐尖，长约 10 cm，直径约 5 mm；种子长圆形，先端有白色绢质种毛。花期 7 ~ 8 月，果期 8 ~ 10 月。

| 生境分布 | 生于沟边或路旁草丛中。分布于江苏徐州、连云港、盐城（射阳、大丰）、南通（启东）、苏州（吴中、常熟）、常州（新北）等。 |

| 资源情况 | 野生资源较丰富。 |

| 采收加工 | **鹅绒藤乳汁**：夏、秋季采收，随采随用。
鹅绒藤根：夏、秋季采挖，洗净，晒干。 |

| 药材性状 | **鹅绒藤根**：本品呈圆柱形，长约 20 cm，直径 5 ~ 8 mm。表面灰黄色，平滑或有细皱纹，栓皮易剥离，剥离处显灰白色。质脆，易折断，断面不平坦，黄色，中空。气微，味淡。 |

| 功效物质 | 主要含有甾体类、生物碱类、氨基酸类、蛋白质类、糖及糖苷类成分，茎中的白色乳汁含丰富的蛋白质和蛋白酶。 |

| 功能主治 | **鹅绒藤乳汁**：甘，凉。归肝经。外用于皮肤疣。
鹅绒藤根：祛风解毒，健胃止痛。用于小儿食积。 |

| 用法用量 | **鹅绒藤乳汁**：外用适量，绞汁涂。
鹅绒藤根：内服煎汤，3 ~ 15 g。外用适量，取汁涂抹。 |

| 附　注 | 本种地上部位具有一定的抗炎活性，民间亦使用全草。鹅绒藤乳汁涂患处，经数次涂抹后，疣赘层层自行脱落。 |

萝藦科 Asclepiadaceae 鹅绒藤属 Cynanchum 凭证标本号 320721181018378LY

变色白前

Cynanchum versicolor Bunge

药材名

白薇（药用部位：根及根茎）。

形态特征

半灌木，全株有绒毛。根须状。茎下部直立，上部缠绕。叶对生，宽卵形或卵形，长 4 ~ 9 cm，宽 2.5 ~ 6 cm，先端锐尖，基部圆形或近心形，两面有黄色绒毛；叶柄极短。聚伞状花序腋生，花序梗近无，有花 10 余；花萼裂片 5，狭披针形，先端渐尖，外面有毛，内面基部 5 腺体极小；花冠初为黄白色，渐变为紫黑色，干枯时呈暗褐色，近钟形；副花冠裂片三角形，比合蕊柱稍短；花粉块每室 1，长圆形，下垂。蓇葖果单生，长角状，长 5 cm，直径 1 cm，向端部渐尖；种子宽卵形，先端具白色绢质种毛。花期 5 ~ 7 月，果期 7 ~ 9 月。

生境分布

生于山坡林下或水沟边。分布于江苏徐州、连云港、苏州（吴中）、无锡（宜兴）、常州（溧阳）等。

资源情况

野生资源一般。

| **采收加工** | 春、秋季采挖，洗净，干燥。

| **功效物质** | 主要含有 C_{21} 甾体苷元及其苷类化合物，其中主要活性成分为白前苷 C、白前苷 H 及白前苷元 A 等。此外，尚含有生物碱类、挥发油类、脂肪酸类等成分。

| **功能主治** | 清热凉血，利尿通淋，解毒疗疮。用于温邪伤营发热，阴虚发热，骨蒸劳热，产后血虚发热，热淋，血淋，痈疽肿毒。

| **用法用量** | 内服煎汤，5 ~ 10 g。

| **附　　注** | 本种的形态与白薇（*Cynanchum atratum* Bunge）相似，本种唯茎上部为蔓生，被短柔毛，叶片卵形或椭圆形，花较小，直径约 1 cm，初开时黄绿色，后渐变为黑紫色。

萝藦科 Asclepiadaceae 鹅绒藤属 Cynanchum 凭证标本号 320482180909321LY

隔山消 *Cynanchum wilfordii* (Maxim.) Hook. F

药材名

隔山消（药用部位：块根）。

形态特征

多年生草质藤本。根肉质，膨大成圆柱状或近纺锤状。茎有单列毛。叶对生；叶片卵形，长 4 ~ 7 cm，宽 3 ~ 5 cm，先端渐尖，基部耳垂状心形，两面有微柔毛，干时叶面常呈黑褐色，叶背淡绿色，基脉 3 或 4，放射状，侧脉 4 对；叶柄长 2 ~ 3 cm。近伞房状聚伞花序，半球状，有花 15 ~ 20，花序梗被单列毛；花萼外面被柔毛，裂片长圆形；花冠淡黄色，裂片长圆形，先端近钝形，外面无毛，内面有长柔毛；副花冠裂片近四方形，比合蕊柱短；花粉块每室 1，长圆形，下垂。蓇葖果单生，长角状，先端尖，长约 12 cm，直径约 1 cm；种子卵形，先端有白色绢质种毛。花期 6 ~ 7 月，果期 7 ~ 10 月。

生境分布

生于山坡路边草丛中。分布于江苏连云港、镇江（句容）、南京、无锡（宜兴）、苏州、常州等。

| 资源情况 | 野生资源较丰富。

| 采收加工 | 秋、冬季采挖，洗净，切片，晒干。

| 药材性状 | 本品呈圆柱形或纺锤形，长 10 ~ 20 cm，直径 1 ~ 4 cm，微弯曲。表面白色或黄白色，具纵皱纹及横长皮孔，栓皮破裂处显黄白色木部。质坚硬，折断面不平坦，灰白色，微带粉状。气微，味苦、甜。

| 功效物质 | 主要含有隔山消苷类成分。

| 功能主治 | 甘、微苦，微温。归脾、胃、肾经。补肝肾，强筋骨，健脾胃，解毒。用于肝肾两虚，头昏眼花，失眠健忘，须发早白，阳痿，遗精，腰膝酸软，脾虚不运，脘腹胀满，食欲不振，泄泻，产后乳少，鱼口疮毒。

| 用法用量 | 内服煎汤，9 ~ 15 g。外用适量，鲜品捣敷。

| 附　注 | 现代研究发现，隔山消能促进毛发生长、抗肿瘤、降血脂。

萝藦科 Asclepiadaceae 萝藦属 Metaplexis 凭证标本号 320681160423027LY

萝藦
Metaplexis japonica (Thunb.) Makino

| 药 材 名 | 萝藦（药用部位：全草或根）、萝藦子（药用部位：果实）。

| 形态特征 | 多年生缠绕草本。植株具乳汁。叶对生，卵状心形，长 4 ~ 9 cm，宽 2.5 ~ 6 cm，先端渐尖，基部心形，叶耳圆，两耳展开或紧接，两面无毛，背面粉绿色；叶柄长 2 ~ 5 cm，先端有丛生腺体。总状聚伞花序腋生，有长的花序梗；花梗被短柔毛；花蕾圆锥状，先端尖；花萼有柔毛，萼裂片披针形，长 5 ~ 7 mm；花冠白色，有淡紫红色斑纹，近辐状，花冠裂片披针形，张开，先端反折，基部向左覆盖，内面有柔毛；副花冠杯状浅裂，着生于合蕊冠上，短 5 裂，裂片兜状；雄蕊连生成圆锥状，并将雌蕊包围在其中，花药先端具白色膜片；花柱延伸成线状，长于花冠，柱头 2 裂。蓇葖果单生，长角状纺锤形，平滑。花期 7 ~ 8 月，果期 9 ~ 10 月。

| 生境分布 | 生于山坡、田野或路旁。江苏各地均有分布。

| 资源情况 | 野生资源较丰富。

| 采收加工 | 萝藦：7 ~ 8 月采收全草，鲜用或晒干；夏、秋季采挖根，洗净，晒干。
萝藦子：秋季果实成熟时采收，晒干。

| 药材性状 | 萝藦：本品为草质藤本，卷曲成团。根细长，直径 2 ~ 3 mm，浅黄棕色。茎圆柱形，扭曲，直径 1 ~ 3 mm；表面黄白色至黄棕色，具纵纹，节膨大；折断面髓部常中空，木部发达，可见数个小孔。叶皱缩，完整叶湿润展平后呈卵状心形，长 5 ~ 9 cm，宽 4 ~ 6 cm，背面叶脉明显，侧脉 5 ~ 7 对。气微，味甘、平。

| 功效物质 | 主要含有甾体类、萜类、生物碱类、黄酮类等化学成分，其中 C_{21} 甾体苷类化合物具有诸多生物活性及药理作用。

| 功能主治 | 萝藦：甘、辛，平。补精益气，通乳，解毒。用于虚损劳伤，阳痿，遗精带下，乳汁不足，丹毒，瘰疬，疔疮，蛇虫咬伤。
萝藦子：补肾益精，生肌止血。用于虚劳，阳痿，遗精，金疮出血。

| 用法用量 | 萝藦：内服煎汤，15 ~ 60 g。外用适量，鲜品捣敷。
萝藦子：内服煎汤，9 ~ 18 g；或研末。外用适量，捣敷。

| 附　　注 | 本种的果皮、茎、根和种毛均可药用，果皮可止咳、化痰、平喘；茎可补肾；根可治疗骨关节结核、跌打损伤；种毛可止血。茎和根有毒。

萝藦科 Asclepiadaceae 杠柳属 *Periploca* 凭证标本号 320481170401071LY

杠柳
Periploca sepium Bunge

| **药 材 名** | 香加皮（药用部位：根皮）。

| **形态特征** | 落叶蔓性灌木，高可达 1.5 m。植株具乳汁，除花外全株无毛。小枝通常对生。叶对生；叶片长圆状披针形，长 5 ~ 9 cm，宽 1.5 ~ 2.5 cm，基部楔形，先端渐尖，侧脉多数。聚伞花序腋生，具花数朵；花萼裂片卵圆形，长 3 mm，宽 2 mm，先端钝，内面基部有腺体 10；花冠紫红色，裂片 5，裂片长圆状披针形，反折，内面有疏柔毛，外面无毛；雄蕊着生在副花冠内面，并与其合生，花药彼此粘连并包围着柱头，背面被长柔毛；花粉颗粒状，藏于直立匙形的载粉器内；心皮离生，无毛，柱头盘状凸起。蓇葖果双生，长角状，长 7 ~ 12 cm；种子先端有白色绢质种毛。花期 6 月，果熟期 8 月。

| 生境分布 | 生于山坡林缘或路旁。分布于江苏北部等。江苏南京（栖霞）等有栽培。 |

| 资源情况 | 栽培资源较丰富。 |

| 采收加工 | 春、秋季采挖根部，剥取根皮，除去杂质，洗净，润透，切片，晒干。 |

| 药材性状 | 本品呈卷筒状或槽状，少数呈不规则块片状，长 3 ~ 12 cm，直径 0.7 ~ 2 cm，厚 2 ~ 5 mm。外表面灰棕色至黄棕色，粗糙，有横向皮孔，栓皮常呈鳞片状剥落，露出灰白色皮部；内表面淡黄色至灰黄色，稍平滑，有细纵纹。体轻，质脆，易折断，断面黄白色，不整齐。有特异香气，味苦。以条粗、皮厚、呈卷筒状、香气浓、味苦者为佳。 |

| 功效物质 | 主要含有 C_{21} 甾体类、强心苷类、醛类及萜类成分，具有抗肿瘤、强心、抗炎、免疫调节等作用，同时具有诱导细胞分化和促进神经生长因子的作用。 |

| 功能主治 | 辛、苦，微温；有毒。归肝、肾、心经。利水消肿，祛风湿，强筋骨。用于下肢浮肿，心悸气短，风寒湿痹，腰膝酸软。 |

| 用法用量 | 内服煎汤，4.5 ~ 9 g；或浸酒；或入丸、散剂。外用适量，煎汤洗。 |

| 附　注 | （1）本种的叶及根皮可防治植物病虫害。
（2）本种喜光，耐寒，耐旱，适应性强。 |

萝藦科 Asclepiadaceae　娃儿藤属 *Tylophora*　凭证标本号 3201111140829036LY

七层楼
Tylophora floribunda Miq.

| **药 材 名** | 七层楼（药用部位：根）。 |

| **形态特征** | 多年生缠绕藤本。植株有乳汁。根须状。茎细弱，多分枝。叶片纸质，卵状披针形，长 3 ~ 5 cm，宽 1 ~ 2 cm，基部心形，先端有小尖头，背面密生小乳头状突起；羽状脉，侧脉 3 ~ 5 对；叶柄长 0.5 ~ 1 cm。聚伞花序腋生，比叶长，花序梗曲折；花小，紫色，直径约 2 mm；花萼裂片 5；花冠 5 深裂，裂片卵状；副花冠裂片卵状，具钝头，短于合蕊柱；花粉块每室 1，平展。蓇葖果双生，长角状，平展，近一直线，长 3 ~ 5 cm；种子先端有白色绢质种毛。花期 7 ~ 8 月，果熟期 10 月。 |

| **生境分布** | 生于灌丛或疏林中。分布于江苏南京、苏州（吴中）、无锡（宜兴）、 |

常州（溧阳）等。

| 资源情况 | 野生资源一般。

| 采收加工 | 秋、冬季采挖，抖去泥沙，洗净，鲜用或晒干。

| 功效物质 | 含有异娃儿藤碱、娃儿藤碱。

| 功能主治 | 辛，温；有小毒。祛风化痰，活血止痛，解毒消肿。用于小儿惊风，风湿痹痛，咳喘痰多，白喉，跌打损伤，骨折，毒蛇咬伤，痈肿疮疖，赤眼，口腔炎，肝脾肿大。

| 用法用量 | 内服煎汤，6 ~ 9 g。外用适量，捣敷。

| 附　　注 | 本种不属于濒危物种，在浙江、江西、湖南、贵州、广东、广西等地均有分布，可自产自销。

茜草科 Rubiaceae 水团花属 *Adina* 凭证标本号 320102190703146LY

细叶水团花

Adina rubella Hance

| 药 材 名 |

水杨梅（药用部位：地上部分、根）。

| 形态特征 |

落叶灌木，高 1 ～ 3 m。小枝红褐色，被柔毛，后脱落。叶对生，近无柄；叶片卵状披针形或卵状椭圆形，长 3 ～ 5 cm，宽 1 ～ 3 cm。头状花序单一，顶生或腋生；花盛开时直径 1.5 ～ 2 cm；总花梗长 2 ～ 3 cm，被柔毛；花冠淡紫红色；花柱显著伸出花冠。花期 6 ～ 8 月，果熟期 9 ～ 12 月。

| 生境分布 |

生于山坡潮湿地、山溪边或水塘旁。江苏各地均有分布。

| 资源情况 |

野生资源较丰富。

| 采收加工 |

春、秋季采收茎叶，鲜用或晒干；8 ～ 11 月果实未成熟时采摘花果序，拣除杂质，鲜用或晒干；夏、秋季采挖多年老植株的根，洗净，切片，鲜用或晒干。

| 药材性状 | 本品茎呈圆柱形，有分枝；表面灰褐色，有细纵皱纹及灰黄色类圆形皮孔。质硬，不易折断，断面皮部呈片状，木部呈纤维状，黄白色。气微，味微苦。果序由众多小蒴果密集成头状，呈圆球形，直径 3 ~ 10 mm，棕黄色，粗糙触手，搓揉后小蒴果易脱落，露出果序轴。小蒴果倒圆锥形，长 3 ~ 4 mm，淡黄色，先端有 5 裂的宿萼，内有 4 ~ 8 种子；种子棕色，外面被毛，长椭圆形，两端有狭窄的薄翅。气微，味略苦、涩。

| 功效物质 | 主要含有黄酮类、鞣质、生物碱类、三萜类及三萜皂苷类等化学成分，具有抑菌、抗病毒、抗肿瘤作用。

| 功能主治 | 地上部分，苦、涩，凉。归肺、大肠经。清热利湿，解毒消肿。用于湿热泄泻，痢疾，湿疹，疮疖肿毒，风火牙痛，跌打损伤，外伤出血。根，苦、辛，凉。清热解表，活血解毒。用于感冒发热，咳嗽，腮腺炎，咽喉肿痛，肝炎，风湿关节痛，创伤出血。

| 用法用量 | 内服煎汤，15 ~ 30 g。外用适量，捣敷；或煎汤含漱。

| 附　注 | 注意区分杨梅和水杨梅，杨梅食用价值较高，水杨梅药用价值较高。

茜草科 Rubiaceae 拉拉藤属 Galium 凭证标本号 321112180601007LY

四叶葎 *Galium bungei* Steud.

| **药 材 名** | 四叶草（药用部位：全草）。

| **形态特征** | 多年生丛生草本，高 10 ~ 50 cm。根红色丝状。茎四棱形，无毛或稍有柔毛。4 叶轮生，叶形变化较大，卵状长椭圆形、卵状披针形、披针状长圆形至线状披针形，长 0.6 ~ 3.5 cm，宽 2 ~ 12 mm，先端尖或钝，基部楔形，叶面、中脉及叶缘常有刺状硬毛。聚伞花序顶生或腋生，具花 3 ~ 10 或更多；花 4 基数，花梗纤细；花冠淡黄绿色或白色，直径约 2 mm。果实近球形，通常双生，直径约 2 mm，有鳞片状短毛或小疣点。花期 4 ~ 9 月，果期 5 ~ 10 月。

| **生境分布** | 生于山地林下、山坡草地、旷野、田间、沟边林中。分布于江苏南部等。

| **资源情况** | 野生资源丰富。

| **采收加工** | 夏季花期采收，鲜用或晒干。

| **功能主治** | 甘、苦，平。归肝、脾经。清热解毒，利尿消肿。用于尿路感染，痢疾，咯血，赤白带下，疳积，痈肿疔毒，跌打损伤，毒蛇咬伤；外用于蛇头疔。

| **用法用量** | 内服煎汤，15 ～ 30 g。外用适量，鲜品捣敷。

茜草科 Rubiaceae 拉拉藤属 *Galium* 凭证标本号 320115160410031LY

猪殃殃
Galium aparine L. var. *tenerum* (Gren. et Godr) Rchb.

| 药 材 名 | 八仙草（药用部位：全草）。

| 形态特征 | 一年生草本，蔓生或攀缘状，高达 50 cm。茎四棱形，棱上有倒生的细刺。叶常 6 ~ 8 轮生，线状倒披针形，长 1 ~ 5 cm，宽 1 ~ 7 mm，先端有刺尖，叶背中脉及叶缘具细刺毛，无柄。聚伞花序顶生或腋生，具花 2 ~ 10；花萼被钩毛；花冠黄绿色至白色，辐状。果实近球形，密生钩毛，果柄直生。花期 3 ~ 7 月，果期 4 ~ 11 月。

| 生境分布 | 生于山坡林缘、荒地、农田、园圃、沟边、河滩等。江苏各地均有分布。

| 资源情况 | 野生资源丰富。

| 采收加工 | 夏季采收，鲜用或晒干。

| 功效物质 | 主要含有车叶草苷、茜根定樱草糖苷等黄酮类成分及挥发油类成分等，具有抑菌、降压、抗肿瘤作用。

| 功能主治 | 辛、苦，凉。清热解毒，利尿通淋，消肿止痛。用于痈疽肿毒，乳腺炎，阑尾炎，水肿，感冒发热，痢疾，尿路感染，尿血，牙龈出血，刀伤出血。

| 用法用量 | 内服煎汤，31 ~ 62 g。外用适量，鲜品捣敷；或绞汁涂。

茜草科 Rubiaceae 拉拉藤属 Galium 凭证标本号 320507200630064LY

小叶猪殃殃 *Galium trifidum* L.

| 药 材 名 | 小叶猪殃殃（药用部位：全草或根）。

| 形态特征 | 多年生丛生草本，高 15 ~ 50 cm。茎纤细，具 4 棱角，多分枝，常交错纠结，近无毛。叶小，纸质，通常 4 或有时 5 ~ 6 轮生，倒披针形，有时狭椭圆形，长 3 ~ 14 mm，宽 1 ~ 4 mm，先端圆或钝，很少近短尖，基部渐狭，无毛或近无毛，有时在边缘有极微小的倒生刺毛，具 1 脉，近无柄。聚伞花序腋生和顶生，不分枝或少分枝，通常长 1 ~ 2 cm，有时长达 3.5 cm，通常有花 3 或 4；总花梗纤细；花小，直径约 2 mm；花梗纤细，长 1 ~ 8 mm；花冠白色，辐状，花冠裂片 3，稀 4，卵形，长约 1 mm，宽约 0.8 mm；雄蕊通常 3；花柱长约 0.5 mm，顶部 2 裂。果实小，果爿近球状，双生或有时单生，直径 1 ~ 2.5 mm，干时黑色，光滑无毛；果柄纤细而稍长，

长 2 ～ 10 mm。花果期 3 ～ 8 月。

| 生境分布 | 生于旷野、沟边、山地林下、灌丛、草坡、潮湿的草丛等。江苏各地均有分布。

| 资源情况 | 野生资源丰富。

| 采收加工 | 夏季采收全草，鲜用或晒干；秋、冬季采挖根，鲜用或晒干。

| 功效物质 | 主要含有挥发油类化学成分。

| 功能主治 | 清热解毒，通经活络，利尿消肿，安胎，抗肿瘤。用于胃痛，贫血，流产，恶性肿瘤。

茜草科 Rubiaceae 拉拉藤属 Galium 凭证标本号 320722180712221LY

蓬子菜 *Galium verum* L.

| 药 材 名 | 蓬子菜（药用部位：全草）。

| 形态特征 | 多年生近直立草本，基部稍木质化。茎近四棱形，有短柔毛。叶6～10轮生，线形，长1～6 cm，宽1～2 mm，上面无毛或有毛，下面有短柔毛，边缘显著反卷，干时常变黑色，中脉隆起。圆锥状聚伞花序顶生或腋生，长达15 cm；萼筒无毛；花冠黄色，裂片卵形。果实球形，无毛。花期4～8月，果期5～10月。

| 生境分布 | 生于山坡灌丛及旷野草地。江苏各地均有分布。

| 资源情况 | 野生资源较丰富。

| 采收加工 | 夏、秋季采收，鲜用或晒干。

| 药材性状 | 本品根呈圆柱形，弯曲，主根不明显，支根多条，丛生于根茎，长约 15 cm，直径 0.2 ～ 0.5 cm。表面灰褐色或浅棕褐色，有细皱纹，外皮剥落处显出橙黄色木部。质稍硬，断面类白色或灰黄色，用放大镜观察可见多数小孔，并有同心排列的橙黄色环纹。气微，味淡。

| 功效物质 | 根含有黄酮类、蒽醌类、有机酸类等成分。开花期地上部分含有环烯醚萜类成分。活性成分香叶木苷具有改善微循环、止血、保肝等作用。

| 功能主治 | 微辛、苦，微寒。清热解毒，活血通经，祛风止痒。用于肝炎，腹水，咽喉肿痛，疮疖肿毒，跌打损伤，闭经，带下，毒蛇咬伤，荨麻疹，稻田性皮炎。

| 用法用量 | 内服煎汤，10 ～ 15 g。外用适量，捣敷；或熬膏涂。

| 茜草科 Rubiaceae | 栀子属 *Gardenia* | 凭证标本号 321112180719003LY |

栀子

Gardenia jasminoides Ellis

| 药 材 名 |

栀子（药用部位：果实）。

| 形态特征 |

常绿灌木，高 0.5 ~ 3 m。幼枝绿色。叶对生，有时 3 叶轮生；叶片革质，长椭圆形或倒卵状披针形，长 3 ~ 25 cm，宽 1.5 ~ 8 cm，先端渐尖至短尖，无毛；托叶合生成鞘状。花大，白色，芳香，通常单生于枝端或叶腋；萼筒卵形或倒圆锥形，有纵棱，先端通常 6 裂，裂片宿存；花冠白色或乳黄色，裂片 5 ~ 8，通常 6，倒卵形或倒卵状长圆形。浆果橙黄色至橙红色，革质或带肉质，卵形至椭圆形，有 5 ~ 7 翅状纵棱，先端有宿存的萼片。花期 5 ~ 8 月，果期 9 月至翌年 2 月。

| 生境分布 |

生于山坡林中或林缘。分布于江苏南部等。江苏各地普遍栽培。

| 资源情况 |

栽培资源较丰富。

| **采收加工** | 9 ~ 11 月果实成熟、呈红黄色时采收，除去果柄和杂质，蒸至上汽或置沸水中略烫，取出，干燥。 |

| **药材性状** | 本品呈倒卵形、椭圆形或长椭圆形，长 1.4 ~ 3.5 cm，直径 0.8 ~ 1.8 cm。表面红棕色或红黄色，微有光泽，有翅状纵棱 6 ~ 8，每 2 翅棱间有纵脉 1，先端有暗黄绿色残存宿萼，宿萼先端有 6 ~ 8 长形裂片，裂片长 1 ~ 2.5 cm，宽 2 ~ 3 mm，多碎断，果实基部收缩成果柄状，末端有圆形果柄痕。果皮薄而脆，内表面鲜黄色或红黄色，有光泽，具隆起的假隔膜 2 ~ 3。折断面鲜黄色，种子多数，扁椭圆形或扁矩圆形，聚成球状团块，棕红色，表面有细而密的凹入小点；胚乳角质；胚长形，具心形子叶 2。气微，味微酸、苦。以皮薄、饱满、色红黄者为佳。 |

| **功效物质** | 果实富含栀子色素、萜类、精油等化学成分，具有抗炎、保肝、抗肿瘤、抗氧化等药理活性。其特征性成分为环烯醚萜苷类成分，包括栀子苷、京尼平苷、京尼平 -1-β- 龙胆双糖苷、去乙酰车叶草苷酸甲酯等；其次是二萜类成分，主要为栀子黄色素；尚含有有机酸酯类成分，主要为绿原酸等。 |

| **功能主治** | 苦，寒。归心、肝、肺、胃、三焦经。泻火除烦，清热利湿，凉血解毒，消肿止痛。用于热病心烦，湿热黄疸，淋证涩痛，血热吐衄，目赤肿痛，火毒疮疡；外用于扭挫伤痛。 |

| **用法用量** | 内服煎汤，5 ~ 10 g；或入丸、散剂。外用适量，研末掺；或调敷。 |

茜草科 Rubiaceae 栀子属 *Gardenia* 凭证标本号 320621181125055LY

狭叶栀子

Gardenia stenophylla Merr.

| **药 材 名** | 小果栀子（药用部位：果实、根）。

| **形态特征** | 灌木，高 0.5 ~ 3 m。小枝纤弱。叶薄革质，狭披针形或线状披针形，长 3 ~ 12 cm，宽 0.4 ~ 2.3 cm，先端渐尖而尖端常钝，基部渐狭，常下延，两面无毛；侧脉纤细，9 ~ 13 对，在下面略明显；叶柄长 1 ~ 5 mm；托叶膜质，长 7 ~ 10 mm，脱落。花单生于叶腋或小枝顶部，芳香，盛开时直径达 4 ~ 5 cm，具长约 5 mm 的花梗；萼管倒圆锥形，长约 1 cm，萼檐管形，顶部 5 ~ 8 裂，裂片狭披针形，长 1 ~ 2 cm，果时增长；花冠白色，高脚碟状，花冠管长 3.5 ~ 6.5 cm，宽 3 ~ 4 mm，顶部 5 ~ 8 裂，裂片盛开时外反，长圆状倒卵形，长 2.5 ~ 3.5 cm，宽 1 ~ 1.5 cm，先端钝；花丝短，花药

线形，伸出，长约 1.5 cm；花柱长 3.5 ~ 4 cm，柱头棒形，顶部膨大，长约 1.2 cm，伸出。果实长圆形，长 1.5 ~ 2.5 cm，直径 1 ~ 1.3 cm，有纵棱或有时棱不明显，成熟时黄色或橙红色，顶部有增大的宿存萼裂片。花期 4 ~ 8 月，果期 5 月至翌年 1 月。

| **生境分布** | 生于海拔 90 ~ 800 m 的山谷、溪边林中、灌丛或旷野河边，常见于岩石上。江苏部分地区有栽培。

| **资源情况** | 栽培资源较少。

| **采收加工** | 全年均可采根，洗净，切片，晒干。秋后采果实，晒干。

| **功效物质** | 主要含有环烯醚萜类成分，代表性成分为栀子苷、山栀子苷等。

| **功能主治** | 苦，寒。清热利湿，凉血解毒。用于黄疸，感冒发热，吐血，衄血，尿血，肾炎水肿，疖肿痈疽，烫火伤，跌打损伤。

| **用法用量** | 内服煎汤，10 ~ 15 g。外用适量，研末调敷。

| **附　　注** | 本种喜温暖向阳、湿润的环境；喜光，但要避免强烈阳光直射。生长在向阳地的植株矮壮，发棵大，结实多；生长在阴坡地段的植株瘦高，发棵小，结实少。以排水良好、肥沃疏松而较湿润的砂壤土或黏质壤土为宜，是典型的酸性土壤指示植物。

茜草科 Rubiaceae 耳草属 Hedyotis 凭证标本号 321112180529003LY

金毛耳草

Hedyotis chrysotricha (Palib.) Merr.

| **药 材 名** | 黄毛耳草（药用部位：全草）。

| **形态特征** | 多年生匍匐草本。茎基部木质化。全体被金黄色硬毛。叶对生，具短柄，薄纸质，椭圆形或卵形，长 2 ~ 3 cm，宽 1 ~ 1.2 cm，先端短尖，基部楔形或阔楔形。聚伞花序腋生，有 1 ~ 3 花，有短梗或近无梗；萼筒有柔毛，裂片披针形；花冠白色或淡紫色，漏斗状，长 5 ~ 6 mm，先端 4 深裂，裂片长圆形；雄蕊 4，内藏；柱头棒状，2 裂。蒴果球形，成熟时不开裂。花期 6 ~ 11 月，果熟期 8 ~ 12 月。

| **生境分布** | 生于山谷林下或山坡路边。分布于江苏南部等。

| **资源情况** | 野生资源较丰富。

| 采收加工 | 夏、秋季采收，鲜用或晒干。

| 药材性状 | 本品被黄色或灰白色柔毛。茎细，稍扭曲；表面黄绿色或绿褐色，有明显纵沟纹；节上有残留须根；质脆，易折断。叶对生，叶片多向外卷曲，完整者展平后呈卵形或椭圆状披针形，长 1 ~ 2.2 cm，宽 5 ~ 12 mm，全缘，上面绿褐色，下面黄绿色；两面均被黄色柔毛，托叶短，合生；叶柄短。蒴果球形，被疏毛，直径约 2 cm。气微，味苦。以身干、色黄绿、带叶者为佳。

| 功效物质 | 主要含有环烯醚萜类、黄酮类及内酯类等成分，其中环烯醚萜类含量较高，鸡矢藤苷甲酯为其主要成分之一。

| 功能主治 | 苦，凉。归肝、胆、膀胱、大肠经。清热利湿，消肿解毒。用于湿热黄疸，泄泻，痢疾，带状疱疹，肾炎水肿，乳糜尿，跌打肿痛，毒蛇咬伤，疮疖肿毒，血崩，带下，外伤出血。

| 用法用量 | 内服煎汤，31 ~ 62 g；或捣汁；或浸酒。外用适量，捣敷。

茜草科 Rubiaceae 耳草属 *Hedyotis* 凭证标本号 320282140813133LY

白花蛇舌草 *Hedyotis diffusa* Willd.

| 药 材 名 | 白花蛇舌草（药用部位：全草）。

| 形态特征 | 一年生纤弱草本。茎扁圆柱形，基部分枝。叶线形，对生，长 1 ～ 4 cm，宽 1 ～ 4 mm，无叶柄。花单生或成对生于叶腋，花梗短而略粗，长 2 ～ 5 mm；萼筒球形，先端有开展的 4 裂齿，长 1.5 ～ 2 mm；花冠白色，筒状，长 3.5 ～ 4 mm，裂片 4；雄蕊 4；花柱丝状，柱头 2 裂。蒴果扁球形，直径 2 ～ 2.5 mm；种子每室约 10。花果期 7 ～ 9 月。

| 生境分布 | 生于水稻田、田埂、池塘边、湿润的田地中。分布于江苏南部及连云港（云台山）等。

| 资源情况 | 野生资源较少。

| 采收加工 | 夏、秋季采收，洗净，鲜用或晒干。

| 药材性状 | 本品多扭缠成团状，灰绿色至灰棕色。主根细长，直径约 2 mm，须根纤细，淡灰棕色。茎细，卷曲；质脆，易折断，中心髓部白色。叶多皱缩、破碎，易脱落；托叶长 1 ~ 2 mm。花、果实单生或成对生于叶腋，花常具短而略粗的花梗。蒴果扁球形，直径 2 ~ 2.5 mm，室背开裂，宿萼先端 4 裂，边缘具短刺毛。气微，味淡。

| 功效物质 | 含有三萜类、蒽醌类、黄酮类、环烯醚萜类、有机酸类、挥发油类、多糖类、甾醇类等化学成分，其中三萜类、蒽醌类、黄酮类、多糖类、甾醇类等化合物具有良好的抗肿瘤作用，多糖类成分还具有提高机体免疫功能等作用。

| 功能主治 | 苦、甘，寒。归心、肝、脾、大肠经。清热解毒，利湿。用于肺热喘咳，咽喉肿痛，肠痈，疖肿疮疡，毒蛇咬伤，热淋涩痛，水肿，痢疾，湿热黄疸，恶性肿瘤。

| 用法用量 | 内服煎汤，15 ~ 30 g，大剂量可用至 60 g；或捣汁。外用适量，捣敷。

| 附　注 | 本种与伞房花耳草的主要区别在于本种花、果实单生或成对生于叶腋，花梗较短；伞房花耳草花、果实 3 ~ 5 形成伞房花序，花梗较长。

茜草科 Rubiaceae 鸡矢藤属 Paederia 凭证标本号 320481140816125LY

鸡矢藤
Paederia scandens (Lour.) Merr.

| **药 材 名** | 鸡矢藤（药用部位：全草或根）。

| **形态特征** | 草质藤本，通常长 3 ~ 5 m。茎多分枝，基部木质化，揉碎有臭味，光滑至有柔毛。叶对生，纸质，形状和大小变异很大，宽卵形至披针形，长 5 ~ 15 cm，宽 1 ~ 6 cm，先端急尖至渐尖，基部宽楔形、圆形至浅心形，两面无毛至被短柔毛；叶柄长 1.5 ~ 7 cm；托叶三角形，长 2 ~ 5 mm。聚伞花序排成圆锥花序状，顶生或腋生；花萼钟状，萼齿三角形；花冠筒长约 1 cm，外面灰白色，内面紫红色，有茸毛；雄蕊 5。果实近球形，成熟时淡黄色，有光泽，直径 5 ~ 7 mm。花期 5 ~ 9 月，果期 9 ~ 11 月。

| **生境分布** | 生于山坡林中、旷野、路边灌丛中。江苏各地均有分布。

| **资源情况** | 野生资源较少。

| **采收加工** | 秋季挖根，洗净，切片，晒干。

| **功效物质** | 含有环烯醚萜苷类、黄酮类、甾醇类、三萜类成分，以及挥发油类和烷烃类、脂肪醇类、脂肪酸类等化合物。

| **功能主治** | 全草，甘、微苦，平。祛风除湿，消食化积，解毒消肿，活血止痛。用于风湿痹痛，食积腹胀，疳积，腹泻，痢疾，中暑，黄疸，肝炎，肝脾肿大，咳嗽，瘰疬，肠痈，无名肿毒，脚湿肿烂，烫火伤，湿疹，跌打损伤，蛇咬蝎蜇。根，微苦、涩，平。

| **用法用量** | 内服煎汤，15.5 ~ 31 g。外用适量，捣敷。

茜草科 Rubiaceae 茜草属 Rubia 凭证标本号 320506150426119LY

东南茜草

Rubia argyi (Lévl. et Vant) Hara ex L. A. Lauener et D. K. Ferguson

| 药 材 名 | 高原茜草（药用部位：根及根茎）。

| 形态特征 | 多年生草质藤本。茎、枝均有4直棱或4狭翅，棱上有倒生钩状皮刺，无毛。4叶轮生，茎生叶偶为6轮生，通常1对较大，另1对较小；叶片纸质，心形至阔卵状心形，有时近圆心形，长0.1～5 cm或更长，宽1～4.5 cm或更宽，先端短尖或骤尖，基部心形，极少近浑圆，边缘和叶背的基出脉上通常有短皮刺，两面粗糙，或兼有柔毛，基出脉通常5～7，在上面凹陷，在下面多少凸起；叶柄通常长0.5～5 cm，有时可达9 cm，有直棱，棱上生许多皮刺。聚伞花序分枝成圆锥花序式，顶生和小枝上部腋生，有时结成顶生、带叶的大型圆锥花序，花序梗和总轴均有4直棱，棱上通常有小皮刺，

多少被柔毛或有时近无毛；小苞片卵形或椭圆状卵形，长 1.5 ~ 3 mm；花梗稍粗壮，长 1 ~ 2.5 mm，近无毛或稍被硬毛；萼管近球形，干时黑色；花冠白色，干时变黑，质地稍厚，花冠管长 0.5 ~ 0.7 mm，裂片（4 ~ ）5，伸展（非反折，Deb 的记载失实），卵形至披针形，长 1.3 ~ 1.4 mm，外面稍被毛或近无毛，内面通常有许多微小乳突；雄蕊 5，花丝短，带状，花药通常微露出冠管口外；花柱粗短，2 裂，柱头 2，头状。浆果近球形（1 心皮发育），直径 5 ~ 7 mm，有时臀状（2 心皮均发育），宽达 9 mm，成熟时黑色。

| 生境分布 | 生于山坡林缘或灌丛中。江苏各地均有分布。

| 资源情况 | 野生资源较少。

| 采收加工 | 春、秋季采挖，除去泥沙，洗净，鲜用或晒干。

| 功效物质 | 含有木脂素类、蒽醌类、甾体类、生物碱类、萜类等化学成分。

| 功能主治 | 用于吐血，衄血，崩漏下血，外伤出血，闭经瘀阻，关节痹痛，跌打肿痛。

茜草科 Rubiaceae 茜草属 Rubia 凭证标本号 320482180327356LY

茜草
Rubia cordifolia L.

| 药 材 名 | 茜草（药用部位：根及根茎）。

| 形态特征 | 攀缘状草本，长达3 m。根及根茎紫红色或橙红色。茎及分枝四棱形，中空，棱上有倒生皮刺。叶常4轮生；叶片卵形至卵状披针形，长2～9 cm，宽1～4 cm，先端渐尖，基部心形，基出脉3～5，表面有粗糙毛，背面脉上及叶柄有倒刺；叶柄长1～6 cm。圆锥状聚伞花序腋生和顶生；花小，5基数；花冠辐状，黄白色。浆果近球状，直径5～6 mm，成熟时由橙红色转为黑色或紫黑色，含1种子。花果期8～11月。

| 生境分布 | 生于山坡林缘或灌丛中。江苏各地均有分布。

| **资源情况** | 野生资源较少。

| **采收加工** | 春、秋季采挖，除去泥沙，干燥。

| **药材性状** | 本品根呈圆柱形，有的弯曲，完整的老根留有根头。根长 10 ～ 30 cm，直径 0.1 ～ 0.5 cm；表面红棕色，有细纵纹及少数须根痕；皮部、木部较易分离，皮部脱落后呈黄红色。质脆，易断，断面平坦，皮部狭，红棕色，木部宽，粉红色，有众多细孔。气微，味微苦。

| **功效物质** | 富含茜草素、羟基茜草素、异茜草素等羟基蒽醌类活性成分，大叶茜草素等萘醌类活性成分。此外，尚含有萘氢醌衍生物、三萜类、多糖类等化学成分，具有止血、抗血小板聚集、镇咳祛痰、升高白细胞、抑菌、抗肿瘤等作用。

| **功能主治** | 苦，寒。归肝、心、肾、脾、胃、心包经。凉血活血，祛瘀，止血，通经。用于吐血，衄血，崩漏，外伤出血，瘀阻闭经，关节痹痛，跌扑肿痛。

| **用法用量** | 内服煎汤，10 ～ 15 g；或入丸、散剂；或浸酒。

茜草科 Rubiaceae 白马骨属 Serissa 凭证标本号 320621181124126LY

六月雪
Serissa japonica (Thunb.) Thunb.

药 材 名

六月雪（药用部位：全株）。

形态特征

落叶灌木，分枝密集，高 60 ~ 90 cm，揉碎有臭气。叶革质，卵形至倒披针形，长 6 ~ 22 mm，宽 3 ~ 6 mm，先端短尖至长尖，无毛；叶柄短。花单生或数朵簇生；苞片边缘浅波状；萼檐裂片细小，锥形，被毛；花冠白色或淡红色，长 6 ~ 12 mm，裂片扩展，先端 3 浅裂；雄蕊凸出花冠管喉部外；花柱伸出，柱头 2。花期 5 ~ 8 月，果期 7 ~ 11 月。

生境分布

生于山坡灌丛或林中。江苏各地均有分布。

资源情况

野生资源较丰富。

采收加工

4 ~ 6 月采收茎叶，秋季采挖根，洗净，切段，鲜用或晒干。

| **药材性状** | 本品叶呈狭椭圆形，长 7 ~ 15 mm，宽 2 ~ 5 mm，花萼裂片长仅为花冠筒之半。

| **功效物质** | 含有挥发油类、萜类、甾体类、木脂素类、醌类等化学成分，具有抗炎、保肝等活性。

| **功能主治** | 苦、辛，凉。归肝、脾经。祛风利湿，清热解毒。用于感冒，黄疸性肝炎，肾炎水肿，咳嗽，喉痛，角膜炎，肠炎，痢疾，腰腿疼痛，咯血，尿血，闭经，带下，疳积，惊风，风火牙痛，痈疽肿毒，跌打损伤。

| **用法用量** | 内服煎汤，10 ~ 15 g，鲜品 30 ~ 60 g。外用适量，烧灰淋汁涂；或煎汤洗；或捣敷。

茜草科 Rubiaceae 白马骨属 Serissa 凭证标本号 320831180612120LY

白马骨
Serissa serissoides (DC.) Druce

| 药 材 名 | 六月雪（药用部位：全株）。

| 形态特征 | 落叶灌木，高达 1 m。分枝密集。叶常聚生于小枝上部，薄纸质，形状变异很大，常倒卵形至倒披针形，长 1.5 ~ 4 cm，宽 0.5 ~ 1.3 cm，先端短尖至稍钝，基部渐狭成 1 短柄，侧脉约 3 对；托叶膜质，基部宽，先端有几条刺状毛。花白色，近无梗，常多朵簇生于小枝顶部；花萼裂片 5，锐尖，有缘毛；花冠白色，花冠筒长约 4 mm，裂片 5。核果近球状，有 2 分核。花期 5 ~ 8 月，果期 7 ~ 11 月。

| 生境分布 | 生于山坡灌丛及林中。分布于江苏南部及连云港等。

| **资源情况** | 野生资源较少。

| **采收加工** | 4 ~ 6 月采收茎叶，秋季采挖根，洗净，切段，鲜用或晒干。

| **药材性状** | 本品根呈细长圆柱形，有分枝，长短不一，直径 3 ~ 8 mm；表面深灰色、灰白色或黄褐色，有纵裂隙，栓皮易剥落。粗枝深灰色，表面具纵裂纹，栓皮易剥落；嫩枝浅灰色，微被毛；断面纤维性，木质，坚硬。叶对生或簇生，黄绿色，卷缩或脱落；完整者展平后呈卵形或长圆状卵形，长 1.5 ~ 3 cm，宽 5 ~ 12 mm，先端短尖或钝，基部渐狭成短柄，全缘，两面羽状网脉突出。枝端叶间有时可见黄白色花，花萼裂片与花冠筒近等长。偶见近球形的核果。气微，味淡。

| **功效物质** | 含有乌苏酸、齐墩果酸等三萜类成分及松脂素、丁香脂素、丁香树脂酚等木脂素类成分等。此外，还含有挥发油类、有机酸类成分，具有抗炎、抗乙肝病毒、抑制细菌生长、抗肿瘤、抑制酪氨酸酶活性等多种生物活性。

| **功能主治** | 苦、辛，凉。归肝、脾经。祛风利湿，清热解毒。用于感冒，黄疸性肝炎，肾炎水肿，咳嗽，喉痛，角膜炎，肠炎，痢疾，腰腿疼痛，咯血，尿血，闭经，带下，疳积，惊风，风火牙痛，痈疽肿毒，跌打损伤。

| **用法用量** | 内服煎汤，10 ~ 15 g，鲜品 30 ~ 60 g。外用适量，烧灰淋汁涂；或煎汤洗；或捣敷。

旋花科 Convolvulaceae 打碗花属 Calystegia 凭证标本号 320111140829006LY

打碗花 Calystegia hederacea Wall.

| **药 材 名** | 面根藤（药用部位：全草或根）。

| **形态特征** | 一年生草本。根白色。茎蔓性，缠绕或匍匐分枝，细弱无毛。叶互生，具长柄；基生叶长圆形，长 2 ~ 5.5 cm，宽 1 ~ 2.5 cm，先端圆，基部心形；上部叶片为三角形或戟形，基部两侧有分裂，两面通常无毛；叶柄长 1.5 ~ 6 cm。花单生于叶腋，花梗具棱角，长于叶柄；苞片 2，卵圆形，紧贴萼外；萼片长圆形，无毛、宿存；花冠漏斗形，长 2 ~ 3.5 cm，淡粉红色；雄蕊 5，不伸出花冠外，花丝基部扩大，有细鳞毛。蒴果卵圆形，光滑。花期 5 ~ 10 月。

| **生境分布** | 生于开垦后的荒地和路旁杂草地上。江苏各地均有分布。

| **资源情况** | 野生资源丰富。

| **采收加工** | 夏、秋季采收，洗净，鲜用或晒干。

| **药材性状** | 本品根茎细长，直径约 1 mm；表面灰黄色，有细纵皱纹。茎细长，常盘曲扭卷；表面灰棕色或灰褐色，有纵向棱线而扭曲；质脆，易折断。叶互生，有长柄；叶片淡绿色，多皱缩、破碎，完整叶片展平后呈戟形。气微，味淡。

| **功效物质** | 根茎主要含有防己内酯、掌叶防己碱。叶含有山柰酚 -3- 半乳糖苷。

| **功能主治** | 甘、微苦，平。归肝、肾经。健脾，利湿，调经止痛。用于脾胃虚弱，消化不良，小儿吐乳，疳积，五淋，带下，月经不调。

| **用法用量** | 内服煎汤，10 ~ 30 g。

| **附　注** | 本种的花可止痛，外用可治疗牙痛。

旋花科 Convolvulaceae 打碗花属 *Calystegia* 凭证标本号 320323150723240LY

藤长苗

Calystegia pellita (Ledeb.) G. Don

| **药 材 名** | 藤长苗（药用部位：全草）。

| **形态特征** | 多年生草本。根细长。茎缠绕或下部直立，圆柱形，有细棱，密被灰白色或黄褐色长柔毛，有时毛较少。叶长圆形或长圆状线形，长 4 ~ 10 cm，宽 0.5 ~ 2.5 cm，先端钝圆或锐尖，具小短尖头，基部圆形、截形或微呈戟形，全缘，两面被柔毛，通常背面沿中脉密被长柔毛，有时两面毛较少，叶脉在背面稍凸起；叶柄长 0.2 ~ 1.5（~ 2）cm，毛被同茎。花腋生，单一，花梗短于叶，密被柔毛；苞片卵形，长 1.5 ~ 2.2 cm，先端钝，具小短尖头，外面密被褐黄色短柔毛，有时被毛较少，具有如叶脉的中脉和侧脉；萼片近相等，长 0.9 ~ 1.2 cm，长圆状卵形，上部具黄褐色缘毛；花冠淡红色，漏斗状，长 4 ~ 5 cm，冠檐于瓣中带先端被黄褐色短柔毛；雄蕊花

丝基部扩大，被小鳞毛；子房无毛，2 室，每室 2 胚珠，柱头 2 裂，裂片长圆形，扁平。蒴果近球形，直径约 6 mm；种子卵圆形，无毛。

| 生境分布 | 生于山坡、路边荒草地或菜园地。分布于江苏徐州（铜山）、连云港、扬州（宝应）、南京、无锡（宜兴）等。

| 资源情况 | 野生资源丰富。

| 采收加工 | 全年均可采收，洗净，晒干。

| 功能主治 | 益气利尿，强筋壮骨，活血祛瘀。用于劳倦乏力，急性肾炎，跌打损伤，肿痛。

旋花科 Convolvulaceae 打碗花属 Calystegia 凭证标本号 320803180531043LY

长裂旋花
Calystegia sepium (L.) R. Br. var. *japonica* (Choisy) Makino

| 药 材 名 | 打碗花（药用部位：全草）。

| 形态特征 | 多年生草本，全体不被毛。茎缠绕，伸长，有细棱。叶形多变，三角状卵形或宽卵形，长4～10（～15）cm，宽2～6（～10）cm或更宽，先端渐尖或锐尖，基部戟形或心形，具伸展的侧裂片和长圆形、先端渐尖的中裂片；叶柄常短于叶片或与叶片近等长。花1，腋生；花梗通常稍长于叶柄，长达10 cm，有细棱或有时具狭翅；苞片宽卵形，长1.5～2.3 cm，先端锐尖；萼片卵形，长1.2～1.6 cm，先端渐尖或有时锐尖；花冠通常白色，有时淡红色或紫色，漏斗状，长5～6（～7）cm，冠檐微裂；雄蕊花丝基部扩大，被小鳞毛；子房无毛，柱头2裂，裂片卵形，扁平。蒴果卵形，长约1 cm，被

增大宿存的苞片和萼片所包被。种子黑褐色，长 4 mm，表面有小疣。

| **资源情况** | 野生资源较少。

| **功能主治** | 降压利尿，接骨，生肌，清热解毒，益精气。

旋花科 Convolvulaceae 打碗花属 Calystegia 凭证标本号 320703150523416LY

肾叶打碗花
Calystegia soldanella (L.) R. Br.

| 药 材 名 | 孝扇草根（药用部位：根）。

| 形态特征 | 蔓性草本。茎平卧，不缠绕，有细棱或狭翅。叶肾状圆形，长 1 ~ 2.5 cm，宽 1.5 ~ 4 cm，先端圆钝，有小凹或小尖头，边缘浅波状，两面无毛；叶柄长 2 ~ 5 cm。花单生于叶腋，花梗长 3.5 ~ 11 cm；苞片 2，卵圆形，与花萼近等长；花萼裂片 5，卵圆形，无毛；花冠长 3.5 ~ 5 cm，边缘 5 浅裂。蒴果光滑；种子黑褐色。花期 5 ~ 6 月。

| 生境分布 | 生于海滨沙地上。分布于江苏连云港、南京等。

| 资源情况 | 野生资源较丰富。

| 采收加工 | 夏、秋季采挖，洗净，切碎，晒干。

| **功效物质** | 根含有红古豆碱及黄酮类成分。

| **功能主治** | 苦，温。归肝、脾、肾经。祛风湿，利水，化痰止咳。用于风湿痹痛，水肿，咳嗽痰多。

| **用法用量** | 内服煎汤，10 ～ 30 g。

旋花科 Convolvulaceae 菟丝子属 Cuscuta 凭证标本号 320115170714020LY

南方菟丝子 *Cuscuta australis* R. Br.

| 药 材 名 | 菟丝子（药用部位：种子）。

| 形态特征 | 一年生寄生草本。茎缠绕，金黄色，纤细。无叶。花序侧生，少花或多花簇生成小伞形或小团伞花序；总花梗近无毛，苞片小，花梗稍粗壮，长 1 ~ 2.5 mm；花萼杯状，基部联合，裂片长圆形或近圆形；花冠乳白色或淡黄色，杯状；雄蕊着生于花冠裂片弯曲处；鳞片小，边缘短流苏状；子房扁球形，花柱 2，柱头球形。蒴果扁球形，下半部为宿存花冠所包，成熟时不规则开裂；种子卵形，表面粗糙。花果期 8 ~ 9 月。

| 生境分布 | 生于水沟边。分布于江苏连云港、扬州（宝应）、南京、无锡、苏州等。

| **资源情况** | 野生资源较丰富。

| **采收加工** | 秋季果实成熟时采收植株，晒干，打下种子，除去杂质。

| **药材性状** | 本品呈卵圆形，腹棱线不明显，大小相差较大，长径 0.7 ～ 2 mm，短径 0.5 ～ 1.2 mm。表面淡褐色至棕色，一端有喙状突起并偏向一侧。于放大镜下可见种脐微凹陷，凹陷位于种子先端靠下侧。

| **功效物质** | 种子含有黄酮类、多糖类、酚酸类、甾醇类、生物碱类成分等，具有免疫调节等作用。

| **功能主治** | 辛、甘，平。归肝、肾、脾经。补益肝肾，固精缩尿，安胎，明目，止泻，消风祛斑。用于肝肾不足，腰膝酸软，阳痿遗精，遗尿尿频，肾虚胎漏，胎动不安，目昏耳鸣，脾肾虚泻；外用于白癜风。

| **用法用量** | 内服煎汤，6 ～ 15 g；或入丸、散剂。外用适量，炒研调敷。

旋花科 Convolvulaceae 菟丝子属 *Cuscuta* 凭证标本号 320722180710174LY

菟丝子
Cuscuta chinensis Lam.

| 药 材 名 | 菟丝子（药用部位：种子）。

| 形态特征 | 一年生寄生草本。茎丝线状，橙黄色。无叶。花簇生，外有膜质苞片；花萼杯状，5 裂，裂片三角形，先端钝；花冠白色，长为花萼的 2 倍，先端 5 裂，裂片常向外反曲；雄蕊 5，花丝短，与花冠裂片互生；鳞片 5，近长圆形，边缘长流苏状；子房 2 室，每室有胚珠 2，花柱 2，柱头头状。蒴果近球形，成熟时被花冠全部包围，通常是整齐的周裂；种子淡褐色，卵形，表面粗糙。花果期 7 ～ 10 月。

| 生境分布 | 生于山坡路旁、河边，多寄生于豆科、菊科、蓼科等植物上。分布于江苏连云港、徐州（铜山、邳州）、扬州（宝应）、南京、苏州（吴江）等。

| **资源情况** | 野生资源较丰富。 |

采收加工 | 9 ~ 10 月采收成熟果实，晒干，打出种子，簸去果壳、杂质。

药材性状 | 本品呈类圆形或卵圆形，腹棱线明显，两侧常凹陷，长径 1.4 ~ 1.6 mm，短径 0.9 ~ 1.1 mm。表面灰棕色或黄棕色，微粗糙，种喙不明显；于放大镜下可见表面有细密的深色小点，并有分布不均匀的白色丝状条纹；种脐近圆形，位于种子先端。种皮坚硬，不易破碎，用沸水浸泡，表面有黏性，煮沸至种皮破裂，露出黄白色细长卷旋状的胚，称"吐丝"，胚乳膜质套状，位于子胚周围。气微，味微苦、涩。

功效物质 | 种子含有黄酮类、多糖类、酚酸类、甾醇类、生物碱类成分等，主要有绿原酸、隐绿原酸、咖啡酸、金丝桃苷、异槲皮苷、紫云英苷、山柰酚等，具有保护心脑血管、抗氧化、增强免疫、调节生殖活性和保肝等药理作用。

功能主治 | 辛、甘，平。归肝、肾、脾经。补益肝肾，固精缩尿，安胎，明目，止泻，消风祛斑。用于肝肾不足，腰膝酸软，阳痿遗精，遗尿尿频，肾虚胎漏，胎动不安，目昏耳鸣，脾肾虚泻；外用于白癜风。

用法用量 | 内服煎汤，6 ~ 15 g；或入丸、散剂。外用适量，炒研调敷。

旋花科 Convolvulaceae 菟丝子属 *Cuscuta* 凭证标本号 320111151017006LY

金灯藤 *Cuscuta japonica* Choisy

| 药 材 名 |

菟丝子（药用部位：种子）。

| 形态特征 |

缠绕草本。茎较粗壮，无毛，多分枝，有紫色斑点。无叶。花无梗或近无梗，密生成短的穗状花序；苞片及小苞片呈鳞片状，全缘，先端尖；花萼肉质，5 裂几达基部，裂片卵圆形或近圆形，背面有紫色斑点；花冠钟形，先端 5 浅裂，裂片近卵状三角形，淡红色或绿白色；雄蕊 5，花丝短，着生于花冠喉部裂片之间，花药卵圆形；鳞片 5，长圆形，边缘流苏状；子房球形，无毛，2 室，每室有 2 胚珠，花柱 1，柱头 2 裂。蒴果卵圆形，长约 5 mm，近基部周裂。

| 生境分布 |

生于水沟边或山坡路旁的灌丛中。分布于江苏连云港、淮安（盱眙）、南京、无锡（宜兴）等。

| 资源情况 |

野生资源较丰富。

| 采收加工 | 9～10 月采收成熟果实，晒干，打出种子，簸去果壳、杂质。

| 药材性状 | 本品较大，长径约 3 mm，短径 2～3 mm；表面淡褐色或黄棕色。以粒饱满者为佳。

| 功效物质 | 主要含有有机酸类成分，如羟基马桑毒素、马桑亭，可用于精神分裂症，具有神经毒性；还含有 β- 谷甾醇、十六烷酸、硬脂酸、花生酸、胡萝卜苷、羟基桂皮酸、咖啡酸等。

| 功能主治 | 辛、甘、平。归肝、肾、脾经。补益肝肾，固精缩尿，安胎，明目，止泻，消风祛斑。用于肝肾不足，腰膝酸软，阳痿遗精，遗尿尿频，肾虚胎漏，胎动不安，目昏耳鸣，脾肾虚泻；外用于白癜风。

| 用法用量 | 内服煎汤，6～15 g；或入丸、散剂。外用适量，炒研调敷。

旋花科 Convolvulaceae 马蹄金属 Dichondra 凭证标本号 321284190718002LY

马蹄金 Dichondra repens Forst.

| 药 材 名 | 小金钱草（药用部位：全草）。

| 形态特征 | 匍匐草本。茎细长，节上生根。叶圆形或肾形，长 5 ~ 10 mm，宽 8 ~ 18 mm，全缘，先端宽圆形或微凹，基部阔心形；叶柄长 1 ~ 6 cm，有毛。花单生于叶腋，花梗短于叶柄；萼片 5，倒卵形或倒卵状长椭圆形，外面有毛；花冠黄色，5 深裂；雄蕊着生于花冠 2 裂片间弯缺处；子房被疏毛，2 室，花柱 2，着生于离生的心皮之间。蒴果近球形，表面有时稍有折皱，具毛。果期 7 月。

| 生境分布 | 生于山坡、草地、路旁或沟边。江苏各地均有分布。

| 资源情况 | 野生资源较丰富。

| 采收加工 | 全年均可采收，洗净，鲜用或晒干。

| 功效物质 | 主要含有黄酮类、黄酮醇类、异黄酮类等多种成分，总黄酮的含量为 0.937%，还含有挥发油类、糖类及微量元素，具有保肝降酶、抗菌抗炎、镇痛、增强免疫、抗肿瘤等作用。

| 功能主治 | 辛，平。清热，利湿，解毒。用于黄疸，痢疾，石淋，白浊，水肿，疗疮肿毒，跌打损伤，毒蛇咬伤。

| 用法用量 | 内服煎汤，15.5 ～ 31 g。外用适量，鲜品捣敷。

旋花科 Convolvulaceae 番薯属 Ipomoea 凭证标本号 320124151101034LY

蕹菜
Ipomoea aquatica Forsk.

| **药 材 名** | 蕹菜（药用部位：茎叶、根）。

| **形态特征** | 一年生蔓生草本，全体光滑。地下无块根。茎圆柱形，节间中空，节上生根，无毛。叶互生，椭圆状卵形或长三角形，长 3.5 ~ 17 cm，宽 1 ~ 8.5 cm，先端渐尖或钝，基部心形，全缘或呈波状，具长叶柄。聚伞花序腋生，有 1 至多花，苞片 2；萼片 5，卵圆形，长 5 ~ 8 mm，先端钝；花冠漏斗状，通常白色，或紫红色，或粉红色；雄蕊 5，不等长，花丝基部被毛；子房无毛。蒴果球形或圆卵形，直径约 1 cm；种子有柔毛或有时无毛。花期 7 ~ 9 月。

| **生境分布** | 生于气候温暖、土壤肥沃的多湿处或水沟、水田中。江苏各地广泛栽培。

| 资源情况 | 野生资源丰富。 |

| 采收加工 | 夏、秋季采收，多鲜用或晒干。 |

| 药材性状 | 本品茎叶常缠绕成把。茎扁柱形，皱缩，有纵沟，具节；表面浅青黄色至淡棕色，节上或有分枝，节处色较深，近下端节处多带有少许淡棕色小须根；质韧，不易折断，断面中空。叶片皱缩，灰青色，展平后呈卵形、三角形或披针形；具长柄。气微，味淡。以茎叶粗大、色灰青者为佳。 |

| 功效物质 | 富含蛋白质、糖类、脂类、有机酸类、三萜类等化学成分，具有良好的营养和保健功能。 |

| 功能主治 | 茎叶，甘，寒。归肠、胃经。凉血清热，利湿解毒。用于鼻衄，便血，尿血，便秘，淋浊，痔疮，痈肿，折伤，蛇虫咬伤。根，甘、淡，平。归肾、肺、脾经。健脾利湿。用于带下，虚淋。 |

| 用法用量 | 内服煎汤，60 ~ 120 g；或捣汁。外用适量，煎汤洗；或捣敷。 |

| 附　　注 | 本种喜高温、高湿，耐肥，不耐旱，不耐寒，以向阳、肥沃、灌水方便的地块为宜。 |

旋花科 Convolvulaceae 番薯属 *Ipomoea* 凭证标本号 321284190703004LY

番薯
Ipomoea batatas (L.) Lam.

| 药 材 名 | 番薯（药用部位：块根）。

| 形态特征 | 一年生草本。地下部分具圆形、椭圆形或纺锤形的块根，块根的形状、皮色和肉色因品种或土壤不同而异。茎平卧或上升，偶有缠绕，多分枝，圆柱形或具棱，绿色或紫色，被疏柔毛或无毛，茎节易生不定根。叶片形状、颜色常因品种不同而异，也有时在同一植株上具有不同叶形，通常为宽卵形，长 4 ~ 13 cm，宽 3 ~ 13 cm，全缘或 3 ~ 5（~ 7）裂，裂片宽卵形、三角状卵形或线状披针形，叶片基部心形或近平截，先端渐尖，两面被疏柔毛或近无毛，叶有浓绿色、黄绿色、紫绿色等，顶叶的颜色为品种的特征之一；叶柄长短不一，长 2.5 ~ 20 cm，被疏柔毛或无毛。聚伞花序腋生，1 ~ 7 花聚集成

伞形，花序梗长 2 ~ 10.5 cm，稍粗壮，无毛或有时被疏柔毛；苞片小，披针形，长 2 ~ 4 mm，先端芒尖或骤尖，早落；花梗长 2 ~ 10 mm；萼片长圆形或椭圆形，不等长，外萼片长 7 ~ 10 mm，内萼片长 8 ~ 11 mm，先端骤然成芒尖状，无毛或疏生缘毛；花冠粉红色、白色、淡紫色或紫色，钟状或漏斗状，长 3 ~ 4 cm，外面无毛；雄蕊及花柱内藏，花丝基部被毛；子房 2 ~ 4 室，被毛或有时无毛。开花习性随品种和生长条件而不同，有的品种容易开花，有的品种在气候干旱时会开花，在气温高、日照短的地区常见开花，在温度较低的地区很少开花。蒴果卵形或扁圆形，以假隔膜分为 4 室；种子 1 ~ 4，通常 2，无毛。由于番薯属于异花授粉，自花授粉常不结实，所以有时只见开花不见结果。

| **生境分布** | 江苏各地均有栽培。

| **资源情况** | 栽培资源丰富。

| **采收加工** | 秋、冬季采挖，洗净，切片，晒干，亦可窖藏。

| **药材性状** | 本品常呈类圆形斜切片，宽 2 ~ 4 cm，厚约 2 mm，偶见未去净的淡红色或灰褐色外皮。切面白色或淡黄白色，粉性，可见淡黄棕色的筋脉点或线纹，近皮部可见一圈淡黄棕色的环纹。质柔软，具弹性，手弯成弧状而不折断。气清香，味甘甜。

| **功效物质** | 不仅富含营养成分，还含有多种生物活性成分，如蛋白质、多肽类、黄酮类、树脂糖苷类化合物，以及并没食子酸和 3,5- 二咖啡酰基奎宁酸，具有抗氧化、抗炎、降血脂、降血糖、抗肿瘤等作用。

| **功能主治** | 甘，平。归脾、肾经。补中和血，益气生津，宽肠胃，通便秘。用于脾虚水肿，便泄，疮疡肿毒，大便秘结。

| **用法用量** | 内服适量，生食；或煮食。外用适量，捣敷。

旋花科 Convolvulaceae 鱼黄草属 Merremia 凭证标本号 320621181027044LY

北鱼黄草 *Merremia sibirica* (L.) Hall. f.

| 药 材 名 |

北鱼黄草（药用部位：全草）、铃当子（药用部位：种子）。

| 形态特征 |

缠绕草本，全体近无毛。茎多分枝，有棱角。叶互生，卵状心形，长 2.5 ~ 13 cm，宽 1.5 ~ 7.5 cm，先端尾状渐尖，基部心形；叶柄细长，与叶片近等长，有托叶。花序腋生，有 1 至多花，花后下垂；苞片 2，线形；萼片 5，卵圆形，长约 5 mm，先端具小尖头，无毛；花冠钟状，长 1 ~ 1.5 cm，淡红色，先端 5 浅裂；雄蕊 5，不等长，花丝基部有小鳞毛；子房 2 室，每室有 2 胚珠；柱头 2，头状。蒴果近球形，无毛；种子黑色。

| 生境分布 |

生于路旁、田边、山地草丛或灌丛中。分布于江苏南部等。

| 资源情况 |

野生资源一般。

| 采收加工 |

北鱼黄草：夏季采收，鲜用或晒干。

铃当子：秋季种子成熟时采收全株，晒干，打下种子，除去杂质。

| **功效物质** | 种子含有糖类，分别为 97% 的葡萄糖和甘露糖（1：1）、3% 的半乳糖组成，种子油中含 3.5% 的二烯酸、9.3% 的三烯酸。

| **功能主治** | 北鱼黄草：辛、苦，寒。归脾、肾经。活血解毒。用于跌打损伤，疔疮，肿痛，劳伤疼痛。

铃当子：辛、辣。泻下去积，逐水消肿。用于大便秘结，食积。

| **用法用量** | 北鱼黄草：内服煎汤，3～10 g。外用适量，捣敷。

铃当子：内服研末，1.5～3 g。

旋花科 Convolvulaceae 牵牛属 Pharbitis 凭证标本号 320482180704228LY

牵牛
Pharbitis nil (L.) Choisy

| 药 材 名 | 牵牛子（药用部位：种子）。

| 形态特征 | 一年生草本，全体有刺毛。茎细长，缠绕，多分枝。叶心形或宽卵形，长4~15 cm，通常3裂至中部，中间裂片长卵圆形而渐尖，两侧裂片底部宽圆，叶脉掌状。花序有花1~3；苞片2，细长；萼片狭披针形，外面有毛；花冠漏斗形，长5~7 cm，蓝色或淡紫色，管部白色；雄蕊5，不伸出花冠外，花丝不等长，基部稍阔，有毛；子房3室，每室有2胚珠。蒴果球形。花期7~9月。

| 生境分布 | 生于山林中、墙脚下、山间、路旁。江苏各地均有分布。

| 资源情况 | 野生资源丰富。

| 采收加工 | 秋季果实成熟未开裂时将藤割下，晒干，待种子自然脱落，除去果壳、杂质。

| 药材性状 | 本品似橘瓣状，略具 3 棱，长 5 ~ 7 mm，宽 3 ~ 5 mm。表面灰黑色（黑丑）或淡黄白色（白丑），背面弓状隆起，两侧面稍平坦，略具皱纹，背面正中有 1 浅纵沟，腹面棱线下端为类圆形浅色种脐。质坚硬，横切面可见 2 淡黄色或黄绿色、皱缩折叠的子叶。水浸后种皮呈龟裂状，有明显的黏液。气微，味辛、苦，有麻舌感。以颗粒饱满、无果皮等杂质者为佳。

| 功效物质 | 主要含有苷类、生物碱类、黄酮类、蒽醌类、酚酸类等多种化学成分，泻下性成分为牵牛子苷 3%、脂肪油 11% 及其他糖类、牵牛子酸等，具有泻下利尿、抑菌、兴奋子宫平滑肌、驱蛔虫、抗肿瘤等药理作用。

| 功能主治 | 苦、辛，寒。归肺、肾、大肠、小肠经。泻水通便，消痰涤饮，杀虫攻积。用于水肿胀满，二便不通，痰饮积聚，气逆喘咳，虫积腹痛。

| 用法用量 | 内服煎汤，3 ~ 10 g；或入丸、散剂，每次 0.3 ~ 1 g，每日 2 ~ 3 次。炒制品药性较缓。

旋花科 Convolvulaceae 牵牛属 Pharbitis 凭证标本号 320684160730107LY

圆叶牵牛

Pharbitis purpurea (L.) Voigt

| 药 材 名 |

牵牛子（药用部位：种子）。

| 形态特征 |

一年生草本，全体被粗硬毛。叶互生，圆心形或宽卵状心形，长 4 ～ 18 cm，宽 3 ～ 17 cm，基部心形，先端尖，通常全缘；叶柄长 4 ～ 9 cm。花序有花 1 ～ 5；苞片线形，有毛；萼片 5，卵状披针形，长 1.2 ～ 1.5 cm，先端钝尖，基部有粗硬毛；花冠漏斗状，紫色、淡红色或白色，长 4 ～ 5 cm，先端 5 浅裂；雄蕊 5，不等长，花丝基部有毛；子房 3 室，无毛，柱头头状。蒴果近球形。花果期 7 ～ 9 月。

| 生境分布 |

生于田边、路旁、宅旁或山谷林内。江苏各地均有分布。

| 资源情况 |

野生资源较丰富。

| 采收加工 |

秋季果实成熟未开裂时将藤割下，晒干，待种子自然脱落，除去果壳、杂质。

| **药材性状** | 本品似橘瓣状，略具 3 棱，长 5 ~ 7 mm，宽 3 ~ 5 mm。表面灰黑色（黑丑）或淡黄白色（白丑），背面弓状隆起，两侧面稍平坦，略具皱纹，背面正中有 1 浅纵沟，腹面棱线下端为类圆形浅色种脐。质坚硬，横切面可见 2 淡黄色或黄绿色、皱缩折叠的子叶。水浸后种皮呈龟裂状，有明显的黏液。气微，味辛、苦，有麻舌感。以颗粒饱满、无果皮等杂质者为佳。

| **功效物质** | 主要含有木脂素类、三萜类成分。

| **功能主治** | 苦、辛，寒。归肺、肾、大肠、小肠经。泻水通便，消痰涤饮，杀虫攻积。用于水肿胀满，二便不通，痰饮积聚，气逆喘咳，虫积腹痛。

| **用法用量** | 内服煎汤，3 ~ 10 g；或入丸、散剂，每次 0.3 ~ 1 g，每日 2 ~ 3 次。炒制品药性较缓。

旋花科 Convolvulaceae 茑萝属 Quamoclit 凭证标本号 320924160828083LY

茑萝
Quamoclit pennata (Desr.) Bojer

| 药 材 名 | 茑萝松（药用部位：全草或根）。

| 形态特征 | 一年生缠绕草本，无毛。叶卵形或长圆形，长 2 ~ 10 cm，宽 1 ~ 6 cm，羽状深裂，裂片线形；叶柄长 4 ~ 40 mm；托叶 2，与叶同形。聚伞花序腋生，有花 2 ~ 5，花序梗通常长于叶；萼片长圆形，先端钝或稍具突尖；花冠高脚碟状，长约 3 cm，红色，冠檐开展，5 浅裂；雄蕊及花柱伸出冠外，花丝基部具毛；子房无毛。蒴果卵圆形；种子黑色，有棕色细毛。花期 7 ~ 9 月。

| 生境分布 | 江苏各地均有栽培。

| 资源情况 | 栽培资源丰富。

| **采收加工** | 夏、秋季采收，晒干；鲜用多随采随用。

| **功效物质** | 含有黄酮及黄酮苷类、香豆素类、内酯类及内酯苷类、多糖类成分等。

| **功能主治** | 清热解毒，凉血止血。用于耳疔，痔漏，蛇咬伤。

| **附　　注** | 本种喜温暖和阳光充足的环境，不耐寒，怕霜冻。对土壤要求不严，但以土层深厚、肥沃、排水良好的土壤为宜。

紫草科 Boraginaceae 斑种草属 Bothriospermum 凭证标本号 320324160422001LY

斑种草
Bothriospermum chinense Bunge

| 药 材 名 | 蛤蟆草（药用部位：全草）。

| 形态特征 | 草本，高 10 ~ 50 cm。茎通常自基部分枝，有毛。叶披针形、倒披针形或长圆形，长 2 ~ 9 cm，宽 5 ~ 20 mm，通常边缘皱波状，两面有短糙毛；无柄或基部叶有柄。花梗短，单生或成顶生的总状花序；花萼裂片披针形，长 3 ~ 7 mm；花冠淡蓝色，喉部有 5 鳞片，鳞片先端微凹；雄蕊 5，内藏；子房 4 裂，花柱内藏。小坚果肾形，腹面有横的凹穴，表面有网纹。花期 4 ~ 6 月。

| 生境分布 | 生于山坡路旁或石砾堆处。分布于江苏连云港等。

| 资源情况 | 野生资源一般。

| **采收加工** | 春、夏季采收，洗净，鲜用。 |

| **功效物质** | 含有挥发油类、皂苷类、黄酮苷类、酚类物质、甾醇类、多萜类等化学成分。 |

| **功能主治** | 微苦，凉。解毒消肿，利湿止痒。用于痔疮，肛门肿痛，湿疹。 |

| **用法用量** | 外用适量，煎汤洗。 |

紫草科 Boraginaceae 斑种草属 Bothriospermum 凭证标本号 320323170510827LY

多苞斑种草

Bothriospermum secundum Maxim.

| **药 材 名** | 野山蚂蟥（药用部位：全草）。

| **形态特征** | 一年生或二年生草本，高 25 ~ 70 cm。茎直立，单生，上部分枝较多，或从基部分枝，分枝较细弱，具有开展的糙毛。叶卵圆状披针形或卵状披针形，长 1.5 ~ 6 cm，宽 5 ~ 10 mm，先端钝或尖，基部狭窄，两面具糙毛，上部叶无柄，下部叶有柄。花有短梗，通常下垂，与苞片依次排列而各偏于一侧；苞片长圆形或卵状披针形，被糙毛；萼片 5，裂至基部，裂片披针形；花冠蓝色，喉部有 5 细长的鳞片，鳞片先端微凹。小坚果长约 2 mm，密生瘤状突起，腹面有纵椭圆形的环状凹陷。花期 5 ~ 7 月。

| **生境分布** | 生于路旁或荒草地。分布于江苏连云港、扬州（高邮、宝应）、徐

州（邳州）、镇江、苏州（常熟、昆山）等。

| 资源情况 | 野生资源较丰富。

| 采收加工 | 春、夏季采收，拣净杂质，鲜用或晒干。

| 功能主治 | 苦，凉。归肺、肝经。祛风，利水，解疮毒。用于水肿骤起，疮毒。

| 用法用量 | 内服煎汤，3 ~ 9 g。外用适量，煎汤洗。

紫草科 Boraginaceae | 斑种草属 *Bothriospermum* | 凭证标本号 320703170418769LY

柔弱斑种草
Bothriospermum tenellum (Hornem.) Fisch. et Mey.

| **药 材 名** | 鬼点灯（药用部位：全草）。

| **形态特征** | 一年生草本。茎高 15 ～ 30 cm，通常多分枝，有紧贴的粗毛。叶卵状披针形或椭圆形，长 1 ～ 3 cm，宽 5 ～ 20 mm，先端钝，基部宽楔形，两面有糙伏毛，上部叶无柄，下部叶有柄。花小，有短梗，腋生或近腋生，花序狭长，长 10 ～ 20 cm；苞片椭圆形或狭卵形；花萼裂片线形或披针形；花冠白色或浅蓝色，喉部有 5 附属物；雄蕊 5；花柱短。小坚果长 1.2 ～ 1.5 mm，腹面凹陷成纵椭圆形，表面有瘤状突起。花期 4 ～ 5 月。

| **生境分布** | 生于路旁或荒草地。江苏各地均有分布。

| **资源情况** | 野生资源较少。

| **采收加工** | 夏、秋季采收，拣净杂质，晒干。

| **功能主治** | 苦、涩，平；有小毒。归肺经。止咳，止血。用于咳嗽，吐血。

| **用法用量** | 内服煎汤，9～12 g。止血炒焦用。

紫草科 Boraginaceae 厚壳树属 Ehretia 凭证标本号 320581180429055LY

厚壳树 *Ehretia thyrsiflora* (Sieb. et Zucc.) Nakai

| 药 材 名 | 大岗茶（药用部位：心材、树皮、枝、叶）。

| 形态特征 | 落叶乔木，高 3 ~ 15 m。树皮灰黑色，有不规则的纵裂。小枝有皮孔。叶互生，倒卵形至长椭圆状倒卵形或椭圆形，长 5 ~ 18 cm，宽 3 ~ 8 cm，先端短尖，基部楔形或近圆形，边缘有细锯齿，表面无毛或疏生平伏粗毛，背面脉上或脉腋有毛；叶柄长 1 ~ 3.5 cm。圆锥花序顶生或腋生，有香气；花萼边缘有细毛；花冠白色，裂片略长于管部；雄蕊与花冠近等长或花药稍外露。果实球形，直径约 4 mm，初为红色，后变暗灰色。花期 4 ~ 5 月，果期 7 月。

| 生境分布 | 生于丘陵或山地林中。分布于江苏淮安、扬州（高邮）、南京、无锡（宜兴）等。

| **资源情况** | 野生资源一般。

| **采收加工** | 树皮，全年均可采收，切片，晒干。枝，全年均可采收，除去皮部，锯成小段，劈成小块，晒干。叶，秋季采摘，晒干。

| **功效物质** | 叶含槲皮素、山柰酚、山柰酚 -3-*O*-α-D- 阿拉伯糖苷、槲皮素 -3-*O*-α-D- 阿拉伯糖苷、咖啡酸乙酯、2- 甲氧基苯甲酸辛酯、十四烯酸甘油酯、迷迭香酸甲酯、尿囊素、咖啡酸、对羟基苯甲酸、胡萝卜苷、β- 谷甾醇等。

| **功能主治** | 心材，甘、咸，平。散瘀，消肿，止痛。用于跌打肿痛，骨折，痈疮红肿。树皮、枝，苦，平。收敛止泻，用于慢性肠炎。叶，甘、微苦，平。清热解暑。用于外感暑热。

| **用法用量** | 内服煎汤，10 ~ 15 g。

紫草科 Boraginaceae 紫草属 *Lithospermum* 凭证标本号 320111150324010LY

田紫草 *Lithospermum arvense* L.

| 药 材 名 | 田紫草（药用部位：果实）。

| 形态特征 | 一年生草本，高 13 ~ 40 cm。茎基部或根上部略带淡紫色，有糙伏毛。叶无柄或近无柄，狭披针形或倒卵状椭圆形，长 1 ~ 4 cm，宽 3 ~ 10 mm，先端圆钝，基部狭楔形。花有短梗；花萼裂片线形，有短伏毛；花冠白色，长 6 ~ 7 mm，外面有毛，喉部无鳞片；雄蕊生于花冠管的中部以下；花柱长 1 ~ 2 mm，柱头头状。小坚果灰白色，先端狭，表面有瘤状突起。花果期 4 ~ 7 月。

| 生境分布 | 生于山坡和荒草地。分布于江苏泰州（靖江）、扬州（高邮）、盐城（东台）、淮安（淮阴）、南通、南京、镇江、无锡（宜兴）、苏州等。

| **资源情况** | 野生资源一般。

| **采收加工** | 6 ~ 8 月果实成熟时采收，晒干。

| **功效物质** | 全草含有芸香苷、廿六烷醇、棕榈酸、肉豆蔻酸、月桂酸、油酸、亚油酸、亚麻酸等脂肪酸，以及谷甾醇、延胡索酸、咖啡酸、葡萄糖、鼠李糖等。根含有延胡索酸和葡萄糖。

| **功能主治** | 温中行气，消肿止痛。用于胃寒胀痛，吐酸，跌打肿痛，骨折。

| **用法用量** | 内服煎汤，3 ~ 6 g；或研末。外用适量，捣敷。

紫草科 Boraginaceae 紫草属 Lithospermum 凭证标本号 320830150426009LY

梓木草 *Lithospermum zollingeri* DC.

| 药 材 名 |

地仙桃（药用部位：果实）。

| 形态特征 |

多年生匍匐草本。匍匐茎长达 30 cm，有开展的糙伏毛；生花的茎高 5 ~ 20 cm。叶长圆状卵形或倒卵状披针形，长 2.5 ~ 6 cm，宽 8 ~ 20 mm，两面有短硬毛，毛的基部细胞膨大；通常近无柄。花单生或数朵生于新枝上部叶腋；苞片叶状；花有短梗；花萼 5 裂，裂至近基部，裂片线状披针形，两面有毛；花冠长 15 ~ 20 mm，外面有毛，紫蓝色，很少白色，喉部有长约 3 mm 的鳞片。小坚果白色，表面有皱纹或光滑。花期 4 ~ 5 月。

| 生境分布 |

生于山地林下或路边。分布于江苏南京、无锡（宜兴）等。

| 资源情况 |

野生资源较丰富。

| 采收加工 |

7 ~ 9 月果实成熟时采收，晒干。

| **药材性状** | 本品呈椭圆形或斜卵球形，长 3 ~ 3.5 mm，腹面中线凹陷成纵沟。表面乳白色，光滑润泽。质坚硬，破碎后可见种子，种皮与果壳愈合，棕黑色，种仁灰白色而稍黄色。富油脂。 |

| **功效物质** | 含有挥发油类、有机酸类、糖类、黄酮苷类、三萜皂苷类等化学成分。 |

| **功能主治** | 甘、辛，温。归脾、胃经。温中散寒，行气活血，消肿止痛。用于胃脘冷痛作胀，泛吐酸水，跌打肿痛，骨折。 |

| **用法用量** | 内服煎汤，3 ~ 6 g；或研末。外用适量，捣敷。 |

| **附　注** | 本种在南京俗称"疬子颈草"，民间用于淋巴结结核。 |

| 紫草科 | Boraginaceae | 盾果草属 | *Thyrocarpus* | 凭证标本号 | 321183150415681LY |

盾果草
Thyrocarpus sampsonii Hance

| 药 材 名 |

盾果草（药用部位：全草）。

| 形态特征 |

一年生草本，高20～45 cm。茎直立或斜升，常自下部分枝，有开展的长硬毛和短糙毛。基生叶丛生，有短柄，匙形，长3.5～19 cm，宽1～5 cm，全缘或有疏细锯齿，两面均有具基盘的长硬毛和短糙毛；茎生叶较小，无柄，狭长圆形或倒披针形。花序长7～20 cm；苞片狭卵形至披针形；花萼长约3 mm，裂片狭椭圆形，背面和边缘有开展的长硬毛，腹面稍有短伏毛；花冠淡蓝色或白色，显著较萼长，裂片近圆形，开展，喉部附属物线形，肥厚，有乳头状突起，先端微缺；雄蕊5，着生于花冠筒中部，花丝长约0.3 mm，花药卵状长圆形。小坚果顶部外层的齿轮直立，与内层边缘紧贴。花期4～5月。

| 生境分布 |

生于路旁草地。分布于江苏连云港（灌云）、南京等。

| **资源情况** | 野生资源一般。

| **采收加工** | 4～6月采收，鲜用或晒干。

| **药材性状** | 本品茎较细，1至数条，圆柱形，长10～30 cm；表面枯绿色，具灰白色糙毛；质脆，易折断，断面白色。基生叶丛生，皱缩、卷曲，湿润展开后呈匙形，具柄，长3.5～19 cm，宽1～5 cm，枯绿色或深绿色，两面均具灰白色粗毛；茎生叶较小，无柄；叶片稍厚。有时可见蓝色或紫色小花。或有2层碗状凸起的小坚果，基顶部外层有直立的齿轮，内层紧贴边缘。气微，味微苦。

| **功能主治** | 苦，凉。归心、大肠经。清热解毒，消肿。用于痈肿，疔疮，咽喉疼痛，泄泻，痢疾。

| **用法用量** | 内服煎汤，9～15 g，鲜品30 g。外用适量，鲜品捣敷。

紫草科 Boraginaceae　附地菜属 *Trigonotis*　凭证标本号 320115160410011LY

附地菜
Trigonotis peduncularis (Trev.) Benth. ex Baker et Moore

| 药 材 名 | 附地菜（药用部位：全草）。

| 形态特征 | 一年生草本，高 5 ~ 40 cm。茎基部略呈淡紫色，常分枝，细弱，直立，有平伏毛。叶匙形、卵圆形或披针形，长 1 ~ 3 cm，宽 5 ~ 15 mm，两面有毛，下部叶有短柄，上部叶无柄。总状花序顶生，花梗长 3 ~ 5 mm，先端与花萼连接部分变粗，呈棒状；花萼长 1 ~ 1.2 mm，5 裂，裂至中部，裂片长圆形或卵形；花冠淡蓝色，长约 2 mm，花冠筒与花冠裂片近等长，裂片倒卵形，喉部附属物 5；雄蕊 5，不伸出花冠外；子房 4 裂。小坚果三角状四面体形，有短毛或平滑无毛。花期 4 ~ 5 月。

| **生境分布** | 生于林下、荒地、田边、杂草丛中。分布于江苏连云港、淮安、南京、镇江（句容）、苏州（常熟）、无锡（宜兴）、南通等。 |

| **资源情况** | 野生资源较丰富。 |

| **采收加工** | 初夏采收，鲜用或晒干。 |

| **功效物质** | 地上部分富含挥发油类成分；花含有飞燕草素 -3,5- 二葡萄糖苷等黄酮类成分。 |

| **功能主治** | 甘、辛，温。温中健胃，消肿止痛，止血。用于胃痛，吐酸，吐血；外用于跌打损伤，骨折。 |

| **用法用量** | 内服煎汤，3 ~ 6 g；或研末冲，0.9 ~ 1.5 g。外用适量，捣涂。 |

马鞭草科 Verbenaceae 紫珠属 Callicarpa 凭证标本号 320481151023199LY

华紫珠
Callicarpa cathayana H. T. Chang

| 药 材 名 | 紫珠（药用部位：叶）。

| 形态特征 | 灌木，高 1.5 ~ 3 m。小枝纤细，有不明显的皮孔，幼嫩时稍有星状毛。叶通常为卵状披针形或近椭圆形，长 4 ~ 10 cm，宽 1.5 ~ 3 cm，先端渐尖，基部狭楔形，边缘有锯齿，两面仅脉上有毛，背面有红色腺点；叶柄长 2 ~ 8 mm。聚伞花序纤细，3 ~ 4 次分歧，花序梗稍长于叶柄或近等长；苞片细小，花萼有星状毛和红色腺点，萼齿不明显；花冠淡紫色，有红色腺点；花丝与花冠近等长，药室孔裂；子房无毛，花柱略长于雄蕊。果实球形。花期 5 ~ 7 月，果期 8 ~ 11 月。

| 生境分布 | 生于山坡或谷地灌丛。分布于江苏南京、无锡（宜兴）、镇江（句

容）、常州（溧阳）等。

| **资源情况** | 野生资源一般。

| **采收加工** | 7～8月采收，晒干。

| **功效物质** | 主要含有黄酮类、三萜类成分，具有消炎、止血、散瘀、抗肿瘤等作用。

| **功能主治** | 苦、涩，凉。归肝、肺、胃经。收敛止血，清热解毒。用于呕血，咯血，衄血，牙龈出血，便血，尿血，崩漏，皮肤紫癜，外伤出血，痈疽肿毒，毒蛇咬伤，烫火伤。

| **用法用量** | 内服煎汤，10～15 g，鲜品30～60 g；或研末，每次1.5～3 g，每日1～3次。外用适量，鲜品捣敷；或研末撒。

| **附　　注** | 民间用本种治疗偏头痛、跌打肿痛、外伤出血等。

马鞭草科 Verbenaceae 紫珠属 Callicarpa 凭证标本号 320703160906477LY

白棠子树
Callicarpa dichotoma (Lour.) K. Koch

| 药 材 名 | 紫珠（药用部位：叶）。

| 形态特征 | 多分枝的小灌木，高 1 ~ 3 m。小枝带紫红色，略有星状毛。叶片
倒卵形或披针形，长 3 ~ 7 cm，宽 1 ~ 2.5 cm，先端急尖或尾状尖，
基部楔形，边缘上半部疏生锯齿，两面无毛，背面有黄棕色腺点；
叶柄长 2 ~ 5 mm。聚伞花序纤弱，2 ~ 3 次分歧，花序梗长为叶柄
的 3 ~ 4 倍；苞片线形；花萼杯状，先端有不明显的裂齿或近无齿；
花冠紫红色，无毛；花丝长约为花冠的 2 倍；药室纵裂；子房无毛，
有腺点。果实球形，紫色。花期 5 ~ 6 月，果期 7 ~ 11 月。

| 生境分布 | 生于海拔 600 m 以下的低山区的溪边或山坡灌丛中。分布于江苏连
云港、南京、无锡（宜兴）、苏州等。

资源情况	野生资源一般。

采收加工	7～8月采收，晒干。

功效物质	主要含有黄酮类成分，具有止血、散瘀、消炎等作用。

功能主治	苦、涩，凉。归肝、肺、胃经。收敛止血，清热解毒。用于呕血，咯血，衄血，牙龈出血，便血，尿血，崩漏，皮肤紫癜，外伤出血，痈疽肿毒，毒蛇咬伤，烫火伤。

用法用量	内服煎汤，10～15 g，鲜品30～60 g；或研末，每次1.5～3 g，每日1～3次。外用适量，鲜品捣敷；或研末撒。

附　注	本种喜光，耐阴，喜温暖、湿润气候，较耐寒。喜深厚肥沃的土壤，萌芽力强。

| 马鞭草科 | Verbenaceae | 紫珠属 | Callicarpa | 凭证标本号 | 320482181013026LY

日本紫珠 *Callicarpa japonica* Thunb.

| **药 材 名** | 紫珠（药用部位：叶）。

| **形态特征** | 灌木，高约 2 m。小枝圆柱形，无毛。叶卵形、倒卵形至卵状椭圆形，长 7 ~ 15 cm，宽 4 ~ 6 cm，先端急尖或长尾尖，基部楔形，边缘上半部有锯齿，两面通常无毛；叶柄长 5 ~ 10 mm。聚伞花序细弱而短小，腋生；总花梗与叶柄等长或短于叶柄；花萼无毛，萼齿钝三角形；花冠白色或淡紫色；花丝与花冠筒近等长，花药先端孔裂。果实球形，紫色。花果期 6 ~ 10 月。

| **生境分布** | 生于山坡或谷地溪旁灌丛中。分布于江苏南部等。

| **资源情况** | 野生资源一般。

| 采收加工 | 7 ~ 8 月采收，晒干。

| 功效物质 | 含有黄酮类及萜类等化学成分。

| 功能主治 | 苦、涩，凉。归肝、肺、胃经。收敛止血，清热解毒。用于呕血，咯血，衄血，牙龈出血，便血，尿血，崩漏，皮肤紫癜，外伤出血，痈疽肿毒，毒蛇咬伤，烫火伤。

| 用法用量 | 内服煎汤，10 ~ 15 g，鲜品 30 ~ 60 g；或研末冲，每次 1.5 ~ 3 g，每日 1 ~ 3 次。外用适量，鲜品捣敷。

| 附　注 | 本种喜光，耐阴，喜温暖、湿润气候，较耐寒。喜深厚肥沃的土壤，萌芽力强。

马鞭草科 Verbenaceae 紫珠属 Callicarpa 凭证标本号 320703151016312LY

窄叶紫珠 *Callicarpa japonica* Thunb. var. *angustata* Rehd.

| **药 材 名** | 金刀菜（药用部位：茎、叶）。

| **形态特征** | 灌木。叶片质地较薄，倒披针形或披针形，绿色或略带紫色，长 6 ~ 10 cm，宽 2 ~ 3（~ 4）cm，两面常无毛，有不明显的腺点，侧脉 6 ~ 8 对，边缘中部以上有锯齿；叶柄长不超过 0.5 cm。聚伞花序宽约 1.5 cm，花序梗长约 6 mm；萼齿不显著；花冠长约 3.5 mm；花丝与花冠约等长，花药长圆形，药室孔裂。果实直径约 3 mm。花期 5 ~ 6 月，果期 7 ~ 10 月。

| **生境分布** | 生于溪边或林中。分布于江苏南部等。

| **资源情况** | 野生资源一般。

| 采收加工 | 夏、秋季采收，切成长 10 ～ 20 cm 的段，干燥。 |

| 药材性状 | 本品小枝有白色星状毛，老枝无毛。叶多皱缩，完整者展平后呈长披针形，长 6 ～ 10 cm，宽 2 ～ 3 cm，先端渐尖，基部楔形，边缘上半部有细齿，两面无毛，下面密被金黄色腺点；叶柄长不超过 0.5 cm。气微，味淡。 |

| 功效物质 | 主要含有苯丙素糖苷、三萜类、黄酮苷类及酚酸类成分等。 |

| 功能主治 | 酸、涩，温。归肝、脾、胃经。止痛，止血。用于偏头痛，吐血，跌打肿痛，外伤出血。 |

| 用法用量 | 内服煎汤，10 ～ 15 g。外用适量，捣敷；或研末撒。 |

| 附　注 | 本种被列入《山西省重点保护野生植物名录（第一批）》。 |

马鞭草科 Verbenaceae 莸属 *Caryopteris* 凭证标本号 320115160424017LY

单花莸
Caryopteris nepetifolia (Benth.) Maxim.

药 材 名	莸（药用部位：全草）。
形态特征	多年生平卧草本，基部木质化，高 30 ~ 60 cm。茎四方形，有柔毛。叶广卵形至近圆形，长 1.5 ~ 6 cm，宽 1 ~ 4.5 cm，边缘有钝锯齿，两面均有柔毛和腺点；叶柄长 0.3 ~ 1 cm，被柔毛。花单生于叶腋，有细梗；苞片纤细；花萼先端 5 裂，裂片卵状三角形；花冠淡蓝色或白色带紫色斑纹，外面有细毛和腺点，先端 5 裂，二唇形，裂片全缘；雄蕊 4，与花柱均伸出花冠外；子房密生绒毛，柱头 2 裂。果实球形。
生境分布	生于山坡路旁或林边。分布于江苏南京、镇江（句容）、无锡（宜兴）、苏州等。

| **资源情况** | 野生资源一般。

| **采收加工** | 夏、秋季采收，切段，鲜用或晒干。

| **功效物质** | 主要含有黄酮类、苯乙醇苷类、香豆素类、甾体类、二萜类等化学成分。

| **功能主治** | 清暑解表，利湿解毒。用于夏季感冒，中暑，热淋，带下，外伤出血。

| **用法用量** | 内服煎汤，15 ~ 30 g。外用适量，捣敷。

马鞭草科 Verbenaceae 大青属 Clerodendrum 凭证标本号 320506150822254LY

臭牡丹

Clerodendrum bungei Steud.

| **药 材 名** | 臭牡丹（药用部位：茎叶）、臭牡丹根（药用部位：根）。

| **形态特征** | 小灌木，高 1 ~ 2 m。嫩枝稍有柔毛，枝内髓部坚实。叶有强烈臭味，广卵形或卵形，长 10 ~ 20 cm，宽 5 ~ 15 cm，先端尖或渐尖，基部心形或近截形，边缘有大或小的锯齿，两面多少有糙毛或近无毛，背面有小腺点；叶柄长 4 ~ 17 cm。聚伞花序紧密，顶生，苞片叶状，早落，花有臭味；花萼紫红色或部分绿色，长 3 ~ 9 mm，外面有绒毛和腺点；花冠淡红色、红色或紫色，长约 1.5 cm；花柱不超出雄蕊。核果倒卵形或球形，直径 0.8 ~ 1.2 cm，成熟后蓝紫色或呈蓝黑色。花果期 5 ~ 11 月。

| **生境分布** | 生于海拔 2 500 m 以下的山坡、林缘或沟旁。分布于江苏南部山区

等。江苏连云港等有栽培。

| 资源情况 | 野生及栽培资源丰富。

| 采收加工 | **臭牡丹**：夏、秋季采集，鲜用或切段晒干。
臭牡丹根：夏、秋季采挖，洗净，切片，晒干。

| 药材性状 | **臭牡丹**：本品茎呈圆柱形，直径 3 ~ 12 mm；外表皮灰棕色至灰褐色，具隆起的皱纹，皮孔明显凸起，点状或纵向延长，节处可见明显的叶柄痕，呈凹点状。质硬，不易折断，切断面皮部棕色，菲薄，木部灰黄色，髓部白色，有光泽。气微，味淡。叶多皱缩，破碎，纸质；完整叶片展平后呈宽卵形，长 9 ~ 19 cm，宽 6 ~ 15 cm，先端渐尖，基部截形或心形；上表面棕褐色至棕黑色，疏被短柔毛，下表面色稍淡，无毛或仅脉上有毛，基部脉腋处可见黑色疤痕状的腺体，边缘有锯齿；叶柄黑褐色，长 3 ~ 6 cm，弯曲，有纵皱纹。无臭，味淡。
臭牡丹根：本品表面灰棕色，纵沟纹明显。

| 功效物质 | 主要含有二萜类、苯乙醇苷类等化学成分，具有抗肿瘤、降血糖等多种药理活性。

| 功能主治 | **臭牡丹**：苦、辛，平。归心、胃、大肠经。解毒消肿，祛风湿，降压。用于痈疽，疔疮，发背，乳痈，痔疮，湿疹，丹毒，风湿痹痛，高血压。
臭牡丹根：行气健脾，祛风除湿，解毒消肿，降压。用于食滞腹胀，头昏，虚咳，久痢脱肛，肠痔下血，淋浊带下，风湿痛，脚气，痈疽肿毒，漆疮，高血压。

| 用法用量 | **臭牡丹**：内服煎汤，10 ~ 15 g，鲜品 30 ~ 60 g；或捣汁；或入丸剂。外用适量，煎汤熏洗；或捣敷；或研末调敷。
臭牡丹根：内服煎汤，15 ~ 30 g；或浸酒。外用适量，煎汤熏洗。

马鞭草科 Verbenaceae 大青属 Clerodendrum 凭证标本号 320481150409113LY

大青 *Clerodendrum cyrtophyllum* Turcz.

药材名

大青（药用部位：茎叶）、大青根（药用部位：根）。

形态特征

灌木或小乔木，高 1 ~ 10 m。枝内髓部色白而坚实，无薄片横隔。叶长椭圆形至卵状椭圆形或长圆状披针形，长 6 ~ 17 cm，宽 3 ~ 7 cm，先端尖或渐尖，基部圆形或阔楔形，全缘，无毛或沿脉疏生短柔毛；叶柄长 1.5 ~ 4.5 cm。伞房状聚伞花序顶生或腋生，长 10 ~ 16 cm，宽 20 ~ 25 cm；苞片线形，长 3 ~ 7 mm；花小，有柑橘香味；花萼粉红色，长约 3 mm，果时增大，变紫红色；花冠白色，花冠筒长约 1 cm，先端 5 裂，裂片长约 5 mm，外面疏生细毛和腺点；雄蕊 4，花丝与花柱均伸出花冠外。果实成熟时蓝紫色，直径 5 ~ 7 mm。花果期 6 月至翌年 2 月。

生境分布

生于丘陵、平原、村边或山坡路旁。分布于江苏南京、无锡（宜兴）等。

| 资源情况 | 野生资源一般。

| 采收加工 | **大青：** 夏、秋季采收，洗净，鲜用或切段，晒干。
大青根： 夏、秋季采挖，洗净，切片，晒干。

| 功效物质 | 叶含大青苷、蜂花醇、正二十五烷、γ-谷甾醇、异戊二烯聚合体、半乳糖醇、豆甾醇、鞣质及黄酮。茎含大青酮 A 和大青酮 B、石蚕文森酮 F、柳杉酚、无羁萜、赪桐二醇烯酮、赪酮甾醇、5,22,25-豆甾三烯-3β-醇。

| 功能主治 | **大青：** 苦，寒。归胃、心经。清热解毒，凉血止血。用于外感热病，热盛烦渴，咽喉肿痛，口疮，黄疸，热毒痢，急性肠炎，痈疽肿毒，衄血，血淋，外伤出血。
大青根： 苦，寒。归心、肝经。清热，解毒，凉血。用于流行性感冒，感冒高热，流行性乙型脑炎，流行性脑脊髓膜炎，腮腺炎，血热发斑，麻疹肺炎，黄疸性肝炎，热泻热痢，风湿热痹，头痛，咽喉肿痛，风火牙痛，睾丸炎。

| 用法用量 | **大青：** 内服煎汤，15 ~ 30 g，鲜品加倍。外用适量，捣敷；或煎汤洗。
大青根： 内服煎汤，10 ~ 15 g，鲜品 30 ~ 60 g。

| 附　　注 | 本种入药始于梁代《名医别录》。本种的根、叶具有清热、泻火、利尿、凉血、解毒的功效。

马鞭草科 Verbenaceae 大青属 Clerodendrum 凭证标本号 321311190712005LY

尖齿大青 *Clerodendrum lindleyi* Decne. ex Planch.

| 药 材 名 | 过墙风（药用部位：全株）。

| 形态特征 | 本种与臭牡丹的区别在于本种的叶广卵形或三角状卵形，揉之有臭味；聚伞花序下有不脱落的苞片，苞片披针形，长 2.5 ~ 4 cm，有大型腺点，花芳香，花萼长 0.8 ~ 1.6 cm，花冠粉红色或近白色，长 2.5 ~ 4 cm，花冠筒长 2 ~ 3.6 cm，花丝稍短于花柱；果实近球形，直径 6 ~ 8 mm。

| 生境分布 | 生于山坡沟边、杂木林或路边。分布于江苏南部等。江苏连云港（云台山）有栽培。

| 资源情况 | 野生资源一般。

| 采收加工 | 全年均可采收，洗净，切段，晒干。

| 药材性状 | 本品根为不规则的圆柱形短段，长 3 ~ 5 cm，直径 0.5 ~ 2.5 cm。表面灰褐色至棕褐色，有白色点状皮孔及细皱纹。质坚实，断面黄白色，具不明显的环纹和放射状纹理。嗅之有不愉快感，味微甘、微苦。以段块大小均匀、质坚实、不带地上茎者为佳。

| 功能主治 | 苦，温。祛风除湿，活血消肿。用于风湿痹痛，偏头痛，带下，子宫脱垂，湿疹，疮疡。

| 用法用量 | 内服煎汤，9 ~ 15 g。

马鞭草科 Verbenaceae 大青属 Clerodendrum 凭证标本号 320282161112282LY

海州常山 *Clerodendrum trichotomum* Thunb.

| **药 材 名** | 臭梧桐（药用部位：嫩枝、叶、花、果实、根）。

| **形态特征** | 灌木或小乔木，高 1.5 ～ 10 m。嫩枝和叶柄多少有黄褐色短柔毛，枝内髓部有淡黄色薄片横隔。叶片阔卵形、卵形、三角状卵形或卵状椭圆形，长 5 ～ 16 cm，宽 3 ～ 13 cm，先端渐尖，基部截形或阔楔形，很少近心形，全缘或有波状齿，两面疏生短柔毛或近无毛；叶柄长 2 ～ 8 cm。伞房状聚伞花序顶生或腋生，通常二歧分枝，末次分枝着花通常 3；苞片叶状，椭圆形，早落；花萼紫红色，5 裂，裂几达基部；花冠白色或带粉红色；花柱不超出雄蕊。核果近球形，成熟时蓝紫色。花果期 6 ～ 11 月。

| **生境分布** | 生于山坡路旁或村边。分布于江苏南京（江宁）、无锡（宜兴）、

镇江、南通、苏州（常熟）等。江苏连云港等有栽培。

| **资源情况** | 野生及栽培资源较丰富。

| **采收加工** | 嫩枝、叶，10 月采收，捆扎成束，晒干。花，6 ~ 7 月采收，晾干。果实，9 ~ 10 月果实成熟时采收，鲜用或晒干。根，秋季采挖，洗净，切片，鲜用或晒干。

| **药材性状** | 本品嫩枝类圆形或略带方形，直径约 3 mm，黄绿色，有纵向细皱纹，具黄色点状皮孔，密被短茸毛，稍老者茸毛脱落；质脆，易折断，断面木部淡黄色，髓部白色。叶呈丝条状，多皱缩和破碎，长 3 ~ 8 cm；上表面暗绿色至褐绿色，下表面灰绿色至灰黄绿色，叶脉稍凸起，两面均疏生短毛，叶脉上毛较多，下表面叶脉毛尤密；展平后，有的全缘或具波状齿，先端急尖，基部宽楔形；叶柄细，直径约 0.1 cm，亦被毛；质脆，易碎；气微特异，味苦、涩。花多枯萎，黄棕色，具长梗，雄蕊突出于花冠外；已结实者，花萼宿存，枯黄色。果实三棱状卵形，灰褐色，具皱缩纹理；气异臭，味苦、涩。根呈圆柱形或不规则块状，外表面呈淡黄棕色或灰褐色，有纵皱纹；质轻而坚硬，不易折断，断面淡黄白色，有环纹；气微弱，味淡、微苦。

| **功效物质** | 主要含有挥发油类、黄酮类、苯丙素类、糖苷类和生物碱类成分，具有降压、抗炎、抗氧化、镇痛、镇静、抗细胞增殖和抗人类免疫缺陷病毒的作用。现代临床研究表明，本品可治疗高血压和疟疾。

| **功能主治** | 嫩枝、叶，祛风除湿，平肝降压，解毒杀虫。用于风湿痹痛，半身不遂，高血压，偏头痛，疟疾，痢疾，痈疽疮毒，湿疹疥癣。花，祛风，降压，止痢。用于风气头痛，高血压，痢疾，疝气。果实，苦、微辛，平。归肺、肝经。祛风，止痛，平喘。用于风湿痹痛，牙痛，气喘。根，祛风止痛，行气消食。用于头风痛，风湿痹痛，食积气滞，脘腹胀满，疳积，跌打损伤，乳痈肿毒。

| **用法用量** | 叶，内服煎汤，9 ~ 15 g。果实，内服煎汤，10 ~ 15 g。外用适量，捣敷。

马鞭草科 Verbenaceae 马缨丹属 Lantana 凭证标本号 320683201018013LY

马缨丹
Lantana camara L.

| 药 材 名 |

五色梅（药用部位：茎叶、根）。

| 形态特征 |

直立或蔓性的灌木，高 1～2 m，有时藤状，长达 4 m，植株有臭味。叶卵形至卵状椭圆形，长 3～9 cm，宽 1.5～5 cm，边缘有锯齿，两面均有糙毛。花序梗粗壮，长于叶柄 1～3 倍；苞片披针形，有短柔毛；花萼管状，膜质，长约 1.5 mm，先端有极短的齿；花冠黄色、橙黄色、粉红色至深红色，花冠管长约 1 cm，两面有毛。果实圆球形，成熟时紫黑色。

| 生境分布 |

生于海拔 80～1 500 m 的海边沙滩、路边及空旷地。江苏城镇庭园常见栽培。

| 资源情况 |

栽培资源一般。

| 采收加工 |

全年均可采收，鲜用或晒干。

| **功效物质** | 带花全草含脂类，脂肪酸类成分有肉豆蔻酸、棕榈酸、花生酸，其非皂化部分有 α-香树脂醇、β-谷甾醇及1-三十烷醇。花、叶挥发油含 α-水芹烯、二戊烯、α-松油醇、牻牛儿醇等。 |

| **功能主治** | 茎叶，辛、苦，凉；有毒。清热解毒，祛风止痒。用于痈肿毒疮，湿疹，疥癣，皮炎，跌打损伤。根，苦，寒。归肝、肾经。清热泻火，解毒散结。用于感冒发热，伤暑头痛，胃火牙痛，咽喉炎，痄腮，风湿痹痛，瘰疬痰核。 |

| **用法用量** | 内服煎汤，5～10 g；或研末，3～5 g。外用适量，捣敷。 |

| **附 注** | 本种是世界十大有毒杂草之一。小牛、羊、水牛等乳畜喂饲本种的叶后可致慢性中毒而死亡。家畜五色梅中毒可口服皂黏土或活性炭解毒。五色梅的乙醇提取物对肝脏有损害，可引起胃、肠炎症。 |

马鞭草科 Verbenaceae 豆腐柴属 Premna 凭证标本号 320482180617376LY

豆腐柴 *Premna microphylla* Turcz.

| 药 材 名 | 腐婢（药用部位：茎叶、根）。

| 形态特征 | 灌木。幼枝有柔毛，老枝无毛。叶有臭味，卵形、卵状披针形、倒卵形或椭圆形，长 3 ～ 13 cm，宽 1.5 ～ 6 cm，先端急尖至长渐尖，基部渐狭，下延至叶柄两侧，全缘至具不规则的粗齿；叶柄长 1 ～ 2 cm。聚伞花序组成顶生的圆锥花序；花萼绿色，有时带紫色；花冠淡黄色，外面有柔毛和腺点，内面有柔毛，喉部毛较密。果实紫色，球形至倒卵形。花果期 5 ～ 9 月。

| 生境分布 | 生于山坡林下或林缘。分布于江苏无锡（宜兴）、南京等。

| 资源情况 | 野生资源丰富。

| **采收加工** | 春、夏、秋季均可采收，鲜用或晒干。

| **药材性状** | 本品茎枝呈圆柱形，淡棕色，具纵沟，嫩枝被黄色短柔毛。叶对生，皱缩，完整者展平后呈卵状披针形，长 2～7 cm 或更长，宽 1.5～4 cm，先端尾状急尖或近急尖，基部渐狭，下延；边缘中部以上具不规则的粗锯齿，淡棕黄色，两面均有短柔毛；叶柄长约 1 cm。偶见残留的黑色圆形小果。气臭，味苦。

| **功效物质** | 富含果胶、蛋白质、黄酮类化合物及其他多种化学成分。活性成分为臭梧桐碱或其吡喃葡萄糖基衍生物。豆腐柴根提取物具有显著的抗炎活性，通过增强巨噬细胞的吞噬作用，抑制前列腺素 E_2 的产生和炎性组织的肿胀，发挥体内非特异性免疫的作用。

| **功能主治** | 茎叶，苦、微辛，寒。归肝、大肠经。清热解毒。用于疟疾，泄泻，痢疾，醉酒头痛，痈肿，疔疮，丹毒，蛇虫咬伤，创伤出血。根，苦，寒。归脾经。清热解毒。用于疟疾，小儿夏季热，风湿痹痛，风火牙痛，跌打损伤，烫火伤。

| **用法用量** | 内服煎汤，10～15 g；或研末。外用适量，捣敷；或研末调敷；或煎汤洗。

马鞭草科 Verbenaceae 马鞭草属 *Verbena* 凭证标本号 320681160423063LY

马鞭草 *Verbena officinalis* L.

| **药 材 名** | 马鞭草（药用部位：全草）。

| **形态特征** | 多年生草本，通常高 30 ~ 80 cm。茎上部四方形，老后下部近圆形。叶对生，卵圆形至长圆形，长 2 ~ 8 cm，宽 1 ~ 4 cm，两面有粗毛，边缘有粗锯齿或缺刻；茎生叶无柄，多数 3 深裂，有时羽裂，裂片边缘有不整齐的锯齿。穗状花序顶生或生于上部叶腋，开花时通常似马鞭，每花有 1 苞片，苞片比萼略短，外面有毛；花萼长约 2 mm，先端有 5 齿；花冠淡紫色或蓝色，长 4 ~ 5 mm。蒴果长约 2 mm。花果期 5 ~ 10 月。

| **生境分布** | 生于山脚路旁或村边荒地。分布于江苏连云港、南京、镇江（句容）、无锡（宜兴）、苏州等。

| **资源情况** | 野生资源较丰富。

| **采收加工** | 6 ~ 8 月花开时采收，除去泥土，晒干。

| **药材性状** | 本品根茎呈圆柱形。茎呈方柱形，直径 0.2 ~ 0.4 cm；表面灰绿色至黄绿色，粗糙，有纵沟；质硬，易折断，断面纤维状，中央有白色的髓或空洞。叶对生，灰绿色或棕黄色，多皱缩、破碎，具毛；完整叶片卵形至长圆形，羽状分裂或 3 深裂。穗状花序细长，小花排列紧密，有的可见黄棕色花瓣，有的已成果穗。果实包于灰绿色的宿萼内，小坚果灰黄色，长约 0.2 cm，于放大镜下可见背面有纵脊纹。气微，味微苦。以色青绿、带花穗、无杂质者为佳。

| **功效物质** | 主要含有环烯醚萜类、黄酮类、甾体类等化学成分，具有抗肿瘤、镇痛等药理作用及免疫活性。研究表明，马鞭草苷对交感神经末梢具有小剂量兴奋、大剂量抑制的作用，可促进哺乳动物的乳汁分泌。

| **功能主治** | 苦、辛，微寒。归肝、脾经。活血散瘀，解毒，利水，退黄，截疟。用于癥瘕积聚，痛经，闭经，喉痹，痈肿，水肿，黄疸，疟疾。

| **用法用量** | 内服煎汤，15 ~ 30 g，鲜品 30 ~ 60 g；或入丸、散剂。外用适量，捣敷；或煎汤洗。

马鞭草科 Verbenaceae 牡荆属 Vitex 凭证标本号 320703141018055LY

黄荆
Vitex negundo L.

| 药 材 名 | 黄荆（药用部位：果实、枝、叶、荆沥、根）。

| 形态特征 | 落叶灌木或小乔木。小枝四方形，密生灰白色绒毛。叶对生，有柄，通常为掌状五出复叶，有时为三出复叶，中间小叶最大，两侧依次渐小；小叶片椭圆状卵形或披针形，长4～9 cm，宽1.5～3.5 cm，先端渐尖，基部楔形，通常全缘或每边有少数锯齿，背面密生灰白色细绒毛。圆锥状聚伞花序顶生，长10～27 cm；花萼钟状，先端有5裂齿；花冠淡紫色，外面有绒毛，先端有5裂片。果实球形，黑色。花果期7～11月。

| 生境分布 | 生于山坡路旁、林边。分布于江苏有山地的地区等。

| **资源情况** | 野生资源较丰富。

| **采收加工** | 果实，8 ~ 9 月采摘，晾晒，干燥。枝，春、夏、秋季均可采收，切段，晒干。叶，夏初花未开时采集，堆叠踏实，使其发汗，倒出晒至半干，再堆叠踏实，待绿色变黑润，再晒干。荆沥，秋季取新鲜黄荆粗茎切段，每段长 0.3 ~ 0.6 cm，一头放火中烤，从另一头收取汁液即得。根，2 月或 8 月采挖，洗净，鲜用；或切片，晒干。

| **功效物质** | 种子含有对羟基苯甲酸、5- 氧异酞酸等。黄荆浸析液含有对羟基苯甲酸、阿魏酸、对香豆酸等。黄荆挥发油含有桉叶素、左旋香桧烯、α- 蒎烯等。

| **功能主治** | 果实，祛风解表，止咳平喘，理气消食止痛。用于伤风感冒，咳嗽，哮喘，胃痛吞酸，消化不良，食积泻痢，胆囊炎，胆结石，疝气。枝，祛风解表，消肿止痛。用于感冒发热，咳嗽，喉痹肿痛，风湿骨痛，牙痛，烫火伤。叶，解表散热，化湿和中，杀虫止痒。用于感冒发热，伤暑吐泻，痧气腹痛，肠炎，痢疾，疟疾，湿疹，疥癣，蛇虫咬伤。荆沥，清热，化痰，定惊。用于肺热咳嗽，痰黏难咯，小儿惊风，痰壅气逆，惊厥抽搐。根，解表，止咳，祛风除湿，理气止痛。用于感冒，慢性支气管炎，风湿痹痛，胃痛，痧气腹痛。

| **用法用量** | 果实，内服煎汤，5 ~ 10 g；或入丸、散剂。枝，内服煎汤，10 ~ 15 g，鲜品加倍。外用适量，煅存性，研末调敷。叶，内服煎汤，15 ~ 30 g，鲜品 30 ~ 60 g。外用适量，煎汤洗；或捣敷；或绞汁涂。荆沥，内服，50 ~ 100 ml，小儿酌减。根，内服煎汤，15 ~ 30 g，根皮用量酌减。

| **附　注** | 黄荆的果实炒后粉碎，作为饲料添加剂饲喂哺乳母猪，可以预防仔猪白痢，使其发病率下降 29.8%，同时能提高仔猪的断奶窝重；饲喂雏鸡能增强其抗病力，使其成活率提高 12.87%。

马鞭草科 Verbenaceae 牡荆属 Vitex 凭证标本号 320125141104032LY

牡荆

Vitex negundo L. var. *cannabifolia* (Siebold et Zucc.) Hand.-Mazz.

| 药 材 名 | 牡荆叶（药用部位：叶）。

| 形态特征 | 本种与黄荆的主要区别在于本种的小叶边缘有多数锯齿，表面绿色，背面淡绿色，无毛或稍有毛。花果期 7 ~ 11 月。

| 生境分布 | 生于低山向阳的山坡路旁或灌丛中。江苏有分布。

| 资源情况 | 野生资源丰富。

| 采收加工 | 生长季节均可采收，鲜用或晒干。

| 药材性状 | 本品多皱缩、卷曲，展平后有小叶 3 ~ 5，中间 3 小叶披针形，长 6 ~ 10 cm，宽 2 ~ 5 cm，基部楔形，先端长尖，边缘有粗锯齿；

两侧小叶略小，卵状披针形。上表面灰褐色或黄褐色，下表面黄褐色，被稀疏毛。羽状叶脉于背面隆起。总叶柄长 3 ~ 8 cm，密被黄色细毛。气特异，味微苦。以色绿、香气浓者为佳。

| 功效物质 | 叶含有约 0.1% 的挥发油，其主要成分为 β- 丁香烯，含量达 44.94%，其次为香桧烯，含量达 10.09%，还含 α- 侧柏烯、α- 蒎烯、β- 蒎烯、樟烯、月桂烯、α-水芹烯等。现代研究表明，牡荆子醇提取物有降压作用，牡荆子黄酮苷对麻醉猫和犬有稳定、持久的降压作用。

| 功能主治 | 辛、苦，平。祛痰，止咳，平喘。用于咳嗽痰多。

| 用法用量 | 内服煎汤，9 ~ 15 g，鲜品 30 ~ 60 g；或捣汁。外用适量，捣敷；或煎汤熏洗。

马鞭草科 Verbenaceae 牡荆属 Vitex 凭证标本号 320703150523418LY

单叶蔓荆

Vitex rotundifolia L. var. *simplicifolia* Cham.

| **药 材 名** | 蔓荆子（药用部位：果实）。

| **形态特征** | 落叶灌木。枝四方形，有细柔毛。单叶对生，倒卵形或近圆形，长 2.5 ~ 5 cm，宽 1.5 ~ 3 cm，先端钝圆或有短尖头，基部楔形，全缘，表面绿色，背面灰白色。花序生于枝条先端；花萼钟状，果时增大，外面有灰白色绒毛；花冠淡紫色，长 1 ~ 1.5 cm；雄蕊 4；子房球形，密生腺点。果实球形。花果期 7 ~ 11 月。

| **生境分布** | 生于沙滩、海边。分布于江苏沿海地区等。

| **资源情况** | 野生资源丰富。

| **采收加工** | 秋季果实成熟时采收，晒干，去净杂质，贮干燥处，防止潮湿霉烂。

| **药材性状** | 本品呈球形，直径 4 ~ 6 mm。表面黑色或棕褐色，被粉霜状绒毛，有细纵沟 4。用放大镜观察可见密集的淡黄色小点。先端微凹，有脱落花柱痕，下部有宿萼及短果柄，宿萼包被果实的 1/3 ~ 2/3，先端 5 齿裂，常在一侧撕裂成 2 瓣，灰白色，密生细绒毛。体轻，质坚，不易破碎，横断面果皮灰黄色，有棕褐色点排列成环，分为 4 室，每室有种子 1 或不育；种仁黄白色，有油性。气芳香，味微辛、略苦。以粒大饱满、气香者为佳。 |

| **功效物质** | 果实和叶均含有挥发油及微量生物碱和维生素 A；果实含有牡荆子黄酮，即紫花牡荆素，具有镇静止痛、退热的作用。 |

| **功能主治** | 辛、苦，微寒。归肝、胃、膀胱经。疏散风热，清利头目。用于风热感冒头痛，齿龈肿痛，目赤多泪，目暗不明，头晕目眩。 |

| **用法用量** | 内服煎汤，6 ~ 10 g；或浸酒；或入丸、散剂。外用适量，煎汤洗。 |

| **附　注** | 现代对蔓荆子的炮制多采用炒黄法和蒸法，少数地区还有炒焦法、酒炒法等，炒制可使其质地疏松，便于粉碎和成分溶出，并可缓和辛散之性。 |

唇形科 Lamiaceae 藿香属 Agastache 凭证标本号 320684160428164LY

藿香
Agastache rugosa (Fisch. et C. A. Meyer) Kuntze

| **药 材 名** | 藿香（药用部位：地上部分）。

| **形态特征** | 草本，有强烈香味。茎高 40 ~ 100（~ 150）cm，上部有短毛。叶心状卵形或长圆状披针形，长 2.5 ~ 11 cm，宽 1.5 ~ 6.5 cm，表面绿色，背面淡绿色，脉上有毛，边缘有锯齿。轮伞花序多花组成顶生的圆筒形穗状花序；苞片线形至披针形，有短柔毛；花萼长 4 ~ 6 mm，齿狭三角形，外面有毛和腺点；花冠淡紫色或红色，长 7 ~ 8 mm，下唇中间裂片有波状细齿；雄蕊伸出花冠外。小坚果先端有毛。花期 6 ~ 8 月，果期 10 ~ 11 月。

| **生境分布** | 生于路边、田野。分布于江苏连云港、徐州、淮安、苏州（太仓）、泰州（姜堰）、南通、扬州（宝应）、南京、常州（溧阳）等。

| 资源情况 | 野生资源丰富。

| 采收加工 | 6～7月花序抽出而未开花时，择晴天齐地割取，薄摊晒至日落后，收回堆叠过夜，次日再晒；10月采收，迅速晾干、晒干或烤干。

| 功效物质 | 富含挥发油类成分（0.28%），挥发油类成分主要为甲基胡椒酚，占80%以上，还含有茴香醚、茴香醛、柠檬烯等，以及刺槐素、椴树素、蒙花苷、藿香苷等黄酮类成分，具有抗菌、抗炎、拮抗钙离子等作用。

| 功能主治 | 辛，微温。归肺、脾、胃经。祛暑解表，化湿和胃。用于夏令感冒，寒热头痛，胸脘痞闷，呕吐泄泻，妊娠呕吐，鼻渊，手、足癣。

| 用法用量 | 内服煎汤，6～10 g；或入丸、散剂。外用适量，煎汤洗；或研末搽。

| 附　　注 | 藿香，其气芳香，善行胃气，以此调中，治呕吐霍乱。茎叶蒸馏而得的芳香水，称藿香露。

唇形科 Lamiaceae 筋骨草属 *Ajuga* 凭证标本号 320506150704196LY

筋骨草 *Ajuga ciliata* Bunge

| **药 材 名** | 筋骨草（药用部位：全草）。

| **形态特征** | 多年生草本，高 25 ~ 40 cm，紫红色或绿紫色，通常无毛，在幼嫩时有灰白色柔毛。叶具短柄；叶片卵状椭圆形至狭椭圆形，长 4 ~ 7.5 cm，宽 3 ~ 4 cm，两面略被糙伏毛。轮伞花序多花，密集成顶生假穗状花序；苞片叶状，有时呈紫红色，卵形，长 1 ~ 1.5 cm；花萼钟形，除萼齿外面有毛外，其余无毛，具 10 脉，萼齿 5，近相等；花冠紫色，有蓝色条纹，花冠筒长为花萼的 1 倍或更长，外面有毛，近基部具 1 毛环，冠檐近二唇形，上唇短，先端微缺，下唇伸长，3 裂，中裂片倒心形，侧裂片线状长圆形；雄蕊 4，二强，稍超出花冠外；花柱先端 2 浅裂。小坚果背部有网状皱纹。花期

4 ～ 8 月，果期 7 ～ 9 月。

| **生境分布** | 生于山谷溪旁、林下湿润处及路旁草丛中。分布于江苏北部等。

| **资源情况** | 野生资源丰富。

| **采收加工** | 5 ～ 8 月花开时采收，洗净，鲜用或晒干。

| **功效物质** | 含环烯醚萜类、黄酮类、二萜类、甾体类、多糖类等化学成分，具有抗氧化、抗疟、抗菌、抗炎等药理活性。

| **功能主治** | 苦，寒。清热燥湿，泻火解毒，凉血消肿。用于咽喉肿痛，肺热咳嗽，咯血，跌打肿痛，痈疖疮疡等。

| **用法用量** | 内服煎汤，15 ～ 30 g。外用适量，捣敷。

| 唇形科 | Lamiaceae | 筋骨草属 | *Ajuga* | 凭证标本号 | 320116180401014LY |

金疮小草 *Ajuga decumbens* Thunb.

| **药 材 名** | 白毛夏枯草（药用部位：全草）。

| **形态特征** | 一年生或二年生草本，高 10 ~ 30 cm，全体各部分均被白色长柔毛。基生叶较茎生叶长而大，叶柄有狭翅；叶片匙形或倒卵状披针形，长 4 ~ 11 cm，宽 1 ~ 3 cm，边缘有不整齐的波状圆齿，或近全缘，两面疏生糙伏毛或柔毛。轮伞花序有 6 ~ 8 花，排列成有间断的假穗状花序；苞片叶状；花萼长 5 ~ 8 mm，5 齿近相等；花冠淡蓝色或淡红紫色，亦有白色，基部略膨大，花冠筒有柔毛，近基部有毛环，上唇短，直立，先端微凹，下唇 3 裂，中间裂片倒心形，喉部有紫色斑点；雄蕊略伸出花冠筒外，花丝有毛；花盘前方有 1 腺体。小坚果有网纹。花期 3 ~ 4 月，果期 5 ~ 6 月。

| 生境分布 | 生于溪边、河岸、山脚下及荒地上。分布于江苏南京、镇江、苏州（常熟）、无锡（宜兴）、南通等。

| 资源情况 | 野生资源丰富。

| 采收加工 | 5～6月或9～10月采收，拣净杂质，鲜用或晒干。

| 功效物质 | 全草主要含有金疮小草素 A、金疮小草素 B、金疮小草素 C、金疮小草素 D、金疮小草素 E、金疮小草素 F 等克罗烷二萜类，木犀草素等黄酮类，白毛夏枯草苷、雷朴妥苷等环烯醚萜类，以及糖苷及甾酮类，具有抗炎、抗菌、调节免疫、抗纤维化、抗肿瘤等多种生物活性。

| 功能主治 | 苦、甘，寒。归肺经。清热解毒，凉血消肿。用于咽喉肿痛，肺热咯血，跌打肿痛。

| 用法用量 | 内服煎汤，15～25 g，鲜品50～150 g；或打汁；或研末。外用适量，捣敷；或捣汁含漱。

唇形科 Lamiaceae 筋骨草属 *Ajuga* 凭证标本号 320722180411037LY

多花筋骨草 *Ajuga multiflora* Bunge

| **药 材 名** | 多花筋骨草（药用部位：全草）。

| **形态特征** | 矮小草本，高 6 ~ 26 cm，全体有白色绵毛。叶卵形至长圆形，长
1.5 ~ 4.5 cm，宽 0.5 ~ 2 cm，先端钝，基部圆形或楔形，边缘有
不明显的波状齿，两面有毛；基生叶有柄，茎生叶无柄。花轮有
2 ~ 6 花，腋生，在中部以上花轮逐渐靠近，至先端成一密集的穗
状聚伞花序；苞片下部者与叶同形，上部者呈披针形或卵形；花萼
长 6 ~ 7 mm，萼齿长三角状披针形，外面及边缘有长毛；花冠长
1.5 ~ 2 cm，蓝紫色，上唇极短，下唇 3 裂，中裂片最大，外面有毛，
内面有毛环。小坚果深黄色，有网纹。花果期 4 ~ 5 月。

| **生境分布** | 生于路旁草地、山脚及荒地上。分布于江苏连云港、南京（江宁）、镇江、无锡（宜兴）等。

| **资源情况** | 野生资源丰富。

| **采收加工** | 4 ~ 5 月花开时采收，洗净，晒干。

| **功效物质** | 全草含有二萜类、甾酮类、黄酮及其苷类、环烯醚萜类等化学成分。此外根、茎叶、花、果实均含有 20- 羟基蜕皮激素，具有收缩血管、抗人类免疫缺陷病毒、促红细胞形成、利胆、抑菌、抗肿瘤、降压、降血糖、降血脂、强心等多种生物活性。

| **功能主治** | 清热解毒，凉血止血，止咳化痰。用于肺热咳嗽，咯血，疮痈肿毒。

| **用法用量** | 内服煎汤，6 ~ 20 g。外用适量，研末调糊敷。

| **附　　注** | 江苏以本种的全草入药，名为"花夏枯草"。

唇形科 Lamiaceae 筋骨草属 *Ajuga* 凭证标本号 320721180413021LY

紫背金盘 *Ajuga nipponensis* Makino

| 药 材 名 | 紫背金盘草（药用部位：全草）。

| 形态特征 | 一年生或二年生草本。茎通常直立，高 10 ~ 20 cm 或更高，稀平卧，通常从基部分枝，全体有柔毛。茎生叶具柄，叶柄长 1 ~ 1.5 cm；叶片宽椭圆形或倒卵状椭圆形，长 2 ~ 4.5 cm，宽 1.5 ~ 2.5 cm，先端钝，基部楔形，边缘有波状圆齿，两面有毛。轮伞花序下部者远隔，向上逐渐密集成顶生假穗状花序；苞片小，卵形至宽披针形，有缘毛；花萼钟状，具 10 脉，萼齿 5，呈三角形，近相等；花冠淡蓝色或蓝紫色，稀白色，花冠筒长 8 ~ 10 mm，外面有柔毛，内面近基部有毛环，二唇形，上唇短，2 浅裂，下唇伸长，3 裂，中部裂片扇形，侧裂片狭长圆形；雄蕊 4，二强；花柱先端 2 浅裂。小坚果卵状三棱形，背部有网状皱纹。花期 4 ~ 6 月。

| 生境分布 | 生于杂草地及林缘。分布于江苏南京、镇江、南通、苏州等。

| 资源情况 | 野生资源丰富。

| 采收加工 | 春、夏季采收，洗净，鲜用或晒干。

| 药材性状 | 本品呈暗绿色。茎呈细方柱形，被柔毛，基部常带紫色，有分枝。无基生叶；茎生叶多皱缩，完整叶片展平后呈阔椭圆形或倒卵状椭圆形，长 2 ~ 4.5 cm，宽 1.5 ~ 2.5 cm，先端钝，基部楔形，下延，边缘有不整齐的波状圆齿，具缘毛，两面有柔毛，下部叶背面常带紫色；叶柄具狭翅，有时呈深紫色。轮伞花序多花，苞叶与叶同形，向上渐小；花萼钟形，外面上部及齿缘有柔毛；花冠二唇形，淡蓝色或蓝紫色，稀白色或白绿色，外面有柔毛，内面近基部有毛环。小坚果卵状三棱形，背面有网状皱纹，果脐占果轴的 3/5。气微，味苦。

| 功效物质 | 全草含二萜类、环烯醚萜类、植物蜕皮甾酮类、黄酮类等化学成分，其中，哈帕苷等环烯醚萜类化合物具有收缩血管的作用，β- 蜕皮素、筋骨草甾酮 A 和筋骨草甾酮 B、旌节花甾酮等蜕皮甾酮类化合物具有降血糖、降血脂、降压的作用；此外，尚具有抗炎、抑菌、抗肿瘤、抗病毒等作用。

| 功能主治 | 苦、辛，寒。清热解毒，凉血散瘀，消肿止痛。用于肺热咳嗽，咯血，咽喉肿痛，乳痈，肠痈，疮疖肿毒，痔疮出血，跌打肿痛，外伤出血，烫火伤，毒蛇咬伤。

| 用法用量 | 内服煎汤，15 ~ 30 g；或根研末。外用适量，捣敷。

唇形科 Lamiaceae 风轮菜属 Clinopodium 凭证标本号 320581180515146LY

风轮菜 *Clinopodium chinense* (Benth.) Kuntze

药 材 名	风轮菜（药用部位：全草）。
形态特征	直立草本。茎基部匍匐生根，上部上升，多分枝，高可达 1 m，密生短柔毛和具腺微毛。叶片卵形，长 2 ~ 4 cm，宽 1.3 ~ 2.6 cm，表面有短硬毛，背面疏生柔毛；叶柄长 3 ~ 8 mm，密生柔毛。轮伞花序多花，半球形，彼此远隔；苞片针状，无明显的中肋，长 3 ~ 6 mm；花萼狭筒状，长约 6 mm，外面脉上有短柔毛，内面齿上有柔毛，脉 13，上唇 3 齿近等长，先端硬尖，下唇 2 齿稍长，先端芒尖；花冠紫红色，长约 9 mm，内面有 2 列毛茸，二唇形，上唇直伸，先端微凹，下唇 3 裂。小坚果倒卵形。花果期 8 ~ 10 月。
生境分布	生于山坡路旁及杂草地。分布于江苏连云港、南京、常州（溧阳）、

无锡（宜兴）等。

| **资源情况** | 野生资源丰富。

| **采收加工** | 夏、秋季采收，洗净，切段，鲜用或晒干。

| **药材性状** | 本品茎呈四方柱形，直径 2 ~ 5 mm，长 70 ~ 100 cm，节间长 3 ~ 8 cm；表面棕红色或棕褐色，具细纵条纹，密被柔毛，4 棱处尤多。叶对生，有柄，多卷缩或破碎，完整者展平后呈卵圆形，长 1 ~ 4 cm，宽 0.8 ~ 2.6 cm，边缘具锯齿，上面褐绿色，下面灰绿色，均被柔毛。轮伞花序具残存的花萼，外面被毛茸。小坚果倒卵形，黄棕色。质脆，易折断、破碎，茎断面淡黄白色，中空。气香，味微辛。

| **功效物质** | 全草含三萜皂苷类及黄酮类成分等，三萜皂苷类成分有风轮菜皂苷 A，黄酮类成分有香蜂草苷、橙皮苷、异樱花素、芹菜素。本品具有抗氧化等作用。

| **功能主治** | 辛、苦，凉。疏风清热，解毒消肿，止血。用于感冒发热，中暑，咽喉肿痛，白喉，急性胆囊炎，肝炎，肠炎，痢疾，泪腺炎，乳腺炎，疔疮肿毒，过敏性皮炎，急性结膜炎，尿血，崩漏，牙龈出血，外伤出血。

| **用法用量** | 内服煎汤，10 ~ 15 g；或捣汁。外用适量，捣敷；或煎汤洗。

唇形科 Lamiaceae 风轮菜属 Clinopodium 凭证标本号 320482180424497LY

邻近风轮菜 *Clinopodium confine* (Hance) Kuntze

| **药 材 名** | 剪刀草（药用部位：全草）。

| **形态特征** | 草本，高 7 ~ 25 cm。茎方形，光滑或微有柔毛。叶卵圆形至菱形，长 8 ~ 22 mm，宽 5 ~ 17 mm，先端钝，基部圆形或楔形，边缘有圆锯齿，两面无毛，侧脉 3 ~ 4 对，有短柄。轮伞花序多花密集，对生于叶腋或顶生于枝端；苞片很小，短于花梗；花萼管状，紫色，外面无毛，具 5 齿，齿边缘有睫毛；花冠红色，长约 4 mm，二唇形，上唇先端微缺，下唇 3 裂，中裂片较大；能育雄蕊 2。小坚果倒卵形，褐色，光滑。花期 5 ~ 6 月，果期 7 ~ 8 月。

| **生境分布** | 生于路边草地、山脚或荒地。分布于江苏南京、镇江、无锡（宜兴）、苏州等。

| 资源情况 | 野生资源丰富。

| 采收加工 | 6 ~ 8 月采收，洗净，鲜用或晒干。

| 药材性状 | 本品茎无毛或疏有微毛。叶卵圆形，长 0.8 ~ 2.2 cm，宽 0.5 ~ 1.7 cm，边缘近基部以上具 5 ~ 7 对圆齿，侧脉 3 ~ 4 对，两面均无毛；叶柄长 0.2 ~ 1 cm，腹平背凸，被疏微柔毛。

| 功能主治 | 苦、辛，凉。祛风清热，行气活血，解毒消肿。用于感冒发热，食积腹痛，呕吐，泄泻，痢疾，白喉，咽喉肿痛，痈肿丹毒，荨麻疹，毒虫咬伤，跌打肿痛，外伤出血。

| 用法用量 | 内服煎汤，15 ~ 30 g，鲜品 30 ~ 60 g；或捣汁。外用适量，捣敷；或煎汤洗。

唇形科 Lamiaceae 风轮菜属 Clinopodium 凭证标本号 320506150702279LY

细风轮菜 *Clinopodium gracile* (Benth.) Matsum.

| **药 材 名** | 剪刀草（药用部位：全草）。

| **形态特征** | 矮小草本，高 10 ~ 30 cm。茎柔软，光滑或有微柔毛。最下部的叶卵圆形，长约 1 cm，较下部或全部的叶均为卵形，长 1 ~ 3.4 cm。轮伞花序疏离或密集于茎端，成短的总状花序，疏花；苞片针状，短于花梗或近等长；花萼外面脉上有毛，齿 5，有睫毛；花冠淡红色或紫红色，比花萼长约 1/2 倍，外面有毛，内面喉部有柔毛，冠檐二唇形，上唇先端微凹，下唇 3 裂，中裂片较大。小坚果倒卵形，淡黄色，光滑。花期 3 ~ 4 月，果期 5 ~ 7 月。

| **生境分布** | 生于山坡路边的草地。分布于江苏连云港、南京、常州（溧阳）、无锡（宜兴）、苏州等。

资源情况	野生资源丰富。

采收加工	6 ～ 8 月采收，鲜用或晒干。

药材性状	本品茎枝细柔，呈方柱形，直径约 1.5 mm；表面紫棕色，有纵槽，被倒向短柔毛；折断面黄棕色。叶黄棕色或淡绿色，皱缩、易碎，完整者展平后呈卵形，长 1.2 ～ 3.4 cm，宽 1 ～ 2.4 cm，先端钝，基部圆形或楔形，边缘具疏齿，侧脉 2 ～ 3 对，下面脉上有疏短硬毛，茎最下部叶细小，圆卵形，长、宽均约 1 cm，茎上部叶卵状披针形；叶柄长 0.5 ～ 1 cm，腹凹背凸，基部常带紫红色，密被短柔毛。轮伞花序常仅残留黄绿色花萼。有时可见黄白色的小坚果。气微，味微苦。

功效物质	富含挥发油类成分，以及醉鱼草皂苷、瘦风轮皂苷、柴胡皂苷 A 等三萜皂苷类成分，对金黄色葡萄球菌和乙型溶血性链球菌都有抑制作用。

功能主治	苦、辛，凉。祛风清热，行气活血，解毒消肿。用于感冒发热，食积腹痛，呕吐，泄泻，痢疾，白喉，咽喉肿痛，痈肿丹毒，荨麻疹，毒虫咬伤，跌打肿痛，外伤出血。

用法用量	内服煎汤，15 ～ 30 g，鲜品 30 ～ 60 g；或捣汁。外用适量，捣敷；或煎汤洗。

附　注	江苏民间外用本品治疗过敏性皮炎、出血症、乳痈、疔疮等。

唇形科 Lamiaceae 风轮菜属 Clinopodium 凭证标本号 320111150614005LY

灯笼草

Clinopodium polycephalum (Vaniot) C. Y. Wu et Hsuan

| 药 材 名 | 断血流（药用部位：全草）。

| 形态特征 | 直立草本，高 50 ~ 100 cm。茎四方形，被糙硬毛及腺毛。叶卵形，长 2 ~ 5 cm，宽 1.5 ~ 3.2 cm，先端钝或急尖，基部楔形至近圆形，边缘疏生圆齿状牙齿，两面被糙硬毛，尤其是背面脉上较多。轮伞花序多花，圆球状，花时直径约 2 cm，沿茎及分枝形成宽而多头的圆锥花序；苞片针状，长 3 ~ 5 mm；花萼圆筒形，具 13 脉，脉上及萼内喉部有毛，上唇 3 齿具尾尖，下唇 2 齿先端具芒尖；花冠紫红色，花冠筒伸出萼外；雄蕊不外露，后对雄蕊短且花药小，前对雄蕊长而花药正常。小坚果卵形，光滑。花果期 7 ~ 9 月。

| 生境分布 | 生于路旁阴湿处、山坡草地、林下或灌丛中。分布于江苏南京、

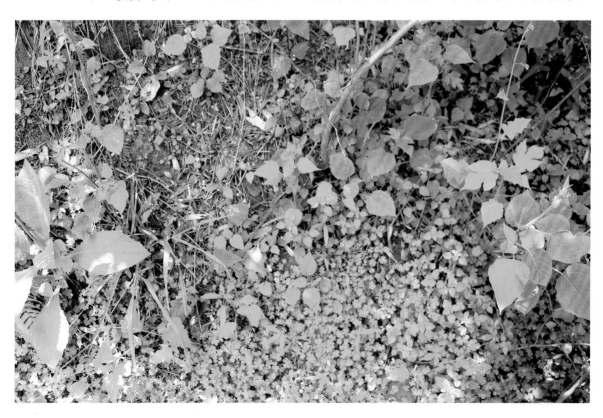

无锡（宜兴）等。

| **资源情况** | 野生资源一般。

| **采收加工** | 夏、秋季采收，洗净，切段，鲜用或晒干。

| **药材性状** | 本品茎直径 2 ~ 5.5 mm，长 80 ~ 100 cm，节间长 4 ~ 8 cm，具槽，密被粗糙毛茸。叶片卵形，长 2 ~ 5.5 cm，宽 1.2 ~ 3.2 cm，边缘具粗锯齿，下面被众多粗糙硬毛。以茎枝幼嫩、叶多、色绿、气微香者为佳。

| **功效物质** | 全草含木犀草素、金合欢素等黄酮类，风轮菜皂苷、蒲公英赛 -9,12,17- 三烯 3β,23- 二醇等三萜及三萜皂苷类，以及挥发油类等化学成分，具有止血、抑菌、抑制免疫功能等作用。

| **功能主治** | 辛、苦，凉。清热解毒，凉血活血。用于风热感冒，咳嗽，目赤肿痛，咽喉肿痛，白喉，腹痛痢疾，吐血，咯血，尿血，崩漏，外伤出血，肝炎，胆囊炎，痄腮，胃痛，关节疼痛，疮疡肿毒，毒蛇咬伤，湿疹，痔疮，跌打肿痛。

| **用法用量** | 内服煎汤，15 ~ 30 g；或捣汁。外用适量，捣敷；或研末撒。

唇形科 Lamiaceae 鞘蕊花属 Coleus 凭证标本号 320683201018020LY

五彩苏
Coleus scutellarioldes (L.) Benth.

| 药 材 名 | 五彩苏（药用部位：叶）。

| 形态特征 | 直立或上升草本。茎通常紫色，四棱形，被微柔毛，具分枝。叶膜质，其大小、形状及色泽变异很大，通常卵圆形，长 4 ~ 12.5 cm，宽 2.5 ~ 9 cm，先端钝至短渐尖，基部宽楔形至圆形，边缘具圆锯齿，黄色、暗红色、紫色或绿色，两面有毛，背面有腺点；叶柄长 1 ~ 5 cm，被微柔毛。轮伞花序多花，通常密集成长 5 ~ 10（~ 25）cm 的圆锥花序，花梗长约 2 mm；苞片宽卵圆形，长 2 ~ 3 mm，先端尾尖；花萼钟形，外面被短柔毛或腺点，二唇形，上唇分裂，中裂片大，侧裂片小，下唇呈长方形，2 裂片高度靠合，先端具 2 齿；花冠浅紫色或蓝色，冠檐二唇形，上唇短，直立，4

裂，下唇延长，内凹，舟形；雄蕊 4，花丝在中部以下合生成鞘状。小坚果褐色，具光泽。花期 7 月。

| **生境分布** | 江苏各地均有栽培。

| **资源情况** | 栽培资源较丰富。

| **采收加工** | 夏季采收，鲜用或晒干。

| **功效物质** | 主要含有二萜醌类、黄酮及黄酮苷类、三萜类等化学成分。

| **功能主治** | 苦，凉。归脾经。消炎，消肿，解毒。用于蛇咬伤，疮疡肿毒。

| **用法用量** | 外用适量，捣敷。

| **附　　注** | 江苏地方以全草入药，用于治疗风湿病，并可健胃镇痛。

唇形科 Lamiaceae 香薷属 Elsholtzia 凭证标本号 3211831511111181LY

紫花香薷 *Elsholtzia argyi* Lévl.

| 药 材 名 | 紫花香薷（药用部位：全草）。

| 形态特征 | 草本，高 0.5 ~ 1 m。茎四棱形，具槽，紫色，槽内被疏生或密集的白色短柔毛。叶卵形至阔卵形，长 2 ~ 6 cm，宽 1 ~ 3 cm，先端短渐尖，基部圆形至宽楔形，边缘在基部以上具圆齿或圆齿状锯齿，近基部全缘，上面绿色，被疏柔毛，下面淡绿色，沿叶脉被白色短柔毛，满布凹陷的腺点，侧脉 5 ~ 6 对，与中脉在两面微显著；叶柄长 0.8 ~ 2.5 cm，具狭翅，腹凹背凸，被白色短柔毛。穗状花序长 2 ~ 7 cm，生于茎、枝先端，偏向一侧，由具 8 花的轮伞花序组成；苞片圆形，长、宽均约 5 mm，先端骤然短尖，尖头刺芒状，长达 2 mm，外面被白色柔毛及黄色透明腺点，常带紫色，内面无毛，

具缘毛；花梗长约 1 mm，与花序轴均被白色柔毛；花萼管状，长约 2.5 mm，外面被白色柔毛，萼齿 5，钻形，近相等，先端具芒刺，具长缘毛；花冠玫瑰红紫色，长约 6 mm，外面被白色柔毛，上部具腺点，花冠筒向上渐宽，至喉部宽达 2 mm，冠檐二唇形，上唇直立，先端微缺，边缘被长柔毛，下唇稍开展，中裂片长圆形，先端通常具突尖，侧裂片弧形；雄蕊 4，前对较长，伸出，花丝无毛，花药黑紫色；花柱纤细，伸出，先端有相等的 2 浅裂。小坚果长圆形，长约 1 mm，深棕色，外面具细微疣状突起。花果期 9 ~ 11 月。

| **生境分布** | 生于山脚路旁。分布于江苏无锡等。

| **资源情况** | 野生资源较丰富。

| **采收加工** | 夏、秋季茎叶茂盛、果实成熟时采收，除去杂质，晒干。

| **功效物质** | 主要含有挥发油类成分，具有解热、镇痛、抗病毒、增强免疫、抗衰老和广谱抗菌作用。

| **功能主治** | 发汗解暑，利尿，止吐泻，散寒湿。用于感冒，发热无汗，黄疸，淋证，带下，咳嗽，暑热口臭，吐泻。

唇形科 Lamiaceae 香薷属 Elsholtzia 凭证标本号 320124151031011LY

海州香薷

Elsholtzia splendens Nakai ex F. Mackawa

| **药 材 名** | 海州香薷（药用部位：地上部分）。

| **形态特征** | 一年生草本，高 20 ~ 50 cm。茎直立，常带紫红色，有卷曲的短柔毛。叶卵状长圆形或长圆状披针形至披针形，长 3 ~ 6 cm，宽 0.8 ~ 2.5 cm，两面有毛或表面近无毛，背面有凹陷腺点；叶柄长 0.5 ~ 2.5 cm。假穗状花序顶生，偏向一侧，长 3.5 ~ 4.5 cm，由多数轮伞花序组成；苞片近圆形或阔卵形，先端有短尖头，边缘有白毛，背面带紫色，无毛；花萼钟形，长 2 ~ 2.5 mm，齿 5，近相等，先端刺芒状，外面及边缘有白毛；花冠玫瑰紫色，长 6 ~ 7 mm，外面有长柔毛，上唇直立，先端微凹，下唇 3 裂，中间裂片最大，圆形；雄蕊伸出花冠外。小坚果近卵圆形或长圆形，黑棕色，具小疣。花果期 9 ~ 10 月。

| 生境分布 | 生于山间路旁。分布于江苏连云港、南京、苏州等。

| 资源情况 | 野生资源丰富。

| 采收加工 | 夏、秋季果实成熟时割取，晒干或阴干。

| 功效物质 | 富含挥发油类成分，主要成分为香薷酮。香薷酮具有广谱抗菌活性，可用于防治流行性感冒。此外，还含有甾醇、酚类物质和黄酮苷等化学成分。

| 功能主治 | 发汗解表，和中利湿。用于暑湿感冒，恶寒发热，头痛无汗，腹痛泄泻，小便不利。

唇形科 Lamiaceae 小野芝麻属 Galeobdolon 凭证标本号 321181190703107LY

小野芝麻 *Galeobdolon chinense* (Benth.) C. Y. Wu

| 药 材 名 | 地绵绵（药用部位：块根）。

| 形态特征 | 一年生直立草本。有时具块根。茎高 10 ～ 60 cm，密生绒毛。叶片卵形、卵状长圆形至宽披针形，长 1.5 ～ 4 cm，宽 1.1 ～ 2.2 cm，表面贴生纤毛，背面有绒毛；叶柄长 5 ～ 15 mm。轮伞花序有 2 ～ 4 花，腋生于上部茎生叶内；苞片线形，早落；花萼近钟形，长约 1.5 cm，齿 5，等大，披针形，先端渐尖成芒状；花冠粉红色，长约 2 cm，花冠筒细长，内有毛环；雄蕊花丝扁平，花药 2 室，叉开，无毛。小坚果三棱状倒圆锥形。花期 4 月。

| 生境分布 | 生于疏林中。分布于江苏镇江等。

| **资源情况** | 野生资源较丰富。

| **采收加工** | 夏季采挖，洗净，鲜用。

| **功效物质** | 主要含有毛蕊花糖苷、金丝桃苷、芦丁、穗花杉双黄酮、芹菜素 -7-O-β-D-（6′- 对羟基肉桂酸基）- 甘露糖苷等黄酮类成分，以及 α- 石竹烯、十六烷酸、β- 芳樟醇、α- 蒎烯等挥发油类成分。

| **功能主治** | 止血。用于外伤出血。

| **用法用量** | 外用适量，鲜品捣敷。

唇形科 Lamiaceae 活血丹属 Glechoma 凭证标本号 320831181011156LY

活血丹 *Glechoma longituba* (Nakai) Kupr.

| **药 材 名** | 连钱草（药用部位：地上部分）。

| **形态特征** | 匍匐状草本。茎细，高 10 ~ 20（~ 30）cm，基部通常呈淡紫红色，几乎无毛，幼嫩部分有毛。叶肾形至圆心形，长 1.5 ~ 3 cm，宽 1.5 ~ 5.5 cm，两面有毛或近无毛，背面有腺点；叶柄长为叶片的 1.5 倍。轮伞花序通常有 2 花，稀具 4 ~ 6 花；苞片近等长或长于花梗，刺芒状；花萼长 7 ~ 10 mm，萼齿狭三角状披针形，先端芒状，外面有毛和腺点；花冠淡蓝色至紫色，长 1.7 ~ 2.2 cm；雄蕊 4，内藏；花柱略伸出。小坚果长圆形，长约 2 mm，棕褐色。花果期 4 ~ 6 月。

| **生境分布** | 生于荒地、山坡林下及路旁。分布于江苏连云港、南京、镇江、

无锡（宜兴）、苏州等。

| 资源情况 | 野生资源丰富。

| 采收加工 | 4 ~ 5 月采收，鲜用或晒干。

| 药材性状 | 本品茎呈方柱形，细而扭曲，长 10 ~ 20 cm，直径 1 ~ 2 mm；表面黄绿色或紫红色，具纵棱及短柔毛，节上有不定根；质脆，易折断，断面常中空。叶对生，灰绿色或绿褐色，多皱缩，展平后呈肾形或近心形，长 1 ~ 3 cm，宽 1.5 ~ 3 cm，边缘具圆齿；叶柄纤细，长 4 ~ 7 cm。轮伞花序腋生，花冠淡蓝色或紫色，二唇形，长达 2 cm。搓之气芳香，味微苦。以叶多、色绿、气香浓者为佳。

| 功效物质 | 富含挥发油类成分，主要为左旋松樟酮、左旋薄荷酮、胡薄荷酮、α-蒎烯、β-蒎烯等，还含有三萜酸类、黄酮类及有机酸类成分，具有利尿、利胆、溶解胆结石、抑菌等作用。

| 功能主治 | 苦、辛，凉。归肝、胆、膀胱经。利湿通淋，清热解毒，散瘀消肿。用于热淋，石淋，湿热黄疸，疮痈肿痛，跌打损伤。

| 用法用量 | 内服煎汤，15 ~ 30 g；或浸酒；或捣汁。外用适量，捣敷；或绞汁涂敷。

唇形科 Lamiaceae 香茶菜属 Isodon 凭证标本号 320482180704265LY

香茶菜 *Isodon amethystoides* (Benth.) H. Hara

| **药 材 名** | 香茶菜（药用部位：地上部分）、香茶菜根（药用部位：根）。

| **形态特征** | 多年生直立草本。茎高 0.3 ~ 1.5 m，密生倒向的柔毛。叶片卵形至卵状披针形，长 3 ~ 8 cm，宽 1.5 ~ 3.5 cm，先端渐尖，基部楔形，两面有毛或近无毛，背面有金黄色腺点；叶柄长 0.2 ~ 2.5 cm。聚伞花序多花，组成顶生而疏松的圆锥花序；苞片卵形或针形；花萼钟形，长约 2.5 mm，外面无毛，齿 5，近相等或分成 2 唇；花冠白色或带紫蓝色，长约 7 mm，上唇先端 4 浅裂，下唇阔圆形。小坚果卵形，无毛，有腺点。花果期 8 ~ 9 月。

| **生境分布** | 生于林下或草地。分布于江苏连云港、南京（江宁）、无锡（宜兴）等。

| **资源情况** | 野生资源丰富。 |

| **采收加工** | **香茶菜**：花开时割取，晒干；或随采随用。 |
| | **香茶菜根**：夏、秋季采挖，洗净，切片，鲜用或晒干。 |

| **药材性状** | **香茶菜**：本品茎呈方柱形，上部多分枝，长 20 ~ 50 cm，直径约 2 mm；表面灰绿色或灰棕色，四面凹下成纵沟，密被倒向的柔毛；质脆，易折断，断面木部窄，黄棕色，髓部大，白色。叶对生，类绿色，多皱缩、破碎，完整叶片展平后呈卵形至卵状披针形，长 3 ~ 7 cm，边缘具粗锯齿，先端渐尖，基部楔形，两面有柔毛；叶柄长 0.2 ~ 2.5 cm。气微，味苦。 |
| | **香茶菜根**：本品肥大，疙瘩状，木质。 |

| **功效物质** | 茎叶含熊果酸等三萜酸类及香茶菜甲素、香茶菜醛、香茶菜酸等二萜酸类成分，具有抗菌、抗肿瘤等活性。 |

| **功能主治** | **香茶菜**：辛、苦，凉。归肝、肾经。清热利湿，活血散瘀，解毒消肿。用于湿热黄疸，淋证，水肿，咽喉肿痛，关节痹痛，闭经，乳痈，痔疮，发背，跌打损伤，毒蛇咬伤。 |
| | **香茶菜根**：甘、苦，凉。清热解毒，祛瘀止痛。用于毒蛇咬伤，疮疖肿毒，筋骨酸痛，跌打损伤，烫火伤。 |

| **用法用量** | **香茶菜**：内服煎汤，10 ~ 15 g。外用适量，鲜品捣敷；或煎汤洗。 |
| | **香茶菜根**：内服煎汤，10 ~ 15 g。外用适量，鲜品捣敷；或煎汤洗。 |

唇形科 Lamiaceae 香茶菜属 Isodon

蓝萼毛叶香茶菜 *Isodon japonica* (Burm. f.) Hara var. *glaucocalyx* (Maxim.) Hara

| 药 材 名 | 倒根野苏（药用部位：全草或叶）。

| 形态特征 | 多年生草本。根茎木质，粗大，向下有细长的侧根。茎直立，高
0.4 ~ 1.5 m，钝四棱形，具 4 槽及细条纹；下部木质，几无毛；上
部微被柔毛及腺点，多分枝；分枝具花序。叶对生，卵形或阔卵形，
长（4 ~ ）6.5 ~ 13 cm，宽（2.5 ~ ）3 ~ 7 cm，先端具卵形或披针
形而渐尖的顶齿，基部阔楔形，边缘有粗大、具硬尖头的钝锯齿，
坚纸质；上面暗绿色，下面淡绿色，两面被微柔毛及腺点；侧脉约
5 对，斜上升，在叶缘之内网结，与中脉在上面微隆起，在下面凸
起，平行细脉在上面明显，在下面隆起；叶柄长 1 ~ 3.5 cm，上部
有狭而斜向上宽展的翅，腹凹背凸，被微柔毛。圆锥花序顶生于茎
及枝上，疏松而开展，由具（3 ~ ）5 ~ 7 花的聚伞花序组成；聚
伞花序具花梗，总花梗长（3 ~ ）6 ~ 15 mm，向上渐短，花梗长约

3 mm，与总花梗及花序轴均被微柔毛及腺点；下部 1 对苞叶卵形，叶状，向上变小，呈苞片状阔卵圆形，无柄，比花序梗短很多，小苞片微小，线形，长约 1 mm；花萼常带蓝色，外面密被贴生微柔毛，开花时钟形，长 1.5 ~ 2 mm，外面密被灰白色毛茸，内面无毛，萼齿 5，三角形，锐尖，长约为花萼的 1/3，近等大，前 2 齿稍宽而长，果时花萼管状钟形，长达 4 mm，脉纹明显，略弯曲，下唇 2 齿稍长而宽，上唇 3 齿，中齿略小；花冠淡紫色、紫蓝色至蓝色，上唇具深色斑点，长约 5 mm，外被短柔毛，内面无毛，冠筒长约 2.5 mm，基部上方浅囊状，冠檐二唇形，上唇反折，先端具 4 圆裂，下唇阔卵圆形，内凹；雄蕊 4，伸出，花丝扁平，中部以下具髯毛；花柱伸出，先端 2 浅裂；花盘环状。成熟小坚果卵状三棱形，长 1.5 mm，黄褐色，无毛，先端具疣突起。花期 7 ~ 8 月，果期 9 ~ 10 月。

| **生境分布** | 生于海拔 1 800 m 以下的山坡、路旁、林缘、林下及草丛中。分布于江苏南京、无锡（宜兴）等。

| **资源情况** | 野生资源较少。

| **采收加工** | 夏、秋季采收，洗净，切段，晒干。

| **功效物质** | 主要含有三萜类、黄酮类、甾体类等化学成分，具有抗炎、抗肿瘤、保护心血管等多种生物活性。现代研究表明，异槲皮苷、芦丁、槲皮素、槲皮素 -3- 甲醚、木犀草素、木犀草素 -7- 甲醚和芹菜素对经典途径的补体激活具有不同程度的抑制作用，醇提取物及其树脂洗脱部位对脂多糖诱导的大鼠发热模型有良好的解热作用。

| **功能主治** | 苦，凉。健胃消食，清热解毒。用于脘腹胀痛，食滞纳呆，胁痛黄疸，感冒发热，乳痈，蛇虫咬伤。

| **用法用量** | 内服煎汤，10 ~ 15 g。外用适量，捣敷。

唇形科 Lamiaceae 香茶菜属 Isodon 凭证标本号 320830161011040LY

溪黄草
Isodon serra (Maxim.) Kudo

| 药 材 名 |

溪黄草（药用部位：全草）。

| 形态特征 |

多年生草本。茎高达 1.5 m，上部密被倒向微柔毛。叶片卵圆形或卵状披针形，长 3.5 ~ 12 cm，宽 1.5 ~ 4.5 cm，先端近渐尖，基部楔形，边缘具粗大内弯的锯齿，两面脉上有毛；叶柄长 1 ~ 1.5 cm。轮伞花序 5 至多花，组成顶生的圆锥花序；花萼钟状，外面密生微柔毛，齿 5，长三角形，近等大，与萼筒等长，果时萼增大；花冠紫色，二唇形，上唇 4 等裂，下唇舟形；雄蕊及花柱不伸出花冠外。小坚果阔倒卵形，先端有髯毛。花果期 9 ~ 10 月。

| 生境分布 |

生于山坡或路旁。分布于江苏连云港、南京、无锡（宜兴）、镇江等。

| 资源情况 |

野生资源丰富。

| 采收加工 |

夏、秋季采收，晒干；鲜品随时可采。

| **药材性状** | 本品茎枝呈方柱形，密被倒向微柔毛。叶对生，常破碎，完整叶多皱缩，展开后呈卵形或卵状披针形，长 4 ~ 12 cm，两面沿脉被微柔毛；叶柄长 1 ~ 1.5 cm。聚伞花序具梗，由 5 至多数花组成顶生圆锥花序；苞片及小苞片狭卵形至条形，密被柔毛；花萼钟状，长约 1.5 mm，外面密被灰白色柔毛并夹有腺点，萼齿三角形，近等大，与萼筒等长；花冠紫色，长约 5.5 mm，花冠筒近基部上面浅囊状，上唇 4 等裂，下唇舟形；雄蕊及花柱不伸出花冠。 |

| **功效物质** | 茎叶含有二萜类成分，主要为溪黄草素 A、溪黄草素 B、溪黄草素 D 及尾叶香茶菜素 A。此外，还含有甾体类、苷类、酯肪酸类、芳香化合物及环酮化合物，具有抗肿瘤活性。 |

| **功能主治** | 苦，寒。归肝、胆、大肠经。清热利湿，解毒退黄，凉血散瘀。用于急性肝炎，湿热黄疸，急性胆囊炎，泄泻，痢疾，疮肿，跌打瘀肿。 |

| **用法用量** | 内服煎汤，15 ~ 30 g。外用适量，捣敷；或研末搽。 |

唇形科 Lamiaceae 夏至草属 *Lagopsis* 凭证标本号 321324170513140LY

夏至草 *Lagopsis supina* (Steph.) Ik.-Gal.

| 药 材 名 |

夏至草（药用部位：全草）。

| 形态特征 |

多年生草本。茎高 15 ~ 60 cm，多分枝，有倒生的细毛。叶掌状 3 深裂，裂片浅裂或有少数钝齿，两面有毛。花萼外面有毛；花冠白色，有毛，上唇长圆形；雄蕊生于花冠筒的中部。小坚果褐色。花期 4 ~ 6 月，果期 6 ~ 7 月。

| 生境分布 |

生于水边或路旁草地。分布于江苏连云港、徐州（丰县、沛县）、淮安（淮阴）、盐城（阜宁、射阳、东台）、南通、南京、镇江等。

| 资源情况 |

野生资源丰富。

| 采收加工 |

夏至前盛花期采收，鲜用或晒干。

| 药材性状 |

本品茎呈类方柱形，有分枝，长 2 ~ 30 cm，被倒生细毛。叶对生，黄绿色至暗绿色，多皱缩，完整叶片展平后呈掌状 3 全裂，裂片具钝齿或小裂，两面密被细毛；叶柄长。轮伞花序腋生；花萼钟形，萼齿 5，齿端有尖刺；花冠钟状，类白色。小坚果褐色，长卵形。质脆。气微，味微苦。

| 功效物质 | 主要含有三萜类、半日花烷型二萜类、甾体及甾体皂苷类、黄酮及黄酮苷类、苯丙素苷类、生物碱类等学化成分，具有改善血液和淋巴循环、保护心肌、抗炎、抗氧化等多种药理活性。研究表明，夏至草醇提取物对失血性休克障碍大鼠具有较好的保护作用。

| 功能主治 | 辛、微苦，寒。归肝经。养血活血，清热利湿。用于月经不调，产后瘀滞腹痛，血虚头昏，半身不遂，跌打损伤，水肿，小便不利，目赤肿痛，疮痈，冻疮，牙痛，皮疹瘙痒。

| 用法用量 | 内服煎汤，9 ~ 12 g；或熬膏。

唇形科 Lamiaceae 野芝麻属 Lamium 凭证标本号 320829170420037LY

宝盖草
Lamium amplexicaule L.

| 药 材 名 | 宝盖草（药用部位：全草）。

| 形态特征 | 矮小草本。茎高 10 ~ 30 cm，常带紫色，基部多分枝。叶圆形或肾形，长 1 ~ 2 cm，边缘浅裂或有钝齿，两面有细毛，基部叶有柄，上部叶无柄。轮伞花序有花 2 至数朵；萼齿近等大，外面有白毛；花冠粉红色或紫红色，长约 1.5 cm，花冠筒外面有细毛，上唇直立，长圆形，下唇 3 裂，中裂片先端深凹；雄蕊略短于上唇，花药有白毛，黄棕色。小坚果长倒卵状三棱形。花果期 3 ~ 6 月。

| 生境分布 | 生于路边及荒地上。分布于江苏连云港、南京、镇江（句容）、苏州、无锡（宜兴）等。

| **资源情况** | 野生资源丰富。

| **采收加工** | 夏季采收，洗净，鲜用或晒干。

| **功效物质** | 含有野芝麻苷、7-去乙酰野芝麻苷、野芝麻酯苷、野芝麻新苷等多种环烯醚萜苷类成分。

| **功能主治** | 辛、苦，平。活血通络，解毒消肿。用于跌打损伤，筋骨疼痛，四肢麻木，半身不遂，面瘫，黄疸，鼻渊，瘰疬，肿毒，黄水疮。

| **用法用量** | 内服煎汤，9 ~ 15 g。外用适量，捣敷；或研末撒。

| 唇形科 Lamiaceae | 野芝麻属 *Lamium* | 凭证标本号 321183150415669LY

野芝麻 *Lamium barbatum* Sieb. et Zucc.

| **药 材 名** | 野芝麻（药用部位：全草）、野芝麻花（药用部位：花）、野芝麻根（药用部位：根）。

| **形态特征** | 一年生草本，茎高 25 ~ 100 cm。叶卵状心形至卵状披针形，两面疏生柔毛；叶柄长 1 ~ 7 cm。轮伞花序有花 4 ~ 14，生于茎上部的叶腋；花冠白色，长 2 ~ 3 cm，上唇直伸，下唇中裂片倒肾形，先端深凹。小坚果倒卵形，有 3 棱。花果期 3 ~ 6 月。

| **生境分布** | 生于阴湿的路旁、山脚或林下。分布于江苏连云港、南京、镇江（句容）、无锡（宜兴）、南通、苏州（常熟）等。

| **资源情况** | 野生资源丰富。

| 采收加工 | 野芝麻：5 ~ 6 月采收，鲜用或阴干。
野芝麻花：4 ~ 6 月采收，阴干。
野芝麻根：夏、秋季采挖，洗净，鲜用或晒干。

| 药材性状 | 野芝麻：本品茎呈类方柱形，长 25 ~ 50 cm。叶对生，多皱缩或破碎，完整者展平后呈心状卵形，先端长尾状，基部心形或近截形，边缘具粗齿，两面具伏毛；叶柄长 1 ~ 5 cm。轮伞花序生于上部叶腋内；苞片线形，具睫毛；花萼钟形，5 裂；花冠多皱缩，灰白色至灰黄色。质脆。气微香，味淡、微辛。
野芝麻花：本品为轮伞花序，有 4 ~ 14 花，着生于茎端，苞片狭线形或丝状，长 2 ~ 3 mm，锐尖，具缘毛。花萼钟形，长约 1.5 cm，宽约 4 mm，外面疏被伏毛，萼齿披针状钻形，长 7 ~ 10 mm，具缘毛。花冠白色败浅黄色，长约 2 cm，筒部稍上方呈囊状膨大，筒口宽至 6 mm，外面在上部被疏硬毛或近绒毛状毛被，余部几无毛，内面冠筒近基部有毛环，冠檐二唇形，上唇直立，倒卵圆形或长圆形，长约 1.2 cm，先端圆形或微缺，边缘具缘毛及长柔毛，下唇长约 6 mm，3 裂，中裂片倒肾形，先端深凹，基部急收缩，侧裂片宽；雄蕊花丝扁平，被微柔毛，彼此粘连，花药深紫色，被柔毛；花柱丝状，先端 2 浅裂；花盘杯状；子房裂片长圆形，无毛。小坚果倒卵圆形，淡褐色。

| 功效物质 | 全草含有水苏碱。叶含有黏液质、鞣质、挥发油、抗坏血酸、胡萝卜素、皂苷等。花含有以异槲皮苷、山柰酚 -3- 葡萄糖苷、槲皮黄苷为主的黄酮类成分。根含有水苏糖及葡萄糖苷。现代研究表明，野芝麻提取物可使动脉及子宫收缩，可用于子宫出血。

| 功能主治 | 野芝麻：辛、甘，平。凉血止血，活血止痛，利湿消肿。用于肺热咯血，血淋，月经不调，崩漏，水肿，带下，胃痛，疳积，跌打损伤，肿毒。
野芝麻花：甘、辛，平。活血调经，凉血清热。用于月经不调，痛经，赤白带下，肺热咯血，小便淋痛。
野芝麻根：微甘，平。清肝利湿，活血消肿。用于眩晕，肝炎，咳嗽咯血，水肿，带下，疳积，痔疮，肿毒。

| 用法用量 | 野芝麻：内服煎汤，9 ~ 15 g；或研末。外用适量，鲜品捣敷；或研末调敷。
野芝麻花：内服煎汤，10 ~ 25 g。
野芝麻根：内服煎汤，9 ~ 15 g；或研末，3 ~ 9 g。外用适量，鲜品捣敷。

唇形科 Lamiaceae 薰衣草属 *Lavandula* 凭证标本号 321202190919001LY

薰衣草 *Lavandula angustifolia* Mill.

| **药 材 名** | 薰衣草（药用部位：全草）。

| **形态特征** | 半灌木或矮小灌木。茎直立，被星状绒毛。老枝灰褐色，具条状剥落的皮层。叶线形或线状披针形，长 3 ~ 5 cm，宽 0.3 ~ 0.5 cm，有灰色星状绒毛，全缘而外卷。轮伞花序通常有 6 ~ 10 花，在枝顶聚集成间断或连续的穗状花序，长约 3 cm；苞片菱状卵形，小苞片不明显；花萼近筒形，长 4 ~ 5 mm，具 13 脉，1/4 式二唇形，上唇 1 齿，较长，下唇具 4 相等的齿；花冠蓝色，长约为花萼的 2 倍，花冠筒直伸，在喉部内面被腺状毛，上唇较大，2 裂，下唇 3 裂；雄蕊 4，二强，均内藏。小坚果椭圆形，光滑。花期 5 ~ 6 月。

| **生境分布** | 江苏南京有栽培。

| **资源情况** | 栽培资源一般。

| **采收加工** | 6 月采收，阴干。

| **功效物质** | 含有薰衣草精油和总黄酮，其挥发油成分具有一定的镇静催眠、抗菌、抗炎、抗氧化等作用。薰衣草水提取物对心肌缺血具有一定的作用。

| **功能主治** | 辛，凉。清热解毒，散风止痒。用于头痛，头晕，口舌生疮，咽喉红肿，烫火伤，风疹，疥癣。

| **用法用量** | 内服煎汤，3 ~ 9 g。外用适量，捣敷。

唇形科 Lamiaceae   益母草属 Leonurus   凭证标本号 321322180819020LY

益母草 *Leonurus japonicus* Houtt.

药材名

益母草（药用部位：地上部分）、茺蔚子（药用部位：果实）、益母草花（药用部位：花）。

形态特征

一年生或二年生草本。茎高 30 ~ 120 cm，有倒生的糙伏毛。茎下部的叶卵形，掌状 3 全裂，中裂片有 3 小裂，两侧裂片有 1 或 2 小裂；花序上的叶线形或线状披针形，全缘或有少数牙齿，最小裂片宽超过 3 mm。轮伞花序腋生；苞片针形，等长于或短于花萼，有细毛；花萼钟形，长 7 ~ 10 mm，外面有毛，齿 5，前 2 齿靠合；花冠淡红色或紫红色，长 12 ~ 13 mm，筒内有毛环，上唇外面有毛，全缘，下唇 3 裂，中裂片倒心形。小坚果平滑，长圆状三棱形。花果期 6 ~ 10 月。

生境分布

生于路边荒地上。江苏各地均有分布。

资源情况

野生资源丰富。

| 采收加工 | **益母草**：春季幼苗期至初夏花前期采收，鲜用；或夏季茎叶茂盛、花未开或初开时采收，晒干，或切段，晒干。

茺蔚子：夏、秋季全株花谢、果实成熟时割取全株，晒干，打下果实，除去叶片、杂质，收集种子。

益母草花：夏季花初开时采收，去净杂质，晒干。

| 药材性状 | **益母草**：本品茎呈方柱形，四面凹下成纵沟，长 30 ~ 60 cm，直径约 5 mm；表面灰绿色或黄绿色，密被糙伏毛；质脆，断面中部有髓。叶交互对生，多脱落或残存，皱缩、破碎，完整者下部叶掌状 3 裂，中部叶分裂成多个长圆形线状裂片，上部叶羽状 3 深裂或 3 浅裂。轮伞花序腋生，花紫色，多脱落；花序

上的苞叶全缘或具稀齿；花萼宿存，筒状，黄绿色，萼内有小坚果 4。气微，味淡。

茺蔚子： 本品呈三棱形，长 2 ~ 3 mm，宽约 1.5 mm。表面灰棕色至灰褐色，有深色斑点，一端稍宽，平截状，另一端渐窄而钝尖。果皮薄，子叶类白色，富油性。无臭，味苦。

益母草花： 本品干燥者花萼及雌蕊大多已脱落，长约 1.3 cm，淡紫色至淡棕色；花冠自先端向下渐次变细，基部联合成管，上部二唇形，上唇长圆形，全缘，背部密具细长白毛，也有缘毛；下唇 3 裂，中央裂片倒心形，背部具短绒毛，冠筒口处有毛环；雄蕊 4，二强，着生于花冠筒内，与残存的花柱常伸出于花冠筒之外。气弱，味微甜。以干燥、无叶、无杂质者为佳。

| **功效物质** | 全草主要含有水苏碱、益母草啶、益母草宁等生物碱类化学成分，半日花烷型二萜类化学成分，以及芸香苷、芦丁、金丝桃苷、异槲皮苷等黄酮类化学成分，具有抑制流产后子宫出血、抗心肌缺血、抗诱变、抗衰老等作用。果实主要含有生物碱类、黄酮类、脂肪酸类、苯丙醇苷类、二萜类、挥发油类等化学成分，其中生物碱类化学成分主要为益母草宁碱、水苏碱。此外，还含有约 26% 的脂肪油，脂肪油主要为油酸及亚麻酸，具有抗氧化及降压作用。花富含挥发油类成分。

| **功能主治** | **益母草：** 辛、苦，微寒。归肝、肾、心包经。活血调经，利尿消肿，清热解毒。用于月经不调，痛经，闭经，恶露不净，水肿尿少，疮疡肿毒。

茺蔚子： 辛、苦，微寒。归心包、肝经。活血调经，清肝明目。用于月经不调，闭经，痛经，目赤障翳，头昏胀痛。

益母草花： 甘、微苦，凉。养血，活血，利水。用于贫血，疮疡肿毒，血滞闭经，痛经，产后瘀阻腹痛，恶露不下。

| **用法用量** | **益母草：** 内服煎汤，10 ~ 15 g；或熬膏；或入丸、散剂。外用适量，煎汤洗；或鲜品捣敷。

茺蔚子： 内服煎汤，4.5 ~ 9 g。

益母草花： 内服煎汤，6 ~ 9 g。

| **附　注** | 江苏宿迁等地亦种植"童子益母草"，植物抽条开花前，刈割地上部分。童子益母草每年可收获 5 ~ 6 次。

唇形科 Lamiaceae 益母草属 Leonurus 凭证标本号 320111140829023LY

錾菜
Leonurus pseudomacranthus Kitag.

| 药 材 名 |

錾菜（药用部位：全草）。

| 形态特征 |

多年生草本，高 60 ~ 120 cm。茎直立，密被倒向微柔毛。叶对生，叶片近革质，两面有粗毛；茎下部的叶有长柄，叶片卵圆形，羽状 3 深裂，中间裂片较宽，边缘羽状浅裂；茎中部的叶有短柄，披针状卵圆形，边缘有粗锯齿，枝梢的叶无柄，椭圆形至倒披针形，全缘或有浅齿。轮伞花序腋生；苞片针形；花萼钟状，脉 5，齿 5，前面 2 齿较长；花冠淡红色或紫红色，稀白色，二唇形，下唇 3 裂，中间裂片倒心形，花冠筒内有毛环。小坚果黑褐色，无毛。花期 8 ~ 9 月，果期 9 ~ 10 月。

| 生境分布 |

生于山坡路旁草地。分布于江苏连云港（灌云）、徐州（邳州）、南京、无锡（宜兴）、镇江（句容）等。

| 资源情况 |

野生资源丰富。

| 采收加工 | 8 ~ 10 月采收，晒干。

| 药材性状 | 本品茎呈方柱形，长 40 ~ 95 cm；表面有纵槽，密被贴生的微柔毛，节间处尤密。叶对生，近革质，暗绿色，多已脱落或破碎，完整者展平后呈卵圆形，长 6 ~ 7 cm，宽 4 ~ 5 cm，3 裂，边缘有疏粗锯齿，两面有小硬毛，下面散有黄色腺点，叶脉在上面凹陷，在下面隆起，使叶面具皱纹，叶柄长 1 ~ 2 cm；中部以上的叶长圆形，边缘有疏锯齿，叶柄长不及 1 cm。轮伞花序腋生；花萼筒状，长 7 ~ 8 mm，萼齿长 3 ~ 5 mm；花冠二唇形，灰白色，长约 1.8 cm。小坚果长圆状三棱形，黑色，表面光滑。气微，味淡。

| 功能主治 | 辛、微苦，微寒。活血调经，解毒消肿。用于月经不调，闭经，痛经，产后瘀血腹痛，崩漏，跌打伤痛，疮痈。

| 用法用量 | 内服煎汤，6 ~ 15 g；或研末。外用适量，捣敷；或研末敷。

| 附　注 | 本种的果实亦可作为茺蔚子。秋季果实成熟时割下全草，晒干，打下果实。

唇形科 Lamiaceae 地笋属 *Lycopus* 凭证标本号 320116180714034LY

硬毛地笋
Lycopus lucidus Turcz. var. *hirtus* Regel

| 药 材 名 | 泽兰（药用部位：地上部分）、地笋（药用部位：根茎）。

| 形态特征 | 多年生草本。根茎横走、肥大。茎高 30 ～ 120 cm，节上密生白毛，常呈紫红色，节间嫩时有毛。叶有短柄或近无柄；叶片披针形或长圆状披针形，长 2.5 ～ 12 cm，宽 1.5 ～ 4 cm，表面、背面脉上有毛，边缘有锐齿。苞片披针形，边缘有毛；花萼有 5 齿，齿端针状；花冠白色，外面有腺点。小坚果腹面有厚边。花果期 8 ～ 10 月。

| 生境分布 | 生于河边、塘边及潮湿处。分布于江苏连云港、南京、南通、镇江、无锡（宜兴）、苏州等。

| 资源情况 | 野生资源丰富。

| 采收加工 | 泽兰：夏、秋季茎叶生长旺盛时割取，切段，晒干。
地笋：秋季采挖，洗净，晒干。

| 药材性状 | 泽兰：本品茎呈方形，四面均有浅纵沟，长 50 ~ 100 cm，直径 2 ~ 5 mm；表面黄绿色或稍带紫色，节明显，节间长 2 ~ 11 cm；质脆，易折断，髓部中空。叶对生，多皱缩，展平后呈披针形或长圆形，边缘有锯齿，上表面黑绿色，下表面灰绿色，有棕色腺点。花呈轮状簇生于叶腋，花冠多脱落，苞片及花萼宿存。气微，味淡。

地笋：本品形似地蚕，长 4 ~ 8 cm，直径约 1 cm；表面黄棕色，有 7 ~ 12 环节。质脆，断面白色。气香，味甘。

| 功效物质 | 泽兰含有酚酸类、黄酮类、萜类等化学成分，具有抗凝血、降血脂、保护肝脏、抗氧化、改善免疫力等多种药理作用。

| 功能主治 | 泽兰：苦、辛，微温。归肝、脾经。活血调经，祛瘀消痈，利水消肿。用于月经不调，闭经，痛经，产后瘀血腹痛，疮痈肿毒，水肿，腹水。

地笋：甘、辛，平。化瘀止血，益气利水。用于衄血，吐血，产后腹痛，黄疸，水肿，带下，气虚乏力。

| 用法用量 | 泽兰：内服煎汤，6 ~ 12 g；或入丸、散剂。外用适量，鲜品捣敷；或煎汤熏洗。

地笋：内服煎汤，4 ~ 9 g；或浸酒。外用适量，捣敷；或浸酒涂。

| 附　　注 | 本种的全草为《本草经》著录的泽兰正品，妇科要药，可通经利尿，治疗产前产后诸病。本种的根通称地笋，可食，又为治疗金疮肿毒之良剂，并可治疗风湿关节痛。

唇形科 Lamiaceae　薄荷属　*Mentha*　凭证标本号　320721180713238LY

薄荷
Mentha haplocalyx Briq.

| 药 材 名 | 薄荷（药用部位：地上部分）。

| 形态特征 | 多年生草本。茎直立或基部平卧，高 30 ~ 90 cm，多分枝，有倒生的细毛或近无毛。叶片卵形或长圆形，长 2 ~ 7.5 cm，宽 0.5 ~ 2 cm，先端短尖或稍钝，基部楔形，边缘有牙齿状锯齿，两面疏生柔毛或在背面脉上有毛和腺点。轮伞花序腋生，苞片披针形至线状披针形，边缘有毛；花萼长 2 ~ 2.5 mm，外面有毛和腺点，齿 5，近三角形；花冠青紫色、淡红色或白色，长 3 ~ 4.5 mm，4 裂，上裂片先端 2 裂，较大，其余裂片近等大；雄蕊伸出花冠外。小坚果长圆状卵形，平滑。花果期 8 ~ 11 月。

| 生境分布 | 生于水旁潮湿处。分布于江苏连云港、南京、南通、镇江（句容）、

无锡（宜兴）、苏州（昆山、常熟）等。

| **资源情况** | 野生资源丰富。

| **采收加工** | 夏、秋季茎叶茂盛或花开至 3 轮时，选晴天分次采割。

| **药材性状** | 本品茎呈方柱形，有对生分枝，长 15 ~ 40 cm，直径 0.2 ~ 0.4 cm；表面紫棕色或淡绿色，棱角处具茸毛，节间长 2 ~ 5 cm；质脆，断面白色，髓部中空。叶对生，有短柄；叶片皱缩、卷曲，完整叶片展平后呈披针形、卵状披针形、长圆状披针形至椭圆形，长 2 ~ 7 cm，宽 0.5 ~ 2 cm，边缘在基部以上疏生粗大的牙齿状锯齿，侧脉 5 ~ 6 对；上表面深绿色，下表面灰绿色，两面均有柔毛，下表面在放大镜下可见凹点状腺鳞。茎上部常有腋生的轮伞花序；花萼钟状，先端 5 齿裂，萼齿狭三角状钻形，微被柔毛；花冠多数存在，淡紫色。揉搓后有特殊香气，味辛、凉。以叶多、色绿、气味浓者为佳。

| **功效物质** | 富含左旋薄荷醇、左旋薄荷酮、异薄荷酮等挥发油类成分，以及黄酮类、单萜类化合物，具有抗炎镇痛、兴奋中枢神经、促进透皮吸收等作用。

| **功能主治** | 辛，凉。归肺、肝经。疏散风热，清利头目，利咽，透疹，疏肝行气。用于风热感冒，风温初起，头痛，目赤，喉痹，口疮，风疹，麻疹，胸胁胀闷。

| **用法用量** | 内服煎汤，3 ~ 6 g，不可久煎，宜后下；或入丸、散剂。外用适量，煎汤洗；或捣汁涂敷。

| **附　注** | 本种的鲜枝叶经蒸馏得到的挥发油即薄荷油，味辛，性凉，祛风；全草提炼出的结晶为薄荷脑，味辛，性凉，可外用，有止痛、止痒的功效；鲜茎叶的蒸馏液即薄荷露，味辛，性凉，可散风热，清头目，用于风热客表、头痛、目赤、发热、咽痛、牙痛。

唇形科 Lamiaceae 薄荷属 Mentha 凭证标本号 320684160730092LY

留兰香 *Mentha spicata* L.

| 药 材 名 | 留兰香（药用部位：全草）。

| 形态特征 | 直立草本。茎高 40 ~ 130 cm，无毛或近无毛。叶无柄或近无柄，卵状长圆形或长圆状披针形，长 3 ~ 7 cm，宽 1 ~ 2 cm，先端锐尖，基部宽楔形至近圆形。轮伞花序生于茎和分枝先端，长 4 ~ 10 cm，间断但向上排列成密集的圆柱形穗状花序；苞片线形，无毛；花萼钟形，两面均无毛；花冠淡紫色，两面均无毛，冠檐 4 裂片近等大；雄蕊及花柱均伸出花冠外；子房无毛。花期 7 ~ 9 月。

| 生境分布 | 江苏南京、无锡、苏州等有栽培。江苏南部部分地区逸为野生。

| 资源情况 | 野生及栽培资源较丰富。

| **采收加工** | 7 ~ 9 月采收，多为鲜用。 |

| **功效物质** | 全草含有左旋 α- 蒎烯、左旋 α- 水芹烯、左旋柠檬烯和右旋 3-*O*- 辛醇、葛缕酮、胡薄荷酮等芳香油类成分。 |

| **功能主治** | 解表，和中，理气。用于感冒，咳嗽，头痛，咽痛，目赤，鼻衄，胃痛，腹胀，霍乱吐泻，痛经，肢麻，跌打肿痛，疮疖，皲裂。 |

| **用法用量** | 内服煎汤，3 ~ 9 g，鲜品 15 ~ 30 g。外用适量，捣敷；或绞汁点眼。 |

唇形科 Lamiaceae ▎石荠苎属 *Mosla* ▎凭证标本号 ▎320703160908550LY

石香薷 *Mosla chinensis* Maxim.

| 药 材 名 |

香薷（药用部位：全草或地上部分）。

| 形态特征 |

草本。茎高 9 ~ 40 cm，多分枝，绿色或带紫色，有毛。叶线形至线状披针形，长 15 ~ 35 mm，宽 1.5 ~ 3（~ 7）mm，边缘有不明显的浅锯齿，两面有短柔毛和腺点。花序头状或假穗状，长 1 ~ 3 cm；苞片卵形或卵圆形，两面及边缘有毛；花萼外面有毛和腺点，内面在喉部以上有绵毛，喉部以下无毛，齿 5，近相等；花冠淡紫色，长约 5 mm，上唇短，先端微凹，下唇 3 裂，中裂片大，边缘有齿。小坚果球形，有网纹。花果期 9 ~ 11 月。

| 生境分布 |

生于林下及山坡草地。分布于江苏连云港、南京、镇江（句容）、无锡、苏州等。

| 资源情况 |

野生资源丰富。

| 采收加工 |

夏、秋季茎叶茂盛、花初开时采收，阴干或

晒干，捆成小把。

药材性状 | 本品长 14 ～ 30 cm，全体被白色短茸毛。茎多分枝，四方柱形，近基部圆形，直径 0.5 ～ 5 mm；表面黄棕色，近基部常呈棕红色，节明显，节间长 2 ～ 5 cm；质脆，易折断，断面淡黄色。叶对生，多脱落，皱缩或破碎，完整者展平后呈狭长披针形，长 0.7 ～ 2.5 cm，宽约 4 mm，边缘有疏锯齿，黄绿色或暗绿色；质脆，易碎。花轮密集成头状；苞片被白色柔毛；花萼钟状，先端 5 裂；花冠皱缩或脱落。小坚果 4，包于宿萼内。香气浓，味辛、凉。栽培品全体长 35 ～ 60 cm，疏被较长的茸毛；茎较粗，节间长 4 ～ 7 cm。以枝嫩、穗多、香气浓者为佳。

功效物质 | 全草含有以百里香酚、香荆芥酚、对聚伞花素等挥发油类。此外，还含有黄酮类、香豆素类、有机酸类成分等，具有抗病原微生物、抗炎、镇痛解热、解痉、增强免疫等生物活性。

功能主治 | 辛，微温。归肺、胃经。发汗解表，化湿和中。用于暑湿感冒，恶寒发热，头痛无汗，腹痛吐泻，水肿，小便不利。

用法用量 | 内服煎汤，3 ～ 9 g；或入丸、散剂；或煎汤含漱。外用适量，捣敷。

唇形科 Lamiaceae 石荠苎属 Mosla 凭证标本号 320125141105062LY

小鱼仙草 *Mosla dianthera* (Buch.-Ham. ex Roxb.) Maxim.

| **药 材 名** | 热痱草（药用部位：全草）。

| **形态特征** | 草本。茎高达 1 m，节上有柔毛，节间近无毛。叶卵形或卵状披针形，长 1.2 ~ 3.5 cm，宽 0.5 ~ 1.8 cm，两面无毛或近无毛，背面有凹陷腺点。假总状花序顶生，长 3 ~ 15 cm；苞片披针形或线状披针形；花萼外面有毛，上唇 3 齿，中齿较短，卵形，下唇 2 齿披针形，果时花萼增大；花冠淡紫色，长 4 ~ 5 mm，外面有毛，上唇先端微凹，下唇 3 裂，中裂片较大，边缘有齿。小坚果近球形，有皱纹。花果期 5 ~ 10 月。

| **生境分布** | 生于山坡或湿草地。分布于江苏连云港、南京、无锡（宜兴）、苏州等。

| 资源情况 | 野生资源丰富。

| 采收加工 | 夏、秋季采收，鲜用或晒干。

| 功效物质 | 全草富含侧柏酮、香荆芥酚、榄香脂素、细辛脑、欧芹脑、莳萝油脑、古巴烯、α-香柑油烯、α-丁香烯和 γ-荜澄茄烯等挥发油类成分。

| 功能主治 | 辛，温。发表祛暑，利湿和中，消肿止血，散风止痒。用于风寒感冒，阴暑头痛，恶心，胃痛，白痢，水肿，衄血，痔血，疮疖，阴痒，湿疹，痱毒，外伤出血，蛇虫咬伤。

| 用法用量 | 内服煎汤，9 ~ 15 g。外用适量，煎汤洗；或鲜品捣敷。

唇形科 Lamiaceae 石荠苧属 *Mosla* 凭证标本号 321183150921728LY

荠苧
Mosla grosseserrata Maxim.

| 药 材 名 | 荠苧（药用部位：全草）。 |

| 形态特征 | 一年生草本。茎直立，有倒生的短柔毛，最后无毛。叶卵形，先端锐尖，基部渐狭，边缘有 3 ~ 5 大齿（有时附加 1 ~ 2 小齿）。总状花序短而顶生于枝上；苞片披针形，比花梗长；花萼被短柔毛，果时近无毛，有透明腺点，上唇具锐齿，中齿较短；花冠长为花萼的 1.5 倍，无毛环。小坚果近球形，具网纹。 |

| 生境分布 | 生于路边草丛中。分布于江苏苏州、无锡（宜兴）等。 |

| 资源情况 | 野生资源一般。 |

| 采收加工 | 7 ~ 8 月采收，晒干。 |

药材性状	本品茎呈方柱形，长 20 ~ 50 cm，近无毛；质脆。叶卷曲、皱缩，展平后呈卵形、阔卵形或菱状卵形，长 1 ~ 3 cm，宽 1 ~ 2.5 cm，先端尖，基部楔形，边缘具粗锯齿。常有穗状花序，花多皱缩成团，花冠黄白色。小坚果卵圆形。气特异清香，味辛、凉。
功效物质	全草含有精油 0.11% ~ 0.5%，精油的主要成分为甲基丁香油酚，约占精油的 90%，1- 甜没药烯约占精油的 4%，α- 石竹烯约占精油的 2%。
功能主治	辛，温。归胃、大肠经。利水消肿，和胃制酸。用于腹水水肿，泄泻，胃酸过多，虫积腹痛，痔疮肿痛。
用法用量	内服煎汤，9 ~ 15 g。外用适量，捣敷。
附　　注	江苏有以本种的根、茎、叶入药的记载。

唇形科 Lamiaceae **石荠苎属** *Mosla* **凭证标本号** 321112180727010LY

石荠苎
Mosla scabra (Thunb.) C. Y. Wu et H. W. Li

| **药 材 名** | 石荠苎（药用部位：全草）。

| **形态特征** | 一年生草本。茎高 20 ~ 100 cm，多分枝，密被短柔毛。叶卵形或卵状披针形，长 1.5 ~ 3.5 cm，宽 1 ~ 1.7 cm，上部边缘有锯齿，下部近全缘；叶柄长 3 ~ 20 mm。花序长 2.5 ~ 15 cm；苞片卵形或卵状披针形，长 2.7 ~ 3.5 cm；花萼钟形，外面被疏柔毛，二唇形，上唇 3 齿，呈卵状披针形，中齿略小，下唇 2 齿，线形；花冠粉红色，长 4 ~ 5 mm，外面被疏柔毛，内面基部有毛环，冠檐二唇形，上唇先端微凹，下唇 3 裂，中裂片边缘具齿；雄蕊 4，后对能育，前对退化。小坚果球形，具深雕纹。花果期 5 ~ 11 月。

| **生境分布** | 生于山坡、路旁或灌丛下。分布于江苏镇江、无锡（宜兴）等。

资源情况	野生资源丰富。

采收加工	7 ~ 8 月采收，鲜用或晒干。

药材性状	本品茎呈方柱形，多分枝，长 20 ~ 60 cm；表面有下曲的柔毛。叶多皱缩，展平后呈卵形或长椭圆形，边缘有浅锯齿，叶面近无毛而具黄褐色腺点。可见轮伞花序组成的顶生假总状花序，花多脱落，花萼宿存。小坚果类球形，表皮黄褐色，有网状凸起的皱纹。气清香浓郁，味辛、凉。

功效物质	全草富含荠苎烯、β-蒎烯、桉叶素、α-侧柏醇、芳樟醇、牻牛儿醇等挥发油。此外，还含有生物碱类、黄酮类、皂苷类、鞣质类成分等，其中总黄酮具有镇痛活性。

功能主治	辛、苦，凉。疏风解表，清暑除湿，解毒止痒。用于感冒头痛，咳嗽，中暑，风疹，肠炎，痢疾，痔血，血崩，热痱，湿疹，足癣，蛇虫咬伤。

用法用量	内服煎汤，4.5 ~ 15 g。外用适量，煎汤洗；或捣敷；或烧存性，研末调敷。

唇形科 Lamiaceae　石荠苎属 Mosla　凭证标本号 320282161112279LY

苏州荠苎
Mosla soochowensis Matsuda

药材名

五香草（药用部位：全草）。

形态特征

矮小草木。茎高 12 ~ 50 cm，多分枝，有毛。叶线形或线状披针形，长 1.5 ~ 4 cm，宽 2 ~ 6 mm，先端渐尖，基部渐狭成楔形，边缘有细齿，近基部全缘，两面有毛，背面有凹陷腺点，中脉 1。花序顶生，长 2 ~ 10 cm；苞片卵形，先端尖，通常花后向下反曲，彼此疏离；花萼长约 3 mm，果实成熟时增大，外面有毛和腺点；花冠粉红色，长 6 ~ 7 mm，外面有细毛，冠檐二唇形，上唇直立，先端微凹，下唇 3 裂，中裂片大；雄蕊 4。小坚果球形，均发育，外面有网纹。花果期 8 ~ 10 月。

生境分布

生于山坡、路边和草地。分布于江苏无锡、苏州（常熟）及宜溧山区等。

资源情况

野生资源较丰富。

| 采收加工 | 7 ～ 10 月采收，鲜用或晒干。

| 药材性状 | 本品茎呈细方柱形，多分枝，长 20 ～ 42 cm；表面灰绿色至紫色，被向下的柔毛；质脆。叶对生，卷曲皱缩，展平后呈条状披针形或披针形，长 1.5 ～ 3 cm，宽 2 ～ 5 mm，两面有短柔毛及腺点。花皱缩成团；苞片小，长仅 1.5 ～ 2.5 cm；花冠淡紫色。小坚果类球形，表面黑褐色，有细网纹。气香浓郁，味辛、凉。

| 功效物质 | 全草富含莽芒烯、龙脑烯、侧柏酮、二氢葛缕酮、香荆芥酚、甲基丁香油酚、橙花烯、α-丁香烯等挥发油。此外，还含有黄酮类成分，具有抗菌、抗病毒的作用。

| 功能主治 | 辛，温。归肺、胃经。解表祛暑，理气止痛。用于感冒，中暑，痧气，胃气痛，咽喉肿痛，疖肿，蜈蚣咬伤。

| 用法用量 | 内服煎汤，9 ～ 15 g，大剂量可用 30 ～ 45 g。外用适量，鲜品捣敷。

唇形科 Lamiaceae 荆芥属 Nepeta 凭证标本号 321112180719038LY

荆芥
Nepeta cataria L.

药材名

心叶荆芥（药用部位：全草）。

形态特征

多年生草本。茎基部木质化，高 40 ~ 150 cm，被白色短柔毛。叶柄细弱，长 0.7 ~ 3 cm；叶片卵形至三角状心形，长 2.5 ~ 7 cm，宽 2.1 ~ 4.7 cm，两面被短柔毛，背面白绿色。聚伞花序二歧状分枝，组成顶生分枝圆锥花序；苞片叶状或上部为披针形，小苞片钻形；花萼筒状，长约 6 mm，外面有毛，萼齿 5，钻形，后齿较长；花冠白色，下唇有紫色斑点，外面及内面喉部有柔毛，花冠筒细，冠檐二唇形，上唇短，先端微凹，下唇3 裂，中裂片近圆形，基部心形，边缘具粗牙齿；雄蕊 4，二强，内藏或略伸出。小坚果三棱状卵圆形。花果期 7 ~ 10 月。

生境分布

江苏连云港、南京等有少量栽培。

资源情况

栽培资源一般。

| 采收加工 | 7 ~ 9 月采收，鲜用或阴干。

| 药材性状 | 本品茎呈方形，四面有纵沟，上部多分枝，长 45 ~ 90 cm，直径 3 ~ 5 mm；表面淡紫红色，被短柔毛；质轻脆，易折断，断面纤维状，黄白色，中心有白色疏松的髓。叶对生，叶片分裂，裂片细长，呈黄色，皱缩卷曲，破碎不全；质脆，易脱落。枝顶着生穗状轮伞花序，呈绿色圆柱形，长 7 ~ 10 cm；花冠多已脱落，只留绿色的萼筒，内有 4 棕黑色的小坚果。气芳香，味微涩而辛、凉。以色浅紫、茎细、穗多而密者为佳。

| 功效物质 | 全草富含挥发油类、黄酮类、单萜苷类、酚酸类等化学成分。挥发油中主要有假荆芥酸、假荆芥内酯、β- 丁香烯、假荆芥酐、9- 表假荆芥内酯等，具有解热镇痛、抗流感病毒的作用。

| 功能主治 | 辛，凉。归肺、肝、脾经。疏风清热，活血止血。用于外感风热，头痛咽痛，麻疹透发不畅，吐血，衄血，外伤出血，跌打肿痛，疮痈肿痛，毒蛇咬伤。

| 用法用量 | 内服煎汤，9 ~ 15 g。外用适量，鲜品捣敷。

| 附　　注 | 本种喜温暖、湿润的气候，怕干旱，忌积水。土壤以疏松肥沃、排水良好的砂壤土为宜。

唇形科 Lamiaceae 罗勒属 Ocimum 凭证标本号 320482180617211LY

罗勒
Ocimum basilicum L.

| 药 材 名 | 罗勒（药用部位：全草）、罗勒子（药用部位：果实）、罗勒根（药用部位：根）。

| 形态特征 | 直立草本，有香气，高 20 ~ 80 cm。茎直立，常带紫色，光滑或有短柔毛。叶卵形或卵状披针形，长 2 ~ 6 cm，宽 1 ~ 3.5 cm，先端急尖，基部楔形，全缘或疏生锯齿，两面近无毛，背面有腺点；叶柄长约 1.5 cm。花轮集成间断的总状花序，顶生于枝梢，每轮有花 6，花序梗密生柔毛；苞片卵形或披针形，边缘有毛；花萼外面及边缘有毛，毛有节，萼齿 5，上面的齿最大，宽卵形，两侧的齿较小，正三角形，下面的 2 齿狭三角形；花冠淡紫色，或上唇白色、下唇紫红色，长约 9 mm；花丝基部有毛。小坚果长圆状卵形，褐色

或黑色。花果期 6 ~ 10 月。

| **生境分布** | 江苏盐城（大丰、东台）、扬州、南通（如东）、南京（江宁）、镇江（句容）等有栽培。 |

| **资源情况** | 栽培资源较丰富。 |

| **采收加工** | **罗勒**：花开后采收，鲜用或阴干。
罗勒子：9 月采收成熟的果实，晒干。
罗勒根：9 月采挖，洗净，晒干。 |

| **药材性状** | **罗勒**：本品茎呈方柱形，长短不等，直径 1 ~ 4 mm；表面紫色或黄紫色，有纵沟纹，具柔毛；质坚硬，折断面纤维性，黄白色，中央有白色的髓。叶多脱落或破碎，完整者展平后呈卵圆形或卵状披针形，长 2.5 ~ 5 cm，宽 1 ~ 2.5 cm，先端钝或尖，基部渐狭，边缘有不规则牙齿，或近全缘，两面近无毛，下面有腺点；叶柄长约 1.5 cm，被微柔毛。假总状花序微被毛；花冠脱落；苞片倒针形，宿萼钟状，黄棕色，膜质，有网纹，外面被柔毛，内面喉部被柔毛。宿萼内含小坚果。搓碎后有强烈香气，味辛，有清凉感。以茎细、无根者为佳。
罗勒子：本品卵形，长约 2 mm；基部具果柄痕，表面灰棕色至黑色，微带光泽。质坚硬，横切面呈三角形。子叶肥厚，乳白色，富油质。 |

| **功效物质** | 富含挥发油类、黄酮类、生物碱类、脂肪酸类成分等，具有抗炎镇痛、抗氧化、抗肿瘤转移、抗血栓形成、抗消化道溃疡、抑菌等药理作用。 |

| **功能主治** | **罗勒**：辛、甘，温。归肺、脾、胃、大肠经。疏风解表，化湿和中，行气活血，解毒消肿。用于感冒头痛，发热咳嗽，中暑，食积不化，不思饮食，遗精，月经不调，牙痛口臭，胬肉攀睛，皮肤湿疮，瘾疹瘙痒，跌打损伤，蛇虫咬伤。
罗勒子：清热，明目，祛翳。用于目赤肿痛，倒睫目翳，走马牙疳。
罗勒根：收湿敛疮。用于黄烂疮。 |

| **用法用量** | **罗勒**：内服煎汤，5 ~ 15 g，大剂量可用至 30 g；或捣汁；或入丸、散剂。外用适量，捣敷；或烧存性，研末调敷；或煎汤洗；或含漱。
罗勒子：内服煎汤，3 ~ 5 g。外用适量，研末点目。
罗勒根：外用适量，炒炭存性，研末敷。 |

| **附　注** | 本种喜温暖、潮湿的气候，以排水良好、肥沃的砂壤土或腐殖质壤土为佳。 |

唇形科 Lamiaceae 紫苏属 Perilla 凭证标本号 320681160917200LY

紫苏

Perilla frutescens (L.) Britt.

| 药 材 名 | 紫苏子（药用部位：果实）、紫苏叶（药用部位：叶或带叶小软枝）、紫苏梗（药用部位：茎）、紫苏苞（药用部位：宿萼）、苏头（药用部位：根及近根的老茎）。

| 形态特征 | 一年生草本。茎高 60 ~ 90 cm，上部有白色长柔毛。叶片宽卵圆形或圆形，长 3 ~ 9.5 cm，宽 2 ~ 8 cm，先端渐尖或尾状尖，基部近圆形或阔楔形，边缘有粗锯齿，两面通常绿色，有时背面稍带紫色，有柔毛和腺点；叶柄长 3 ~ 5 cm，密被长柔毛。轮伞花序具 2 花，组成偏向一侧的假总状花序；苞片卵圆形或近圆形，先端急尖；花萼钟状，有 10 脉纹，二唇形，外面有长柔毛和腺点，果萼长达 1.1 cm；花冠白色，长 3.5 ~ 4 mm，花冠筒内有毛环，二唇

形，上唇微凹，下唇 3 裂；雄蕊 4，稍伸出花冠外。小坚果近球形，黄褐色，有网纹。花果期 8 ~ 11 月。

| 生境分布 | 生于山脚路旁和农舍旁的荒地上。江苏各地广泛栽培。

| 资源情况 | 野生及栽培资源较丰富。

| 采收加工 | 紫苏子：果实成熟时采收，除去杂质，晒干。

紫苏叶：7 ~ 8 月枝叶茂盛时收割，摊在地上或悬于通风处阴干，干后将叶摘下即可。

紫苏梗：9 ~ 11 月割取地上部分，除去小枝、叶片、果实，晒干。

紫苏苞：秋季将成熟果实打下，留取宿存果萼，晒干。

苏头：秋季将植株拔起，切取根头，抖净泥沙，晒干。

| 药材性状 | 紫苏子：本品呈卵圆形或类球形，直径 0.6 ~ 2 mm。表面灰棕色或灰褐色，有微隆起的暗紫色网状花纹，基部稍尖，有灰白色点状果柄痕。果皮薄而脆，易压碎。种子黄白色，种皮膜质，子叶 2，类白色，富有油性。压碎有香气，味微辛。

紫苏叶：本品叶片多皱缩卷曲、破碎，完整者展平后呈卵圆形，宽 2.5 ~ 5 cm。先端长尖或急尖，基部圆形或宽楔形，边缘具圆锯齿。两面紫色或上表面绿色、

下表面紫色，疏生灰白色毛，下表面有多数凹点状的腺鳞。叶柄长 2 ~ 5 cm，紫色或紫绿色。质脆。带嫩枝者，枝直径 2 ~ 5 mm，紫绿色，断面中部有髓。气清香，味微辛。

紫苏梗：本品呈方柱形，4 棱钝圆，长短不一，直径 0.5 ~ 1.5 cm。表面紫棕色或暗紫色，四面有纵沟及细纵纹，节部稍膨大，有对生的枝痕及叶痕。体轻，质硬而脆，断面裂片状。切片厚 2 ~ 5 mm，常呈斜长方形，木部黄白色，射线细密，呈放射状，髓部白色，疏松或与木部分离形成空洞。气微香，味淡。

紫苏苞：本品为轮伞花序，由 2 花组成偏向一侧的假总状花序，顶生和腋生，花序密被长柔毛。苞片甲形、卵状三角形或披针形，全缘，具缘毛，外面有腺点，边缘膜质。花梗长 1 ~ 1.5 mm，密被柔毛；花萼钟状，长约 3 mm，10 脉，外面下部密被长柔毛，有黄色腺点，先端 5 齿，2 唇，上唇宽大，有 3 齿，下唇有 2 齿，结果时增大，基部呈囊状。花冠唇形，长 3 ~ 4 mm，白色或紫红色，花冠筒内有毛环，外面被柔毛，上唇微凹，下唇 3 裂，裂片近圆形，中裂片较大。雄蕊 4，二强雄蕊，着生于花冠筒内中部，几不伸出花冠外，花药 2 室；花盘在前边膨大；雌蕊 1，子房 4 裂，花柱基生，柱头 2 裂。

| 功效物质 | 叶富含紫苏醛、紫苏酮、柠檬烯、芹菜烯等挥发油类成分，具有降压、抗炎、抑制过敏反应、抗病毒、调节人体免疫系统机能等作用。种子含有脂肪油（45.30%）及维生素 B_1。

| 功能主治 | **紫苏子**：辛，温。归肺、大肠经。降气化痰，止咳平喘，润肠通便。用于痰壅气逆，咳嗽气喘，肠燥便秘。

紫苏叶：辛，温。归肺、脾、胃经。解表散寒，行气和胃。用于风寒感冒，咳嗽呕恶，妊娠呕吐，鱼蟹中毒。

紫苏梗：辛，温。归脾、胃、肺经。理气宽中，止痛，安胎。用于胸膈痞闷，胃脘疼痛，嗳气呕吐，胎动不安。

紫苏苞：解表。用于血虚感冒。

苏头：疏风散寒，降气祛痰，和中安胎。用于头晕，身痛，鼻塞流涕，咳逆上气，胸膈痰饮，胸闷胁痛，腹痛泄泻，妊娠呕吐，胎动不安。

| 用法用量 | **紫苏子**：内服煎汤，5 ~ 10 g；或入丸、散剂。

紫苏叶：内服煎汤，5 ~ 10 g。外用适量，捣敷；或研末掺；或煎汤洗。

紫苏梗：内服煎汤，5 ~ 10 g；或入散剂。

紫苏苞：内服煎汤，3 ~ 9 g。

苏头：内服煎汤，6 ~ 12 g。外用适量，煎汤洗。

| 附　注 | 本种喜温暖、湿润的气候，在阳光充足的环境下生长旺盛，产量较高。在疏松、肥沃、排灌方便的壤土中栽培为宜。

唇形科 Lamiaceae 紫苏属 *Perilla* 凭证标本号 320721181018304LY

野生紫苏
Perilla frutescens (L.) Britt. var. *purpurascens* (Hayata) H. W. Li

| **药 材 名** | 野紫苏子（药用部位：果实）、野紫苏叶（药用部位：叶或带叶小软枝）、野紫苏梗（药用部位：茎）、紫苏苞（药用部位：宿萼）、苏头（药用部位：根及近根的老茎）。

| **形态特征** | 本种与紫苏的区别在于本种的叶和花都是紫红色或淡红色；果萼小，长 4 ~ 5.5 mm；茎被短柔毛；叶较小，卵形，宽 2.5 ~ 5 cm；小坚果土黄色。

| **生境分布** | 生于山地路旁、村边、舍旁的荒草地。江苏连云港、无锡（宜兴）、南京、南通、苏州（常熟）等有栽培。

| **资源情况** | 野生及栽培资源较少。

| **采收加工** | **野紫苏子**：果实成熟时采收，除去杂质，晒干。

野紫苏叶：7 ~ 8 月枝叶茂盛时收割，摊在地上或悬于通风处阴干，干后将叶摘下即可。

野紫苏梗：9 ~ 11 月割取地上部分，除去小枝、叶片、果实，晒干。

紫苏苞：秋季将成熟果实打下，留取宿存果萼，晒干。

苏头：秋季将植株拔起，切取根头，抖净泥沙，晒干。

| **药材性状** | **野紫苏子**：本品略小，直径 0.6 ~ 1.5 mm，少数达 2 mm；表面棕色或灰棕色，外层常剥落，露出浅黄色石细胞层。

野紫苏叶：本品完整者展平后呈卵形，长 4 ~ 7 cm，宽 2.5 ~ 5 cm；边缘具圆锯齿。以叶完整、色紫、香气浓者为佳。

野紫苏梗：本品表面淡黄棕色。余同紫苏。

| **功效物质** | 主要活性成分有紫苏醛、紫苏酮、柠檬烯和芹菜烯等，具有降压、抗炎、抑制过敏反应、抗病毒、调节人体免疫系统机能等作用。

| **功能主治** | **野紫苏子**：辛，温。归肺、大肠经。降气，消痰，平喘，润肠。用于痰壅气逆，咳嗽气喘，肠燥便秘。

野紫苏叶：辛，温。归肺、脾、胃经。散寒解表，宣肺化痰，行气和中，安胎，解鱼蟹毒。用于风寒表证，咳嗽痰多，胸脘胀满，恶心呕吐，腹痛吐泻，胎气不和，妊娠恶阴，鱼蟹中毒。

野紫苏梗：辛，温。归脾、胃、肺经。理气宽中，安胎，和血。用于脾胃气滞，脘腹痞满，胎气不和，水肿脚气，咯血吐衄。

紫苏苞：微辛，平。归肺经。解表。用于血虚感冒。

苏头：疏风散寒，降气祛痰，和中安胎。用于头晕，身痛，鼻塞流涕，咳逆上气，胸膈痰饮，胸闷胁痛，腹痛泄泻，妊娠呕吐，胎动不安。

| **用法用量** | **野紫苏子**：内服煎汤，5 ~ 10 g；或入丸、散剂。

野紫苏叶：内服煎汤，5 ~ 10 g。外用适量，捣敷；或研末掺；或煎汤洗。

野紫苏梗：内服煎汤，5 ~ 10 g；或入散剂。

紫苏苞：内服煎汤，3 ~ 9 g。

苏头：内服煎汤，6 ~ 12 g。外用适量，煎汤洗。

唇形科 Lamiaceae 糙苏属 Phlomis 凭证标本号 320111170415011LY

卵叶糙苏

Phlomis umbrosa Turcz. var. *ovalifolia* C. Y. Wu

| 药 材 名 | 卵叶糙苏（药用部位：全草）。

| 形态特征 | 多年生草本，高 50 ~ 150 cm。根粗，须根肉质。茎多分枝，疏被向下的短硬毛，常带紫红色。茎生叶卵形至广椭圆形，长 5 ~ 12 cm，宽 2.5 ~ 12 cm，基部浅心形或近楔形，叶背有星状短柔毛，稀为星状短绒毛；叶柄长 1 ~ 12 cm；苞叶通常卵形，似茎生叶。轮伞花序有花 4 ~ 8，生于主茎和分枝上，其下有线状钻形的苞片；花萼管状，长约 10 mm，外面有星状短柔毛，萼齿较长，先端有小刺尖，齿间形成 2 不明显的小齿，边缘有丛毛；花冠粉红色，下唇色较深，常具红色斑点，3 圆裂，中裂片较大；雄蕊内藏，花丝无毛，无附属器。小坚果无毛。花期 8 ~ 9 月，果期 9 ~ 10 月。

| 生境分布 | 生于山坡。分布于江苏连云港（云台山）、南京、镇江、常州（溧

阳）等。

| **资源情况** | 野生资源一般。

| **药材性状** | 本品根粗，须根肉质。茎呈方柱形，长 50 ~ 150 cm，多分枝；表面绿褐色，具浅槽，疏被硬毛；质硬而脆，断面中央有髓。叶对生，皱缩，展平后呈近圆形、圆卵形或卵状长圆形，长 5.2 ~ 12 cm，先端急尖，基部浅心形或圆形，边缘具锯齿，两面均疏被短柔毛；叶柄长 1 ~ 12 cm，疏被毛。轮伞花序密被白色毛；苞片线状钻形，紫红色；花萼宿存，呈峰窝状。气微香，味涩。

| **功能主治** | 辛，平。

| **用法用量** | 内服煎汤，3 ~ 10 g。

夏枯草 *Prunella vulgaris* L.

| **药 材 名** | 夏枯草（药用部位：果穗）。

| **形态特征** | 多年生草本。根茎匍匐地上，节上生须根。茎高 15 ～ 30 cm，上升，下部伏地，自基部多分枝，钝四棱形，具浅槽，紫红色，被稀疏的糙毛或近无毛。叶对生，草质，具柄；叶柄长 0.7 ～ 2.5 cm，自下向上渐变短；叶片卵状长圆形或圆形，大小不等，先端钝，基部圆形、截形至宽楔形，下延至叶柄成狭翅，边缘具不明显的波状齿，或近全缘。轮伞花序密集排列成顶生的假穗状花序，花期时较短，后逐渐伸长；苞片肾形或横椭圆形，具骤尖头；花萼钟状，二唇形，上唇扁平，先端平截，有 3 不明显的短齿，中齿宽大，下唇 2 裂，裂片披针形，果时花萼由于下唇 2 齿斜伸而闭合；花冠紫色、蓝紫色

或红紫色，略超出于萼，长不及萼的 2 倍，下唇中裂片宽大，边缘具流苏状小裂片；雄蕊 4，二强，花丝先端 2 裂，1 裂片能育、具花药，花药 2 室，室极叉开；子房无毛。小坚果黄褐色，长圆状卵形，微具沟纹。花期 4 ~ 6 月，果期 6 ~ 8 月。

| 生境分布 | 生于荒地、路旁及山坡草丛中。分布于江苏镇江、南京、常州、无锡等。

| 资源情况 | 野生资源较丰富。

| 采收加工 | 5 ~ 6 月果穗呈棕红色时，选晴天采收，除去杂质，鲜用或晒干。

| 药材性状 | 本品呈长圆柱形或宝塔形，长 2.5 ~ 6.5 cm，直径 1 ~ 1.5 cm，棕色或淡紫褐色。宿萼数轮至十数轮，覆瓦状排列，每轮有 5 ~ 6 具短柄的宿萼，下方对生苞片 2。苞片肾形，淡黄褐色，纵脉明显，基部楔形，先端尖尾状，背面生白色粗毛。宿萼唇形，上唇宽广，先端微 3 裂，下唇 2 裂，裂片尖三角形，外面有粗毛。花冠及雄蕊都已脱落。宿萼内有小坚果 4，小坚果棕色，有光泽。体轻，质脆。微有清香气，味淡。以色紫褐、穗大者为佳。

| 功效物质 | 果穗含有三萜类、甾体类、黄酮类、香豆素类、苯丙素类等化学成分，具有抗肿瘤、抗炎免疫、抗氧化、降血糖、降血脂、降压等多种生物活性。

| 功能主治 | 苦、辛，寒。归肝、胆经。清火，明目，散结，消肿。用于目赤肿痛，目珠夜痛，头痛眩晕，瘰疬，瘿瘤，乳痈肿痛，甲状腺肿，淋巴结结核，乳腺增生，高血压。

| 用法用量 | 内服煎汤，6 ~ 15 g，大剂量可用至 30 g；或熬膏；或入丸、散剂。外用适量，煎汤洗；或捣敷。

| 附 注 | 本种喜温和、湿润的气候，耐寒，适应性强，怕积水。

唇形科 Lamiaceae 迷迭香属 Rosmarinus 凭证标本号 321284190913060LY

迷迭香 *Rosmarinus officinalis* L.

| 药 材 名 | 迷迭香（药用部位：全草）。

| 形态特征 | 灌木，高达 2 m。茎和老枝圆柱形，皮层暗灰色，不规则纵裂，呈块状剥落；幼枝四棱形，被白色星状绒毛。叶通常在枝上丛生，具极短的柄或无柄；叶片线形，长 1 ~ 2.5 cm，宽 1 ~ 2 mm，全缘，向背面反卷，表面近无毛，背面密生白色绒毛。花近无梗，对生，聚集在短枝的先端组成总状花序；花萼长约 4 mm，外面密生白色星状绒毛及腺体，内面无毛；花冠蓝紫色，长不及 1 cm，花冠筒稍外伸，上唇 2 浅裂，裂片卵圆形，下唇宽大，3 裂，中裂片最大，内凹，下倾，边缘为齿状，基部缢缩成柄，侧裂片长圆形；雄蕊 2，发育；子房裂片与花盘裂片互生。花期 11 月。

| **生境分布** | 江苏各地均有栽培。

| **资源情况** | 栽培资源一般。

| **采收加工** | 5 ~ 6 月采收，洗净，切段，晒干。

| **功效物质** | 主要含有迷迭香精油、鼠尾草酸、鼠尾草酚、迷迭香酸、黄酮及黄酮苷类成分等，具有抗菌、抗氧化、抗抑郁、抗神经损伤、抗炎等作用。

| **功能主治** | 发汗，健脾，安神，止痛。用于各种头痛，早期脱发。

| **用法用量** | 内服煎汤，4.5 ~ 9 g。外用适量，浸水洗。

| **附　　注** | 本种喜温暖的气候，较耐旱，土壤以富含砂质、排水良好的土壤为宜。

唇形科 Lamiaceae 鼠尾草属 Salvia 凭证标本号 320482181014106LY

华鼠尾草 *Salvia chinensis* Benth.

| 药 材 名 |

石见穿（药用部位：全草）。

| 形态特征 |

一年生草本。根紫褐色。茎高 20 ~ 70 cm，有柔毛。叶全部为单叶或下部为三出复叶，叶柄有毛；叶片卵形或卵状椭圆形，长 1.3 ~ 7 cm，宽 0.8 ~ 4.5 cm，两面有短柔毛。轮伞花序有 6 花，组成顶生或腋生的假总状或圆锥花序，花序长 5 ~ 24 cm；苞片小，披针形；花萼钟状，长 4.5 ~ 6 mm，紫色，外面脉上及内面喉部有长柔毛，上唇先端有 3 聚合的短尖头，下唇有 2 齿；花冠蓝紫色或紫色，长约 1 cm，伸出花萼外，外面有毛，筒内面有毛环，上唇先端凹，下唇有 3 裂片，中裂片倒心形；花丝短，药隔长，关节处有毛。小坚果椭圆状卵圆形，褐色，平滑。花期 7 ~ 8 月，果期 9 ~ 10 月。

| 生境分布 |

生于路边、山坡上。分布于江苏南京、镇江（句容）、常州（溧阳）、无锡（宜兴）、苏州（常熟）等。

资源情况	野生资源较少。
采收加工	花期采割,鲜用或晒干。
药材性状	本品茎呈方柱形,长 20 ~ 70 cm,直径 1 ~ 4 mm,单一或分枝;表面灰绿色或暗紫色,有白色长柔毛,茎的上部及节处毛多;质脆,易折断,折断面髓部白色或褐黄色。叶多卷曲,破碎,有时复叶脱落,仅见单叶,两面被白色柔毛,下面及脉上毛较明显。轮伞花序多轮,集成假总状;花冠二唇形,蓝紫色,多已脱落,宿萼筒外面脉上有毛,筒内面喉部有长柔毛。小坚果椭圆形,褐色。气微,味微苦、涩。以叶多、色绿、带花者为佳。
功效物质	主要含有异丹参酚酸 C、丹参酚酸 B、丹参酚酸 D、紫草酸、迷迭香酸、咖啡酸等丹参酚酸类成分。此外,还含有有机酸、酚类成分、生物碱、多糖、强心苷、香豆素类、皂苷、氨基酸和精油等多种成分,具有抗炎、抗氧化、抗肿瘤等作用。
功能主治	辛、苦,微寒。归肝、脾经。活血化瘀,清热利湿,散结消肿。用于月经不调,痛经,闭经,崩漏,便血,湿热黄疸,热毒血痢,淋痛,带下,风湿骨痛,瘰疬,疮肿,乳痈,带状疱疹,麻风,跌打伤肿。
用法用量	内服煎汤,6 ~ 15 g;或绞汁。外用适量,捣敷。
附　注	本种喜温暖或凉爽的气候。

唇形科 Lamiaceae 鼠尾草属 *Salvia* 凭证标本号 321202191101012LY

鼠尾草 *Salvia japonica* Thunb.

药材名

鼠尾草（药用部位：全草）。

形态特征

一年生草本，高 40 ~ 60 cm。茎下部叶为二回羽状复叶，叶柄长 7 ~ 9 cm，叶片长 6 ~ 10 cm，宽 5 ~ 9 cm；茎上部叶为一回羽状复叶，具短柄，顶生小叶披针形或菱形，侧生小叶卵状披针形，基部偏斜。轮伞花序有 2 ~ 6 花，组成顶生的假总状花序或圆锥花序，花序轴有毛；苞片披针形，长 2 ~ 5 mm，全缘，无毛；花萼筒状，外面被具腺柔毛，内面有毛环，上唇半圆形或三角形，先端具 3 小尖头，下唇半裂成 2 齿；花冠淡红色、淡紫色、淡蓝色或白色，长约 12 mm，外面有毛，筒内面有毛环，下唇中裂片倒心形；能育雄蕊 2，花丝长约 1 mm，药隔长约 6 mm。小坚果椭圆形。花期 6 ~ 9 月。

生境分布

生于山坡、草丛、水边或林下。分布于江苏南京、镇江、无锡（宜兴）、苏州等。

| **资源情况** | 野生资源较丰富。

| **采收加工** | 夏季采收，洗净，晒干。

| **药材性状** | 本品茎枝稍弯曲，多切成小段。叶多皱缩，展平后长 5 ~ 9 cm，宽 3 ~ 8 cm。轮伞花序，每轮有 2 ~ 6 花，花多脱落，苞片及小苞片披针形，花梗短，被柔毛。气香，稍具刺激性，味涩。

| **功效物质** | 富含挥发油类成分。此外，还含有三萜酸类化合物熊果酸、齐墩果酸、2α- 羟基熊果酸、委陵菜酸、β- 谷甾醇、β- 谷甾醇葡萄糖苷等，具有抗氧化、抗血小板聚集等作用。

| **功能主治** | 辛、苦，平。归心、肺、肝、大肠、膀胱经。清热利湿，活血调经，解毒消肿。用于黄疸，赤白下痢，湿热带下，月经不调，痛经，疮疡疖肿，跌打损伤。

| **用法用量** | 内服煎汤，15 ~ 30g。

唇形科 Lamiaceae 鼠尾草属 Salvia 凭证标本号 320282160428144LY

丹参
Salvia miltiorrhiza Bunge

| **药 材 名** | 丹参（药用部位：根及根茎）。

| **形态特征** | 多年生草本，高 30 ～ 80 cm，全体密被长柔毛及腺毛，触手有黏性。根肥壮，外皮砖红色。茎四棱形，上部分枝。单数羽状复叶对生；小叶常 3 ～ 5，先端小叶片较侧生叶片大，卵圆形或椭圆状卵圆形。轮伞花序组成假总状花序，顶生兼腋生；苞片披针形，先端渐尖，基部楔形，全缘，上面无毛，下面略被疏柔毛；花萼二唇形；花冠紫色，管内有毛环，上唇略呈盔状，下唇 3 裂；能育雄蕊 2，伸至上唇片，药隔长而柔软，药室不育，先端联合；退化雄蕊线形；花柱远外伸，先端不相等 2 裂，后裂片极短，前裂片线形。小坚果长圆形，成熟时暗棕色或黑色，椭圆形。花期 5 ～

10 月，果期 6 ~ 11 月。

| **生境分布** | 生于山坡、林下草丛或溪谷旁。分布于江苏镇江、南京、常州等。

| **资源情况** | 野生及栽培资源较丰富。

| **采收加工** | 立冬过后采挖，忌水洗，立即在太阳下晒，约晒去 1/3 的水分时刮去附着的泥土，晒干或摊晾至八成干，扎捆堆放一处。约 10 天后，摊开晒干，并用火烧去根上的须根。

| **药材性状** | 本品根茎粗大，先端有时残留红紫色或灰褐色茎基。根 1 至数条，砖红色或红棕色，长圆柱形，直或弯曲，有时有分枝和根须，长 10 ~ 20 cm，直径 0.2 ~ 1 cm；表面具纵皱纹及须根痕，老根栓皮灰褐色或棕褐色，常呈鳞片状脱落，露出红棕色新栓皮，有时皮部裂开，显出白色的木部。质坚硬，易折断，断面不平坦，角质样或纤维性，形成层环明显，木部黄白色，导管放射状排列。气微香，味淡、微苦、涩。

| **功效物质** | 根及根茎主要含有脂溶性丹参酮类及水溶性丹酚酸类功效成分，如丹参酮 ⅡA、丹参酮 Ⅰ、丹参酮 Ⅲ、隐丹参酮、二氢丹参酮 Ⅰ、丹酚酸 B、丹参素、原儿茶醛、迷迭香酸及迷迭香酸甲酯，以及丹酚酸（salvianolie acid）A、丹酚酸（salvianolie acid）B、丹酚酸（salvianolie acid）C、丹酚酸（salvianolie acid）D、丹酚酸（salvianolie acid）E、丹酚酸（salvianolie acid）F、丹酚酸（salvianolie acid）G 等功效成分。

| **功能主治** | 苦，微寒。归心、心包、肝经。活血祛瘀，通经止痛，清心除烦，凉血消痈。用于胸痹心痛，脘腹胁痛，癥瘕积聚，热痹疼痛，心烦不眠，月经不调，痛经，闭经，疮疡肿痛等。

| **用法用量** | 内服煎汤，5 ~ 15 g，大剂量可用至 30 g。

| **附 注** | 本种喜气候温和、光照充足、空气湿润、土壤肥沃的环境。适宜在肥沃的砂壤土上生长，对土壤酸碱度要求不高，中性、微酸性及微碱性土壤均可种植。

唇形科 Lamiaceae 鼠尾草属 *Salvia* 凭证标本号 320124170821034LY

荔枝草 *Salvia plebeia* R. Br.

| 药 材 名 |

荔枝草（药用部位：全草）。

| 形态特征 |

直立草本，高 15 ~ 90 cm。茎有短柔毛。叶片长圆形或椭圆状披针形，长 2 ~ 6.5 cm，宽 1 ~ 3 cm，叶面皱，叶背有腺点，两面有毛。轮伞花序有花 2 ~ 6，组成顶生的假总状花序或圆锥花序，花序长 10 ~ 25 cm，花序轴密被柔毛；苞片细小；花萼钟状，长约 2.7 mm，外面有金黄色腺点和短毛，二唇形，上唇有 3 较粗的脉，先端有 3 不明显的齿，下唇 2 齿，齿呈三角形；花冠紫色或蓝紫色，长约 4.5 mm，外面有毛，筒内面基部有毛环，上唇长圆形，先端有凹口，下唇 3 裂，中裂片最大，倒心形，两侧裂片近半圆形。小坚果倒卵圆状，褐色，平滑。花期 4 ~ 5 月，果期 6 ~ 7 月。

| 生境分布 |

生于路边草地、荒地或河边。江苏各地均有分布。

| 资源情况 |

野生资源丰富。

| **采收加工** | 6 ~ 7 月采收，除净泥土，扎成小把，鲜用或晒干。

| **药材性状** | 本品长 15 ~ 80 cm，多分枝。茎方柱形，直径 2 ~ 8 mm；表面灰绿色至棕褐色，被短柔毛；断面类白色，中空。叶对生，常脱落或破碎，完整叶多皱缩或卷曲，展开后呈长椭圆形或披针形，长 1.5 ~ 6 cm，边缘有圆锯齿或钝齿，背面有金黄色腺点，两面均被短毛；叶柄长 0.4 ~ 1.5 cm，密被短柔毛。轮伞花序顶生或腋生，花序具花 2 ~ 6，集成多轮假总状或穗状花序；花冠多脱落；宿存花萼钟状，长约 2.5 mm，灰绿色或灰棕色，外面有金黄色腺点及短柔毛，内藏棕褐色倒卵圆形的小坚果。

| **功效物质** | 主要含有黄酮及其苷类、萜类、苯丙素类化学成分等，具有抗炎、抗氧化、抗菌和抗病毒等药理作用。

| **功能主治** | 苦、辛，凉。归肺、胃经。清热解毒，凉血散瘀，利水消肿。用于感冒发热，咽喉肿痛，肺热咳嗽，咯血，吐血，尿血，崩漏，痔疮出血，肾炎水肿，白浊，痢疾，痈肿疮毒，湿疹瘙痒，跌打损伤，蛇虫咬伤。

| **用法用量** | 内服煎汤，9 ~ 30 g，鲜品 15 ~ 60 g；或捣绞汁。外用适量，捣敷；或绞汁含漱及滴耳；或煎汤洗。

| **附　注** | 本种喜温暖、湿润环境。

唇形科 Lamiaceae 鼠尾草属 Salvia 凭证标本号 320124170821054LY

红根草 *Salvia prionitis* Hance

| 药 材 名 | 红根草（药用部位：全草）。

| 形态特征 | 一年生草本。根茎缩短。茎高 20 ～ 43 cm，被白色的长硬毛。叶多数基生，单叶或三出羽状复叶；单叶长圆形、椭圆形或卵状披针形，长 2.5 ～ 7.5 cm，宽 1.3 ～ 4.5 cm，表面被硬毛，背面沿叶脉被长硬毛；复叶者顶生小叶最大，侧生小叶变小；叶柄长 1.5 ～ 6 cm。轮伞花序具 6 ～ 14 花，疏离，组成顶生总状花序或总状圆锥花序；苞片极小，披针形；花萼钟形，带紫色，外面有柔毛，筒内面喉部有毛环，二唇形，上唇三角形，下唇比上唇长，先端 2 齿，齿端尖；花冠青紫色，长约 1 cm，筒内有毛环，下唇中裂片先端微缺；能育雄蕊 2，伸出花冠外。小坚果椭圆形。花期 6 ～ 8 月。

| **生境分布** | 生于山坡灌丛中或路旁。分布于江苏南京（高淳）、常州（溧阳）等。

| **资源情况** | 野生资源一般。

| **采收加工** | 夏、秋季采收，洗净，晒干。

| **功效物质** | 主要含有红根草邻醌、丹参酮、隐丹参酮和 β- 谷甾醇。红根草邻醌为首次从植物中分离得到的天然产物，对 P_{388} 白血病细胞有显著的抑制作用，抗菌活性亦显著。

| **功能主治** | 微苦，凉。疏风清热，利湿，止血，安胎。用于感冒发热，肺炎咳喘，咽喉肿痛，肝炎胁痛，腹泻，痢疾，肾炎，吐血，胎漏。

| **用法用量** | 内服煎汤，15 ~ 30 g，大剂量可用45 ~ 60 g；或研末吞服，每次6 ~ 9 g，每日2次。

唇形科 Lamiaceae 鼠尾草属 Salvia 凭证标本号 320621181124093LY

一串红 *Salvia splendens* Ker-Gawl.

| **药 材 名** | 一串红（药用部位：全草）。

| **形态特征** | 草本。茎高约 80 cm，光滑。叶片卵形或卵圆形，长 4 ~ 8 cm，宽 2.5 ~ 6.5 cm，先端渐尖，基部圆形，两面无毛，背面有腺点。轮伞花序具 2 ~ 6 花，密集成顶生假总状花序，花序长约 20 cm；苞片卵圆形；花萼钟形，长 11 ~ 22 mm，绯红色，上唇全缘，下唇 2 裂，齿卵形，先端急尖；花冠红色，花冠筒伸出萼外，长 3.5 ~ 5 cm，外面有红色柔毛，筒内面无毛环；雄蕊和花柱伸出花冠外。小坚果椭圆形，有 3 棱，平滑。花期 7 ~ 10 月。

| **生境分布** | 江苏各地均有栽培。

| 资源情况 | 栽培资源较丰富。

| 采收加工 | 秋季割取，置于太阳底下晾晒，有时鲜用。

| 功效物质 | 主要含有二萜苷类成分，种子油中含有不饱和脂肪酸亚油酸。

| 功能主治 | 消肿，解毒，凉血。用于蛇咬伤。

| 附　注 | 本种喜光，耐半阴，适宜于疏松、肥沃、排水良好的砂壤土中生长。耐寒性差，生长适宜温度为 20 ～ 25 ℃。

唇形科 Lamiaceae 裂叶荆芥属 Schizonepeta 凭证标本号 NAS00586981

裂叶荆芥

Schizonepeta tenuifolia (Benth.) Briq.

药材名

荆芥（药用部位：地上部分）、荆芥炭（药材来源：用炒炭法炒至表面焦黑色、内部焦黄色的荆芥段）、荆芥穗（药用部位：花穗）、荆芥穗炭（药材来源：用炒炭法炒至表面焦黑色、内部焦黄色的荆芥花穗）、荆芥根（药用部位：根）。

形态特征

全草有香味，高 30 ~ 100 cm，有灰白色毛。叶掌状 3 裂，偶有多裂，长 1 ~ 3.5 cm，宽 1.5 ~ 2.5 cm，两面有短柔毛，下面有腺点；叶柄短，长 2 ~ 10 mm。花序为多数轮伞花序组成的顶生穗状花序，长 2 ~ 13 cm；苞片叶状，下部与叶同形，上部逐渐变小，小苞片线形，极小；花萼狭钟状，长约 3 mm，脉 15，萼齿三角状披针形，先端渐尖；花冠青紫色，长约 4.5 mm，下唇中裂片先端微凹，基部狭窄。小坚果棕色，三棱状长圆形，有小点。花果期 6 ~ 9 月。

生境分布

江苏南通（海门）、泰州、苏州（太仓、常熟）等曾有栽培。

| 资源情况 | 野生资源一般。

| 采收加工 | **荆芥:** 秋季花开、穗绿时割取,晒干;或先摘花穗,再割取茎枝,分别晒干。
荆芥根: 夏、秋季采挖,洗净,鲜用或晒干。

| 药材性状 | **荆芥:** 本品茎呈方柱形,上部有分枝,长 50 ~ 80 cm,直径 0.2 ~ 0.4 cm;表面黄绿色或紫棕色,被白色短柔毛;体轻,质脆,折断面纤维状,黄白色,中心有白色疏松的髓。叶对生,多已脱落,掌状 3 裂或羽状 5 裂,偶有多裂,裂片细长。顶生穗状轮伞花序,长 3 ~ 13 cm,直径约 7 mm;花冠多脱落,宿萼黄绿色,钟形,质脆,易碎,内有棕黑色小坚果。气芳香,味微涩而辛、凉。以色淡黄绿、穗密而长、香气浓者为佳。

| 功效物质 | 富含挥发油类、单萜类、黄酮类、酚酸类化学成分等,具有抗病毒、抗炎镇痛、抗氧化等药理作用。

| 功能主治 | **荆芥、荆芥穗:** 辛、微苦,微温。归肺、肝经。解表散风,透疹,消疮。用于感冒,头痛,麻疹,风疹,疮疡初起。
荆芥炭、荆芥穗炭: 收敛止血。用于便血,崩漏,产后血晕。

| 用法用量 | **荆芥、荆芥穗:** 内服煎汤,3 ~ 10 g;或入丸、散剂。外用适量,煎汤熏洗;或捣敷;或研末调敷。

| 附　　注 | 本种喜温暖、湿润的气候,幼苗能耐 0 ℃左右的低温,温度低于 −2 ℃则会出现冻害。喜光,怕干旱,忌积水。以疏松肥沃、排水良好的砂壤土、油砂土、夹砂土栽培为宜。忌连作。

唇形科 Lamiaceae　黄芩属 Scutellaria　凭证标本号 320481160424268LY

黄芩
Scutellaria baicalensis Georgi

| 药 材 名 | 黄芩（药用部位：根）、黄芩子（药用部位：果实）。

| 形态特征 | 多年生草本。主根粗壮，直径约 2 cm，黄色。茎高 30 ～ 120 cm，多分枝。近无毛或有微柔毛。叶有短柄或近无柄；叶片披针形至狭披针形，长 1.5 ～ 5 cm，全缘，两面无毛或疏生柔毛，背面有腺点。总状花序顶生，长 7 ～ 15 cm；苞片卵状披针形；花萼长约 4 mm，囊状盾片高 1.5 mm，果时增大，外面有毛；花冠紫色、紫红色或蓝紫色，长 2.3 ～ 3 cm，花冠筒基部明显膝曲，冠檐二唇形，上唇先端微凹，下唇中裂片三角状卵圆形，外面有毛；雄蕊 4，稍露出；花柱先端微裂；子房无毛。小坚果卵圆形，表面有小瘤状突起，腹面近基部有果脐。花果期 8 ～ 10 月。

| 生境分布 | 生于海拔 60 ~ 2 000 m 的向阳干燥山坡、荒地、路边。分布于江苏连云港等。江苏南京有栽培。

| 资源情况 | 野生及栽培资源一般。

| 采收加工 | 黄芩：栽培 2 ~ 3 年收获，秋后茎叶枯黄时，选晴天挖取，去掉附着的茎叶，抖落泥土，晒至半干，撞去外皮，晒干或烘干。
黄芩子：夏、秋季果实成熟后采摘，晒干。

| 药材性状 | 黄芩：本品呈圆锥形，多扭曲，长 5 ~ 25 cm，直径约 2 cm。表面棕黄色或深黄色，粗糙，有明显的纵向皱纹或不规则网纹，具侧根残痕，先端有茎痕或残留茎基。质硬而脆，易折断，断面黄色，中间红棕色，老根木部枯朽，棕黑色或中空者称"枯芩"。气微，味苦。以条长、质坚实、色黄者为佳。
黄芩子：本品卵球形，长 1 ~ 5 mm，黑褐色，表面有小瘤状突起，腹面近基部有果脐。

| 功效物质 | 主要含有黄酮及其苷类、萜类化合物、多糖及挥发油等成分，黄酮及其苷类以黄芩苷、黄芩素、汉黄芩苷、汉黄芩素为主，具有解热、抗炎、抗菌、抗病毒、抗肿瘤、抗氧化等药理活性。

| 功能主治 | 黄芩：苦，寒。归肺、心、肝、胆、大肠经。清热燥湿，泻火解毒，止血，安胎。用于湿温，暑湿，胸闷呕恶，湿热痞满，泻痢，黄疸，肺热咳嗽，高热烦渴，血热吐衄，痈肿疮毒，胎动不安。

| 用法用量 | 黄芩：内服煎汤，3 ~ 9 g；或入丸、散剂。外用适量，煎汤洗；或研末调敷。
黄芩子：内服煎汤，5 ~ 10 g。

| 附 注 | 本种喜温暖、凉爽的气候，耐严寒，耐旱，耐瘠薄，成年植株地下部分可忍受 −30 ℃的低温。以阳光充足、土层深厚、肥沃的中性或微碱性壤土或砂壤土栽培为宜。忌连作。

唇形科 Lamiaceae 黄芩属 Scutellaria 凭证标本号 320830150509036LY

半枝莲 *Scutellaria barbata* D. Don

| **药 材 名** | 半枝莲（药用部位：全草）。

| **形态特征** | 多年生直立草本，高 15 ~ 50 cm，不分枝或少分枝。茎方形，无毛。叶片三角状卵形或卵状披针形，长 1 ~ 3 cm，宽 0.5 ~ 1.3 cm，先端急尖，基部宽楔形或近截形，边缘有少数钝齿，两面无毛或背面脉上有短毛；叶柄长 1 ~ 3 mm。每节 2 花排列成偏侧的总状花序；下部的苞片叶状，上部的苞片渐变小，脉上有毛；花萼长 2 ~ 3 mm，外面有毛，盾片高约 1 mm，果时萼与盾片略增大；花冠青紫色，长 9 ~ 13.8 mm，外面密生柔毛；雄蕊 2 对，不伸出或微露出。小坚果长约 1 mm，具小瘤状突起。

| **生境分布** | 生于水田边、溪边和湿草地。分布于江苏徐州（睢宁）、连云港、

盐城（阜宁）、南通、南京、镇江、无锡、苏州等。

| **资源情况** | 野生资源较丰富。

| **采收加工** | 种子繁殖的，从第 2 年起，每年的 5 月、7 月、9 月都可收获 1 次；分株繁殖的，在当年 9 月收获第 1 次，以后每年可收获 3 次。用刀齐地割取，拣除杂草，捆成小把，晒干或阴干。

| **功效物质** | 主要含有黄酮类、二萜类、三萜类、甾体类、多糖类等化学成分，具有抗肿瘤、抗炎、抗菌等生物活性。

| **功能主治** | 辛、苦，寒。归肺、肝、肾经。清热解毒，化瘀利尿。用于疔疮肿毒，咽喉肿痛，跌打伤痛，水肿，黄疸，蛇虫咬伤。

| **用法用量** | 内服煎汤，15 ~ 30 g。

唇形科 Lamiaceae 黄芩属 Scutellaria 凭证标本号 320703170418751LY

韩信草 *Scutellaria indica* L.

| 药 材 名 | 韩信草（药用部位：全草）。

| 形态特征 | 多年生直立草本。茎高 10 ~ 37 cm，有柔毛。叶心状卵圆形、卵圆形或肾形，长 1.2 ~ 3.5 cm，宽 1 ~ 3 cm，先端钝圆，基部心形，边缘有圆锯齿，两面密生细毛，背面有腺点；叶柄长 5 ~ 15 mm。花轮有 2 花，排列成偏向一侧的顶生总状花序；花萼钟状，长 2 ~ 2.5 mm，囊状盾片高约 1.5 mm，果时增大；花冠蓝紫色，长 14 ~ 20 mm，外面有短柔毛和腺点，上唇长约 2 mm，宽约 3 mm，先端微凹，下唇有 3 裂片，中裂片圆卵形；雄蕊 4，二强，不伸出花冠外。成熟小坚果卵形，有小瘤状突起，腹面近基部有 1 果脐。花期 4 ~ 5 月，果期 6 ~ 9 月。

| 生境分布 | 生于山坡路旁草丛中。分布于江苏连云港、南京、常州（溧阳）、无锡（宜兴）、镇江、苏州（常熟）等。

| 资源情况 | 野生资源丰富。

| 采收加工 | 春、夏季采收，洗净，鲜用或晒干。

| 药材性状 | 本品长 10 ~ 25 cm，全体被毛，叶上尤多。根纤细。茎方柱形，有分枝，表面灰绿色。叶对生，叶片灰绿色或绿褐色，多皱缩，展平后呈卵圆形，长 1.5 ~ 3 cm，宽 1 ~ 2.5 cm，先端圆钝，基部浅心形或平截，边缘有钝齿；叶柄长 0.5 ~ 1.5 cm。总状花序顶生，花偏向一侧；花冠蓝色，二唇形，多已脱落，长约 1.5 cm；宿萼钟形，萼筒背部有 1 囊状盾片，呈"耳挖"状。小坚果圆形，淡棕色，气微，味微苦。以茎枝细匀、叶多、色绿、带"耳挖"状果枝者为佳。

| 功效物质 | 主要含有黄酮类成分、酚类成分、氨基酸及有机酸等，黄酮类成分具有抗肿瘤、抗炎、抗病毒及抑制精氨酸酶 II 等生物活性。

| 功能主治 | 辛、苦，寒。归心、肝、肺经。清热解毒，活血止痛，止血消肿。用于痈肿疔毒，肺痈，肠痈，瘰疬，毒蛇咬伤，肺热咳喘，牙痛，喉痹，咽痛，筋骨疼痛，吐血，咯血，便血，跌打损伤，创伤出血，皮肤瘙痒。

| 用法用量 | 内服煎汤，10 ~ 15 g；或捣汁，鲜品 30 ~ 60 g；或浸酒。外用适量，捣敷；或煎汤洗。

唇形科 Lamiaceae 黄芩属 Scutellaria 凭证标本号 320803180703141LY

京黄芩

Scutellaria pekinensis Maxim.

| 药 材 名 | 京黄芩（药用部位：全草）。

| 形态特征 | 一年生草本。茎直立，高 24 ~ 40 cm，基部常带紫色，疏被白色小柔毛，尤以上部者较密。叶柄长 0.5 ~ 2 cm；叶片卵形或三角状卵形，长 1.5 ~ 5 cm，宽 1.2 ~ 3.5 cm，先端锐尖或钝，基部截形至近圆形，边缘有锯齿，两面有小柔毛。花对生，排列成长 4.5 ~ 11.5 cm 的顶生总状花序；苞片除花序上最下 1 对较大外，其余均细小；花萼长约 3 mm，有柔毛，盾片高约 1.5 mm，果时增大，可达 4 mm；花冠蓝紫色，长 1.5 ~ 2 cm，外面有毛，花冠筒前方基部略呈膝曲状，冠檐二唇形，下唇中裂片宽卵形；雄蕊 4，二强；花盘肥厚，前方隆起。小坚果栗色或黑栗色，卵形，直径约

1 mm，具瘤状突起。花期 6 ~ 8 月，果期 7 ~ 10 月。

| **生境分布** | 生于山坡、谷地或林下。分布于江苏北部等。

| **资源情况** | 野生资源较丰富。

| **采收加工** | 夏、秋季采收，洗净，晒干。

| **功效物质** | 主要含有酚类及萜类成分。

| **功能主治** | 清热解毒。用于跌打损伤。

唇形科 Lamiaceae 黄芩属 Scutellaria 凭证标本号 NAS00227125

紫茎京黄芩 *Scutellaria pekinensis* Maxim. var. *purpureicaulis* (Migo) C. Y. Wu et H. W. Li

| 药 材 名 | 紫茎京黄芩（药用部位：全草）。

| 形态特征 | 本种与京黄芩的区别在于本种的茎和叶柄密被短柔毛，常带紫色；叶两面疏被具节的柔毛，下面脉上密被短柔毛。花果期 5 ~ 9 月。

| 生境分布 | 生于山坡林下。分布于江苏苏州等。

| 资源情况 | 野生资源一般。

| 采收加工 | 夏、秋季采收，洗净，晒干。

| 功效物质 | 含有酚类和萜类成分。

| **功能主治** | 清热解毒。用于跌打损伤。

唇形科 Lamiaceae 黄芩属 *Scutellaria* 凭证标本号 320482181213331LY

假活血草 *Scutellaria tuberifera* C. Y. Wu et C. Chen

| **药 材 名** | 假活血草（药用部位：全草）。

| **形态特征** | 一年生草本。根茎斜行，细弱，在节上生出纤维状的细根及长而无叶的匍匐枝，在末端常具块茎。块茎球形或卵球形，直径 5 ~ 8 mm。茎直立或基部伏地而上升，高 10 ~ 25（~ 30）cm，直径 1 ~ 1.2（~ 1.5）mm，四棱形，通常密被平展的具节疏柔毛，不分枝或有时从基部节上分枝，茎中部节间长 1.3 ~ 6 cm。茎下部的叶圆形、卵圆形或肾形，长 0.5 ~ 1 cm，宽 0.8 ~ 1.3 cm，先端钝或圆形，基部深心形，边缘具近规则的 4 ~ 7 对圆齿，草质，上面绿色，下面苍白色，两面被贴生的具节疏柔毛，掌状脉，脉在上面微凹陷，在下面凸起，叶柄伸长，长 3 ~ 15 cm，背腹扁平，密被平

展具节的疏柔毛；茎中部及上部叶圆形、卵圆形或披针状卵圆形，长 1 ~ 1.8（~ 2.4）cm，宽 1.2 ~ 1.5（~ 2）cm，先端极钝，基部浅心形或近截形，叶柄向茎上部渐短，长 0.4 ~ 1.5 cm。花单生于茎中部以上或茎上部的叶腋内，初时直立，后下垂；花梗长 2 ~ 3 mm，被平展的疏柔毛，基部有 1 对钻形、长约 1 mm 的小苞片；花萼开花时长约 3 mm，被疏柔毛，盾片高 0.75 mm，果时花萼增大，长达 6 mm，盾片高达 3 mm；花冠淡紫色或蓝紫色，长约 6 mm，外面疏被短柔毛，内面无毛，花冠筒直伸，基部前方微微膨大，向上渐增大，至喉部宽约 3 mm，冠檐二唇形，上唇短小，直立，长圆形，长约 1.5 mm，先端圆，罕微缺，下唇向上伸展，梯形，长约 4 mm，宽约 5 mm，先端及两侧微缺，两侧裂片长圆状卵圆形，比上唇片稍短，几全部与上唇片合生；雄蕊 4，前对较长，微露出，具能育半药，退化半药不明显，后对较短，内藏，具全药，药室裂口具髯毛，花丝扁平，前对内侧、后对两侧下部被小疏柔毛；花柱细长，先端锐尖，微裂；花盘扁圆形，前方微膨大，后方延伸成极短的子房柄；子房 4 裂，裂片等大。小坚果黄褐色，卵球形，直径约 2 mm，背面具瘤状突起，腹面隆起成圆锥形，光滑，先端具果脐，赤道面上无翅环绕。花期 3 ~ 4 月，果期 4 月。

| **生境分布** | 生于草坡阴处、林下或溪边草丛中。分布于江苏苏州、南京、镇江（句容）、无锡（宜兴）等。

| **资源情况** | 野生资源一般。

| **采收加工** | 春季采收，洗净，晒干。

| **功能主治** | 活血化瘀，利水消肿。用于各种妇科炎症。

唇形科 Lamiaceae 水苏属 Stachys 凭证标本号 320924170531054LY

水苏
Stachys japonica Miq.

| 药 材 名 |

水苏（药用部位：全草或根）。

| 形态特征 |

多年生草本。根茎横走。茎高 20 ~ 80 cm，节间无毛，棱和节上有小刚毛。叶长圆状披针形，长 5 ~ 10 cm，宽 1 ~ 2.3 cm，两面无毛或有时疏生短毛。轮伞花序具 6 ~ 8 花，下部者远离，上部者密集，组成穗状花序，花序长 5 ~ 13 cm；小苞片刺状，微小；花萼外面有柔毛或近无毛，脉 10，齿 5，等大，三角状披针形，有刺尖头；花冠粉红色或淡红紫色，长约 1.2 cm，花冠筒内有毛环，二唇形，上唇直立，倒卵形，下唇 3 裂，中裂片近圆形。小坚果卵圆形，无毛。花期 5 ~ 6 月，果期 6 ~ 7 月。

| 生境分布 |

生于水沟边或河旁杂草地。分布于江苏连云港、苏州（常熟）、南京（六合）等。

| 资源情况 |

野生资源较丰富。

采收加工	7 ~ 8 月采收，鲜用或晒干。

| 药材性状 | 本品茎呈四棱形，长 15 ~ 40 cm，直径 0.1 ~ 0.3 cm；表面黄绿色至绿褐色，较粗糙，棱及节上疏生倒向柔毛状刚毛。叶对生，叶柄长 1 ~ 5 mm，叶展平后呈短矩圆状披针形，长 1.5 ~ 8 cm，宽 0.6 ~ 1.5 cm，边缘锯齿明显。花通常 6 朵排列成轮伞花序，着生于茎枝上部叶腋内；花萼钟形，具 5 齿，齿端锐尖，表面具腺毛。小坚果卵圆状三棱形，墨色，较光滑。气微，味淡。 |

| 功效物质 | 主要含有黄酮类、多酚类、鞣质类、皂苷类、强心苷类、萜类、多糖类、氨基酸类等化学成分，具有免疫调节和抗氧化作用。 |

| 功能主治 | 辛，凉。归肺、胃经。清热解毒，止咳利咽，止血消肿。用于感冒，痧证，肺痿，肺痈，头风目眩，咽痛，失音，吐血，咯血，衄血，崩漏，痢疾，淋证，跌打肿痛。 |

| 用法用量 | 内服煎汤，9 ~ 15 g。外用适量，煎汤洗；或研末撒；或捣敷。 |

| 附　注 | 本种民间用于治疗百日咳、扁桃体炎等。 |

唇形科 Lamiaceae　水苏属 Stachys　凭证标本号　320684160528019LY

针筒菜

Stachys oblongifolia Benth.

| **药 材 名** | 野油麻（药用部位：全草或根）。

| **形态特征** | 多年生草本。具横走根茎。茎直立或基部多少匍匐，高 30 ～ 60 cm，棱和节上有长柔毛。叶长圆状披针形，长 3 ～ 7 cm，宽 1 ～ 2 cm，两面有毛；叶柄长约 2 mm 或近无柄。轮伞花序通常具 6 花，下部者远离，上部者密集排列成长 5 ～ 8 cm 的假穗状花序；小苞片线形，具微柔毛；花萼钟状，外面有具腺绒毛，具 10 脉，齿 5，近等大或下 2 齿略长，先端具尖头；花冠粉红色或粉红紫色，长约 1.3 cm，花冠筒内面喉部有微柔毛，毛环不明显或缺，冠檐二唇形，上唇直立，下唇 3 裂，中裂片肾形。小坚果卵球形。花期 5 ～ 6 月，果期 6 ～ 7 月。

| **生境分布** | 生于河边草丛中。分布于江苏南京、无锡（宜兴）、镇江、苏州等。

| **资源情况** | 野生资源较丰富。

| **采收加工** | 夏、秋季采收，洗净，鲜用或晒干。

| **功效物质** | 全草含有挥发油类、黄酮类、萜类等成分。

| **功能主治** | 补气，止血。用于病后体弱，气虚乏力，久痢，外伤出血。

唇形科 Lamiaceae 香科科属 *Teucrium* 凭证标本号 320803180812184LY

穗花香科科 *Teucrium japonicum* Willd.

| 药 材 名 | 水藿香（药用部位：全草）。

| 形态特征 | 多年生直立草本，高 50 ~ 125 cm。茎四棱形，下部无毛，上部棱上和节处有向下的毛。叶卵状长圆形至卵圆状披针形，长 2 ~ 11.5 cm，宽 1 ~ 5.5 cm，先端急尖或短渐尖，基部心形至平截，边缘有齿，除背面中肋的基部偶疏生短柔毛外，其余均无毛；叶柄长不及叶片的 1/5。假穗状花序生于主茎及上部分枝的先端，无毛；苞片线状披针形；花萼筒状，5 齿近相等；花冠白色或淡红色，花冠筒为花冠全长的 1/4，内无毛环。小坚果合生面超过果实的一半。花果期 7 ~ 10 月。

| 生境分布 | 生于水边、山地及原野。分布于江苏镇江、苏州（常熟）等。

| **资源情况** | 野生资源一般。 |

| **采收加工** | 7 ~ 10 月采收，洗净，晒干。 |

| **功效物质** | 地上部分含山藿香素、穗花香科素、穗花石蚕素等二萜类成分，以及刺槐素、滨蓟黄素等黄酮类成分。 |

| **功能主治** | 辛、微甘，平。发表散寒，利湿除痹。用于外感风寒，头痛，身痛，风寒湿痹。 |

| **用法用量** | 内服煎汤，15 ~ 30 g。外用适量，捣敷。 |

唇形科 Lamiaceae 香科科属 Teucrium 凭证标本号 320282151018063LY

庐山香科科
Teucrium pernyi Franch.

| 药 材 名 | 庐山香科科（药用部位：全草）。

| 形态特征 | 直立草本，高 30 ~ 80 cm。茎方形，密生倒向短柔毛。叶对生，卵状披针形或披针形，长 2.5 ~ 8.5 cm，宽 1 ~ 3.5 cm，边缘有粗锯齿，两面有短毛，背面有金黄色腺点；叶柄短。假穗状花序腋生及顶生；苞片卵形，全缘，有毛；花萼钟形，内面有毛环，外面有柔毛，上唇有 3 齿，中齿最大，卵圆形，先端尖，两侧裂齿长不到中齿之半，下唇 2 齿披针形或三角状钻形，齿间弯缺深裂至喉部；花冠白色，有时稍带红晕，花冠筒稍伸出，檐部单唇形，唇片与筒成直角，中裂片特别发达，椭圆状匙形，内凹，最后 1 对裂片近三角形；雄蕊超过花冠筒一半以上，花柱先端 2 裂，裂片不相等。小坚果有白色斑点。花果期 8 ~ 10 月。

| **生境分布** | 生于山坡草丛阴湿处。分布于江苏无锡（宜兴）、常州（溧阳）等。 |

| **资源情况** | 野生资源一般。 |

| **采收加工** | 夏、秋季采收，洗净，鲜用或晒干。 |

| **功效物质** | 全草含庐山香科素、山藿香啶、黄花石蚕素、高山香科素、林石蚕素等二萜类成分。 |

| **功能主治** | 苦、辛，温。清热解毒，凉肝活血。用于肺脓肿，小儿惊风，痈疮，跌打损伤。 |

| **用法用量** | 内服煎汤，9 ~ 15 g。 |

| **附　注** | 本种的叶外用可治疗痈疮。 |

唇形科 Lamiaceae 香科科属 *Teucrium* 凭证标本号 320703150818387LY

血见愁 *Teucrium viscidum* Blume

| 药 材 名 | 山藿香（药用部位：全草）。

| 形 态 特 征 | 多年生草本。茎高 30 ~ 70 cm，上部密生腺毛，下部无毛或近无毛。叶卵状长圆形，长 3 ~ 10 cm，宽 1.5 ~ 4.5 cm，两面近无毛或有极稀的细柔毛，边缘有锯齿；叶柄长约为叶片的 1/4。假穗状花序顶生或腋生，顶生者自基部多分枝，密生腺毛；苞片卵状披针形，全缘；花萼钟形，5 齿近相等，外面有腺毛；花冠白色、淡红色或淡紫色，花冠筒长超过花冠全长的 1/3，檐部单唇形，中裂片最大，正圆形，侧裂片卵状三角形；雄蕊伸出；花柱与雄蕊等长。小坚果扁圆形，光滑，合生面超过果实长的 1/2。花果期 8 ~ 10 月。

| 生 境 分 布 | 生于山坡林下。分布于江苏无锡（宜兴）等。

| 资源情况 | 野生资源丰富。

| 采收加工 | 7 ~ 8 月采收，洗净，鲜用或晒干。

| 药材性状 | 本品长 30 ~ 50 cm。根须状。茎方柱形，具分枝；表面黑褐色或灰褐色，被毛，嫩枝毛较密，节处有多数灰白色须根。叶对生，灰绿色或灰褐色，叶片皱缩、易碎，完整者展平后呈卵形或矩圆形，长 3 ~ 6 cm，宽 1.5 ~ 3 cm，先端短渐尖或短尖，基部圆形或阔楔形，下延，边缘具粗锯齿，两面均有毛，下面毛较密；叶柄长约 1.5 cm。间见枝顶或叶腋有淡红色小花，花萼钟形。小坚果圆形，包于宿萼中。花、叶以手搓之微有香气，味微辛、苦。以叶多、色灰绿、气香者为佳。

| 功效物质 | 全草含单萜类、大柱香波龙烷类、倍半萜类、二萜类、三萜类、苯丙素类、有机酸类、木脂素类、生物碱类化学成分等，单萜类成分有黑麦草内酯、呋喃酮衍生物，大柱香波龙烷类成分有大柱香波龙烯、大柱香波龙烯醇、大柱香波龙烯酮衍生物等，三萜类成分有熊果酸等，木脂素类成分有松脂酚等。

| 功能主治 | 辛、苦，凉。归肺、大肠经。凉血止血，解毒消肿。用于咯血，吐血，衄血，肺痈，跌打损伤，痈疽肿毒，痔疮肿痛，漆疮，足癣，狂犬咬伤，毒蛇咬伤。

| 用法用量 | 内服煎汤，15 ~ 30 g，鲜品加倍；或捣汁；或研末。外用适量，捣敷；或煎汤熏洗。

| 附　　注 | 本种可用于治疗崩漏。

茄科 Solanaceae 辣椒属 *Capsicum* 凭证标本号 320830161011035LY

辣椒 *Capsicum annuum* L.

| 药 材 名 | 辣椒（药用部位：果实）。

| 形态特征 | 一年生草本，灌木状，高 50 ~ 100 cm。茎多分枝，稍呈 "之" 字形折曲，近无毛或微生柔毛。叶片常为矩圆状卵形、卵形或卵状披针形，长 3 ~ 10 cm，宽 1 ~ 4 cm，先端渐尖或急尖，基部楔形，近全缘；叶柄长 4 ~ 7 cm。花单生于叶腋或枝腋；花梗下垂；花萼杯状，有 5 小齿，被疏柔毛；花冠白色或青黄色，5 裂，裂片卵形；花药灰紫色。浆果直立或下垂，卵圆形、长椭圆形或长指状，长 5 ~ 10 cm，直径 1 ~ 2 cm，先端尖而稍弯，少汁液，果皮与胎座之间有空腔，未成熟时绿色，成熟后红色、橙色或紫红色，有辣味；种子扁肾形，长 3 ~ 5 mm，淡黄色。花果期 5 ~ 11 月。

| 生境分布 | 栽培于土层深厚肥沃、富含有机质和透气性好的砂壤土和两合土中。江苏各地普遍栽培。

| 资源情况 | 栽培资源丰富。

| 采收加工 | 7~10月果实成熟转红色时采收，晒干。

| 药材性状 | 本品形状、大小因品种而异。一般为长圆锥形而稍有弯曲，基部微圆，常有绿棕色、具5裂齿的宿萼及稍粗壮而弯曲或细直的果柄。表面光滑或有沟纹，橙红色、红色或深红色，具光泽，果肉较厚。质较脆，横切面可见中轴胎座，菲薄的隔膜将果实分为2~3室，内含多数黄白色、扁平圆形或倒卵形的种子。干品果皮皱缩，暗红色，果肉干薄。气特异，催嚏性，味辛、辣。

| 功效物质 | 果实含生物碱类、单萜类、倍半萜类、大柱香波龙烷类、二萜类、类胡萝卜素、黄酮类、有机酸类、挥发油类等丰富的资源性成分，其中尤以生物碱类和类胡萝卜素成分种类丰富。生物碱类成分包括辣椒素、二氢辣椒素、高辣椒素及酰胺衍生物等；二萜类成分主要为辣椒萜苷系列成分及其酯类；类胡萝卜素成分包括辣椒玉红素、辣椒红素，以及月桂酸酯、肉豆蔻酸酯、棕榈酸酯等。辣椒碱类成分具有健胃、抗菌、杀虫、升压、利尿等作用，是主要活性成分。

| 功能主治 | 辛，热。归脾、胃经。温中散寒，开胃消食。用于寒滞腹痛，呕吐，泻痢，冻疮。

| 用法用量 | 内服入丸、散剂，1~3g。外用适量，煎汤熏洗；或捣敷。

| 附　　注 | （1）本种的根外用可治疗冻疮，茎叶粉剂可杀虫。
（2）江苏辣椒的主要栽培品种有：①朝天椒 *Capsicum annuum* L. var. *conoide*（Mill.）Irish，又名指天椒，成熟后红色或紫色，辣味甚强；②菜椒 *Capsicum annuum* L. var. *grossum*（L.）Sendtn.，又名灯笼椒，成熟时红色、橙色或黄色，不辣或微辣，可作蔬菜或调味品；③簇生椒 *Capsicum annuum* L. var. *fasciculatum*（Sturtev.）Irish，常作盆景，也作蔬菜或调味品。
（3）本种喜温暖，怕寒冷，尤怕霜冻，且忌高温和暴晒，喜潮湿但怕水涝，比较耐肥。宜在土层深厚肥沃、富含有机质、透水性好的砂壤土和两合土上种植。不宜与茄科植物连作。

茄科 Solanaceae 曼陀罗属 *Datura* 凭证标本号 320382180727004LY

毛曼陀罗 *Datura innoxia* Mill.

| 药 材 名 | 洋金花（药用部位：花）、曼陀罗子（药用部位：果实、种子）、曼陀罗叶（药用部位：叶）、曼陀罗根（药用部位：根）。

| 形态特征 | 一年生直立草本，高 1 ~ 2 m，全体密生白色细腺毛和短柔毛。茎粗壮，圆柱形，灰白色。叶宽卵形，长 9 ~ 20 cm，宽 5 ~ 12 cm，先端急尖，基部圆形或钝形，不对称，全缘或有不规则波状疏齿；叶柄长 2 ~ 6 cm。花单生，直立或斜升；花梗长 1 ~ 5 cm；花萼筒状，先端 5 尖裂，长 8 ~ 10 cm，宽 2 ~ 3 cm，裂片狭三角形，长 1 ~ 2 cm，有时不等长；花冠下部绿色，上部白色，漏斗状，长 15 ~ 17 cm，花开后呈喇叭状，边缘有 10 短尖头；雄蕊 5，乳白色。蒴果斜下，近圆形或卵形，直径约 4 cm，表面密生等长针刺，

果实成熟时不规则开裂；种子多数，黄褐色。花果期 9 ~ 11 月。

| **生境分布** | 生于村边路旁的砂质地上。分布于江苏南部及连云港、淮安（洪泽）、扬州（宝应）等。江苏各地药圃、公园或道路景观带等常有栽培。

| **资源情况** | 野生及栽培资源较丰富。

| **采收加工** | 洋金花：4 ~ 11 月花初开时采收，晒干或低温干燥。
　　　　　　　曼陀罗子：夏、秋季果实成熟时采收，晒干。
　　　　　　　曼陀罗叶：7 ~ 8 月采收，鲜用，亦可晒干或烘干。
　　　　　　　曼陀罗根：夏、秋季挖取，洗净，鲜用或晒干。

| **药材性状** | 洋金花：本品带有花萼。萼筒长 4 ~ 9 cm，先端 5 裂，裂片长约 1.5 cm，表面密生毛茸。花冠长 15 ~ 17 cm，先端裂片三角形，裂片间有短尖。花药长约 1 cm。
　　　　　　　曼陀罗子：本品蒴果呈近球形或卵球形，直径 3 ~ 4 cm，基部宿萼略呈五角形，向外反折，具短果柄；表面淡褐色，密生约等长的针刺和柔毛，针刺细而有韧性。果皮由上部作不规则开裂。种子扁肾形，长约 5 mm，宽约 3 mm，淡褐色。以果实饱满、种子数多、成熟者为佳。

曼陀罗叶：本品呈广卵形，长 8 ~ 20 cm，宽 5 ~ 12 cm，先端渐尖，基部圆形、截形或楔形，少阔楔形，显著不对称，少有对称，全缘或不规则羽状浅裂，裂片三角形，有缘毛，上面疏生白色柔毛，脉上较密，下面密被白色柔毛，脉上尤密，侧脉 7 ~ 10 对，呈 60° ~ 80° 角离开中脉直达裂片先端，中脉及侧脉在下面突出；叶柄近圆柱形，长 2 ~ 6 cm，微紫色，密生白色柔毛。气微，味苦。

| **功效物质** | 花主要含有东莨菪碱、天仙子胺、阿托品等生物碱类成分；东莨菪碱有镇静作用；阿托品能兴奋大脑。种子除含有生物碱类成分外，尚含有曼陀罗二醇、曼陀罗酮等三萜类成分。叶含有东莨菪碱、莨菪碱、曼陀罗碱及黄酮类成分等，主要起镇咳平喘的作用。根含有天仙子胺、天仙子碱、曼陀罗碱等生物碱类成分，主要成分为天仙子胺，是镇咳止痛的主要成分。

| **功能主治** | **洋金花**：辛，温。归肺、肝经。平喘止咳，镇痛，解痉。用于哮喘咳嗽，脘腹冷痛，风湿痹痛，小儿慢惊风，外科麻醉。

曼陀罗子：辛、苦，温。归肝、脾经。平喘，祛风，止痛。用于喘咳，惊痫，风寒湿痹，泻痢，脱肛，跌打损伤。

曼陀罗叶：苦、辛，温。镇咳平喘，止痛拔脓。用于喘咳，痹痛，脚气，脱肛，痈疽疮疖。

曼陀罗根：辛、苦，温；有毒。镇咳，止痛，拔脓。用于喘咳，风湿痹痛，疥癣，恶疮，狂犬咬伤。

| **用法用量** | **洋金花**：内服煎汤，0.3 ~ 0.5 g；或入丸、散剂。外用适量，煎汤洗；或研末调敷；或作卷烟分次燃吸，每日量不超过 1.5 g。

曼陀罗子：内服煎汤，0.15 ~ 0.3 g；或浸酒。外用适量，煎汤洗；或浸酒涂擦。

曼陀罗叶：内服煎汤，0.3 ~ 0.6 g；或浸酒。外用适量，煎汤洗；或捣汁涂。

曼陀罗根：内服煎汤，0.9 ~ 1.5 g。外用适量，煎汤熏洗；或研末调涂。

| **附　注** | 本种又名软刺曼陀罗、毛花曼陀罗，花入药常称北洋金花。

茄科 Solanaceae 曼陀罗属 *Datura* 凭证标本号 321088200519023LY

洋金花 *Datura metel* L.

| 药 材 名 |

洋金花（药用部位：花）。

| 形态特征 |

一年生草本，呈半灌木状，高 30 ～ 120 cm，
全体近无毛。叶互生或在茎上部近对生；
叶片卵形或宽卵形，长 5 ～ 19 cm，宽 4 ～
12 cm，先端尖，基部两侧不相等，圆形、
截形或楔形，全缘、微波状或每边有 3 或 4
短齿；叶柄长 2 ～ 7 cm。花单生于叶腋或枝
叉间；花萼筒状，长 4 ～ 9 cm，直径 2 cm，
裂片狭三角形或披针形，果时宿存部分增大
成浅盘状；花冠漏斗状，长 4 ～ 17 cm，直
径 6 ～ 10 cm，中部之下较细，向上扩大，
呈喇叭状，5 裂，裂片有尖头，白色、黄色
或浅紫色，栽培者常有重瓣；雄蕊 5 ～ 15。
蒴果斜上，近球状或扁球状，直径约
3 cm，表面疏生短硬刺，成熟后不规则开裂，
宿存的萼筒部分浅盘状；种子多数，三角形
而扁，淡褐色。花果期 4 ～ 11 月。

| 生境分布 |

生于村边路旁的砂质地上。分布于江苏苏
州、连云港、南京等。江苏各地药圃、公园
或道路景观带等常有栽培。

| 资源情况 | 栽培资源较丰富。

| 采收加工 | 4 ~ 11 月花初开时采收，晒干或低温干燥。

| 药材性状 | 本品花萼已除去，花冠及附着的雄蕊皱缩成卷条状，长 9 ~ 16 cm，黄棕色。展平后花冠上部呈喇叭状，先端 5 浅裂，裂片先端短尖，短尖下有 3 明显的纵脉纹，裂片间微凹陷；雄蕊 5 ~ 15，花丝下部紧贴花冠筒，花药扁平，长 1 ~ 1.5 cm。质脆，易碎。气微臭，味辛、苦。

| 功效物质 | 花含莨菪烷型生物碱，生物碱以天仙子碱为主，其次为天仙子胺以及阿托品等，具有明显的镇静作用，主要用于麻醉；阿托品可兴奋大脑，对个别病人有致幻作用；除生物碱类成分外，尚含有甾体类、大柱香波龙烷类、木脂素类、黄酮类、苯乙醇类、苄醇类、糖脂类等资源性成分。果实含生物碱类和三萜类成分。种子含生物碱类、甾体类、三萜类成分等。茎叶含生物碱类、甾体类、二萜类、黄酮类、大柱香波龙烷类成分等。

| 功能主治 | 辛，温；有毒。归肺、肝经。平喘止咳，解痉定痛。用于哮喘咳嗽，脘腹冷痛，风湿痹痛，小儿慢惊风，外科麻醉。

| 用法用量 | 内服煎汤，0.3 ~ 0.5 g；或入丸、散剂。外用适量，煎汤洗；或研末调敷；或作卷烟分次燃吸，每日量不超过 1.5 g。

| 附 注 | 本种有毒，可作植物性农药；果实可用于治疗神经性皮炎；叶可用于治疗胃痛及哮喘。

茄科 Solanaceae 曼陀罗属 *Datura* 凭证标本号 320115150714009LY

曼陀罗
Datura stramonium L.

| 药 材 名 | 洋金花（药用部位：花）、曼陀罗子（药用部位：果实、种子）、曼陀罗叶（药用部位：叶）、曼陀罗根（药用部位：根）。

| 形态特征 | 一年生草本或半灌木，高 1 ~ 2 m，全体近无毛或幼嫩部分被短柔毛。茎淡绿色或带紫色。叶片宽卵形，长 8 ~ 18 cm，宽 4 ~ 13 cm，先端渐尖，基部楔形，不对称，边缘有不规则波状浅裂，裂片三角形或有疏齿，脉上疏生短柔毛。花常单生于叶腋或枝叉间；花梗直立；花萼筒状，长 4 ~ 5 cm，筒部有 5 棱角，两棱间稍向内陷，基部稍膨大，先端紧围花冠筒，5 浅裂，裂片三角形，花后自近基部断裂，宿存部分随果实生长而增大并向外反折；花冠漏斗状，长 6 ~ 10 cm，直径 3 ~ 5 cm，下部带绿色，上部白色或淡紫色，

檐部 5 浅裂，裂片有短尖头；雄蕊 5；子房密生柔针毛。蒴果直立，卵球状，成熟后从先端 4 瓣裂，表面有坚硬不等长的针刺或有时无刺而近平滑。花果期 6 ~ 11 月。

| 生境分布 | 生于住宅旁、路边或草地上。江苏各地均有分布。江苏各地药圃、公园或道路景观带等常有栽培。

| 资源情况 | 栽培资源丰富。

| 采收加工 | 洋金花：4 ~ 11 月花初开时采收，晒干或低温干燥。
曼陀罗子：夏、秋季果实成熟时采收，晒干。
曼陀罗叶：7 ~ 8 月采收，鲜用，亦可晒干或烘干。
曼陀罗根：夏、秋季挖取，洗净，鲜用或晒干。

| 药材性状 | 洋金花：本品带有花萼。萼筒长 4 ~ 5 cm，先端 5 裂，裂片长约 1.5 cm，表面密生毛茸。花冠长 6 ~ 10 cm，先端裂片三角形，裂片间有短尖。花药长约 1 cm。
曼陀罗子：本品蒴果呈近球形或卵球形，直径 3 ~ 4 cm，基部宿萼略呈五角形，向外反折，具短果柄。表面淡褐色，密生约等长的针刺和柔毛，针刺细而有韧性。果皮由上部作不规则开裂。种子扁肾形，长约 5 mm，宽约 3 mm，淡褐色。以果实饱满、种子数多、成熟者为佳。

曼陀罗叶：本品呈广卵形，长 8 ~ 18 cm，宽 4 ~ 13 cm，先端渐尖，基部圆形、截形或楔形，少阔楔形，显著不对称，少有对称，全缘或不规则羽状浅裂，裂片三角形，有缘毛，上面疏生白色柔毛，脉上较密，下面密被白色柔毛，脉上尤密，侧脉 7 ~ 10 对，呈 60° ~ 80° 角离开中脉直达裂片先端，中脉及侧脉在下面突出；叶柄近圆柱形，长 2 ~ 16 cm，微紫色，密生白色柔毛。气微，味苦。

| 功效物质 | 花主要含有生物碱类成分，以东莨菪碱为多，尚含阿托品。果实、种子含有的生物碱类成分主要为天仙子胺和莨菪碱。叶中生物碱类含量较少，以天仙子胺和天仙子碱为主。根中总生物碱的含量最少，尚含能够水解生物碱的酯酶。以上各部位的生物碱类成分均具有镇静作用，也为曼陀罗发挥麻醉作用的主要成分。

| 功能主治 | 洋金花：辛，温。归肺、肝经。平喘止咳，镇痛，解痉。用于哮喘咳嗽，脘腹冷痛，风湿痹痛，小儿慢惊风，外科麻醉。

曼陀罗子：辛、苦，温。归肝、脾经。平喘，祛风，止痛。用于喘咳，惊痫，风寒湿痹，泻痢，脱肛，跌打损伤。

曼陀罗叶：苦、辛，温。镇咳平喘，止痛拔脓。用于喘咳，痹痛，脚气，脱肛，痈疽疮疖。

曼陀罗根：辛、苦，温；有毒。镇咳，止痛，拔脓。用于喘咳，风湿痹痛，疥癣，恶疮，狂犬咬伤。

| 用法用量 | 洋金花：内服煎汤，0.3 ~ 0.5 g；或入丸、散剂。外用适量，煎汤洗；或研末调敷；或作卷烟分次燃吸，每日量不超过 1.5 g。

曼陀罗子：内服煎汤，0.15 ~ 0.3 g；或浸酒。外用适量，煎汤洗；或浸酒涂擦。

曼陀罗叶：内服煎汤，0.3 ~ 0.6 g；或浸酒。外用适量，煎汤洗；或捣汁涂。

曼陀罗根：内服煎汤，0.9 ~ 1.5 g。外用适量，煎汤熏洗；或研末调涂。

茄科 Solanaceae 枸杞属 Lycium 凭证标本号 321183150922778LY

枸杞
Lycium chinense Mill.

| 药 材 名 | 地骨皮（药用部位：根皮）。

| 形态特征 | 落叶小灌木，高 0.5 ~ 1（~ 2）m。茎多分枝，枝细长，常弓曲下垂，淡灰色，有纵条纹和棘刺，刺长可达 2 cm，小枝先端锐尖成棘刺状。叶互生或 2 ~ 4 簇生于短枝上；叶片纸质（栽培者稍厚），卵形或卵状披针形，长 1.5 ~ 5 cm，宽 1 ~ 2 cm（栽培者长、宽均较大，约比野生品大 1 倍），先端急尖，基部楔形，全缘；叶柄长 3 ~ 10 mm。花单生或 2 ~ 4 簇生于叶腋；花梗长 1 ~ 2 cm，向果端渐增粗；花萼钟状，常 3 中裂或 4 ~ 5 齿裂，裂片有缘毛；花冠紫红色，漏斗状，花冠筒内侧基部密生一圈绒毛，檐部 5 深裂，裂片长与筒长近相等，长 9 ~ 12 mm，卵形，先端圆钝，平展或稍向外

反曲，基部耳显著，有缘毛；雄蕊 5，花丝基部密生绒毛；柱头绿色。浆果卵形、长椭圆状卵形或长椭圆形，长 1 ~ 2 cm，成熟时红色；种子肾形，黄白色。花期 8 ~ 10 月，果熟期 10 ~ 11 月。

| 生境分布 | 生于山坡、荒地、路旁及村边，或有栽培。分布于江苏连云港、徐州（邳州、铜山、睢宁）、镇江、南京等。

| 资源情况 | 野生及栽培资源丰富。

| 采收加工 | 早春、晚秋采挖根部，洗净泥土，剥取皮部，晒干；或将鲜根切成长 6 ~ 10 cm 的小段，再纵剖至木部，置蒸笼中略加热，待皮易剥离时，取出剥下皮部，晒干。

| 药材性状 | 本品呈筒状、槽状或为不规则卷片，大小不一，一般长 3 ~ 10 cm，直径 0.5 ~ 2 cm，厚 1 ~ 3 mm。外表面土黄色或灰黄色，粗糙，有不规则纵裂纹，易呈鳞片状剥落；内表面黄白色，具细纵条纹。质松脆，易折断，折断面分内外两层，内层灰白色。气微，味微甘而后苦。以筒粗、肉厚、整齐、无木心及碎片者为佳。

| 功效物质 | 果实含有糖类、氨基酸类、多元醇类、有机酸类、类胡萝卜素、脑苷类、生物碱类、脂肪族类、三萜类、四萜类、黄酮类等丰富的资源性成分；类胡萝卜素成分包括叶黄素、隐黄质、新黄质、玉米黄素及其棕榈酸酯等，生物碱类成分包括精胺、亚精胺、吡咯类衍生物等，类胡萝卜素成分和吡咯类衍生物具有保肝活性。根皮含有生物碱类成分，以甜菜碱、苦可胺为多，生物碱类成分可用作免疫调节剂、杀病毒剂、肿瘤抑制剂，枸杞环八肽 A 和枸杞环八肽 B 具有抗血管紧张素 I 转变酶活性。

| 功能主治 | 甘，寒。归肺、肾经。凉血除蒸，清肺降火。用于阴虚潮热，骨蒸盗汗，肺热咳嗽，咯血，衄血，内热消渴。

| 用法用量 | 内服煎汤，9 ~ 15 g，大剂量可用 15 ~ 30 g。

| 附 注 | 本种的嫩叶在民间作蔬菜食用，为南京的八大野菜之一，有补虚益精、清热明目的作用。

茄科 Solanaceae 番茄属 Lycopersicon 凭证标本号 320830151031006LY

番茄
Lycopersicon esculentum Mill.

| 药 材 名 | 番茄（药用部位：果实）。

| 形态特征 | 一年生草本，高 1 ~ 2 m，全体密生柔毛和黏质腺毛，有强烈气味。茎多分枝，易倒伏。叶为奇数羽状复叶或羽状深裂，长 10 ~ 40 cm；小叶 5 ~ 9，极不规则，大小不等，卵形或矩圆形，长 5 ~ 7 cm，边缘有缺刻状齿或裂片。花 3 ~ 7，排成圆锥状聚伞花序，腋外生，花序梗长 2 ~ 5 cm；花梗长 1 ~ 1.5 cm；花萼辐状，5 或 6 裂，裂片披针形；花冠辐状，黄色，5 ~ 7 深裂；雄蕊 5 ~ 7。浆果扁球状或近球状，成熟后红色或黄色，表面光滑，肉质而多汁液；种子黄色。花果期 4 ~ 9 月，大棚或温室栽培者全年均可开花结果。

| 生境分布 | 栽培于疏松且排水良好的湿润土壤中。江苏各地均有栽培。

| **资源情况** | 栽培资源丰富。

| **采收加工** | 夏、秋季果实成熟时采收，洗净，鲜用。

| **功效物质** | 果实含有丰富的维生素 C，另含有苹果酸、柠檬酸等有机酸类成分，番茄碱、番茄苷等生物碱类成分，柚皮苷、圣草酚查尔酮等黄酮类成分，飞燕草素等花青素类成分，番茄皂苷 A 等甾体皂苷类成分，熊果酸、齐墩果酸、羊毛脂烯醇、环木菠萝烯醇等三萜类成分，番茄红素等四萜类成分，绿原酸、隐绿原酸、新绿原酸等酚酸类成分，以及白藜芦醇、云杉新苷等芪类资源性成分。

| **功能主治** | 酸、甘，微寒。生津止渴，健胃消食。用于口渴，食欲不振。

| **用法用量** | 内服适量，煎汤；或生食。

| **附　　注** | （1）江苏栽培的番茄品种较多，果实形状有扁圆状、圆球状、球状和长圆球状等，果色有火红色、粉红色、橙黄色、深黄色、淡黄色、绿色等。
（2）本种喜温，同化作用最适温度为 20 ~ 25 ℃，根系生长最适土温为 20 ~ 22 ℃；喜光，为短日照植物；喜水。于疏松且排水良好的湿润土壤中生长良好。

茄科 Solanaceae 假酸浆属 Nicandra 凭证标本号 320115150923054LY

假酸浆 *Nicandra physalodes* (L.) Gaertn.

| 药 材 名 |

假酸浆（药用部位：全草或果实、花）。

| 形态特征 |

一年生直立草本。茎直立，有棱条，无毛，高 0.4 ~ 1.5 m，上部有交互不等的二歧分枝。叶卵形或椭圆形，草质，长 4 ~ 12 cm，宽 2 ~ 8 cm，先端急尖或短渐尖，基部楔形，边缘有圆缺的粗齿或浅裂，两面有稀疏毛；叶柄长为叶片的 1/4 ~ 1/3。花单生于枝腋而与叶对生，通常具较叶柄长的花梗，俯垂；花萼 5 深裂，裂片先端尖锐，基部心状箭形，有 2 尖锐的耳片，果时包围果实，直径 2.5 ~ 4 cm；花冠钟状，浅蓝色，直径达 4 cm，檐部有折襞，5 浅裂。浆果球状，直径 1.5 ~ 2 cm，黄色；种子淡褐色，直径约 1 mm。花果期夏、秋季。

| 生境分布 |

江苏南京等的庭园中有栽培。

| 资源情况 |

栽培资源较少。

| **采收加工** | 秋季采集全草，分出果实，分别洗净，鲜用或晒干；夏季或秋季采摘花，阴干。

| **功效物质** | 果实含有打碗花碱葡萄糖苷等生物碱类成分。种子含有睡茄灯笼草素、曼陀罗内酯等甾体类成分，以及脂肪酸类和甾醇类成分。叶中含有假酸浆烯酮、假酸浆内酯等甾体类成分。根含有托品酮、古豆碱等生物碱类成分，以及假酸浆素B、睡茄灯笼草素E等甾体类成分。

| **功能主治** | 甘、微苦，平；有小毒。清热解毒，利尿，镇静。用于感冒发热，鼻渊，热淋，痈肿疮疖，癫痫，狂犬病。

| **用法用量** | 内服煎汤，全草或花 3 ~ 9 g，鲜品 15 ~ 30 g；果实 1.5 ~ 3 g。

| **附　　注** | （1）本种是制作凉粉（又称冰粉）的原料。将种子用水浸泡足够时间后，滤去种子，加入适量的凝固剂（如石灰水等），凝固一段时间后便制成了晶莹剔透、口感凉滑的凉粉。凉粉是一种消炎利尿、消暑解渴的夏季保健食品。
（2）本种原产于南美洲秘鲁，现主要分布于我国河北、甘肃、新疆、四川、贵州、云南、西藏等，常逸为野生。

茄科 Solanaceae 烟草属 Nicotiana 凭证标本号 320623191031236LY

烟草
Nicotiana tabacum L.

| 药 材 名 | 烟草（药用部位：叶）。

| 形态特征 | 一年生草本，高 50 ~ 150 cm，全体被腺毛。根粗壮。茎直立，粗壮，基部稍木质化，多分枝。叶互生；叶片长椭圆形、矩圆状披针形、披针形或卵形，长 10 ~ 30 cm，宽 8 ~ 15 cm，先端渐尖，基部渐狭而半抱茎，稍呈耳状，全缘或微波状。圆锥花序顶生；多花；花梗长 5 ~ 20 mm；花萼筒状或筒状钟形，5 浅裂，裂片披针形，长短不等；花冠长管状漏斗形，淡红色或白色，筒部色更淡，稍弓曲，长 3.5 ~ 5 cm，檐部宽 1 ~ 1.5 cm，裂片短尖，外面有毛；1 雄蕊显著，较其余 4 短，不伸出花冠喉部，花丝基部有毛。蒴果卵球状，长约 1.5 cm，成熟后 2 瓣裂。花果期 5 ~ 10 月。

| 生境分布 | 江苏各地均有栽培，以北部为多。

| 资源情况 | 栽培资源较丰富。

| 采收加工 | 7月烟叶由深绿色变成淡黄色、叶尖下垂时，按叶的成熟先后分数次采摘，鲜用；或采后晒干或烘干，再回潮，发酵，干燥。

| 药材性状 | 本品呈卵形或椭圆状披针形，长约至 10 ~ 30 cm，宽 8 ~ 15 cm，先端渐尖，基部稍下延成翅状柄，全缘或带微波状，上面黄棕色，下面色较淡，主脉宽而凸出，具腺毛，稍经湿润，则带黏性。气特异，味苦、辣，作呕性。

| 功效物质 | 叶含有烟碱、降烟碱、烟碱烯、吡啶衍生物等生物碱类成分，其中烟碱占总生物碱的93％，烟碱毒性强烈，不应用于医疗。另含东莨菪内酯、东莨菪苷、七叶树内酯等香豆素类成分，烟脂醇类木脂素成分，绿原酸、咖啡酰基奎宁酸等酚酸类成分，红没药三烯衍生物类倍半萜成分，半日花烯衍生物类二萜成分，以及挥发油类等资源性成分。

| 功能主治 | 辛，温；有毒。行气止痛，燥湿，消肿，解毒杀虫。用于食滞饱胀，气结疼痛，关节痹痛，痈疽，疔疮，疥癣，湿疹，毒蛇咬伤，扭挫伤。

| 用法用量 | 内服煎汤，鲜品 9 ~ 15 g。外用适量，煎汤洗；或捣敷；或研末调敷；或点燃吸烟。

| 附　注 | 本种喜光，为日中性植物；生长期最适温度为 22 ~ 28 ℃，最低温度 10 ℃，最高温度 35 ℃；忌旱。宜生于高温多雨地区，土壤以排水良好的砂壤土为佳。

茄科 Solanaceae 碧冬茄属 *Petunia* 凭证标本号 320621181125027LY

碧冬茄
Petunia hybrida Vilm.

| 药 材 名 | 碧冬茄（药用部位：种子）。

| 形态特征 | 一年生草本，高 30 ~ 60 cm，全体生腺毛。叶有短柄或近无柄，卵形，先端急尖，基部阔楔形或楔形，全缘，长 3 ~ 8 cm，宽 1.5 ~ 4.5 cm，侧脉不显著，每边 5 ~ 7。花单生于叶腋，花梗长 3 ~ 5 cm；花萼 5 深裂，裂片条形，长 1 ~ 1.5 cm，宽约 3.5 mm，先端钝，果时宿存；花冠白色或紫堇色，有各式条纹，漏斗状，长 5 ~ 7 cm，筒部向上渐扩大，檐部开展，有折襞，5 浅裂；雄蕊 4 长 1 短；花柱稍超过雄蕊。蒴果圆锥状，长约 1 cm，2 瓣裂，各裂瓣先端又 2 浅裂；种子极小，近球形，直径约 0.5 mm，褐色。

| 生境分布 | 江苏各城镇景点、公园、道路绿化带、庭园等多有栽培。

| **资源情况** | 栽培资源较丰富。 |

| **采收加工** | 随时采收完整植株，打下种子，晒干。 |

| **功效物质** | 花含有碧冬茄素、碧冬茄苷、锦葵素糖苷等花青素类成分。根含有东莨菪内酯、石南茄苷等香豆素类成分。茎叶含有碧冬茄甾酮、羟基碧冬茄甾酮及羟基碧冬茄甾酮糖苷、麦角甾酮等甾体类成分。叶含有糖苷类成分。 |

| **功能主治** | 行气，杀虫。用于腹水。 |

| **附　　注** | 本种为长日照植物，喜光，生长适宜温度为 13 ~ 18 ℃，冬季温度如低于 4 ℃，植株停止生长，夏季能耐 35 ℃以上的高温；喜水，在夏季高温季节，要保持盆土湿润，但盆土过湿，茎叶易徒长，花易褪色或腐烂，根易烂或死亡。土壤以疏松肥沃和排水良好的砂壤土为宜。 |

茄科 Solanaceae 酸浆属 *Physalis* 凭证标本号 321084180823197LY

苦蘵 *Physalis angulata* L.

| 药 材 名 | 苦蘵（药用部位：全草）、苦蘵果实（药用部位：果实）、苦蘵根（药用部位：根）。

| 形态特征 | 一年生草本，高常 30 ~ 50 cm，全体被疏短柔毛或近无毛。茎多分枝，分枝纤细。叶片卵形至卵状椭圆形，先端渐尖或急尖，基部阔楔形或楔形，全缘或有不等大的牙齿，两面近无毛，长 3 ~ 6 cm，宽 2 ~ 4 cm；叶柄长 1 ~ 5 cm。花梗长 5 ~ 12 mm，纤细，被短柔毛；花萼长 4 ~ 5 mm，被短柔毛，5 中裂，裂片披针形，具缘毛；花冠淡黄色，喉部常有紫色斑纹，长 5 ~ 7 mm，直径 6 ~ 8 mm；花药蓝紫色或有时黄色，长约 1.5 mm。果萼成熟时淡绿色，卵球状，直径 1.5 ~ 2.5 cm，薄纸质，有细毛；浆果直径约 1.2 cm；种子圆盘状，长约 2 mm。花期 5 ~ 6 月，果期 7 ~ 12 月。

| 生境分布 | 生于山坡林下或田边、路旁。江苏各地均有分布。

| 资源情况 | 野生资源丰富。

| 采收加工 | **苦蘵：**夏、秋季采收，鲜用或晒干。
苦蘵果实：秋季果实成熟时采收，鲜用或晒干。
苦蘵根：夏、秋季采挖，洗净，鲜用或晒干。

| 药材性状 | **苦蘵：**本品茎有分枝，具细柔毛或近光滑。叶互生，黄绿色，多皱缩或脱落，完整者卵形，长 3 ~ 6 cm，宽 2 ~ 4 cm（用水泡后展平），先端渐尖，基部偏斜，全缘或有疏锯齿，厚纸质；叶柄长 1 ~ 3 cm。花淡黄棕色，钟形，先端 5 裂。有的可见果实，果实球形，橙红色，外包淡绿黄色膨大的宿萼，长约 2.5 cm，有 5 较深的纵棱。气微，味苦。以全草幼嫩、色黄绿、带宿萼多者为佳。
苦蘵果实：本品球形，直径 1.2 cm，包于宿萼之内。宿萼膀胱状，绿色，具棱，棱脊上疏被短柔毛，网脉明显。

| 功效物质 | 茎、叶含酸浆素、苦蘵素、苦蘵内酯、曼陀罗内酯等甾体类成分，以及杨梅素糖苷等黄酮类成分。果实含有乙酰胆碱等生物碱类成分，以及苦蘵素甾体类成分。根含有酸浆双古豆碱等生物碱类成分。全草除含丰富的甾体类成分外，尚含齐墩果酸等三萜类成分，以及脂肪酸类成分。

| 功能主治 | **苦蘵：**苦、酸，寒。清热，利尿，解毒，消肿。用于感冒，肺热咳嗽，咽喉肿痛，牙龈肿痛，湿热黄疸，痢疾，水肿，热淋，天疱疮，疔疮。
苦蘵果实：酸，平。解毒，利湿。用于牙痛，天疱疮，疔疮。
苦蘵根：苦，寒。利水通淋。用于水肿腹胀，黄疸，热淋。

| 用法用量 | **苦蘵：**内服煎汤，15 ~ 30 g；或捣汁。外用适量，捣敷；或煎汤含漱；或煎汤熏洗。
苦蘵果实：内服煎汤，6 ~ 9 g。外用适量，捣汁涂。
苦蘵根：内服煎汤，15 ~ 30 g。

茄科 Solanaceae 酸浆属 Physalis 凭证标本号 320803180703155LY

挂金灯
Physalis alkekengi L. var. *franchetii* (Mast.) Makino

| **药 材 名** | 锦灯笼（药用部位：宿萼或带果实的宿萼）。

| **形态特征** | 多年生草本，高 30 ~ 80 cm。根茎长，横走。茎直立，较粗壮，节膨大，无毛或有细软毛，幼嫩部分毛较密。茎下部叶互生，上部叶假对生；叶片长卵形、宽卵形或菱状卵形，长 4 ~ 15 cm，宽 2 ~ 8 cm，先端渐尖，基部楔形、偏斜，全缘而波状，有时具粗牙齿或少数不等大的三角形大牙齿，两面几无毛，有时具缘毛。花单生于叶腋；花梗花时直立，后向下弯曲，近无毛或仅有稀疏柔毛，果时无毛；花萼钟状，5 裂，萼齿三角形，密生短柔毛；花冠辐状，白色，直径约 2 cm，裂片开展，阔而短，先端骤成三角形尖头，基部具斑点，外面有短柔毛，边缘有缘毛；花药黄色。浆果球状，

直径 10 ～ 15 mm，成熟时橙红色；外有膨大宿存的灯笼状果萼包围，长 3 ～ 4 cm，直径 2.5 ～ 3.5 cm，薄革质，发亮，网脉显著，有 10 纵肋，橙色或火红色。花果期 5 ～ 11 月。

| 生境分布 | 生于村边、路旁及荒地。分布于江苏连云港、淮安、镇江、南京等。

| 资源情况 | 野生资源一般。

| 采收加工 | 秋季果实成熟、宿萼呈橘红色时采摘，晒干。

| 功效物质 | 根含有托品碱、红古豆碱、酸浆双古豆碱等生物碱类成分。叶含有木犀草素及其糖苷等黄酮类成分，以及东莨菪内酯等香豆素类成分。宿萼含有酸浆素、环氧酸浆素等甾体类成分，以及木犀草素、槲皮素及其糖苷等黄酮类成分。果实含有枸橼酸、柠檬酸等有机酸类成分，以及隐黄质酯、叶黄素、叶黄素双酯等类胡萝卜素成分。地上部分含有酸浆双古豆碱等生物碱类成分，以及酸浆素等甾体类成分。

| 功能主治 | 酸、苦，寒。清热解毒，利咽化痰，利尿通淋。用于咽痛喑哑，痰热咳嗽，小便不利，热淋涩痛；外用于天疱疮，湿疹。

| 用法用量 | 内服煎汤，3 ～ 9 g。外用适量，捣敷；或干品研末，油调涂。

茄科 Solanaceae 茄属 *Solanum* 凭证标本号 3211831511041013LY

野海茄 *Solanum japonense* Nakai

| **药 材 名** | 毛风藤（药用部位：全草）。

| **形态特征** | 多年生草质藤本，长 0.5 ~ 1.2 m，全体近无毛或小枝疏生柔毛。叶片卵状披针形或宽三角状披针形，长 3 ~ 7 cm，宽 2 ~ 4 cm，先端渐尖或长渐尖，基部圆形或楔形，边缘波状，有时 3 ~ 5 浅裂，两面近无毛或有疏柔毛；小枝上部的叶较小，卵状披针形，长 2 ~ 3 cm；叶柄长 0.5 ~ 2.5 cm。聚伞花序顶生或腋外生，被疏毛，花序梗长约 2.5 cm；花萼浅杯状，5 裂，萼齿三角形；花冠淡紫色或白色，直径约 5 mm，冠檐长约 5 mm，基部具 5 绿色的斑点，5 深裂，裂片披针形，长约 4 mm，有柔毛；花丝长约 0.5 mm，花药长 2.5 ~ 3 mm，顶孔略向前；花柱纤细，长约 5 mm，柱头头状。浆果球状，直径约 1 cm，成熟时红色；种子肾形。花果期 7 ~ 10 月。

| **生境分布** | 生于山坡、水边、疏林中。分布于江苏连云港、南京、无锡（宜兴）等。

| **资源情况** | 野生资源一般。

| **采收加工** | 夏、秋季采收，鲜用或晒干。

| **功效物质** | 叶中含有蜘蛛抱蛋苷、澳洲茄胺石蒜四糖苷、去半乳糖替告皂苷等甾体类成分。浆果中含有茄边碱、蜘蛛抱蛋苷、去半乳糖替告皂苷等甾体类成分。全草提取物具有祛风湿、活血的作用。

| **功能主治** | 辛、苦，平。祛风湿，活血通经。用于风湿痹痛，闭经。

| **用法用量** | 内服煎汤，15～30 g；或浸酒。

茄科 Solanaceae 茄属 Solanum 凭证标本号 321183151104939LY

白英
Solanum lyratum Thunb.

| 药 材 名 | 白毛藤（药用部位：全草）、鬼目（药用部位：果实）、白毛藤根（药用部位：根）。

| 形态特征 | 草质藤本，长 0.5 ~ 1 m。茎及小枝均密被具节长柔毛。叶互生，多数为琴形，长 3.5 ~ 5.5 cm，宽 2.5 ~ 4.8 cm，基部常 3 ~ 5 深裂，裂片全缘，侧裂片愈近基部愈小，先端钝，中裂片较大，通常卵形，先端渐尖，两面均被白色发亮的长柔毛，中脉明显，侧脉在下面较清晰，通常每边 5 ~ 7；少数在小枝上部的叶为心形，小，长 1 ~ 2 cm；叶柄长 1 ~ 3 cm，有与茎枝相同的毛被。聚伞花序顶生或腋外生，疏花，总花梗长 2 ~ 2.5 cm，被具节的长柔毛；花梗长 0.8 ~ 1.5 cm，无毛，先端稍膨大，基部具关节；花萼环状，直径约

3 mm，无毛，萼齿 5，圆形，先端具短尖头；花冠蓝紫色或白色，直径约 1.1 cm，
花冠筒隐于萼内，长约 1 mm，冠檐长约 6.5 mm，5 深裂，裂片椭圆状披针形，
长约 4.5 mm，先端被微柔毛；花丝长约 1 mm，花药长圆形，长约 3 mm，顶孔
略向上；子房卵形，直径不及 1 mm，花柱丝状，长约 6 mm，柱头小，头状。
浆果球状，成熟时红黑色，直径约 8 mm；种子近盘状，扁平，直径约 1.5 mm。
花期夏、秋季，果熟期秋末。

| **生境分布** | 生于山坡或路旁。分布于江苏连云港、淮安（盱眙）、南京、南通、苏州（常熟）、无锡等。

| **资源情况** | 野生资源丰富。

| **采收加工** | **白毛藤**：夏、秋季采收，鲜用或晒干。
鬼目：果实成熟时采收，晒干。
白毛藤根：夏、秋季采挖，洗净，鲜用或晒干。

| **药材性状** | **白毛藤**：本品茎呈圆柱形，有分枝，长短不等，长可达 1.2 m，直径 2 ~ 7 mm；表面黄绿色至棕绿色，密被灰白色柔毛，粗茎通常毛较少或无毛；质硬而脆，断面纤维性，髓部白色或中空。叶互生，皱缩、卷曲，暗绿色，展平后呈戟形或琴形，被毛茸；叶柄长 1 ~ 3 cm；有时附黄绿色或暗红色的果实；质脆，易碎。气微，味苦。以茎粗壮、叶绿、无果实者为佳。

鬼目：本品球形，成熟时红黑色。

| **功效物质** | 全草含有生物碱；根含有生物碱类成分；茎含有茄甾糖苷衍生物等生物碱类成分，替告皂苷元、薯蓣皂苷元、新替告皂苷元糖苷等甾体类成分，以及白术内酯、去氢假虎刺酮等倍半萜类成分；叶含有胆甾醇、去半乳糖替告皂苷等甾体类成分，茄碱等生物碱类成分，以及槲皮素糖苷等黄酮类成分等；花含有黄酮类成分；未成熟果实含甾体皂苷类成分。

| **功能主治** | **白毛藤**：甘、苦，寒；有小毒。归肝、胆、肾经。清热利湿，解毒消肿。用于湿热黄疸，胆囊炎，胆石症，肾炎水肿，风湿关节痛，湿热带下，小儿高热惊搐，痈肿瘰疬，湿疹瘙痒，带状疱疹。

鬼目：酸，平。明目，止痛。用于眼花目赤，迎风流泪，翳障，牙痛。

白毛藤根：苦、辛，平。清热解毒，消肿止痛。用于风火牙痛，头痛，瘰疬，痔漏。

| **用法用量** | **白毛藤**：内服煎汤，15 ~ 30 g，鲜品 30 ~ 60 g；或浸酒。外用适量，煎汤洗；或捣敷；或捣汁涂。

鬼目：内服煎汤，6 g；或研末。外用适量，研末涂。

白毛藤根：内服煎汤，15 ~ 30 g。

| **附注** | 本种在江苏亦称白毛藤或苦茄。

茄科 Solanaceae 茄属 *Solanum* 凭证标本号 320621181124091LY

茄子

Solanum melongena L.

| 药 材 名 | 茄子（药用部位：果实）、茄蒂（药用部位：宿萼）、茄花（药用部位：花）、茄叶（药用部位：叶）、茄根（药用部位：根）。

| 形态特征 | 直立分枝草本至亚灌木，高可达 1 m。小枝、叶柄及花梗均被 6 ~ 8（~ 10）分枝、平贴或具短柄的星状绒毛，小枝多为紫色（野生的往往有皮刺），渐老则毛逐渐脱落。叶大，卵形至长圆状卵形，长 8 ~ 18 cm 或更长，宽 5 ~ 11 cm 或更宽，先端钝，基部不相等，边缘浅波状或深波状圆裂，上面被 3 ~ 7（~ 8）分枝、短而平贴的星状绒毛，下面密被 7 ~ 8 分枝、较长而平贴的星状绒毛，侧脉每边 4 ~ 5，在上面者疏被星状绒毛，在下面者毛较密，中脉的毛被与侧脉的相同（野生品的中脉及侧脉在两面均具小皮刺），叶柄长

2 ~ 4.5 cm（野生的具皮刺）。能孕花单生，花梗长 1 ~ 1.8 cm，毛被较密，花后常下垂，不孕花蝎尾状，与能孕花并出；花萼近钟形，直径约 2.5 cm 或稍大，外面密被与花梗相似的星状绒毛及小皮刺，皮刺长约 3 mm，萼裂片披针形，先端锐尖，内面疏被星状绒毛；花冠辐状，外面星状毛被较密，内面仅裂片先端疏被星状绒毛，花冠筒长约 2 mm，冠檐长约 2.1 cm，裂片三角形，长约 1 cm；花丝长约 2.5 mm，花药长约 7.5 mm；子房圆形，先端密被星状毛，花柱长 4 ~ 7 mm，中部以下被星状绒毛，柱头浅裂。果实的形状、大小变异极大。

| 生境分布 | 江苏各地均有栽培。

| 资源情况 | 栽培资源丰富。

| 采收加工 | 茄子：夏、秋季果实成熟时采收，多鲜用。

茄蒂：夏、秋季采收，鲜用或晒干。

茄花：夏、秋季采收，晒干。

茄叶：夏季采收，鲜用或晒干。

茄根：9 ~ 10 月全植物枯萎时连根拔起，除去茎叶，洗净泥土，晒干。

| 药材性状 | 茄子：本品呈不规则圆形或长圆形，大小不等。表面棕黄色，极皱缩，先端略凹陷，基部有宿萼和果柄。宿萼灰黑色，具不明显的 5 齿，果柄具纵直纹理，果皮革质，有光泽。种子多数，近肾形，稍扁，淡棕色，长 2 ~ 4 mm，宽 2 ~ 3 mm，气微，味苦。

茄根：本品为小段。主根通常不明显，有的略呈短圆锥形，具侧根及多数错综弯曲的须根；表面浅灰黄色。质坚实，不易折断，断面黄白色。气微，味微咸。以身干、色灰黄者为佳。

| 功效物质 | 果实含有葫芦巴碱、水苏碱、胆碱、龙葵碱等生物碱类成分，飞燕草素、紫苏宁、茄色苷等花青素类成分，对香豆酸、绿原酸、新绿原酸等酚酸类成分，以及香树脂醇、羽扇豆醇等三萜类资源性成分；此外，尚含丰富的糖类、氨基酸类、维生素类等营养成分。种子含有替告皂苷元等甾体类成分，以及环木菠萝烯醇、羽扇豆醇三萜类成分等；其甾体类成分具有降血脂的活性。根含有生物碱类、甾体类、香豆酸类、木脂素类、倍半萜类等资源性成分。叶含有黄酮类和酚酸类成分。

| 功能主治 | 茄子：甘，凉。归脾、胃、大肠经。清热，活血，消肿。用于肠风下血，热毒疮痈，皮肤溃疡，食菌中毒。

茄蒂：凉血，解毒。用于肠风下血，痈肿，对口疮，牙痛。

茄花：甘，平。敛疮，止痛，利湿。用于创伤，牙痛，带下。

茄叶：甘、辛，平。散血消肿。用于血淋，血痢，肠风下血，痈肿，冻疮，外科麻醉。

茄根：甘、辛，寒。祛风利湿，清热止血。用于风湿热痹，脚气，血痢，便血，痔血，血淋，阴痒，皮肤瘙痒，冻疮。

| 用法用量 | 茄子：内服煎汤，15～30 g。外用适量，捣敷。

茄蒂：内服煎汤，6～9 g；或研末。外用适量，研末掺；或生擦。

茄花：内服研末，2～3 g。外用适量，研末涂敷。

茄叶：内服研末，6～9 g。外用适量，煎汤洗；或捣敷；或烧存性，研末调敷。

茄根：内服煎汤，9～18 g；或入散剂。外用适量，煎汤洗；或捣汁；或烧存性，研末调敷。

| 附　注 | （1）本种的种子可作消肿药，也可用作刺激剂。

（2）江苏茄子有 3 个栽培变种：圆茄 *Solanum melongena* L. var. *esculentum* Nees、长茄 *Solanum melongena* L. var. *serpentinum* L. H. Bailey、矮茄 *Solanum melongena* L. var. *depressum* L.。

（3）本种喜高温，生长的适宜温度是 22～30 ℃；喜肥，不耐旱。适于中性至微碱性的土壤，能忍受较高的土壤溶液浓度。以耕层深厚、富含有机质、保肥保水能力强的冲积土最宜。忌连作。

茄科 Solanaceae 茄属 Solanum 凭证标本号 321084180607077LY

龙葵
Solanum nigrum L.

| 药 材 名 | 龙葵（药用部位：全草）、龙葵子（药用部位：种子）、龙葵根（药用部位：根）。

| 形态特征 | 一年生直立草本，高 0.25 ~ 1 m。茎无棱或棱不明显，绿色或紫色，近无毛或被微柔毛。叶卵形，长 2.5 ~ 10 cm，宽 1.5 ~ 5.5 cm，先端短尖，基部楔形至阔楔形而下延至叶柄，全缘或每边具不规则的波状粗齿，光滑或两面均被稀疏短柔毛，叶脉每边 5 ~ 6，叶柄长 1 ~ 2 cm。蝎尾状花序腋外生，由 3 ~ 6（~ 10）花组成，总花梗长 1 ~ 2.5 cm；花梗长约 5 mm，近无毛或具短柔毛；花萼小，浅杯状，直径 1.5 ~ 2 mm，齿卵圆形，先端圆，基部两齿间连接处成角度；花冠白色，筒部隐于萼内，长不及 1 mm，冠檐长约 2.5 mm，5 深裂，裂片卵圆形，长约 2 mm；花丝短，花药黄色，长约 1.2 mm，约为花丝长的 4 倍，顶孔向内；子房卵形，直径约 0.5 mm，花柱长

约 1.5 mm，中部以下被白色绒毛，柱头小，头状。浆果球形，直径约 8 mm，成熟时黑色；种子多数，近卵形，直径 1.5 ~ 2 mm，两侧压扁。

| 生境分布 | 生于路旁、田野、荒地及村庄附近。江苏各地均有分布。

| 资源情况 | 野生资源丰富。

| 采收加工 | **龙葵**：夏、秋季采收，鲜用或晒干。
龙葵子：秋季采收成熟果实，取出种子，鲜用或晒干。
龙葵根：夏、秋季采挖，鲜用或晒干。

| 药材性状 | **龙葵**：本品茎呈圆柱形，多分枝，长 30 ~ 70 cm，直径 2 ~ 10 mm；表面黄绿色，具纵皱纹；质硬而脆，断面黄白色，中空。叶皱缩或破碎，完整者呈卵形或椭圆形，长 2.5 ~ 10 cm，宽 1.5 ~ 5.5 cm，先端锐尖或钝，全缘或有不规则波状锯齿，暗绿色，两面光滑或疏被短柔毛；叶柄长 1 ~ 2 cm。花、果实少见，聚伞花序蝎尾状，腋外生，花 3 ~ 6（~ 10），花萼棕褐色，花冠棕黄色。浆果球形，黑色或绿色，皱缩；种子多数，棕色。气微，味淡。以茎叶色绿、带果实者为佳。
龙葵子：本品多数呈扁圆形。

| 功效物质 | 果实含茄碱、茄啶、边茄碱等生物碱类成分，去半乳糖替告皂苷等呋甾、螺甾类甾体成分，绿原酸、咖啡酸等酚酸及酚酸衍生物，二羟基桉树脑等单萜类，以及三萜类、类胡萝卜素、挥发油类资源性成分。地上部分含甾体类、氨基酸类、糖类成分等。全草含孕甾、螺甾、呋甾等的甾体类成分，澳洲茄碱、边茄碱等生物碱类成分，以及木脂素类、香豆酸类、脂肪酸类等资源性成分。澳洲茄胺具有抗炎活性，澳洲茄碱、龙葵碱等可升血糖。

| 功能主治 | **龙葵**：苦，寒。清热解毒，活血消肿。用于疔疮，痈肿，丹毒，跌打扭伤，慢性支气管炎，肾炎水肿。
龙葵子：苦，寒。清热解毒，化痰止咳。用于咽喉肿痛，疔疮，咳嗽痰喘。
龙葵根：苦，寒。清热利湿，活血解毒。用于痢疾，淋浊，尿路结石，带下，风火牙痛，跌打扭伤，痈疽肿毒。

| 用法用量 | **龙葵**：内服煎汤，15 ~ 30 g。外用适量，捣敷；或煎汤洗。
龙葵子：内服煎汤，6 ~ 9 g；或浸酒。外用适量，煎汤含漱；或捣敷。
龙葵根：内服煎汤，9 ~ 15 g，鲜品加倍。外用适量，捣敷；或研末调敷。

茄科 Solanaceae 茄属 Solanum 凭证标本号 320124170821029LY

珊瑚樱
Solanum pseudo-capsicum L.

| 药 材 名 |

玉珊瑚根（药用部位：根）。

| 形态特征 |

直立分枝小灌木，高达 2 m，全株光滑无毛。叶互生，狭长圆形至披针形，长 1 ~ 6 cm，宽 0.5 ~ 1.5 cm，先端尖或钝，基部狭楔形，下延成叶柄，全缘或波状，两面均光滑无毛，中脉在下面凸出，侧脉 6 ~ 7 对，在下面更明显；叶柄长 2 ~ 5 mm，与叶片不能截然分开。花多单生，很少成蝎尾状花序，无总花梗或近无总花梗，腋外生或近对叶生，花梗长 3 ~ 4 mm；花小，白色，直径 0.8 ~ 1 cm；花萼绿色，直径约 4 mm，5 裂，裂片长约 1.5 mm；花冠筒隐于萼内，长不及 1 mm，冠檐长约 5 mm，裂片 5，卵形，长约 3.5 mm，宽约 2 mm；花丝长不及 1 mm，花药黄色，矩圆形，长约 2 mm；子房近圆形，直径约 1 mm，花柱短，长约 2 mm，柱头截形。浆果橙红色，直径 1 ~ 1.5 cm，萼宿存，果柄长约 1 cm，先端膨大；种子盘状，扁平，直径 2 ~ 3 mm。花期初夏，果期秋末。

| 生境分布 | 江苏南京、镇江（句容）、无锡等多有零散栽培。

| 资源情况 | 野生及栽培资源较少。

| 采收加工 | 秋季采挖，晒干。

| 功效物质 | 果实含有澳洲茄胺等生物碱类成分，薯蓣皂苷元、替告皂苷元等甾体类成分，以及类胡萝卜素、挥发油类等资源性成分。根含有黄酮类、香豆素类、挥发油类、生物碱类等成分，生物碱类成分主要为毛叶冬珊瑚碱，其具有抗结核分枝杆菌和肺炎球菌的作用。叶、茎、果实亦含有毛叶冬珊瑚碱。叶中生物碱类成分具有抗肿瘤活性。

| 功能主治 | 辛、微苦，温；有毒。活血止痛。用于腰肌劳损，闪挫扭伤。

| 用法用量 | 内服浸酒，1.5 ~ 3 g。

| 附　　注 | 本种原产于澳大利亚，现主要分布于我国河北、湖北、四川、云南等。本种喜温暖，耐高温，耐寒力差。对土壤要求不严格，以富含有机质、排水良好、疏松肥沃的壤土或砂壤土为宜。

茄科 Solanaceae 茄属 *Solanum* 凭证标本号 320321180521003LY

青杞
Solanum septemlobum Bunge

| 药 材 名 | 蜀羊泉（药用部位：全草或果实）。

| 形态特征 | 直立草本或半灌木状。茎有棱，有白色弯曲的短柔毛至近无毛。叶片卵形，长 3 ~ 6 cm，宽 2 ~ 5 cm，先端尖或钝，基部楔形，5 ~ 9 羽状深裂，裂片卵状长圆形至披针形，先端尖，全缘，两面疏生短柔毛，叶脉及边缘的毛较密；叶柄长约 2 cm，有短柔毛。二歧聚伞花序顶生或腋外生，花序梗长 1 ~ 3 cm；花梗纤细，基部具关节；花萼小，杯状，直径约 2 mm，外面疏生柔毛，5 裂，裂片三角形；花冠蓝紫色，直径约 1 cm，冠檐 5 深裂，裂片椭圆形，开放时常向外反折；雄蕊 5，花药长圆形，长约 4 mm，顶孔向内；柱头头状。浆果近球状，直径约 8 mm，成熟时红色；种子扁圆形。花果期 7 ~ 11 月。

| **生境分布** | 生于向阳山坡及村边路旁。分布于江苏淮安（淮阴）、徐州（铜山）等。 |

| **资源情况** | 野生资源较少。 |

| **采收加工** | 夏、秋季割取全草，洗净，切段，鲜用或晒干。 |

| **功效物质** | 地上部分含有东莨菪内酯等香豆素类成分，阿魏酰酪胺、苯基丙烯酸酯等苯丙素类成分，麦角甾醇、豆甾醇等甾体类成分，以及类胡萝卜素等成分。全草含白英醇、江西白英素、去氢香附酮等倍半萜类成分。 |

| **功能主治** | 苦，寒；有小毒。清热解毒。用于咽喉肿痛，目昏目赤，乳腺炎，腮腺炎，疥癣瘙痒。 |

| **用法用量** | 内服煎汤，15 ~ 30 g。外用适量，捣敷；或煎汤熏洗。 |

茄科 Solanaceae 茄属 Solanum 凭证标本号 320623190628229LY

阳芋
Solanum tuberosum L.

| 药 材 名 | 马铃薯（药用部位：块茎）。

| 形态特征 | 草本，高 30 ~ 80 cm，无毛或被疏柔毛。地下茎块状，扁圆形或长圆形，直径 3 ~ 10 cm，外皮白色、淡红色或紫色。叶为奇数不相等的羽状复叶，小叶常大小相间，长 10 ~ 20 cm；叶柄长 2.5 ~ 5 cm；小叶 6 ~ 8 对，卵形至长圆形，最大者长可达 6 cm，宽达 3.2 cm，最小者长、宽均不及 1 cm，先端尖，基部稍不相等，全缘，两面均被白色疏柔毛，侧脉每边 6 ~ 7，先端略弯，小叶柄长 1 ~ 8 mm。伞房花序顶生，后侧生，花白色或蓝紫色；花萼钟形，直径约 1 cm，外面被疏柔毛，5 裂，裂片披针形，先端长渐尖；花冠辐状，直径 2.5 ~ 3 cm，花冠筒隐于萼内，长约 2 mm，冠檐长约

1.5 cm，裂片 5，三角形，长约 5 mm；雄蕊长约 6 mm，花药长为花丝的 5 倍；子房卵圆形，无毛，花柱长约 8 mm，柱头头状。浆果圆球状，光滑，直径约 1.5 cm。花期夏季。

| **生境分布** | 江苏各地均有栽培。

| **资源情况** | 栽培资源丰富。

| **采收加工** | 夏、秋季采收，洗净，鲜用或晒干。

| **药材性状** | 本品呈扁球形或长圆形，直径 3 ~ 10 cm。表面白色或黄色，节间短而不明显，侧芽着生于凹陷的"芽眼"内，一端有短茎基或茎痕。质硬，富含淀粉。气微，味淡。

| **功效物质** | 块茎中含有淀粉、蛋白质类、维生素类、氨基酸类等丰富的营养物质，以及生物碱类、黄酮类、花青素类、类胡萝卜素、有机酸类等资源性成分，其中生物碱类成分主要为茄碱、澳洲茄碱、茄啶，茄碱具有升血糖的活性。叶含有多巴胺、降肾上腺素、茄碱等生物碱类成分，以及挥发油类、三萜类、甾醇类等物质。花和种子含有黄酮类成分。果实含有 5- 羟色胺等生物碱类成分。

| **功能主治** | 甘，平。和中健胃，解毒消肿。用于胃痛，疟腮，痈肿，湿疹，烫火伤。

| **用法用量** | 内服适量，煮食；或煎汤。外用适量，磨汁涂。

| **附　　注** | （1）本种喜冷凉，不耐高温，生育期间日平均气温以 17 ~ 21 ℃为宜。喜光，水分需求适中。对土壤要求十分严格，以表土层深厚、结构疏松、排水通气良好、富含有机质的土壤为宜。前两年没种过马铃薯的地块，谷类茬最好，其次是豆茬，菜地最好的前茬是葱、蒜、芹菜等。忌选用甜菜、向日葵、茄子、辣椒、白菜等与马铃薯有共同病害的茬口。

（2）本种原产于南美洲，现我国各地普遍栽培。

茄科 Solanaceae 茄属 *Solanum* 凭证标本号 320102190627141LY

黄果茄 *Solanum virginianum* L.

| **药 材 名** | 黄果茄（药用部位：根、果实、种子）。

| **形态特征** | 直立或匍匐草本，高 50 ~ 70 cm，有时基部木质化，植物体各部均被 7 ~ 9 分枝（正中的 1 分枝常伸向外）的星状绒毛，并密生细长的针状皮刺，皮刺长 0.5 ~ 1.8 cm，基部宽 0.5 ~ 1.5 mm，先端极尖，基部间被有星状绒毛；植株除幼嫩部分外，其他各部分的星状毛逐渐脱落而稀疏。叶卵状长圆形，长 4 ~ 6 cm，宽 3 ~ 4.5 cm，先端钝或尖，基部近心形或不相等，边缘通常 5 ~ 9 裂或羽状深裂，裂片边缘波状，两面均被星状短绒毛，尖锐的针状皮刺则着生在两面的中脉及侧脉上，侧脉 5 ~ 9，约与裂片数相等；叶柄长 2 ~ 3.5 cm。聚伞花序腋外生，通常具 3 ~ 5 花，花蓝紫色，直径约 2 cm；花萼钟形，直径约 1 cm，外面被星状绒毛及尖锐的针状皮

刺，先端 5 裂，裂片长圆形，先端骤渐尖；花冠辐状，直径约 2.5 cm，花冠筒隐于萼内，长约 1.5 mm，无毛，冠檐长 13 ~ 14 mm，先端 5 裂，裂瓣卵状三角形，长 6 ~ 8 mm，外面密被星状绒毛，内面被绒毛及星状绒毛；雄蕊 5，长约 9 mm，花药长约为花丝的 8 倍；子房卵圆形，直径约 2 mm，顶部疏被星状绒毛，花柱纤细，长约 1 cm，被极稀疏的绒毛及星状绒毛，柱头截形。浆果球形，直径 1.3 ~ 1.9 cm，初时绿色并具深绿色条纹，成熟后则变为淡黄色；种子近肾形，扁平，直径约 1.5 mm。花期冬季至翌年夏季，果熟期夏季。

| 生境分布 | 生于村边、路旁、荒地及河谷两岸较干旱处。江苏有少量栽培。

| 资源情况 | 野生及栽培资源较少。

| 采收加工 | 夏、秋季采挖根，秋、冬季采收果实、种子，洗净，鲜用或晒干。

| 药材性状 | 本品根呈不规则圆柱形，多扭曲，有分枝，长达 30 cm，直径 0.7 ~ 5 cm。表面灰黄色或棕黄色，粗糙，可见凸起的细根痕及斑点，皮薄，有的剥落，剥落处显淡黄色。质硬，断面淡黄色或黄白色，具纤维性。茎的皮刺密生，细直，长 5 ~ 20 mm。

| 功效物质 | 果实含有边茄碱、龙葵碱等生物碱类成分，降黄果茄甾醇、薯蓣皂苷元、胆甾醇衍生物等甾体类成分，环木菠萝烷醇、白桦脂醇、羽扇豆醇等三萜类成分，绿原酸、异绿原酸、新绿原酸等酚酸类成分，以及香豆酸类、黄酮类等资源性成分。全草的醇提取物及生物碱部分具有强心作用，无机硝酸盐成分具有祛痰作用。

| 功能主治 | 苦、辛，温。祛风湿，消瘀止痛。用于风湿痹痛，牙痛，睾丸肿痛，痈疖。

| 用法用量 | 内服煎汤，9 ~ 15 g。外用适量，涂擦；或研末敷。

| 附　注 | （1）本种的果实可作为提取和合成甾体激素的原料。
（2）本种喜温热，适宜生长温度为 15 ~ 25 ℃；宜保持湿润；为短日照植物，起苗移植后需放置阴凉处，等叶子全部立起后放置阳光下正常接受光照。土壤以肥沃、腐殖质丰富的腐叶土或营养土为宜。

玄参科 Scrophulariaceae 石龙尾属 *Limnophila* 凭证标本号 320214201024015LY

石龙尾
Limnophila sessiliflora (Vahl) Blume

| **药 材 名** | 中华石龙尾（药用部位：全草）。

| **形态特征** | 多年生草本。茎细，长 10 ~ 20 cm，上部常有多细毛，下部沉于水中的部分光滑。叶 3 ~ 8，轮生，露出水面的叶常分裂或羽状全裂，长 6 ~ 15 mm，无柄；下部或沉于水中的叶分裂较多，裂片细线状，长 20 ~ 25 mm，有短柄。花单生于叶腋；小苞片 1 对，常位于花萼下；花无梗；花萼狭钟状，裂片披针形，先端长尖，被多节短柔毛；花冠紫红色或红色，长约 12 mm。蒴果圆状，两侧扁，有宿存花萼，长约 5 mm，4 瓣裂；种子长椭圆球状，长约 0.6 mm。花期 8 ~ 10 月。

| **生境分布** | 生于水田、浅水中或潮湿处。江苏各地均有分布。

| **资源情况** | 野生资源一般。

| **采收加工** | 夏、秋季采收，切段，鲜用或晒干。

| **功效物质** | 全草主要含有黄酮类成分。

| **功能主治** | 甘、苦，凉。清热利尿，凉血解毒。用于水肿，结膜炎，风疹，天疱疮，蛇虫咬伤。

| **用法用量** | 内服煎汤，5 ～ 10 g，鲜品 30 ～ 60 g。外用适量，鲜品捣敷。

| **附　　注** | 本种喜光，喜温暖，怕寒冷，在 22 ～ 28 ℃的环境中生长良好，越冬温度不宜低于 10 ℃。

玄参科 Scrophulariaceae 母草属 Lindernia 凭证标本号 320581180829171LY

母草

Lindernia crustacea (L.) F. Muell

| 药 材 名 | 母草（药用部位：全草）。

| 形态特征 | 一年生小草本，高 8 ~ 15 cm，植株无毛或有疏毛。茎常铺散成密丛，基部斜向上分枝。叶片卵形或三角状卵形，长 8 ~ 15 mm，先端钝或短尖，基部宽楔形或近圆形，边缘有钝锯齿。花单生于叶腋或在茎枝先端排成极短的总状花序；花梗细弱，长 1 ~ 2.5 cm，有沟纹；花萼坛状，长约 5 mm，5 浅裂，裂片齿状；花冠紫色，长约 7 mm，筒略长于花萼，上唇直立，卵形，具钝头，有时 2 浅裂，下唇 3 裂，中间裂片较大，稍长于上唇；雄蕊 4，二强，全育；花柱常早落。蒴果长椭圆球状或卵球状，包于花萼内或与花萼等长；种子近球状，浅黄褐色，表面有明显的蜂窝状瘤突。花果期 7 ~ 10 月。

| **生境分布** | 生于水田和湿地。分布于江苏中部、南部等。

| **资源情况** | 野生资源较少。

| **采收加工** | 夏末、秋初采收，除去泥土，晒干。

| **功效物质** | 全草含有山梨糖、葡萄糖等糖类成分，以及半胱氨酸、谷氨酸、蛋氨酸等氨基酸类成分。

| **功能主治** | 微苦、淡，凉。清热利湿，活血止痛。用于风热感冒，湿热泻痢，肾炎水肿，带下，月经不调，痈疖肿毒，毒蛇咬伤，跌打损伤。

| **用法用量** | 内服煎汤，10 ~ 15 g，鲜品 30 ~ 60 g；或研末；或浸酒。外用适量，鲜品捣敷。

玄参科 Scrophulariaceae 母草属 Lindernia 凭证标本号 320482180704059LY

陌上菜 *Lindernia procumdens* (Krock.) Philcox

| 药 材 名 | 白猪母菜（药用部位：全草）。

| 形态特征 | 一年生小草本，高5～15 cm，全体无毛。根系发达，细密成丛。茎自基部分枝，直立或斜上。叶无柄；叶片长椭圆形或倒卵状长圆形，长1～2.5 cm，宽4～10 mm，有3～5掌状主脉，全缘，先端钝。花单生于叶腋；花梗长1.5～2 cm，无毛；花萼5深裂，裂片线状披针形，略较蒴果短或与之等长；花冠淡红紫色，二唇形，上唇2裂，下唇开展，3裂，长约6 mm；雄蕊4，二强，全育，前方2雄蕊的附属物腺体状而短小，花药基部微凹；柱头2裂。蒴果卵球状或椭圆球状，室间2裂；种子多数，有格纹。花果期8～10月。

| **生境分布** | 生于水边、河岸湿地或水稻田内。江苏各地均有分布。

| **资源情况** | 野生资源较丰富。

| **采收加工** | 夏末、秋初采收，除去泥土，晒干。

| **功效物质** | 主要含有甾醇类、环烯醚萜苷类成分。

| **功能主治** | 淡、微甘，寒。清热解毒，凉血止血。用于湿热泻痢，目赤肿痛，尿血，痔疮肿痛。

| **用法用量** | 内服煎汤，10～15 g。外用适量，煎汤洗。

玄参科 Scrophulariaceae　通泉草属 Mazus　凭证标本号 320681170514139LY

通泉草
Mazus japonicus (Thunb.) O. Kuntze

| 药 材 名 | 绿兰花（药用部位：全草）。

| 形态特征 | 一年生草本，高 5 ~ 30 cm，全体疏生短毛或无毛。茎直立或倾斜，常基部分枝。基生叶少至多数，有时呈莲座状或早落；叶片倒卵状匙形至卵状倒披针形，膜质至薄纸质，长 2 ~ 6 cm，宽 8 ~ 15 mm，边缘有不规则的粗钝锯齿，先端圆钝，基部楔形，逐渐延伸成翼状。总状花序顶生，约占茎的大部或近全部；花梗在果期长达 10 mm，上部的较短；花萼钟状，花萼裂片与筒部近等长；花冠白色或淡紫色，上唇直立，2 裂，下唇 3 裂，中间裂片倒卵圆形；子房无毛。蒴果球状，无毛，稍露出花萼外；种子斜卵状或肾状，淡黄色，小而多数，种皮上有不规则的网纹。花果期 4 ~ 10 月。

| **生境分布** | 生于路旁荒野湿地、水稻田边。江苏各地均有分布。

| **资源情况** | 野生资源一般。

| **采收加工** | 春、夏、秋季均可采收，洗净，鲜用或晒干。

| **功效物质** | 全草含有黄酮类、萜类、甾醇类成分等。

| **功能主治** | 苦、微甘，凉。清热解毒，利湿通淋，健脾消积。用于热毒痈肿，脓疱疮，疔疮，烫火伤，尿路感染，腹水，黄疸性肝炎，消化不良，疳积。

| **用法用量** | 内服煎汤，10 ~ 15 g。外用适量，鲜品捣敷。

玄参科 Scrophulariaceae　通泉草属 *Mazus*　凭证标本号 320506150426289LY

弹刀子菜 *Mazus stachydifolius* (Turcz.) Maxim.

| 药 材 名 | 弹刀子菜（药用部位：全草）。

| 形态特征 | 多年生草本，高 10 ～ 40 cm，全体有细长软毛。根茎短，地上部分全部被多节的、白色长柔毛。茎直立。基生叶有短柄，匙形，常早枯萎；茎生叶对生，上部的常互生，长椭圆形至倒卵状披针形，纸质，长 3 ～ 7 cm，宽 5 ～ 12 mm，边缘有不规则锯齿，无柄。总状花序顶生，长 2 ～ 20 cm，花稀疏；苞片三角状卵形；花萼漏斗状，萼裂片稍长于或等长于筒部，披针状三角形；花冠蓝紫色，二唇形，上唇 2 裂，下唇 3 裂，中裂片宽而圆钝，有 2 着生腺毛的折皱直达喉部；雄蕊 4，二强；子房上部被长硬毛。蒴果圆球状，有短柔毛，包于花萼筒内；种子多数，细小，圆球状。花期 4 ～ 6 月，

果期 7 ~ 9 月。

| **生境分布** | 生于路旁、田野。江苏各地均有分布。

| **资源情况** | 野生资源一般。

| **采收加工** | 4 ~ 6 月或 7 ~ 9 月采收，鲜用或晒干。

| **功效物质** | 全草含有黄酮类、萜类、甾醇类等成分。

| **功能主治** | 微辛，凉。清热解毒，凉血散瘀。用于便秘下血，疮疖肿毒，毒蛇咬伤，跌打损伤。

| **用法用量** | 内服煎汤，15 ~ 30 g。外用适量，鲜品捣敷。

玄参科 Scrophulariaceae 鹿茸草属 *Monochasma* 凭证标本号 320205190412062LY

鹿茸草 *Monochasma sheareri* Maxim. ex Franch. et Savat.

| **药 材 名** | 鹿茸草（药用部位：全草）。

| **形态特征** | 多年生草本，高 10 ~ 25 cm，全体呈不同程度的绿色，密集丛生。主根短而木质。茎直立，下部被少量绵毛，上部仅有短柔毛或无毛。叶交互对生，茎下部叶鳞片状，向上渐大，线形或线状披针形，长 2 ~ 3 cm，宽 1 ~ 3 mm，先端急尖，基部无叶柄，全缘。花单生于苞腋，呈顶生总状花序；花梗长 2 ~ 5 cm，具 2 叶状小苞片；花萼筒状，筒部长 12 ~ 15 mm，4 裂，裂片线状披针形；花冠淡紫色，长 10 mm，二唇形，上唇 2 浅裂，下唇 3 深裂；雄蕊 4，二强；子房长卵形。蒴果为宿存花萼所包，室背开裂；种子多数，椭圆球状。花期 4 ~ 5 月。

| 生境分布 | 生于砂质山坡、草地。分布于江苏南部等。

| 资源情况 | 野生资源一般。

| 采收加工 | 夏末、秋初采收，除去泥土，晒干。

| 功效物质 | 主要含有多糖类、多元醇类、黄酮类、酚苷等成分。此外尚含环烯醚萜苷类成分，其中，多元醇类物质主要为甘露醇。

| 功能主治 | 苦、涩，凉。清热解毒，凉血止血。用于感冒，咳嗽，肺炎发热，鹅口疮，牙痛，风湿骨痛，疮疖痈肿，月经不调，崩漏，赤白带下，便血，吐血，外伤出血。

| 用法用量 | 内服煎汤，10 ~ 15 g，鲜品 30 ~ 60 g。外用适量，煎汤洗；或鲜品捣敷。

| 附 注 | 民间还将本种用于治疗咳嗽、产后伤风等。

玄参科 Scrophulariaceae 泡桐属 *Paulownia* 凭证标本号 NAS00579837

兰考泡桐 *Paulownia elongata* S. Y. Hu

| 药 材 名 | 兰考泡桐果（药用部位：近成熟果实）、兰考泡桐根（药用部位：嫩根或根皮）、兰考泡桐树皮（药用部位：树皮）、兰考泡桐花（药用部位：花）、兰考泡桐叶（药用部位：叶）。

| 形态特征 | 乔木，高超过 10 m。树冠宽圆锥形，全体具星状绒毛。小枝褐色，有凸起的皮孔。叶片通常卵状心形，有时具不规则的角，长达 34 cm，先端渐狭长而具锐头，基部心形或近圆形，上面的毛不久后脱落，下面密被无柄的树枝状毛。花序枝的侧枝不发达，故花序呈金字塔形或狭圆锥形，长约 30 cm，小聚伞花序的总花梗长 8 ~ 20 mm，与花梗近等长，有花 3 ~ 5，稀有单花；花萼倒圆锥形，长 16 ~ 20 mm，基部渐狭，1/3 左右分裂成 5 卵状三角形的齿，管

部的毛易脱落；花冠漏斗状钟形，紫色至粉白色，长 7 ~ 9.5 cm，管在基部以上稍弓曲，外面有腺毛和星状毛，内面无毛而有紫色细小斑点，檐部略作二唇形，直径 4 ~ 5 cm；雄蕊长达 25 mm；子房和花柱有腺，花柱长 30 ~ 35 mm。蒴果卵形，稀卵状椭圆形，长 3.5 ~ 5 cm，有星状绒毛，宿萼碟状，先端具长 4 ~ 5 mm 的喙，果皮厚 1 ~ 2.5 mm；种子连翅长 4 ~ 5 mm。花期 4 ~ 5 月，果期秋季。

| 生境分布 | 江苏各地均有栽培。

| 资源情况 | 栽培资源较丰富。

| 采收加工 | 兰考泡桐果：夏、秋季采摘，晒干。
兰考泡桐根：秋季采挖，或剥取根皮，洗净，鲜用或晒干。
兰考泡桐树皮：全年均可采收，鲜用或晒干。
兰考泡桐花：春季花开时采收，鲜用或晒干。
兰考泡桐叶：夏、秋季采摘，鲜用或晒干。

| 功效物质 | 根、茎、叶含有激动素等植物激素类，以及玉米素等类胡萝卜素成分。木材含有梓醇等环烯醚萜类成分，以及芝麻素、泡桐素等木脂素类成分。花含有辛烯醇、苯甲酸甲酯、辛三烯等挥发油类成分。植株富含黄酮类化学成分，对大肠埃希菌、铜绿假单胞菌、沙门菌、金黄色葡萄球菌、白色念珠菌等均有抑制作用。

| 功能主治 | 兰考泡桐果：祛痰，止咳，平喘。用于痰多，咳嗽，气喘。
兰考泡桐根：用于肠胃热毒，风湿腿痛，筋骨疼痛，肠风下血，痔疮，疮疡肿毒，崩漏，带下。
兰考泡桐树皮：用于痔疮，淋证，丹毒，跌打损伤。
兰考泡桐花：用于上呼吸道感染，风热咳嗽，乳蛾，痢疾，泄泻，目赤肿痛，疟腮，疖肿。
兰考泡桐叶：用于痈疽，疔疮，创伤出血。

| 附　　注 | 本种喜光，喜肥，怕旱，怕淹。宜选通透性良好的壤土或黏性土种植。

玄参科 Scrophulariaceae 泡桐属 Paulownia 凭证标本号 321324170513142LY

白花泡桐 *Paulownia fortunei* (Seem.) Hemsl.

| 药 材 名 | 泡桐树皮（药用部位：树皮）、泡桐花（药用部位：花）、泡桐果（药用部位：果实）、泡桐叶（药用部位：叶）、泡桐根（药用部位：根）。

| 形态特征 | 落叶乔木，高可达 30 m。树冠圆锥形，主干笔直，树皮灰褐色。幼枝、幼果密被黄色星状绒毛，后变光滑。叶片卵形或长圆形，长达 20 cm，无 3 浅裂。花序枝几无侧枝或仅有短侧枝，小聚伞花序有花 3 ~ 8；花萼倒圆锥形，有黄色茸毛，后即脱落而光滑，裂至 1/4 或 1/3 处，裂片厚而先端渐尖；花冠白色，内面淡黄色，有紫色斑点，基部偏斜，渐扩大，不驼曲，喇叭状。蒴果长椭圆状，长 7 ~ 9 cm，先端的喙长达 6 mm，外果皮木质；种子有翅。花期 4 ~ 5 月，果熟期 7 ~ 8 月。

| **生境分布** | 江苏城镇多有栽培。

| **资源情况** | 栽培资源较丰富。

| **采收加工** | 泡桐树皮：全年均可采收，鲜用或晒干。
泡桐花：春季花开时采收，鲜用或晒干。
泡桐果：夏、秋季采摘，晒干。
泡桐叶：夏、秋季采摘，鲜用或晒干。
泡桐根：秋季采挖，洗净，鲜用或晒干。

| **药材性状** | 泡桐树皮：本品表面灰褐色，有不规则纵裂；小枝有明显的皮孔，常具黏质短腺毛。味淡、微甜。
泡桐花：本品长 7 ~ 12 cm。花萼灰褐色，长 2 ~ 2.5 cm，质厚，裂片被柔毛，内表面较密；花冠白色，干者外面灰黄色至灰棕色，密被毛茸，内面色浅，腹部具紫色斑点，筒部毛茸稀少。气微香，味微苦。
泡桐果：本品呈倒卵形或长椭圆形，长 7 ~ 9 cm，表面粗糙，有类圆形疣状斑点，近先端处灰黄色，系星状毛；果皮厚 3 ~ 6 mm，木质；宿萼 5 浅裂。种子长 6 ~ 10 mm。气微，味微甘、苦。以个大、开裂少、带宿萼者为佳。
泡桐叶：本品呈卵形或长圆形，长达 20 cm，无 3 浅裂。
泡桐根：本品呈圆柱形，长短不等，直径约 2 cm。表面灰褐色至棕褐色，粗糙，有明显的皱纹与纵沟，具横裂纹及凸起的侧根裂痕。质坚硬，不易折断，断面不整齐，皮部棕色或淡棕色，木部宽广，黄白色，显纤维性，有多数孔洞（导管）及放射状纹理。气微，味微苦。

| **功效物质** | 木材含有芝麻素、泡桐素等木脂素类成分，阿魏酸等酚酸类成分，以及脂肪酸类、脂肪醇类、甾醇类等资源性成分。叶含有蕨麻苷、熊果酸、果渣酸、山楂酸等三萜类成分，以及甾体类、有机酸衍生物等成分。花含有熊果苷、苄基葡糖苷等酚苷类成分，以及三萜类、大柱香波龙烷类、甾体类等成分，其中，酚苷类成分具有抗菌和抗病毒作用，三萜类成分具有抗肿瘤活性。

| **功能主治** | 泡桐树皮：苦，寒。祛风除湿，消肿解毒。用于风湿热痹，淋病，丹毒，痔疮肿毒，肠风下血，外伤肿痛，骨折。
泡桐花：苦，寒。清肺利咽，解毒消肿。用于肺热咳嗽，急性扁桃体炎，细菌性痢疾，急性肠炎，急性结膜炎，腮腺炎，疖肿，疮癣。

泡桐果：苦，微寒。化痰，止咳，平喘。用于慢性支气管炎，咳嗽咯痰。

泡桐叶：苦，寒。清热解毒，止血消肿。用于痈疽，疔疮肿毒，创伤出血。

泡桐根：微苦，微寒。祛风止痛，解毒活血。用于风湿热痹，筋骨疼痛，疮疡肿毒，跌打损伤。

| 用法用量 | 泡桐树皮：内服煎汤，15 ~ 30 g。外用适量，鲜品捣敷；或煎汁涂。

泡桐花：内服煎汤，10 ~ 25 g。外用适量，鲜品捣敷；或熬膏搽。

泡桐果：内服煎汤，15 ~ 30 g。

泡桐叶：内服煎汤，15 ~ 30 g。外用适量，以醋蒸贴；或捣敷；或捣汁涂。

泡桐根：内服煎汤，15 ~ 30 g。外用适量，鲜品捣敷。

| 附　注 | （1）本种和楸叶泡桐形态相近，区别在于后者叶片为长卵状心形，长几为宽的2倍，花冠细瘦，管状漏斗形；果实椭圆形，二者可以以此区分。

（2）本种喜光，较耐阴，喜温暖的气候，耐寒性不强，对瘠薄的土壤有较强的适应性。幼年生长极快，是速生树种。对热量要求较高，对干旱的适应能力较强，对土壤肥力、土层厚度和疏松程度有较高要求，在黏重的土壤上生长不良。

玄参科 Scrophulariaceae 泡桐属 *Paulownia* 凭证标本号 320323170512883LY

毛泡桐
Paulownia tomentosa (Thunb.) Steud.

| **药 材 名** | 泡桐树皮（药用部位：树皮）、泡桐花（药用部位：花）、泡桐果（药用部位：果实）、泡桐叶（药用部位：叶）、泡桐根（药用部位：根）。 |

| **形态特征** | 落叶乔木，高 4 ~ 15 m。树冠圆，枝条开展，树皮褐灰色。小枝有明显的皮孔，幼枝、幼果密被黏质短腺毛，后变光滑。叶片宽卵形至卵形，长 12 ~ 30 cm，先端渐尖，基部心形，全缘，有时 3 浅裂，表面有柔毛及腺毛，背面密被星状绒毛，新发的幼叶有具黏性的短腺毛。聚伞圆锥花序，花序的侧枝不发达，长为中央主枝的一半或稍短，小聚伞花序有花 3 ~ 5；花萼钟状，5 裂至中部，裂片卵形，有锈色绒毛；花冠紫色或淡紫色，漏斗状钟形，长 5 ~ 7 cm， |

筒部扩大，驼曲，内面有黑色斑点及黄色条纹，外面有腺状短柔毛。蒴果卵球状，长 3 ~ 4 cm，先端尖如喙，外果皮硬革质，密被浓密黏腺毛。花期 4 ~ 5 月，果熟期 8 ~ 9 月。

| 生境分布 | 江苏城镇多有栽培。

| 资源情况 | 栽培资源丰富。

| 采收加工 | 泡桐树皮：全年均可采收，鲜用或晒干。
泡桐花：春季花开时采收，鲜用或晒干。
泡桐果：夏、秋季采摘，晒干。
泡桐叶：夏、秋季采摘，鲜用或晒干。
泡桐根：秋季采挖，洗净，鲜用或晒干。

| 药材性状 | 泡桐树皮：本品表面灰褐色，有不规则纵裂；小枝有明显的皮孔，常具黏质短腺毛。味淡、微甜。
泡桐花：本品长 4 ~ 7.5 cm。花萼较小，长约 1.2 cm；花冠紫红色，干者灰棕色，内面紫色斑点众多。
泡桐果：本品呈卵圆形，长 3 ~ 4 cm，直径 2 ~ 3 cm；外表面红褐色至黑褐色，常有黏质腺毛，先端尖嘴状，长 6 ~ 8 mm，基部圆形，自先端至基部两侧各有棱线 1，常易沿棱线裂成两瓣；内表面淡棕色，光滑而有光泽，各有 1 纵隔。果皮革质，厚 0.5 ~ 1 mm。宿萼 5 中裂，呈五角星形，裂片卵状三角形。果柄扭曲，长 2 ~ 3 cm。种子多数，着生在半圆形、肥厚的中轴上，细小，扁而有翅，长 2.5 ~ 4 mm。气微，味微甘、苦。以个大、开裂少、带宿萼者为佳。

泡桐叶： 本品呈宽卵形至卵形，长 12 ~ 30 cm，先端渐尖，基部心形，全缘，有时 3 浅裂，表面有柔毛及腺毛，背面密被星状绒毛，新发的幼叶有具黏性的短腺毛。

泡桐根： 本品呈圆柱形，长短不等，直径约 2 cm。表面灰褐色至棕褐色，粗糙，有明显的皱纹与纵沟，具横裂纹及凸起的侧根裂痕。质坚硬，不易折断，断面不整齐，皮部棕色或淡棕色，木部宽广，黄白色，显纤维性，有多数孔洞（导管）及放射状纹理。气微，味微苦。

| 功效物质 | 树皮含有丁香苷、松柏苷等苯丙素类成分，毛蕊花苷等苯乙醇苷类成分，以及梓醇等环烯醚萜类成分，其中，丁香苷具有止血作用。树干含有角胡麻苷、毛蕊花苷等苯乙醇苷类成分，以及呋喃并苯醌类、苯丙素类和木脂素类成分。叶含有泡桐苷、毛泡桐苷、桃叶珊瑚苷等环烯醚萜类成分，以及毛蕊花苷、异毛蕊花苷等苯乙醇苷类成分；三萜类成分具有镇静催眠、抗惊厥的活性。花含有黄酮类、三萜类、苯丙素类、甾体类，以及挥发油类等资源性成分。果实含有黄酮类成分。

| 功能主治 | **泡桐树皮：** 苦，寒。祛风除湿，消肿解毒。用于风湿热痹，淋病，丹毒，痔疮肿毒，肠风下血，外伤肿痛，骨折。

泡桐花： 苦，寒。清肺利咽，解毒消肿。用于肺热咳嗽，急性扁桃体炎，细菌性痢疾，急性肠炎，急性结膜炎，腮腺炎，疖肿，疮癣。

泡桐果： 苦，微寒。化痰，止咳，平喘。用于慢性支气管炎，咳嗽咯痰。

泡桐叶： 苦，寒。清热解毒，止血消肿。用于痈疽，疔疮肿毒，创伤出血。

泡桐根： 微苦，微寒。祛风止痛，解毒活血。用于风湿热痹，筋骨疼痛，疮疡肿毒，跌打损伤。

| 用法用量 | **泡桐树皮：** 内服煎汤，15 ~ 30 g。外用适量，鲜品捣敷；或煎汁涂。

泡桐花： 内服煎汤，10 ~ 25 g。外用适量，鲜品捣敷；或熬膏搽。

泡桐果： 内服煎汤，15 ~ 30 g。

泡桐叶： 内服煎汤，15 ~ 30 g。外用适量，以醋蒸贴；或捣敷；或捣汁涂。

泡桐根： 内服煎汤，15 ~ 30 g。外用适量，鲜品捣敷。

| 附　　注 | 本种较耐干旱与瘠薄，尤为适宜在我国北方较寒冷和干旱地区生长，但主干低矮，生长速度较慢。对土壤肥力、土层厚度和疏松程度有较高要求，在黏重的土壤上生长不良，喜生于排水良好的砂壤土中。

玄参科 Scrophulariaceae | 松蒿属 *Phtheirospermum* | 凭证标本号 320111151017007LY

松蒿

Phtheirospermum japonicum (Thunb.) Kanitz

| 药 材 名 |

松蒿（药用部位：全草）。

| 形态特征 |

一年生草本，高 25 ~ 60 cm，全体有腺毛。茎多分枝。叶片三角状卵形，长 1.5 ~ 5 cm，宽 2 ~ 3.5 cm，羽状分裂，下方全裂，边缘有细牙齿，上部叶渐变小，羽状深裂，小裂片长卵形或卵圆形，歪斜，边缘具重锯齿或深裂，长 4 ~ 10 mm，宽 2 ~ 5 mm。花单生于叶腋；花萼 5 裂，长 5 ~ 7 mm，花后稍增大，叶状，裂片绿色，长椭圆形，边缘有锯齿；花冠淡红色，二唇形，长 1.5 ~ 2 cm，上唇裂片三角状卵形，下唇裂片先端圆钝，外面被柔毛，喉部有黄色条纹，边缘有纤毛；花丝基部疏被长柔毛。蒴果长扁卵圆球状，长约 1 cm，有细短毛；种子卵圆球状，扁平。花果期 6 ~ 10 月。

| 生境分布 |

生于山坡草地。分布于江苏连云港、南京、镇江（句容）、常州（溧阳）、无锡（宜兴）、苏州等。

| **资源情况** | 野生资源较少。

| **采收加工** | 夏末、秋初采收，除去泥土，晒干。

| **药材性状** | 本品长 30 ～ 60 cm。茎直立，上部多分枝，具腺毛，有黏性。叶对生，多皱缩而破碎；完整叶片三角状卵形，长 3 ～ 5 cm，宽 2 ～ 3.5 cm，羽状深裂，两侧裂片长圆形，先端裂片较大，卵圆形，边缘具细锯齿，叶两面均有腺毛。穗状花序顶生；花萼钟状，长约 6 mm，5 裂；花冠淡红紫色。味微辛。

| **功效物质** | 全草含有环烯醚萜类及酚苷类成分，环烯醚萜类成分包括京尼平苷、桃叶珊瑚苷等；酚苷类成分包括松蒿苷、毛蕊花苷、米团花苷、角胡麻苷等。

| **功能主治** | 微辛，凉。清热利湿，解毒。用于黄疸，水肿，风热感冒，口疮，鼻炎，疮疖肿毒。

| **用法用量** | 内服煎汤，15 ～ 30 g。外用适量，煎汤洗；或研末调敷。

| 玄参科 Scrophulariaceae | 地黄属 Rehmannia | 凭证标本号 320323170510784LY |

地黄
Rehmannia glutinosa (Gaert.) Libosch. ex Fisch. et Mey.

| **药 材 名** | 地黄（药用部位：块根）。

| **形态特征** | 多年生草本，高 10 ～ 30 cm，全体有白色长柔毛及腺毛。根肉质、肥厚，地下横走，橘黄色，微带红色。茎直立。叶多为基生；叶片长椭圆形，长 3 ～ 10 cm，宽 1.5 ～ 4 cm，先端钝圆，基部渐狭成长柄，边缘有不规则钝齿，表面皱缩，背面叶脉隆起，网状，叶缘及脉上的腺毛较密。顶生总状花序；苞片叶状；花萼钟状，5 裂，裂片三角形，先端尖；花冠筒状而微弯，长 3 ～ 4 cm，外面紫红色，内面黄色有紫斑，下部渐狭，顶部二唇形；花柱细长，柱头头状。蒴果卵球状或卵圆球状，几为花萼所包；种子多数。花期 4 ～ 6 月，果期 7 ～ 8 月。

| 生境分布 | 生于山脚下或路边荒地。分布于江苏徐州（邳州、沛县、丰县、铜山）、连云港、淮安（盱眙）等。江苏南通、扬州、南京、镇江等有栽培。

| 资源情况 | 野生及栽培资源较丰富。

| 采收加工 | 秋季采挖，除去芦头、须根及泥沙，鲜用；或将地黄缓缓烘焙至约八成干。前者习称"鲜地黄"，后者习称"生地黄"。

| 药材性状 | 本品鲜地黄呈纺锤形或条状，长 9 ~ 15 cm，直径 1 ~ 6 cm；表面浅红黄色，具纵直弯曲的皱纹、横长皮孔及不规则的疤痕。肉质，易断，断面皮部淡黄白色，可见橘红色油点，木部黄白色，导管呈放射状排列。气微，味微甜、微苦。以条粗、长直者为佳。生地黄呈长圆形或不规则团块状，中间膨大，两端稍细，长 6 ~ 12 cm，直径 3 ~ 6 cm，有的呈细长条状，稍扁而扭曲；表面灰黑色或棕灰色，极皱缩，具不规则的横曲纹。体重，质较软韧，断面灰黑色、棕黑色或乌黑色，微有光泽，具黏性。气微，味微甜。以块大、体重、断面乌黑油润、味甘者为佳。

| 功效物质 | 块根主要含有环烯醚萜苷类成分等，其中含量最高的环烯醚萜苷是梓醇，梓醇具有降血糖、调血脂、抗肿瘤、抗辐射、抗骨质疏松、抗炎、提高免疫等多种生物活性。此外，尚含有苯丙素类、木脂素类、酚酸类、单萜类、倍半萜类、三萜类、生物碱类、呋喃衍生物、糖类等资源性成分。地黄多糖具有保护心肌的活性，地黄寡糖及其糠醛类成分具有调血脂、降血糖、增强造血功能等活性。叶含有环烯醚萜类、三萜类、酚酸类、香豆素类、苯乙醇苷类等资源性成分，其中苯乙醇苷类物质是主要活性成分。

| 功能主治 | 鲜地黄，甘、苦，寒。归心、肝、肾经。清热生津，凉血，止血。用于热病伤阴，舌绛烦渴，温毒发斑，吐血，衄血，咽喉肿痛。生地黄，甘、苦，微寒。归心、肝、肾经。清热凉血，养阴生津。用于热入营血，温毒发斑，吐血，衄血，热病伤阴，舌绛烦渴，津伤便秘，阴虚发热，骨蒸劳热，内热消渴。

| 用法用量 | 鲜地黄，内服煎汤，10 ~ 30 g；或捣汁；或熬膏。外用适量，捣敷；或取汁涂搽。生地黄，内服煎汤，10 ~ 15 g，大剂量可用至 30 g；或熬膏；或入丸、散剂；或浸润后捣绞汁。外用适量，捣敷。

| 附　注 | 本种与辣椒间作可以提高产量。

玄参科 Scrophulariaceae　玄参属 *Scrophularia*　凭证标本号 320115150925005LY

玄参

Scrophularia ningpoensis Hemsl.

|药材名|

玄参（药用部位：根）。

|形态特征|

多年生草本，高 1.5 m。根数条，纺锤状或胡萝卜状。茎的节间常较叶短。叶对生；叶片卵形或卵状椭圆形，长 7 ～ 20 cm，宽 4.5 ～ 12 cm，先端渐尖，基部圆形或近截形，边缘有细钝锯齿，背面有稀疏细毛；叶柄长约 1.5 cm。聚伞花序疏散，开展成圆锥状；花梗长 3 ～ 30 mm，外面有腺状细毛；花萼长 2 ～ 3 mm，裂片圆形，边缘稍膜质；花冠暗紫色，长约 8 mm，二唇形，上唇长于下唇，裂片圆形，相邻边缘相互重叠，下唇裂片呈不同程度的卵形，花冠筒近球状；雄蕊稍短于下唇，花丝肥厚，退化雄蕊 1，位于后方；花柱稍长于子房。蒴果圆卵状，长 8 ～ 9 mm。花期 7 ～ 8 月，果期 8 ～ 9 月。

|生境分布|

生于山坡林下。分布于江苏徐州（邳州、沛县、新沂）、连云港（赣榆、灌云、东海）、无锡（江阴、宜兴）、苏州（常熟）、南通（启东）、淮安（涟水）、镇江、常州（溧阳）州等。江苏平原、丘陵及低山坡地有栽培。

| 资源情况 | 野生及栽培资源较丰富。

| 采收加工 | 冬季茎叶枯萎时采挖，除去根茎、幼芽、须根及泥沙，晒或烘至半干，堆放 3 ～ 6 天，反复数次至干燥。

| 药材性状 | 本品呈类圆柱形，中部略粗或上粗下细，有的微弯似羊角状，长 6 ～ 20 cm，直径 1 ～ 3 cm。表面灰黄色或棕褐色，有明显纵沟或横向皮孔，偶有短的细根或细根痕。质坚实，难折断，断面略平坦，乌黑色，微有光泽。有焦糖气，味甘、微苦。以水浸泡，水呈墨黑色。

| 功效物质 | 根含有环烯醚萜类、单萜类、二萜类、三萜类、苯丙素类、苯乙醇苷类、生物碱类等资源性成分，主要活性成分为环烯醚萜类和苯丙素类成分。环烯醚萜类成分如玄参苷、浙玄参苷、京尼平苷等，单萜类成分如浙玄参苷元、玄参萜等，二萜类成分如柳杉酚、磺酰穿心莲内酯等，三萜类成分如齐墩果酮酸、东北铁线莲皂苷等，苯丙素类成分如玄参苷、斩龙剑苷 A 等，生物碱类成分如玄参宁碱、玄参新碱等。苯丙素类成分具有抗炎、保肝、抗血小板聚集等活性。

| 功能主治 | 甘、苦、咸，微寒。归肺、胃、肾经。清热凉血，滋阴降火，解毒散结。用于热入营血，温毒发斑，热病伤阴，舌绛烦渴，津伤便秘，骨蒸劳嗽，目赤，咽痛，白喉，瘰疬，痈肿疮毒。

| 用法用量 | 内服煎汤，9 ～ 15 g；或入丸、散剂。外用适量，捣敷；或研末调敷。

玄参科 Scrophulariaceae 阴行草属 Siphonostegia 凭证标本号 321112180724017LY

阴行草 *Siphonostegia chinensis* Benth.

| **药 材 名** | 北刘寄奴（药用部位：全草）。

| **形态特征** | 一年生草本，高 30 ~ 70 cm，全体被柔毛。茎直立，中空，上部分枝，分枝有棱，密被短柔毛。叶对生，上部叶近互生；叶片厚纸质，有翼状短柄，三角形，羽状深裂，裂片约 3 对，线状披针形，全缘。花对生于茎枝上部，有短梗，密集于枝端成穗形总状花序；苞片叶状，较花萼短，羽状深裂或全裂；花萼筒部长 12 ~ 15 mm，有脉 10，5 裂，裂片披针形，长 3 ~ 5 mm；花冠黄色，有时上唇紫红色，长约 2.5 cm，先端截形；雄蕊 4，二强，基部的花丝具短缘毛，柱头头状。蒴果包于萼内，狭长圆形，与花萼等长；种子长卵形，有皱纹，黑色。花期 7 ~ 8 月，果期 9 ~ 10 月。

| 生境分布 | 生于山坡和草地。江苏各地山区均有分布。

| 资源情况 | 野生资源较少。

| 采收加工 | 夏末、秋初采收，除去泥土，晒干。

| 药材性状 | 本品茎略呈方柱形，分枝对生，有环形的叶柄残痕；表面灰绿色、黄绿色或紫棕色，有纵沟及细纵纹，被灰色柔毛；节明显，略膨大；质轻而脆，易折断，断面黄白色或带绿色，髓部宽广，类白色，中空。叶对生，多破碎而不完整，完整叶片常皱缩、卷曲，展平后呈卵圆形，灰绿色，边缘有钝锯齿，两面皆有白色柔毛，尤以叶脉处为多，主脉三出。茎顶或叶腋间有时可见黄色的头状花序，总苞片匙形，总苞上可见点状的腺毛。气微，味微苦。以叶多、枝嫩、色深绿者为佳。

| 功效物质 | 全草含有环烯醚萜类、单萜类、木脂素类、苯乙醇苷类、香豆素类、挥发油类、黄酮类，以及生物碱等资源性成分。环烯醚萜类成分有阴行草醇、表马钱苷，单萜类成分有黑麦草内酯、异香茶菜萜碱等，木脂素类成分有丁香树脂酚，苯乙醇苷类成分有毛蕊花苷、圆齿列当苷等，香豆素类成分有伞形酮、治疝草素等。

| 功能主治 | 苦、辛，寒。活血祛瘀，通经止痛，凉血止血，清热利湿。用于跌打损伤，外伤出血，瘀血闭经，月经不调，产后瘀痛，癥瘕积聚，血痢，血淋，湿热黄疸，水肿腹胀，带下。

| 用法用量 | 内服煎汤，9 ~ 15 g，鲜品 30 ~ 60 g；或研末。外用适量，研末调敷。

玄参科 Scrophulariaceae 婆婆纳属 Veronica 凭证标本号 320830150509018LY

北水苦荬 *Veronica anagallis-aquatica* L.

| **药 材 名** |

水苦荬（药用部位：全草）。

| **形态特征** |

多年生草本，高 25 ～ 60（～ 90）cm，全体常无毛，极少在花序轴、花轴和蒴果上有稀疏腺毛。根茎斜走。茎圆形，直立或基部倾卧，肉质，中空，无毛。叶对生，无柄，半抱茎；叶片长 4 ～ 7 cm，宽 8 ～ 15 mm，披针形或长椭圆状披针形，尖锐或具钝头，基部圆形或微心形，边缘有波状细锯齿。总状花序腋生，长 5 ～ 15 cm；花梗上升，与花序轴成锐角，与苞片近等长；花萼 4 深裂，裂片狭长椭圆形，先端钝；花冠浅蓝色、淡紫色或白色，有淡紫色的线条，裂片宽卵形；雄蕊短于花冠；花柱长约 2 mm。蒴果近圆状，长约 3 mm，先端微凹；种子细小，多数，稍扁平，两面凸起。花期 4 ～ 6 月。

| **生境分布** |

生于水边湿地。江苏各地均有分布。江苏各地均有栽培。

| **资源情况** |

野生及栽培资源较丰富。

| 采收加工 | 夏季果实中红虫未逸出前采收有虫瘿的全草，洗净，切碎，鲜用或晒干。

| 功效物质 | 全草含有环烯醚萜类、黄酮类、倍半萜类等资源性成分。环烯醚萜类成分有草
苁蓉醛苷，黄酮类成分有大波斯菊苷、高黄芩素糖苷等。

| 功能主治 | 苦，凉。归肺、肝、肾经。清热解毒，活血止血。用于感冒，咽痛，劳伤咯血，
痢疾，血淋，月经不调，疮肿，跌打损伤。

| 用法用量 | 内服煎汤，10 ~ 30 g；或研末。外用适量，鲜品捣敷。

| 附　　注 | 含本种提取物的牙膏具有止血止痛、护理牙龈牙周、预防牙结石、祛除牙渍烟
渍等作用。

玄参科 Scrophulariaceae 婆婆纳属 Veronica 凭证标本号 321324170415065LY

直立婆婆纳 *Veronica arvensis* L.

| **药 材 名** | 脾寒草（药用部位：全草）。

| **形态特征** | 一年生至二年生草本，高 10 ~ 30 cm，全体有细软毛。茎直立或下部斜生，常具白色长柔毛。叶 3 ~ 5 对；叶片卵圆形或三角状卵形，长 1 ~ 1.5 cm，宽 5 ~ 8 mm，边缘有钝锯齿，基部圆形，下部叶有极短的柄，上部叶无柄。总状花序长而多花，长可达 15 cm，各部分被多节的、白色腺毛；苞片互生，下部苞片长卵形而疏具圆齿，上部苞片长椭圆形而全缘；花萼长 3 ~ 4 mm，裂片狭椭圆形或披针形；花冠蓝色而略带紫色，长约 2 mm，裂片圆形至长圆形；雄蕊短于花冠。蒴果广倒扁心形，宽大于长，宿存花柱略超过凹口，有细毛而边毛特长；种子细小，光滑。花期 4 ~ 5 月。

| **生境分布** | 生于路边荒地。江苏各地均有分布。

| **资源情况** | 野生资源较丰富。

| **采收加工** | 夏季采收，鲜用或晒干。

| **功效物质** | 全草含有环烯醚萜类、苯乙醇苷类、糖醇类、环己乙醇类等资源性成分。环烯醚萜类成分有桃叶珊瑚苷、筋骨草醇，苯乙醇苷类成分有红景天苷，环己乙醇类成分有连翘醇酮、山茱萸诺苷等。

| **功能主治** | 苦，寒。清热，除疟。用于疟疾。

| **用法用量** | 内服煎汤，10 ~ 15 g，鲜品 30 ~ 60 g。

玄参科 Scrophulariaceae 婆婆纳属 *Veronica* 凭证标本号 320703170418764LY

婆婆纳
Veronica didyma Tenore

| 药 材 名 | 婆婆纳（药用部位：全草）。

| 形态特征 | 一年生至二年生草本，高 5 ～ 15 cm，全体疏生短柔毛。茎自基部
分枝，下部伏生地面，斜上。叶在茎下部对生，1 ～ 3 对，上部互生；
叶片卵圆形或近圆形，长和宽均 6 ～ 10 mm，边缘有圆齿，先端急
尖，基部圆形，有短柄。总状花序很长，疏松，顶生；苞片呈叶状；
花梗与苞片等长或稍短，长约 1 cm 或近无；花萼 4 深裂几达基部，
裂片卵形，长 3 ～ 6 mm，先端急尖，疏被短硬毛；花冠淡红紫色、
蓝色、粉红色或白色，直径 4 ～ 5 mm，裂片圆形至卵形；雄蕊比
花冠短。蒴果近肾形，稍扁，密被柔毛，略比花冠短，宽大于长，
先端凹口成直角，裂片先端圆，宿存花柱与凹口齐或略过之；种子

舟状深凹，背面有波状皱纹。花期 3 ~ 10 月。

| **生境分布** | 生于路边、田间，为初春常见的杂草。江苏各地均有分布。江苏各地岩石庭院和灌木花园等有栽培。

| **资源情况** | 野生资源丰富。

| **采收加工** | 3 ~ 4 月采收，鲜用或晒干。

| **功效物质** | 全草含有环烯醚萜类、苯乙醇苷类、黄酮类、生物碱类等资源性成分。环烯醚萜类成分有梓苷、婆婆纳诺苷等，苯乙醇苷类成分有兔耳草托苷、二乙酰兔耳草托苷等，黄酮类成分有小麦黄素、婆婆纳苷 A、菜蓟苷等。此外，还含有 4-甲氧基高山黄芩素 -7-O-D- 葡萄糖苷、6- 羟基木犀草素 -7-O- 二葡萄糖苷、大波斯菊苷和木犀草素 -7-O- 吡喃葡萄糖苷。

| **功能主治** | 甘、淡，凉。归肝、肾经。补肾壮阳，凉血，止血，理气止痛。用于吐血，疝气，子痛，带下，崩漏，小儿虚咳，阳痿，骨折。

| **用法用量** | 内服煎汤，15 ~ 30 g，鲜品 60 ~ 90 g；或捣汁。

玄参科 Scrophulariaceae 婆婆纳属 Veronica 凭证标本号 320621180415027LY

蚊母草

Veronica peregrina L.

药材名

仙桃草（药用部位：全草）。

形态特征

一年生至二年生草本，高 5 ~ 25 cm，全体无毛或有腺状短柔毛。茎直立，基部分枝，呈丛生状。叶对生；叶片细条形或倒披针形，全缘或稀有细锯齿，长 1.5 ~ 2 cm，宽 2 ~ 4 mm，下部叶有短柄，上部叶无柄。总状花序顶生和腋生，长而疏松；苞片互生，线状倒披针形；花梗短，长约 1 mm，短于苞片；花萼 4 深裂，裂片狭披针形；花冠白色，略带淡紫红色，长 2 mm，裂片长圆形至卵形；雄蕊短于花冠。蒴果扁圆形，无毛或有时沿脊疏生短腺毛，先端凹入，宽大于长，宿存花柱短；种子扁平，长圆形，无毛，子房往往被虫寄生形成虫瘿而肿大，呈桃形。花期 4 ~ 5 月。

生境分布

生于河旁或湿地。江苏各地均有分布。

资源情况

野生资源较丰富。

| **采收加工** | 春、夏季采集果实未开裂的全草（以带虫瘿者为佳），剪去根，拣净杂质，晒干或用文火烘干。

| **药材性状** | 本品须根丛生，细而卷曲；表面棕灰色至棕色，折断面白色。茎圆柱形，直径约 1 mm；表面枯黄色或棕色，老茎微带紫色，有纵纹；质柔软，折断面中空。叶大多脱落，残留的叶片淡棕色或棕黑色，皱缩、卷曲。蒴果棕色，有多数细小而扁的种子；种子淡棕色，有虫瘿的果实膨大为肉质桃形。气微，味淡。以虫瘿多、内有小虫者为佳。

| **功效物质** | 全草含有婆婆纳苷、梓苷、婆婆纳诺苷等环烯醚萜苷类，香叶木素、金圣草酚及其糖苷类等黄酮类成分，以及香荚兰酸、对羟基苯甲酸、咖啡酸及其酯类等酚酸衍生物。其中，黄酮类成分具有较好的促凝血作用。

| **功能主治** | 甘、微辛，平。归肝、胃、肺经。化瘀止血，清热消肿，止痛。用于跌打损伤，咽喉肿痛，痈疽疮疡，咯血，吐血，衄血，便血，肝胃气痛，疝气痛，痛经。

| **用法用量** | 内服煎汤，10 ~ 30 g；或研末；或捣汁。外用适量，鲜品捣敷；或煎汤洗。

玄参科 Scrophulariaceae 婆婆纳属 Veronica 凭证标本号 320321180401004LY

阿拉伯婆婆纳 *Veronica persica* Poir.

| 药 材 名 | 肾子草（药用部位：全草）。

| 形态特征 | 一年生至二年生草本，高 10 ~ 30 cm，全体有柔毛。茎自基部分枝，下部伏生地面，斜上，密生 2 列多节柔毛。叶在茎基部对生，上部的互生；叶片卵圆形或卵状长圆形，长和宽均 1 ~ 2 cm，先端急尖，基部圆形，边缘有钝锯齿，两面疏生柔毛，无柄或上部叶有柄。花单生于苞腋；苞片呈叶状；花梗长 1.5 ~ 2.5 cm，长于苞片；花萼 4 深裂，长 6 ~ 8 mm，裂片狭卵形；花冠淡蓝色，有放射状深蓝色条纹，长 4 ~ 6 mm，裂片卵形至圆形，喉部疏被毛；雄蕊短于花冠。蒴果 2 深裂，倒扁心形，宽大于长，有网纹，2 裂片叉开 90° 以上，裂片先端钝尖，宿存花柱超出凹口很多；种子舟状或长圆球状，腹

面凹入，有皱纹。花期 2 ~ 5 月。

| **生境分布** | 生于田间、路旁，是江苏南部早春常见的杂草。

| **资源情况** | 野生资源丰富。

| **采收加工** | 夏季采收，鲜用或晒干。

| **功效物质** | 地上部分含有环烯醚萜苷类、苯乙醇苷类、黄酮类、多元醇类等资源性成分。环烯醚萜苷类成分有婆婆纳诺苷、梓苷、梓醇、藜芦酰梓醇等，苯乙醇苷类有桃苷、毛蕊花苷、薰衣草叶水苏苷等，黄酮类成分有菜蓟苷、大波斯菊苷等，多元醇类成分有卫矛醇。

| **功能主治** | 辛、苦、咸，平。祛风除湿，壮腰，截疟。用于风湿痹痛，肾虚腰痛，久疟。

| **用法用量** | 内服煎汤，15 ~ 30 g。外用适量，煎汤熏洗。

玄参科 Scrophulariaceae 婆婆纳属 Veronica 凭证标本号 320581180707042LY

水苦荬 *Veronica undulata* Wall.

| 药 材 名 | 水苦荬（药用部位：全草）。

| 形态特征 | 一年生或二年生草本，高 15 ～ 40 cm，全体稍肉质，无毛，茎、花序轴、花梗、花萼和蒴果不同程度被大头针状腺毛。茎直立，圆柱状，中空。叶对生；叶片长 3 ～ 8 cm，宽 0.5 ～ 1.5 cm，长圆状披针形或披针形，有时条状披针形，基部圆形或心形而呈耳状微抱茎，先端近急尖，叶缘常有尖锯齿。花多朵排列成疏散的总状花序；花梗平展，长 4 ～ 6 mm；苞片宽线形，短于或近等长于花柄；花萼4 深裂，裂片狭长圆形，长 3 ～ 4 mm，先端钝；花冠白色、淡红色或淡蓝紫色，直径 5 mm；花柱宿存，长 1.5 mm。蒴果圆球状，直径约 3 mm。花果期 4 ～ 6 月。

| **生境分布** | 生于水边或沼泽地。江苏各地均有分布。

| **资源情况** | 野生资源较丰富。

| **采收加工** | 夏季果实中红虫未逸出前采收，洗净，切碎，鲜用或晒干。

| **功效物质** | 全草含有环烯醚萜苷类、苯乙醇苷类等资源性成分。环烯醚萜苷类成分如婆婆纳苷、婆婆纳诺苷、婆婆纳普苷等，苯乙醇苷类成分如角胡麻苷等。

| **功能主治** | 全草，苦，凉。归肺、肝、肾经。清热解毒，活血止血。用于感冒，咽痛，劳伤咯血，痢疾，血淋，月经不调，疮肿，跌打损伤。

| **用法用量** | 内服煎汤，10 ~ 30 g；或研末。外用适量，鲜品捣敷。

| **附　注** | 本种与北水苦荬皆为中药材水苦荬的基原植物，二者形态极为相似，唯本种植株稍矮些；叶片有时为条状披针形，通常叶缘有尖锯齿；茎、花序轴、花萼和蒴果上多少有大头针状腺毛；花梗在果期挺直，横叉开，与花序轴几成直角，因而花序宽超过 1 cm，可达 1.5 cm，花柱也较短，长 1 ~ 1.5 mm。

紫葳科 Bignoniaceae 凌霄属 Campsis 凭证标本号 320721180713240LY

凌霄

Campsis grandiflora (Thunb.) Schum.

| 药 材 名 | 凌霄花（药用部位：花）、紫葳根（药用部位：根）。

| 形态特征 | 落叶攀缘藤本。茎木质，表皮呈片状脱落，枯褐色。具气生根，常攀附于其他物上。奇数羽状复叶，对生；小叶 7 ~ 9，卵形至卵状披针形，长 3 ~ 7 cm，宽 1.5 ~ 3 cm，先端长尖，基部宽楔形至近圆形，稍不对称，两面无毛，边缘疏生 7 或 8 锯齿，2 小叶柄间有淡黄色柔毛。由三出聚伞花序集成稀疏、顶生的圆锥花序；花萼钟状，5 裂至中部，萼齿披针形，与萼筒近等长；花冠内面鲜红色，外面橙黄色，直径约 7 cm，裂片半圆形；雄蕊着生于花冠筒近基部，花丝线形，细长，花药黄色；花柱线形，柱头扁平，2 裂。蒴果长如豆荚，先端钝；种子多数，扁平，具透明的翅。花期 6 ~ 8 月，果熟期 11 月。

| 生境分布 | 江苏镇江（句容）、南京（溧水）、常州（溧阳）、连云港（海州）等有栽培。

| 资源情况 | 栽培资源丰富。

| 采收加工 | 凌霄花：7～9 月择晴天摘下刚开的花朵，晒干。
紫葳根：全年均可采挖，洗净，切片，晒干。

| 药材性状 | 凌霄花：本品多皱缩、卷曲，完整者长 3～5.5 cm；花萼钟状，长约 2 cm，棕褐色或棕色，质薄，先端不等 5 深裂，裂片三角状披针形，萼筒表面有 10 纵脉，其中 5 明显；花冠黄棕色或棕色，完整者展平后可见先端 5 裂，裂片半圆形，下部联合成漏斗状，表面可见细脉纹，内表面较明显；冠生雄蕊 4，二强，花药呈"个"字形，黑棕色；花柱 1，柱头圆三角形。气微香，味微苦、酸。以完整、朵大、色黄棕、无花梗者为佳。
紫葳根：本品呈长圆柱形。外表面黄棕色或土红色，有纵皱纹，并可见稀疏的支根或支根痕。质坚硬，断面纤维性，有丝状物，皮部为棕色，木部为淡黄色。

| 功效物质 | 花含有芹菜素、柚皮苷等黄酮类，毛蕊花苷、米团花苷 A 等苯乙醇苷类成分，凌霄苷 I 等环烯醚萜苷类成分，齐墩果酸、山楂酸、熊果醛等三萜类成分，以及环己酮衍生物等环己乙醇类成分；其中，三萜类成分具有降血脂、抑制血小板聚集等生物活性。叶同样含有环烯醚萜类、苯乙醇苷类、三萜类等资源性成分。

| 功能主治 | 凌霄花：酸，微寒。归肝经。活血通经，凉血祛风。用于月经不调，闭经癥瘕，产后乳肿，风疹发红，皮肤瘙痒，痤疮。
紫葳根：甘、辛，寒。凉血祛风，活血通络。用于血热生风，身痒，风疹，腰脚不遂，痛风，风湿痹痛，跌打损伤。

| 用法用量 | 凌霄花：内服煎汤，3～6 g；或入散剂。外用适量，研末调涂；或煎汤熏洗。
紫葳根：内服煎汤，6～9 g；或入丸、散剂；或浸酒。外用适量，鲜品捣敷。

| 附　注 | （1）江苏连云港为我国最大的凌霄花栽培区，将凌霄花作为市花，素享"凌霄之乡"的美誉。同属植物厚萼凌霄 *Campsis radicans*（L.）Seem. 生长优势明显，花产量大，观赏性更强，目前厚萼凌霄是栽培的主流品种，而本种数量逐渐萎缩。
（2）本种喜温暖、湿润环境，对土壤要求不严，砂壤土、黏壤土均能生长。

紫葳科 Bignoniaceae 凌霄属 Campsis 凭证标本号 320831180426147LY

厚萼凌霄 *Campsis radicans* (L.) Seem.

药材名

凌霄花（药用部位：花）、紫葳根（药用部位：根）。

形态特征

落叶攀缘藤本。具气生根，常攀附于他物，长达 10 m。奇数羽状复叶，对生；小叶 9 ~ 11，椭圆形至长圆形，长 3 ~ 6 cm，先端尾状长渐尖，基部楔形，边缘具锯齿，叶面深绿色，无毛，叶背淡绿色，具毛，至少沿中脉和侧脉被柔毛；叶柄短。圆锥花序顶生；花萼钟状，长约 2 cm，口部直径约 1 cm，5 裂至 1/3 处，裂片三角形，向外微卷；花冠橘红色至鲜红色，漏斗状钟形，筒部细长，为花萼长的 3 倍，长 6 ~ 9 cm，直径约 4 cm。蒴果长圆状，长 8 ~ 12 cm，先端具喙尖，沿缝线具龙骨状突起，室背开裂；种子多数，扁平，具翅。花期 7 ~ 10 月，果期 11 月。

生境分布

江苏镇江（句容）、南京（溧水）、常州（溧阳）、连云港（海州）、淮安（盱眙）、宿迁（沭阳）等有大面积栽培。

| 资源情况 | 栽培资源较丰富。

| 采收加工 | 凌霄花：7 ~ 9 月选择晴天采摘将要开的花朵，晒干或烘干。
紫葳根：秋季至冬初采挖，洗净，切片，晒干。

| 药材性状 | 凌霄花：本品完整者长 6 ~ 7 cm；花萼较短，长约为花冠的 1/3，黄棕色或淡紫红色，硬革质，先端 5 等裂，萼筒无明显纵脉棱；花冠黄棕色，长 5.8 ~ 6.5 cm，内表面具深棕色脉纹；柱头扁短三角形。余同凌霄花。气微香，味微苦、酸。以完整、朵大、色黄棕、无花梗者为佳。
紫葳根：本品呈长圆柱形。外表面黄棕色或土红色，有纵皱纹，并可见稀疏的支根或支根痕。质坚硬，断面纤维性，有丝状物，皮部为棕色，木部为淡黄色。

| 功效物质 | 花含有矢车菊素糖苷等花青素类成分，金圣草酚、鼠李柠檬素等黄酮类成分，咖啡酸、对羟基桂皮酸等酚酸类成分，以及辣椒红素等四萜类成分。叶含阿魏酸、水杨酸等酚酸类成分，以及熊果酸等三萜类成分。此外，地上部分尚含前胡宁衍生物等色原酮类成分。

| 功能主治 | 凌霄花：酸，微寒。归肝经。活血通经，凉血祛风。用于月经不调，闭经癥瘕，产后乳肿，风疹发红，皮肤瘙痒，痤疮。
紫葳根：甘、辛，寒。凉血祛风，活血通络。用于血热生风，身痒，风疹，腰脚不遂，痛风，风湿痹痛，跌打损伤。

| 用法用量 | 凌霄花：内服煎汤，3 ~ 6 g；或入散剂。外用适量，研末调涂；或煎汤熏洗。
紫葳根：内服煎汤，6 ~ 9 g；或入丸、散剂；或浸酒。外用适量，鲜品捣敷。

| 附　　注 | （1）本种原产于美国东南部，20 世纪 30 年代引入我国南方地区，1985 年版《中国药典》始收录其为凌霄花的来源之一。
（2）本种喜光，也稍耐阴，耐寒力较强，耐干旱，耐水湿；对土壤要求不严格，可生长在偏碱性的土壤上，在土壤含盐量为 0.31% 时也可正常生长。深根性，萌蘖力、萌芽力均强，适应性强。

紫葳科 Bignoniaceae 梓树属 Catalpa 凭证标本号 320703150425180LY

楸树

Catalpa bungei C. A. Mey.

| 药 材 名 |

楸木皮（药用部位：树皮及根皮的韧皮部）、楸叶（药用部位：叶）、楸木果（药用部位：果实）。

| 形态特征 |

乔木，高达 20 m。树干通直，树冠开展。树皮灰色，呈片状脱落。叶对生，三角状卵形或卵状椭圆形，长 6 ~ 15 cm，宽 5.5 ~ 12 cm，先端尾尖，基部宽楔形或心形，全缘，有时近基部有 3 ~ 5 对尖齿，无毛，掌状基出脉 3，背面脉腋间有圆形腺体，干后紫色。总状花序伞房状排列，有花 3 ~ 12；花萼 2 裂，萼片先端 2 尖裂；花冠白色，长 3 ~ 3.5 cm，内面有紫红色斑点。蒴果线形，下垂，长 25 ~ 50 cm，宽约 4 mm；种子狭长椭圆形，长约 1 cm，宽约 2 mm，两端有长毛。花期 4 月，果熟期 7 ~ 8 月。

| 生境分布 |

江苏徐州、连云港、南京、无锡（宜兴）等有栽培。

| 资源情况 |

栽培资源较丰富。

| **采收加工** | **楸木皮**：全年均可采收，鲜用或晒干。
| | **楸叶**：春、夏季采摘，鲜用或晒干。
| | **楸木果**：秋季采摘，除去果柄，拣净杂质，晒干。

| **功效物质** | 果实含有梓实苷等环烯醚萜苷类成分。花含有挥发油类成分。

| **功能主治** | **楸木皮**：苦，凉。降逆气，解疮毒。用于吐逆，咳嗽，痈肿疮疡，痔漏。
| | **楸叶**：消肿拔毒，排脓生肌。用于肿疡，发背，痔疮，瘰疬，白秃疮。
| | **楸木果**：利尿通淋，清热解毒。用于热淋，石淋，热毒疮疖。

| **用法用量** | **楸木皮**：内服煎汤，3～9 g。外用适量，捣敷；或熬膏涂。
| | **楸叶**：外用适量，捣汁涂；或熬膏涂；或研末撒。
| | **楸木果**：内服煎汤，30～60 g。

| **附　　注** | 本种喜光，也略耐阴，喜温暖、湿润的气候，有一定的耐寒能力。对土壤要求不严，但以深厚、肥沃、排水良好的微酸性土壤为宜。忌积水，有一定的耐旱能力。

爵床科 Acanthaceae 水蓑衣属 Hygrophila 凭证标本号 320481151024151LY

水蓑衣 *Hygrophila salicifolia* (Vahl) Nees.

| 药 材 名 | 水蓑衣（药用部位：全草）。

| 形态特征 | 一年生或二年生草本，高 30 ～ 80 cm。茎具 4 钝棱，仅节上被疏柔毛。叶片线形或线状披针形，长 3 ～ 14 cm，宽 0.5 ～ 2 cm，先端钝，基部渐狭至急尖，两面无毛或近无毛，钟乳体针状；叶柄短或近无柄。花多朵簇生于叶腋；苞片卵形或椭圆形；小苞片长圆形或披针形；花萼裂片稍不等大，被皱曲的长柔毛；花冠淡红紫色，被柔毛，上唇卵状三角形，下唇长圆形；雄蕊 4；子房无毛。蒴果线状或长圆球状，比宿萼长 1/4 ～ 1/3；种子细小，扁平。花果期 9 ～ 10 月。

| 生境分布 | 生于阴坡或湿地。分布于江苏无锡（宜兴）、常州（溧阳）、镇江（句容）等。

资源情况	野生资源较少。
采收加工	夏、秋季采收，鲜用或洗净，晒干。
药材性状	本品长约 60 cm。茎略呈方柱形，具棱，节处被疏柔毛。叶对生，多皱缩，完整叶片披针形、矩圆状披针形或线状披针形，下部叶为椭圆形，长 3 ~ 14 cm，宽 2 ~ 15 mm，先端渐尖，基部下延，全缘。气微，味淡。
功效物质	主要含有多糖类成分，具有抗肝肿瘤细胞增生的活性。
功能主治	甘、微苦，凉。清热解毒，散瘀消肿。用于时行热毒，丹毒，黄疸，口疮，咽喉肿痛，乳痈，吐衄，跌打伤痛，骨折，毒蛇咬伤。
用法用量	内服煎汤，6 ~ 30 g；或浸酒；或绞汁。外用适量，捣敷。
附 注	本种的全草还可用于治疗百日咳，用法为内服煎汤，15.5 ~ 31 g；外用适量，鲜品捣敷。

爵床科 Acanthaceae 观音草属 Peristrophe 凭证标本号 320282151017312LY

九头狮子草 *Peristrophe japonica* (Thunb.) Bremek.

| 药 材 名 | 九头狮子草（药用部位：全草）。

| 形态特征 | 草本，高达 1.5 m。茎多分枝，具 4 ~ 6 钝棱和同数的沟纹，被柔毛或疏毛。叶片阔卵形至披针形，长 3 ~ 8 cm，宽 1.5 ~ 4 cm，先端急尖、渐尖或尾尖，基部楔形，全缘，具缘毛，被柔毛和钟乳体。聚伞花序顶生或腋生；苞片卵形，通常不等大，先端急尖、渐尖或有渐尖头，羽脉明显；花萼裂片 5，钻形；花冠粉红色至微紫色，外面疏生短柔毛，檐部二唇形；雄蕊 2，花丝细长，伸出，花药 2 室，1 上 1 下，下方 1 室较小，2 药室交错重叠部分远小于药室长度的 1/2，线形。蒴果椭圆状，疏生短柔毛；种子 4，表面有小疣状突起。花果期 8 ~ 9 月。

| 生境分布 | 生于路边、草地或林下。分布于江苏无锡（宜兴）、常州（溧阳）、镇江（句容）、苏州（吴中、常熟）等。

| 资源情况 | 野生资源较少。

| 采收加工 | 夏、秋季采收，除去杂质，鲜用或晒干。

| 药材性状 | 本品长 20 ～ 50 cm。茎方形，深绿色，节膨大。叶卵状矩圆形，长 3 ～ 7 cm，先端渐尖，基部渐狭，全缘。可见花序或果序。气微，味苦。

| 功效物质 | 主要含有烷烃和甾醇类化合物，其中脂肪酸及其衍生物是主要的抗菌成分。此外，全草还含芝麻素等木脂素类成分，以及汉黄芩素等黄酮类成分等。地上部分含羽扇豆醇等三萜类成分，以及吡啶二甲酰胺等生物碱类成分。

| 功能主治 | 辛、微苦、甘，凉。祛风清热，凉肝定惊，散瘀解毒。用于感冒发热，肺热咳喘，肝热目赤。

| 用法用量 | 内服煎汤，9 ～ 15 g；或绞汁。外用适量，捣敷；或研末调敷；或煎汤熏洗。

| 附　注 | 民间又称本种为尖惊药、惊药，治疗临床原因不明、抗生素类药物治疗无效的高热效果较好。

| 爵床科 | Acanthaceae | 爵床属 | Rostellularia | 凭证标本号 | 320111140731023LY

爵床
Rostellularia procumbens (L.) Nees.

| **药 材 名** | 爵床（药用部位：全草）。

| **形态特征** | 草本，高 10 ~ 60 cm。茎基部匍匐，上部直立，常具短硬毛。叶片椭圆形至椭圆状长圆形，长 2 ~ 5 cm，宽 1 ~ 3 cm，先端锐尖或钝，基部阔楔形或近圆形，全缘，两面常被硬毛。穗状花序顶生或生于上部叶腋；苞片和小苞片披针形，被缘毛；花萼 4 裂，裂片线形，与苞片等长，边缘膜质，具缘毛；花冠粉红色或白色，檐部二唇形，上唇微凹，下唇具红色斑点，3 浅裂；雄蕊 2，花药 2 室，下方 1 室有距。蒴果基部具实心短柄；种子 4，表面具瘤状突起。花果期 8 ~ 11 月。

| **生境分布** | 生于旷野草地或路旁较阴湿处。江苏各地均有分布。

| **资源情况** | 野生资源丰富。

| **采收加工** | 8 ~ 9 月盛花期采收，晒干。

| **药材性状** | 本品长 10 ~ 60 cm。根细而弯曲。茎具纵棱，直径 2 ~ 4 mm，基部节上常有不定根；表面黄绿色；被毛，节膨大成膝状；质脆，易折断，断面可见白色的髓。叶对生，具柄；叶片多皱缩，展平后呈卵形或卵状披针形，两面及叶缘有毛。穗状花序顶生或腋生，苞片及宿存花萼均被粗毛；偶见花冠，淡红色。蒴果棒状，长约 6 mm；种子 4，黑褐色，扁三角形。气微，味淡。以茎叶色绿者为佳。

| **功效物质** | 主要含有木脂素类、黄酮类、酚酸类、三萜类、环肽类等成分，其中木脂素类、黄酮类及三萜类成分具有明显的抗菌活性。木脂素类成分有爵床定、爵床林素、新爵床素、爵床苷等，黄酮类成分有陆地棉苷、木犀草素、槲皮素等，酚酸类成分有阿魏酸、香荚兰酸等，三萜类成分有积雪草酸、野鸦椿酸、熊果酸、无羁萜等，环肽类成分有爵床环肽 A。

| **功能主治** | 苦、咸、辛，寒。归肺、肝、膀胱经。清热解毒，利湿消积，活血止痛。用于感冒发热，咳嗽，咽喉肿痛，目赤肿痛，疳积，湿热泻痢，疟疾，黄疸，浮肿，小便淋浊，筋骨疼痛，跌打损伤，痈疽疔疮，湿疹。

| **用法用量** | 内服煎汤，10 ~ 15 g，鲜品 30 ~ 60 g；或捣汁；或研末。外用适量，鲜品捣敷；或煎汤洗。

胡麻科 Pedaliaceae 胡麻属 Sesamum 凭证标本号 320116180717021LY

芝麻 *Sesamum indicum* L.

| 药 材 名 | 黑芝麻（药用部位：种子）。

| 形态特征 | 一年生直立草本，高达 1 m。茎直立，分枝或不分枝，中空或具白色髓部，四棱状，稍有柔毛。叶对生或上部叶互生；茎下部叶片常掌状 3 裂，叶柄长 1.5 ~ 5 cm；中部叶片卵形，有锯齿；上部叶片常披针形或狭椭圆形，全缘。花单生或 2 ~ 3 生于叶腋，有梗；花萼长约 6 mm，裂片披针形，长 5 ~ 8 mm，宽 1.6 ~ 3.5 mm，被柔毛；花冠白色而常有紫红色或黄色的彩晕，筒状，长约 2.5 cm。蒴果四棱形长椭圆状，长约 2.5 cm，上、下近等宽，先端稍尖，有细毛；种子多数，黑色、白色或淡黄色。花期 6 ~ 7 月。

| 生境分布 | 江苏各地均有零星栽培，北部和中部最多。

| **资源情况** | 栽培资源较丰富。

| **采收加工** | 秋季果实成熟时采收植株,晒干,打下种子,除去杂质,晒干。

| **药材性状** | 本品呈扁卵圆形,一端稍圆,另一端尖,长 2 ~ 4 mm,宽 1 ~ 2 mm,厚约 1 mm;表面黑色,平滑或有网状皱纹,于放大镜下可见细小疣状突起,边缘平滑或呈棱状,尖端有棕色点状种脐。种皮薄纸质。胚乳白色,肉质,包于胚外成一薄层。胚较发达,直立,子叶 2,白色,富油性。气微弱,味淡,嚼之有清香味。以籽粒大、饱满、色黑者为佳。

| **功效物质** | 种子主要富含脂肪油类化学成分,以油酸、亚油酸、棕榈酸、硬脂酸为主。此外,种子尚含表芝麻素、芝麻林素、芝麻素、芝麻半素等木脂素类成分,丙烯硫醇、丁烯硫醇、巯基己酮等挥发油类成分,以及芝麻酚等酚类成分。种皮富含木脂素及其糖苷类成分。根含有蒽醌、萘醌等醌类成分。花含有劳丹鼬瓣花亭、印度胡麻素及印度胡麻素糖苷等黄酮类成分,苦瓜 -2- 脑苷、大豆脑苷等脑苷类成分,以及苄醇糖苷等苯乙醇苷类成分。

| **功能主治** | 甘,平。归肝、脾、肾经。补肝肾,益精血,润肠燥。用于精血亏虚,头晕眼花,耳鸣耳聋,须发早白,病后脱发,肠燥便秘。

| **用法用量** | 内服煎汤,9 ~ 15 g;或入丸、散剂。外用适量,煎汤洗;或捣敷。

| **附　注** | 本种常栽培于夏季气温较高、气候干燥、排水良好的砂壤土或壤土中。

苦苣苔科 Gesneriaceae 半蒴苣苔属 Hemiboea 凭证标本号 320481151024196LY

半蒴苣苔
Hemiboea henryi Clarke

药材名

降龙草（药用部位：全草）。

形态特征

多年生草本，高 20 ~ 30 cm。有纤弱的走茎，茎上有沟槽，疏生细白毛，近基部有棕黑色斑点。叶对生或下部近互生；叶片全缘，肉质，菱状卵形或菱状椭圆形，长 10 ~ 18 cm，宽 6 ~ 8 cm，先端渐尖，表面疏生白毛，背面无毛，有时有凹陷的晶体囊；叶柄有翅，基部合生成船形。聚伞花序腋生，具 3 ~ 10 花；花序梗长 1 ~ 7 cm；总苞球形，外面无毛；苞片圆卵形；花梗粗，无毛；花萼 5 裂，裂片披针形，无毛，干时膜质；花冠白色、淡紫红色或淡粉红色，长 3 ~ 4 cm，稍弯，外面略有细毛，近二唇形，上唇 2 浅裂，下唇 3 深裂；雄蕊 5，其中能育雄蕊 2，退化雄蕊 3；子房线形，比花柱短。蒴果线形，长 2 ~ 4 cm，稍弯，镰状。花期 8 ~ 9 月，果期 9 ~ 11 月。

生境分布

生于阴湿的岩石堆中。分布于江苏无锡（宜兴）、常州（溧阳）、镇江（句容）等。

| **资源情况** | 野生资源一般。

| **采收加工** | 夏、秋季采收，鲜用或晒干。

| **功效物质** | 主要含有阿魏酸、香荚兰酸等酚酸类成分，棕榈酸、二十四酸等脂肪酸类成分，以及内华达依瓦菊素、牡荆素、木犀草素等黄酮类成分，其中黄酮类成分具有保护神经和抗炎的作用。

| **功能主治** | 甘，寒。清暑利湿解毒。用于外感暑湿，痈肿疮疖，蛇咬伤。

| **用法用量** | 内服煎汤，9 ~ 15 g。外用适量，鲜品捣敷。

| **附　　注** | 本种在民间用于治疗皮肤炎症、麻疹、毒蛇咬伤和烫火伤。

透骨草科 Phrymaceae 透骨草属 Phryma 凭证标本号 320481151024184LY

透骨草
Phryma leptostachya L. subsp. *asiatica* (Hara) Kitamura

| **药 材 名** | 透骨草（药用部位：全草）。

| **形态特征** | 多年生草本，高 30 ~ 80 cm。茎直立，四棱形，有倒生短毛。叶对生；叶片卵状长椭圆形，长 5 ~ 10 cm，宽 4 ~ 7 cm，边缘有钝圆锯齿，先端渐尖或短尖，基部渐狭成翼柄，两面脉上有短毛；叶柄长 0.5 ~ 3 cm。总状花序顶生或腋生，长 10 ~ 20 cm；苞片和小苞片钻状；花疏生，有短梗；花萼有 5 棱，长 3 ~ 6 mm，上唇 3 齿，呈芒状钩，下唇 2 齿较短，无芒；花冠唇形，粉红色或白色，长约 5 mm。瘦果包于萼内，下垂，棒状，长 8 ~ 10 mm。花期 6 ~ 8 月，果期 9 ~ 10 月。

| **生境分布** | 生于阴湿山谷或林下。江苏各地均有分布。江苏各地药圃常有栽培。

| **资源情况** | 野生资源较丰富。 |

| **采收加工** | 5 ~ 6 月花开结实时采收，除去杂质，鲜用或晒干。 |

| **药材性状** | 本品茎多分枝，呈圆柱形或微有棱，通常长 10 ~ 30 cm，直径 1 ~ 4 mm，茎基部有时连有部分根茎；表面浅绿色或灰绿色，近基部淡紫色，被灰白色柔毛，具互生叶或叶痕；质脆，易折断，断面黄白色。根茎长短不一；表面土棕色或黄棕色，略粗糙；质稍坚硬，断面黄白色。叶多卷曲而皱缩或破碎，呈灰绿色，两面均被白色细柔毛，下表面近叶脉处较显著。枝梢有时可见总状花序和果序；花型小；蒴果三角状扁圆形。气微，味淡而后微苦。以色绿、枝嫩，带"珍珠"果者为佳。 |

| **功效物质** | 全草含有透骨草灵、透骨草素、透骨草脂素、透骨草苷等木脂素类成分，熊果酸等三萜类成分，其中，透骨草灵等具有抗肿瘤活性。 |

| **功能主治** | 辛，温。归肺、肝经。清热解毒，杀虫，生肌。用于风湿痹痛，筋骨挛缩，寒湿脚气，腰部扭伤，瘫痪，闭经，阳囊湿疹；外用于金疮，毒疮，痈肿，疥疮，漆疮。 |

| **用法用量** | 内服煎汤，9 ~ 15 g。外用适量，煎汤熏洗；或捣敷。 |

车前科 Plantaginaceae 车前属 *Plantago* 凭证标本号 320111150409012LY

车前
Plantago asiatica L.

| 药 材 名 |

车前子（药用部位：种子）、车前草（药用部位：全草）。

| 形态特征 |

多年生草本，高 20 ～ 60 cm，全体光滑或稍有短毛。根茎短而肥厚，具多数须根。叶基生，根出，外展；叶片长 4 ～ 12 cm，宽 4 ～ 9 cm，全缘或有波状浅齿，基部狭窄至叶柄；叶柄与叶片近等长，基部扩大成鞘。穗状花序长 20 ～ 30 cm，花序梗较叶片短或超出，有浅槽；花排列不紧密；苞片宽三角形，比萼片短，龙骨状突起宽厚，绿色；花梗短；花萼长 2 ～ 3 mm，萼片先端钝圆或钝尖，有绿色的龙骨状突起，前对萼片椭圆形，龙骨状突起较宽，两侧萼片稍不对称，后对萼片宽倒卵状椭圆形或宽倒卵形；花冠绿白色，花冠筒与萼片约等长，裂片狭三角形、披针形；花药白色。蒴果椭圆球状，近中部开裂，基部有不脱落的花萼，果实内有种子 6 ～ 8；种子细小，黑色，腹面平坦。花果期 4 ～ 8 月。

| 生境分布 |

生于圃地、荒地或路旁。江苏各地均有分布。

| **资源情况** | 野生资源丰富。

| **采收加工** | **车前子**：6～10月陆续剪下黄色成熟果穗，晒干，搓出种子，除去杂质。
车前草：夏、秋季采收，去净泥土，晒干。

| **药材性状** | **车前子**：本品略呈椭圆形或不规则长圆形，稍扁，长约2mm，宽约1mm。表面淡棕色或棕色，略粗糙不平。放大镜下可见微细纵纹，稍平一面的中部有淡黄色凹点状种脐。质硬，切断面灰白色。放入水中，外皮有黏液释出。气微，嚼之带黏性。以粒大、均匀饱满、色棕红者为佳。
车前草：本品须根丛生。叶在基部密生，具长柄；叶片皱缩，展平后为卵形或宽卵形，长4～12cm，宽2～5cm，先端钝或短尖，基部宽楔形，近全缘、波状或有疏钝齿，具明显的基出脉7，表面灰绿色或污绿色。穗状花序数条，花在花茎上疏离，长5～15cm。蒴果椭圆形，周裂，萼宿存。气微香，味微苦。以叶片完整、色灰绿者为佳。

| **功效物质** | 种子含有车前多糖、车前黏多糖等多糖类，桃叶珊瑚苷、京尼平苷酸等环烯醚萜类，毛蕊花苷等苯乙醇苷类，车前碱系列生物碱类，车前子酸、车前苷琥珀酸等有机酸类，以及黏液质等资源性成分。全草含有苯乙醇苷类、黄酮类等成分。

| **功能主治** | **车前子**：甘、淡，微寒。归肺、肝、肾、膀胱经。清热利尿通淋，渗湿止泻，明目，祛痰。用于热淋涩痛，水肿胀满，暑湿泄泻，目赤肿痛，痰热咳嗽。
车前草：甘，寒。归肝、肾、膀胱经。清热利尿通淋，祛痰，凉血，解毒。用于热淋涩痛，水肿尿少，暑湿泄泻，痰热咳嗽，吐血，衄血，痈肿疮毒。

| **用法用量** | **车前子**：内服煎汤，5～15g，包煎；或入丸、散剂。外用适量，煎汤洗；或研末调敷。
车前草：内服煎汤，15～30g，鲜品30～60g；或捣汁。外用适量，煎汤洗；或捣敷；或绞汁涂。

车前科 Plantaginaceae 车前属 Plantago 凭证标本号 320323170510793LY

平车前 *Plantago depressa* Willd.

| 药 材 名 | 车前子（药用部位：种子）、车前草（药用部位：全草）。

| 形态特征 | 一年生或二年生草本，高 20 ~ 50 cm。有明显的圆柱形直根，须根少。根生叶直立或平展；叶片椭圆状披针形或卵状披针形，长 4 ~ 10 cm，宽 1 ~ 3 cm，先端急尖或微钝，边缘具浅波状钝齿、不规则锯齿或牙齿，基部宽楔形至狭楔形，下延至叶柄，两面疏生白色短柔毛或无毛，纵脉 3 ~ 7；叶柄长 2 ~ 6 cm。花序 3 ~ 10 或更多；花序梗略带弧状，长 4 ~ 17 cm，有纵条纹，疏生白色短柔毛；穗状花序细圆柱状，上部密集，基部常间断，长 6 ~ 12 cm；苞片三角状卵形，无毛；萼片无毛，有绿色龙骨状突起，前对萼片狭倒卵状椭圆形至宽椭圆形，后对萼片倒卵状椭圆形至宽椭圆形；花冠白色，无毛，裂片极小，椭圆形，先端有浅齿。蒴果圆锥状，

于基部上方周裂，果实内有种子5。花果期4～8月。

| **生境分布** | 生于草地、河滩、沟边、路旁。分布于江苏连云港、南京、盐城等。

| **资源情况** | 野生资源丰富。

| **采收加工** | 车前子：6～10月陆续剪下黄色成熟果穗，晒干，搓出种子，除去杂质。
车前草：夏、秋季采收，去净泥土，晒干。

| **药材性状** | 车前子：本品呈长椭圆形，稍扁，长0.9～1.75 mm，宽0.6～0.98 mm。表面黑棕色或棕色，背面略隆起，腹面较平坦，中央有明显的白色凹点状种脐。以粒大、均匀饱满、色棕红者为佳。
车前草：本品主根圆锥状，直而长。叶片长椭圆形或椭圆状披针形，长5～10 cm，宽1～3 cm，边缘有小齿或不整齐锯齿，基部狭窄，基出脉5～7。穗状花序先端花密生，下部花较稀疏。蒴果椭圆形，周裂，萼宿存。气微香，味微苦。以叶片完整、色灰绿者为佳。

| **功效物质** | 叶含有毛蕊花苷、大车前苷等苯乙醇苷类成分，以及咖啡酸、绿原酸等酚酸类成分。地上部分含有大车前洛苷、京尼平苷酸等环烯醚萜类成分，车前因苷、大车前苷、毛蕊花苷等苯乙醇苷类成分，熊果酸等三萜类成分，以及远志脑苷、海星脑苷等脑苷类成分。种子中含有车前子酸、车前苷琥珀酸等有机酸类成分，并含大量黏液质。

| **功能主治** | 车前子：甘、淡，微寒。归肺、肝、肾、膀胱经。清热利尿通淋，渗湿止泻，明目，祛痰。用于热淋涩痛，水肿胀满，暑湿泻痢，目赤肿痛，痰热咳嗽。
车前草：甘，寒。归肝、肾、膀胱经。清热利尿通淋，祛痰，凉血，解毒。用于热淋涩痛，水肿尿少，暑湿泄泻，痰热咳嗽，吐血，衄血，痈肿疮毒。

| **用法用量** | 车前子：内服煎汤，5～15 g，包煎；或入丸、散剂。外用适量，煎汤洗；或研末调敷。
车前草：内服煎汤，15～30 g，鲜品30～60 g；或捣汁。外用适量，煎汤洗；或捣敷；或绞汁涂。

车前科 Plantaginaceae 车前属 *Plantago* 凭证标本号 320381180727006LY

长叶车前 *Plantago lanceolata* L.

药材名

车前子（药用部位：种子）。

形态特征

多年生草本，高 30 ～ 50 cm。根茎短，有较细的须根。根出叶直立或外展，披针形或椭圆状披针形，长 5 ～ 20 cm，宽 0.5 ～ 3.5 cm，有明显的 3 或 5 纵脉，先端尖，全缘或具细锯齿，基部渐狭成柄；叶柄基部有细长毛，两面无毛或稍有毛。花序数个；花序梗四棱状，有柔毛，长 20 ～ 40 cm；穗状花序圆柱状或近头状，长 2 ～ 3.5（～ 5）cm；苞片卵圆形，中央有具毛的棕色龙骨状突起；前萼裂片卵形，合生，先端微凹，有 2 窄突起，后萼裂片卵形，离生；花冠裂片三角状卵形，有 1 棕色突起；雄蕊远超过花冠。蒴果椭圆形，近下部周裂；种子 1 或 2，黑色，腹面内凹。花果期 4 ～ 8 月。

生境分布

生于海边、河边或山坡草地。分布于江苏南京、连云港等。

资源情况

野生资源丰富。

| **采收加工** | 6 ~ 10 月陆续剪下黄色成熟果穗，晒干，搓出种子，除去杂质。 |

| **功效物质** | 全草含环烯醚萜类、黄酮类、三萜类成分等。乙醇提取物具有抗痉挛的作用。 |

| **功能主治** | 甘、淡，微寒。归肺、肝、肾、膀胱经。清热利尿通淋，渗湿止泻，明目，祛痰。用于热淋涩痛，水肿胀满，暑湿泻痢，目赤肿痛，痰热咳嗽。 |

| **用法用量** | 内服煎汤，5 ~ 15 g，包煎；或入丸、散剂。外用适量，煎汤洗；或研末调敷。 |

车前科 Plantaginaceae 车前属 *Plantago* 凭证标本号 320621181124052LY

大车前 *Plantago major* L.

| 药 材 名 | 车前子（药用部位：种子）、车前草（药用部位：全草）。

| 形态特征 | 多年生草本。须根多数。根茎粗短。叶基生，呈莲座状，平卧、斜展或直立；叶片草质或纸质，宽卵形至宽椭圆形，长 3 ~ 18（~ 30）cm，宽 2 ~ 11（~ 21）cm，先端钝尖或急尖，边缘波状或有不整齐锯齿，两面疏生短柔毛；叶柄长（1 ~）3 ~ 10（~ 26）cm，基部鞘状。花序 1 至数个；花序梗直立或弓曲上升，长（2 ~）5 ~ 18（~ 45）cm；穗状花序细圆柱状，长（1 ~）3 ~ 20（~ 40）cm，基部常间断；苞片宽卵状三角形，较萼片短，有龙骨状突起；花无梗；萼片先端圆形，有龙骨状突起；花冠白色，无毛，花冠筒等长或略长于萼片，裂片于花后反折；花药紫色。蒴果近球状、卵球状或宽椭圆球状，长 2 ~ 3 mm，于中部或稍低处周裂；种子（8 ~）

12 ～ 24（～ 34），卵球状或椭圆球状，具角，腹面隆起或近平坦，黄褐色。花期 6 ～ 8 月，果期 7 ～ 9 月。

| 生境分布 | 生于草地、草甸、河滩、沟边、沼泽地、山坡路旁、田边或荒地。分布于江苏南京、无锡（宜兴）、苏州、镇江（句容）、连云港、淮安（盱眙）、南通、盐城（射阳）等。

| 资源情况 | 野生资源丰富。

| 采收加工 | **车前子**：6 ～ 10 月陆续剪下黄色成熟果穗，晒干，搓出种子，除去杂质。
车前草：夏、秋季采收，去净泥土，晒干。

| 药材性状 | **车前子**：本品呈类三角形或斜方形，粒小，长 0.88 ～ 1.6 mm，宽 0.55 ～ 0.9 mm。表面棕色或棕褐色，腹面隆起较高，脐点白色，多位于腹面隆起的中央或一端。以粒大、均匀饱满、色棕红者为佳。
车前草：本品具短而肥的根茎，并有须根。叶片卵形或宽卵形，长 6 ～ 10 cm，宽 3 ～ 6 cm，先端圆钝，基部圆形或宽楔形，基出脉 5 ～ 7。穗状花序排列紧密。蒴果椭圆形，周裂，萼宿存。气微香，味微苦。以叶片完整、色灰绿者为佳。

| 功效物质 | 全草含有多糖类成分，大车前洛苷、车叶草苷、京尼平苷酸等环烯醚萜类成分，芦丁、木犀草酸、金丝桃苷等黄酮类成分，没食子酸及其糖苷等鞣质类成分，以及熊果酸、齐墩果酸等三萜类资源性成分。种子主要含有桃叶珊瑚苷等环烯醚萜类成分。三萜类成分具有抗炎活性，环烯醚萜类成分具有免疫调节作用，多糖类成分具有抗菌活性。

| 功能主治 | **车前子**：甘、淡，微寒。归肺、肝、肾、膀胱经。清热利尿通淋，渗湿止泻，明目，祛痰。用于热淋涩痛，水肿胀满，暑湿泻痢，目赤肿痛，痰热咳嗽。
车前草：甘，寒。归肝、肾、膀胱经。清热利尿通淋，凉血，解毒。用于热淋涩痛，水肿尿少，暑湿泄泻，痰热咳嗽，吐血，衄血，痈肿疮毒。

| 用法用量 | **车前子**：内服煎汤，5 ～ 15 g，包煎；或入丸、散剂。外用适量，煎汤洗；或研末调敷。
车前草：内服煎汤，15 ～ 30 g，鲜品 30 ～ 60 g；或捣汁。外用适量，煎汤洗；或捣敷；或绞汁涂。

忍冬科 Caprifoliaceae 忍冬属 Lonicera 凭证标本号 320829170422098LY

郁香忍冬 *Lonicera fragrantissima* Lindl. et Paxt.

| **药 材 名** | 大金银花（药用部位：茎、叶、根）。

| **形态特征** | 半常绿或落叶直立灌木，高达 2 m。幼枝无毛或疏被倒刚毛，间或夹杂短腺毛，老枝灰褐色，髓心充实。冬芽有 1 对先端尖的外鳞片。叶片厚纸质或带革质，倒卵状椭圆形、椭圆形、圆卵形、卵形至卵状矩圆形，长 3 ~ 7（~ 8）cm，先端短尖或凸尖，基部圆形或阔楔形，两面无毛或仅叶背中脉有少数刚伏毛，有时叶面中脉有伏毛，边缘有硬睫毛或几无毛；叶柄长 2 ~ 5 mm，有刚毛。花先于叶或与叶同时开放，芳香，生于幼枝基部苞腋，总花梗长 5 ~ 10 mm；苞片披针形至近条形，长为萼筒的 2 ~ 4 倍；相邻两萼筒约联合至中部；花冠白色或淡红色，长 1 ~ 1.5 cm，二唇形，筒长 4 ~ 5 mm，

内面密生柔毛，基部有浅囊，上唇裂片 4，下唇舌状，反曲。浆果鲜红色，矩圆形，长约 1 cm，2 果实部分联合。花期 3 ～ 4 月，果期 5 ～ 6 月。

| **生境分布** | 生于山坡、路旁。江苏南部各地均有分布。江苏南部各地庭院、草坪边缘、公园路旁等常有栽培。

| **资源情况** | 栽培资源一般。

| **采收加工** | 夏、秋季采收茎、叶，秋后采挖根，鲜用或切段，晒干。

| **功效物质** | 花蕾中含有绿原酸、咖啡酸等酚酸类成分，马钱子苷等环烯醚萜苷类成分，芦丁等黄酮类成分，以及蔗糖等糖类成分等。

| **功能主治** | 甘，寒。祛风除湿，清热，止痛。用于风湿关节痛，劳伤，疔疮肿毒。

| **用法用量** | 内服煎汤，9 ～ 15 g；或浸酒。外用适量，捣敷。

忍冬科 Caprifoliaceae 忍冬属 Lonicera 凭证标本号 320621180724001LY

忍冬 *Lonicera japonica* Thunb.

| 药 材 名 | 金银花（药用部位：花蕾）、忍冬藤（药用部位：茎枝）、金银花露（药材来源：花蕾的蒸馏液）、金银花子（药用部位：果实）。

| 形态特征 | 半常绿藤本。幼枝暗红褐色，密被黄褐色、开展的硬直糙毛、腺毛和短柔毛，下部常无毛。叶纸质，卵形至矩圆状卵形，有时卵状披针形，稀圆卵形或倒卵形，极少有1至数个钝缺刻，长3～5（～9.5）cm，先端尖或渐尖，少有钝、圆或微凹缺，基部圆形或近心形，有糙缘毛，上面深绿色，下面淡绿色，小枝上部叶通常两面均密被短糙毛，下部叶常平滑无毛而下面多少带青灰色；叶柄长4～8 mm，密被短柔毛。总花梗通常单生于小枝上部叶腋，与

叶柄等长或稍短，下方者则长 2 ～ 4 cm，密被短柔毛并夹杂腺毛；苞片大，叶状，卵形至椭圆形，长 2 ～ 3 cm，两面均有短柔毛或有时近无毛；小苞片先端圆形或截形，长约 1 mm，长为萼筒的 1/2 ～ 4/5，有短糙毛和腺毛；萼筒长约 2 mm，无毛，萼齿卵状三角形或长三角形，先端尖而有长毛，外面和边缘都有密毛；花冠白色，有时基部向阳面呈微红色，后变黄色，长（2 ～）3 ～ 4.5（～ 6）cm，唇形，筒稍长于唇瓣，很少近等长，外面被多少倒生、开展或半开展的糙毛和长腺毛，上唇裂片先端钝形，下唇带状而反曲；雄蕊和花柱均高出花冠。果实圆形，直径 6 ～ 7 mm，成熟时蓝黑色，有光泽；种子卵圆形或椭圆形，褐色，长约 3 mm，中部有 1 凸起的脊，两侧有浅的横沟纹。花期 4 ～ 6 月（秋季亦常开花），果熟期 10 ～ 11 月。

| **生境分布** | 生于山坡疏林、灌丛、村寨旁、路边等。江苏各地均有分布。江苏连云港、无锡等有栽培。

| **资源情况** | 栽培资源丰富。

| **采收加工** | **金银花**：夏初花开前采收，干燥。
忍冬藤：秋、冬季采割，晒干。

金银花露：金银花 500 g，加水 1 000 ml，浸泡 1 ~ 2 小时，捞出后放入蒸馏锅内，加适量水进行蒸馏，收集初蒸馏液 1 600 ml，再继续将初蒸馏液重蒸馏 1 次，收集第 2 次蒸馏液 800 ml，过滤分装，灭菌。

金银花子：霜降至立冬间采收，晒干，置锅内微炒，炒至手摸之觉热而有黏性。

| **药材性状** | **金银花：**本品呈细棒槌状，上粗下细，略弯曲，长 1.3 ~ 5.5 cm，上部直径 2 ~ 3 mm。表面淡黄色或淡黄棕色，久贮色变深，密被粗毛或长腺毛；花萼细小，绿色，萼筒类球形，长约 1 mm，无毛，先端 5 裂，萼齿卵状三角形，有毛；花冠筒状，上部稍开裂成二唇形，有时可见开放的花；雄蕊 5，附于花冠筒壁；雌蕊 1，有 1 细长花柱。气清香，味甘、微苦。以花蕾大、含苞待放、色黄白、滋润丰满、香气浓者为佳。

忍冬藤：本品常捆成束或卷成团。茎枝长圆柱形，多分枝，直径 1.5 ~ 6 mm，节间长 3 ~ 6 cm，有残叶及叶痕。表面棕红色或暗棕色，有细纵纹，老枝光滑，细枝有淡黄色毛茸；外皮易剥落，露出灰白色内皮。质硬脆，易折断，断面黄白色，中心空洞。气微，老枝味微苦，嫩枝味淡。以表面色棕红、质嫩者为佳。

金银花子：本品呈圆球形，紫黑色或黄棕色，直径约 6 ~ 7 mm。外皮皱缩，质重而结实。内含多数扁小、棕褐色的种子。味微甘。

功效物质

花含有绿原酸、异绿原酸等酚酸类成分，马钱苷、裂环马钱苷、獐牙菜苷等环烯醚萜类成分，金圣草酚、木犀草素等黄酮类成分，忍冬苦苷、天蓝续断苷、灰毡毛忍冬皂苷等三萜皂苷类成分，忍冬碱苷系列生物碱类，以及鞣质等资源性成分。叶含有忍冬苷、木犀草素等黄酮类成分，以及常春藤皂苷等三萜皂苷类成分。茎含有绿原酸、二咖啡酰基奎宁酸等酚酸类成分，小麦黄素、忍冬苷等黄酮类成分，以及醛裂马钱苷衍生物类环烯醚萜类成分等。绿原酸和异绿原酸是金银花抗菌的主要有效成分，木犀草素也有较强的抗菌作用。

功能主治

金银花：甘，寒。归肺、胃经。清热解毒，疏散风热。用于痈肿疔疮，喉痹，丹毒，热毒血痢，风热感冒，温病发热。

忍冬藤：甘，寒。归心、肺经。清热解毒，疏风通络。用于温病发热，热毒血痢，痈肿疮疡，风湿热痹，关节红肿热痛。

金银花露：甘，寒。清热，清暑，解毒。用于暑热烦渴，恶心呕吐，热毒疮疖，痱子。

金银花子：苦、涩、微甘，凉。清肠化湿。用于肠风泄泻，赤痢。

| **用法用量** | 金银花：内服煎汤，10 ~ 20 g；或入丸、散剂。外用适量，捣敷。

忍冬藤：内服煎汤，10 ~ 30 g；或入丸、散剂；或浸酒。外用适量，煎汤熏洗；或熬膏贴；或研末调敷；或鲜品捣敷。

金银花露：内服隔水炖温，60 ~ 120 g；或冲水代茶饮。外用适量，涂擦。

金银花子：内服煎汤，3 ~ 9 g。

忍冬科 Caprifoliaceae 忍冬属 Lonicera 凭证标本号 320111170509021LY

金银忍冬 Lonicera maackii (Rupr.) Maxim.

| 药 材 名 | 金银忍冬（药用部位：茎、叶、花）。

| 形态特征 | 落叶灌木，高达 6 m。幼枝、叶两面脉上、叶柄、苞片、小苞片及萼檐外面均被短柔毛和微腺毛。冬芽小，有 5～6 对或更多鳞片。小枝初时具黑褐色髓，后变中空。叶片纸质，通常卵状椭圆形至卵状披针形，长 2.5～8 cm，先端渐尖或长渐尖，基部宽楔形至圆形。花生于幼枝叶腋；总花梗短于叶柄；苞片条形，有时呈叶状；小苞片联合成对，长为萼筒的 1/2 至近相等，先端截形；相邻两萼筒分离，萼檐钟状，萼齿裂约达萼檐之半，裂片不相等，顶尖；花冠先白色后变黄色，长（1～）2 cm，二唇形，筒长约为唇瓣的 1/2；花丝中部以下和花柱均有向上的柔毛。果实暗红色，圆形，直径 5～

6 mm；种子具蜂窝状微小浅凹点。花期 5 ~ 6 月，果熟期 8 ~ 10 月。

| **生境分布** | 生于山坡、路旁。江苏各地山区均有分布。江苏庭园有栽培。

| **资源情况** | 栽培资源较少。

| **采收加工** | 夏、秋季采摘茎、叶，5 ~ 6 月采摘花，鲜用或切段，晒干。

| **功效物质** | 叶含有六羟基穗花杉双黄酮、单 -*O*- 甲基穗花杉双黄酮等黄酮类成分；此外，尚含绿原酸等酚酸类成分，黄酮类成分为抗菌的主要成分。果实含有熊果酸、齐墩果酸等三萜类成分，以及不饱和脂肪酸酯等成分。

| **功能主治** | 甘、淡，寒。祛风，清热，解毒。用于感冒，咳嗽，咽喉肿痛，目赤肿痛，肺痈，乳痈，湿疮。

| **用法用量** | 内服煎汤，9 ~ 15 g。外用适量，捣敷；或煎汤洗。

忍冬科 Caprifoliaceae 接骨木属 Sambucus 凭证标本号 320282160607176LY

接骨草
Sambucus chinensis Lindl.

| 药 材 名 | 陆英（药用部位：全草）、陆英果实（药用部位：果实）、陆英根（药用部位：根）。 |

| 形态特征 | 高大草本或半灌木，高1～2 m。茎有棱条，髓部白色。羽状复叶的托叶叶状，或有时退化成蓝色的腺体；小叶2～3对，互生或对生，狭卵形，长6～13 cm，宽2～3 cm，嫩时上面被疏长柔毛，先端长渐尖，基部钝圆，两侧不等，边缘具细锯齿，近基部或中部以下边缘常有1或数枚腺齿；顶生小叶卵形或倒卵形，基部楔形，有时与第1对小叶相连，小叶无托叶，基部1对小叶有时有短柄。复伞形花序顶生，大而疏散，总花梗基部托以叶状总苞片，分枝三至五出，纤细，被黄色疏柔毛；杯形不孕花不脱落，可孕花小；萼 |

筒杯状，萼齿三角形；花冠白色，仅基部联合；花药黄色或紫色；子房3室，花柱极短或几无，柱头3裂。果实红色，近圆形，直径3～4 mm；核2～3，卵形，长2.5 mm，表面有小疣状突起。花期4～5月，果熟期8～9月。

| 生境分布 | 生于山坡林下、沟边和草丛中。分布于江苏泰州（姜堰）、南京、镇江（句容）、常州（溧阳）、无锡（宜兴）、苏州等。江苏少有庭园栽培。

| 资源情况 | 野生及栽培资源较丰富。

| 采收加工 | 陆英：夏、秋季采收，切段，鲜用或晒干。

陆英果实：9～10月采收，鲜用。

陆英根：秋后采挖，鲜用或切片，晒干。

| 药材性状 | 陆英：本品茎具细纵棱，呈类圆柱形而粗壮，多分枝，直径约1 cm；表面灰色至灰黑色。幼枝有毛；质脆，易断，断面可见淡棕色或白色髓部。羽状复叶，小叶2～3对，互生或对生；小叶片纸质，易破碎，多皱缩，展平后呈狭卵形至卵状披针形，先端长渐尖，基部钝圆，两侧不等，边缘有细锯齿；鲜叶片揉之有臭气。气微，味微苦。以茎质嫩、叶多、色绿者为佳。

陆英果实：本品红色，近球形，直径3～4 mm。核2～3，卵形，长约2.5 mm，表面有疣状小突起。

陆英根：本品呈不规则弯曲状，长条形，有分枝，长 15 ~ 30 cm，有的长达 50 cm，直径 4 ~ 7 mm。表面灰色至灰黄色，有纵向细而略扭曲的纹及横长皮孔；偶留有纤细须根。质硬或稍软而韧，难折断，切断面皮部灰色或土黄色，木部纤维质，黄白色，易与皮部撕裂分离。气微，味淡。以条均匀、不带须根及地上茎者为佳。

| 功效物质 | 全草含有黄酮类、三萜类、鞣质、挥发油类、糖类、甾体类等成分，具有镇痛、抗肝损伤等作用。种子含有氰苷类物质。

| 功能主治 | 陆英：甘、微苦，平。祛风，利湿，舒筋，活血。用于风湿痹痛，腰腿痛，水肿，黄疸，跌打损伤，产后恶露不行，风疹瘙痒，丹毒，疮肿。

陆英果实：蚀疣。用于手足忽生疣目。

陆英根：甘、酸，平；有毒。祛风，利湿，活血，散瘀，止血。用于风湿疼痛，头风，腰腿痛，水肿，淋证，带下，跌打损伤，骨折，癥积，咯血，吐血，风疹瘙痒，疮肿。

| 用法用量 | 陆英：内服煎汤，9 ~ 15 g，鲜品 60 ~ 120 g。外用适量，捣敷；或煎汤洗；或研末调敷。

陆英果实：外用适量，捣涂。

陆英根：内服煎汤，9 ~ 15 g，鲜品 30 ~ 60 g。外用适量，捣敷；或煎汤洗。

忍冬科 Caprifoliaceae 接骨木属 Sambucus 凭证标本号 320481160424256LY

接骨木

Sambucus williamsii Hance

| 药 材 名 | 接骨木（药用部位：茎枝）、接骨木叶（药用部位：叶）、接骨木花（药用部位：花）、接骨木根（药用部位：根或根皮）。

| 形态特征 | 落叶灌木至小乔木，高 5 ~ 6 m。老枝具明显的长椭圆形皮孔，髓部黄棕色。羽状复叶，搓揉后有臭气；小叶（1 ~ ）2 ~ 3（ ~ 5）对，侧生小叶片卵圆形、狭椭圆形至倒矩圆状披针形，长 5 ~ 15 cm，先端尖、渐尖至尾尖，边缘具不整齐的锯齿，基部楔形或圆形，有时心形，两侧不对称，最下 1 对小叶有时具长 0.5 cm 的柄；托叶狭带形，或退化成带蓝色的突起。花与叶同出；顶生圆锥花序具总花梗，花序分枝多成直角开展；花小而密；萼筒杯状，萼齿三角状披针形；花冠蕾期带粉红色，开后呈白色或淡黄色，花冠筒短，裂片

矩圆形或长卵圆形；雄蕊与花冠裂片等长，开展，花丝基部稍肥大，花药黄色；子房3室，柱头3裂。果实红色，极少蓝紫黑色，卵圆球状或近圆球状，直径3～5 mm；分核2或3，略有皱纹。花期4～5月，果期9～10月。

| 生境分布 | 生于山坡、灌丛、沟边、路旁、宅边等。分布于江苏北部、南部等。

| 资源情况 | 野生及栽培资源较丰富。

| 采收加工 | **接骨木：**全年均可采收，鲜用或切段，晒干。

接骨木叶：春、夏季采收，鲜用或晒干。

接骨木花：4～5月采收整个花序，加热后收集脱落的花，除去杂质，晒干。

接骨木根：9～10月采挖，洗净，切片，鲜用或晒干。

| 药材性状 | **接骨木：**本品呈圆柱形，长短不等，直径5～12 mm。表面绿褐色，有纵条纹及棕黑色点状凸起的皮孔，有的皮孔呈纵长椭圆形，长约1 cm。皮部剥离后呈浅绿色至浅黄棕色。体轻，质硬。加工后的药材为斜向横切片，呈长椭圆形，厚约3 mm，切面皮部褐色，木部浅黄白色至浅黄褐色，有环状年轮和细密放射状的白色纹理。髓部疏松，海绵状。体轻。气无，味微苦。以片完整、色黄白、无杂质者为佳。

接骨木叶：本品为奇数羽状复叶，对生，小叶 2 ~ 3 对，有时仅 1 对或多达 5 对，托叶狭带形或退化成带蓝色的突起。侧生小叶片卵圆形、狭椭圆形至倒长圆状披针形，长 5 ~ 15 cm，宽 1.2 ~ 7 cm，先端尖、渐尖至尾尖，基部楔形或圆形，边缘具不整齐锯齿，基部或中部以下具 1 至数枚腺齿。最下 1 对小叶有时具长 0.5 cm 的柄。顶生小叶卵形或倒卵形，先端渐尖或尾尖，基部楔形，具长约 2 cm 的柄，揉碎后有臭气。

接骨木花：本品与叶同出，圆锥聚伞花序顶生，长 5 ~ 11 cm，宽 4 ~ 14 cm；具总花梗，花序分枝多成直角开展。花小而密；萼筒杯状，长约 1 mm，萼齿三角状披针形，稍短于萼筒；花冠蕾期带粉红色，开后白色或淡黄色，花冠辐状，裂片 5，长约 2 mm；雄蕊与花冠裂片等长，花药黄色；子房 3 室，花柱短，柱头 3 裂。

| **功效物质** | 茎枝含熊果酸、齐墩果酸、白桦脂醇等三萜类成分，桉叶烷类倍半萜类成分，香草醛、香草乙酮等芳香衍生物，接骨木醇、醉鱼草醇等木脂素类成分，以及天师酸、棕榈酸蛇麻脂醇酯等脂肪酸及其酯类成分，其中芳香衍生物和三萜类成分具有促进骨折愈合、抗骨质疏松的作用。

| **功能主治** | **接骨木**：甘、苦，平。归肝经。祛风利湿，活血，止血。用于风湿痹痛，痛风，大骨节病，急、慢性肾炎，风疹，跌打损伤，骨折肿痛，外伤出血。

接骨木叶：辛、苦，平。活血，行瘀，止痛。用于跌打骨折，风湿痹痛，筋骨疼痛。

接骨木花：辛，温。发汗利尿。用于感冒，小便不利。

接骨木根：苦、甘，平。祛风除湿，活血舒筋，利尿消肿。用于风湿疼痛，痰饮，黄疸，跌打瘀痛，骨折肿痛，急、慢性肾炎，烫火伤。

| **用法用量** | **接骨木**：内服煎汤，15 ~ 30 g；或入丸、散剂。外用适量，捣敷；或煎汤熏洗；或研末撒。

接骨木叶：内服煎汤，6 ~ 9 g；或浸酒。外用适量，捣敷；或煎汤熏洗；或研末调敷。

接骨木花：内服煎汤，4.5 ~ 9 g；或泡茶。

接骨木根：内服煎汤，15 ~ 30 g。外用适量，捣敷；或研末撒；或研末调敷。

忍冬科 Caprifoliaceae 荚蒾属 *Viburnum* 凭证标本号 320482180317198LY

荚蒾
Viburnum dilatatum Thunb.

| 药 材 名 | 荚蒾（药用部位：茎叶）、荚蒾根（药用部位：根）。

| 形态特征 | 落叶灌木。当年生小枝连同芽、叶柄和花序均密被土黄色或黄绿色开展的小刚毛状粗毛及星状短毛，毛基有小瘤状突起。冬芽有 2 对鳞片。叶片纸质，宽倒卵形、倒卵形或宽卵形，长 3 ~ 10（~ 13）cm，先端急尖，基部圆形至钝形或微心形，边缘有牙齿状尖锯齿，叶面被叉状或简单伏毛，叶背被带黄色的叉状或星状毛，脉上毛尤密，脉腋集聚星状毛，有带黄色或近无色的透明腺点，近基部两侧有少数腺体，侧脉 6 ~ 8 对，直达齿端。复伞形聚伞花序稠密，生于具 1 对叶的短枝之顶，直径 4 ~ 10 cm，第 1 级辐射枝 5，花生于第 3 ~ 4 级辐射枝上；花萼和花冠外面均有星状糙毛，萼筒

狭筒状，有暗红色微细腺点；花冠白色，辐状，直径约 5 mm。果实红色，卵球状椭圆形，长 7 ~ 8 mm；果核扁，卵形，有 3 浅腹沟和 2 浅背沟。花期 5 ~ 6 月，果熟期 9 ~ 11 月。

| **生境分布** | 生于山坡或山谷疏林下、林缘、山脚灌丛。江苏长江以南各地均有分布。

| **资源情况** | 野生资源较丰富。

| **采收加工** | **荚蒾**：春、夏季采收，鲜用或切段，晒干。
荚蒾根：夏、秋季采挖，洗净，切段，晒干。

| **功效物质** | 叶中含有荚蒾醇、荚蒾二烯酮、荚蒾烯酮甲酯等三萜类成分，隐绿原酸、新绿原酸等酚酸类成分，假绣球素、熊果苷、藜芦酸等芳香衍生物，大柱香波龙烷型单萜类成分，荚蒾螺内酯、荚蒾螺甾二酮等甾体及螺内酯类成分。叶煎剂具有抗菌作用，叶甲醇提取物具有抗肿瘤、抗胆碱酯酶作用。花含有挥发油类成分。果实含有黄酮类、酚酸类、三萜类、有机酸类、糖类、酚苷类等资源性成分。

| **功能主治** | **荚蒾**：酸，微寒。疏风，清热解毒，活血。用于风热感冒，疔疮发热，产后伤风，跌打骨折。
荚蒾根：辛、涩，微寒。祛瘀消肿，解毒。用于跌打损伤，牙痛，淋巴结炎。

| **用法用量** | **荚蒾**：内服煎汤，9 ~ 30 g。外用适量，鲜品捣敷；或煎汤洗。
荚蒾根：内服煎汤，15 ~ 30 g；或加酒煎。

忍冬科 Caprifoliaceae 荚蒾属 Viburnum 凭证标本号 321183150415702LY

宜昌荚蒾 *Viburnum erosum* Thunb.

| 药 材 名 | 宜昌荚蒾（药用部位：根）、宜昌荚蒾叶（药用部位：茎叶）。

| 形态特征 | 落叶灌木。当年生小枝连同芽、叶柄和花序均密被星状短毛和简单
长柔毛。冬芽卵圆形，有 2 对鳞片，密被星状短毛和简单长柔毛。
叶片纸质，卵状披针形、卵状矩圆形、狭卵形、椭圆形或倒卵形，
长 3 ～ 11 cm，先端尖、渐尖或急渐尖，基部圆形、宽楔形或微心
形，边缘有波状小尖齿，叶面无毛或疏被叉状或星状短伏毛，叶背
密被由簇星状毛组成的绒毛，近基部两侧有少数腺体，侧脉 7 ～ 10
（～ 14）对，直达齿端；叶柄长 3 ～ 5 mm，被粗短毛，基部有 2
宿存、钻形小托叶。复伞形聚伞花序生于具 1 对叶的侧生短枝之顶，
直径 2 ～ 4 cm；第 1 级辐射枝通常 5，花生于第 2 ～ 3 级辐射枝上；

花常有长梗；萼筒被绒毛状星状短毛，萼齿具缘毛；花冠白色，辐状。果实红色，宽卵球状，长 6 ~ 7（~ 9）mm；果核扁，具 3 浅腹沟和 2 浅背沟。花期 4 ~ 5 月，果熟期 8 ~ 10 月。

| **生境分布** | 生于山地林下。分布于江苏南部等。

| **资源情况** | 野生资源一般。

| **采收加工** | 宜昌荚蒾：全年均可采挖，鲜用或切段、切片，晒干。
宜昌荚蒾叶：春、夏季采收，鲜用。

| **功效物质** | 叶中含有 β- 谷甾醇、胡萝卜苷等甾体类成分，以及水杨苷、熊果苷等酚类成分。根含有黄酮类、单萜类、木脂素类、酚苷类等资源性成分。

| **功能主治** | 宜昌荚蒾：涩，平。祛风，除湿。用于风湿痹痛。
宜昌荚蒾叶：解毒，祛湿，止痒。用于口腔炎，脚丫湿烂，湿疹。

| **用法用量** | 宜昌荚蒾：内服煎汤，6 ~ 9 g。
宜昌荚蒾叶：外用适量，捣汁涂。

忍冬科 Caprifoliaceae   荚蒾属 Viburnum   凭证标本号 320683200501096LY

绣球荚蒾

Viburnum macrocephalum Fort.

| 药 材 名 | 木绣球茎（药用部位：茎）。

| 形态特征 | 落叶或半常绿灌木，高达 4 m。幼枝有垢屑状星状毛，老枝灰褐色。冬芽无鳞片，密被星状毛。叶片纸质，卵形至椭圆形或卵状矩圆形，长 5 ~ 11 cm，先端钝或稍尖，基部圆形或有时微心形，边缘有小齿，叶面初时密被星状毛，后仅中脉有毛，叶背被星状毛，侧脉 5 或 6 对，近边缘前互相网结，连同中脉于叶面略凹陷、叶背凸起；叶柄长 10 ~ 15 mm，密生星状毛。大型聚伞花序呈球形，直径 8 ~ 15 cm，几全由不孕花组成；总花梗长 1 ~ 2 cm，第 1 级辐射枝 5，花生于第 3 级辐射枝上；萼筒筒状，长约 2.5 mm，无毛，萼齿与萼筒近等长，矩圆形，先端钝；花冠白色，辐状，直径 1.5 ~ 4 cm，

裂片圆状倒卵形，筒部甚短。花期 4 ~ 5 月。

| **生境分布** | 江苏各地均有栽培。

| **资源情况** | 栽培资源丰富。

| **采收加工** | 全年均可采收，鲜用或切段，晒干。

| **功效物质** | 含有马钱子苷、败酱苷等环烯醚萜类成分，以及肉桂醇糖苷等酚苷类成分。

| **功能主治** | 苦，凉。燥湿止痒。用于疥癣，湿烂痒痛。

| **用法用量** | 外用适量，煎汤熏洗。

| **附　　注** | 本种喜温暖、湿润的气候，较耐寒；喜光，略耐阴。以肥沃、湿润、排水良好的土壤为宜。种子有隔年发芽的习性。

忍冬科 Caprifoliaceae 荚蒾属 *Viburnum* 凭证标本号 321183150924844LY

琼花
Viburnum macrocephalum Fortune f. *keteleeri* (Carr.) Rehder

| **药 材 名** | 木绣球茎（药用部位：茎）。

| **形态特征** | 本种与绣球荚蒾的区别在于花序仅周围具大型的白色不孕花，中央为可孕花；萼齿卵形，长约 1 mm；花冠白色，辐状，直径 7 ~ 10 mm，裂片宽卵形，长约 2.5 mm，筒部长约 1.5 mm；雄蕊稍高出花冠，花药近圆形。果实红色而后变黑色，椭圆球状，长约 12 mm；果核扁，矩圆形至宽椭圆形，有 2 浅背沟和 3 浅腹沟。花期 4 月，果熟期 9 ~ 10 月。

| **生境分布** | 生于丘陵、山坡林下或灌丛中。江苏各地均有栽培，扬州有大量栽培。

| **资源情况** | 野生及栽培资源丰富。

| **采收加工** | 全年均可采收，鲜用或切段，晒干。

| **功效物质** | 含黄酮类、酚酸类、萜类、甾体类等成分。

| **功能主治** | 苦，凉。燥湿止痒。用于疥癣，湿烂痒痛。

| **用法用量** | 外用适量，煎汤熏洗。

| **附　　注** | （1）本种为江苏扬州的市花。
（2）本种喜温暖、湿润的气候，较耐寒；喜光，略耐阴。以肥沃、湿润、排水良好的土壤为宜。

忍冬科 Caprifoliaceae 荚蒾属 Viburnum 凭证标本号 NAS00570401

黑果荚蒾
Viburnum melanocarpum Hsu

| 药 材 名 | 黑果荚蒾（药用部位：果实）。

| 形态特征 | 落叶灌木，高达 3.5 m。当年生小枝浅灰黑色，连同叶柄和花序均疏被带黄色的簇状短毛，二年生小枝变红褐色而无毛。冬芽长约 6 mm，密被黄白色细短毛。叶纸质，倒卵形、圆状倒卵形或宽椭圆形，稀菱状椭圆形，长 6 ~ 10（~ 12）cm，先端常骤短渐尖，基部圆形、浅心形或宽楔形，边缘有小牙齿，齿顶有小凸尖，上面有光泽，中脉常有少数短糙毛，后近无毛，下面中脉及侧脉有少数长伏毛，脉腋常有少数集聚簇状毛，无腺点，侧脉通常 6 ~ 7 对，连同中脉在上面凹陷，在下面显著凸起，小脉横列，叶干后下面呈明显的网格状；叶柄长 1 ~ 2（~ 4）cm；托叶钻形，长约

3 mm，早落或无。复伞形聚伞花序生于具 1 对叶的短枝之顶，直径约 5 cm，散生微细腺点，总花梗纤细，长 1.5 ~ 3 cm，第 1 级辐射枝通常 5，花生于第 2 ~ 3 级辐射枝上；萼筒筒状倒圆锥形，长约 1.5 mm，被少数簇状微毛或无毛，具红褐色微细腺点，萼齿宽卵形，先端钝；花冠白色，辐状，直径约 5 mm，无毛，裂片宽卵形，略长于筒；雄蕊高出或略短于花冠，花药宽椭圆形；柱头头状，高出萼齿。果实由暗紫红色转为酱黑色，有光泽，椭圆状圆形，长 8 ~ 10 mm；核扁，卵圆形，长约 8 mm，直径约 6 mm，多少呈浅杓状，腹面中央有 1 纵向隆起的脊。花期 4 ~ 5 月，果熟期 9 ~ 10 月。

| **生境分布** | 生于山地林中或山谷溪涧旁的灌丛中。分布于江苏南京、镇江（句容）、无锡（宜兴）等。

| **资源情况** | 野生资源较少。

| **采收加工** | 9 ~ 10 月果实成熟时采收，晒干。

| **功效物质** | 含黄酮类、酚酸类、萜类、甾体类成分等。

| **功能主治** | 用于无名肿毒，外伤出血。

| **附　　注** | 本种为我国特有种。

忍冬科 Caprifoliaceae 荚蒾属 Viburnum

茶荚蒾
Viburnum setigerum Hance

| 药 材 名 | 鸡公柴（药用部位：根）、鸡公柴果（药用部位：果实）。

| 形态特征 | 落叶灌木。芽及叶干后变黑色、黑褐色或灰黑色。冬芽长 0.5 ~ 1 cm，有 2 对鳞片，鳞片无毛，外面 1 对长为芽体的 1/3 ~ 1/2。叶片纸质，常卵状矩圆形至卵状披针形，长 7 ~ 12（~ 15）cm，先端渐尖，基部圆形，全缘或呈疏波状，其余部分有尖锯齿，叶面初时中脉被长纤毛，后变无毛，叶背仅中脉及侧脉被浅黄色贴生长纤毛，近基部两侧有少数腺体，侧脉 6 ~ 8 对，笔直而近并行，伸至齿端。复伞形聚伞花序直径 2.5 ~ 4（~ 5）cm，常弯垂，有极小红褐色腺点；第 1 级辐射枝通常 5，花生于第 3 级辐射枝上；萼筒长约 1.5 mm；花冠白色，干后变茶褐色或黑褐色，辐状，直径

4 ～ 6 mm。果序弯垂，果实红色，卵球状，长 9 ～ 11 mm；果核甚扁，卵形，偶卵状矩圆形，凹凸不平，腹面扁平或略凹陷。花期 4 ～ 5 月，果熟期 9 ～ 10 月。

| 生境分布 | 生于林下或路旁。分布于江苏南京、镇江（句容）、常州（溧阳）、无锡（宜兴）等。

| 资源情况 | 野生资源一般。

| 采收加工 | 鸡公柴：秋后采挖，洗净，切片，晒干。
鸡公柴果：秋季果实成熟时采收，晒干。

| 功效物质 | 根中含有马钱子苷等环烯醚萜类成分，二氢槲皮素、槲皮素等黄酮类成分，蒲公英赛醇、齐墩果酸等三萜类成分，以及甾体类、脂肪酸类等成分。

| 功能主治 | 鸡公柴：微苦，平。清热利湿，活血止血。用于小便白浊，肺痈，吐血，热瘀闭经。
鸡公柴果：甘，平。健脾。用于消化不良，食欲不振。

| 用法用量 | 鸡公柴：内服煎汤，15 ～ 30 g。
鸡公柴果：内服煎汤，10 ～ 15 g。

忍冬科 Caprifoliaceae 荚蒾属 *Viburnum* 凭证标本号 320982140808304LY

日本珊瑚树

Viburnum odoratissimum Ker-Gawl. var. *awabuki* (K. Koch) Zabel ex Rumpl.

| 药 材 名 | 日本珊瑚树（药用部位：叶、树皮、根）。

| 形态特征 | 常绿灌木或小乔木，高 2 ～ 10 m。枝灰色或灰褐色，有凸起的小瘤状皮孔，无毛或有时稍被褐色星状毛。芽有 1 或 2 对卵状披针形的鳞片。叶片革质，常为倒卵状矩圆形至矩圆形，长 7 ～ 15 cm，先端钝或急狭而具钝头，基部宽楔形，边缘常有较规则的波状浅钝锯齿，叶面深绿色，有光泽，两面无毛或脉腋散生簇状微毛；叶柄带红色。圆锥状聚伞花序顶生或生于侧生短枝上，总花梗长可达 10 cm，扁，有淡黄色小瘤状突起；苞片、小苞片早落；花常生于花序轴的第 2 ～ 3 级分枝上；花无梗或有短梗；萼筒筒状钟形，齿宽三角形；花冠白色，后变黄白色，辐状，直径约 7 mm，裂片反折。

果实先红色后变黑色，卵圆球状或椭圆形卵球状，长约 8 mm；果核浑圆，有 1 深腹沟。花期 4 ～ 5 月，果熟期 9 ～ 11 月。

| 生境分布 | 江苏南部有栽培。

| 资源情况 | 栽培资源较丰富。

| 采收加工 | 全年均可采收，鲜用或切段，晒干。

| 功效物质 | 小枝含有荚蒾宁、熊果酸、香树脂醇等萜类成分。叶含有荚蒾宁、羟基荚蒾宁、醛荚蒾宁等二萜类成分。花中同样含有荚蒾散醇、醛荚蒾宁、荚蒾宁等二萜类成分。

| 功能主治 | 清热祛湿，通经活络，拔毒生肌。用于感冒，风湿病，跌打肿痛，骨折。

| 附　　注 | 本种喜温暖、湿润的气候，喜光，耐阴。

忍冬科 Caprifoliaceae 锦带花属 Weigela 凭证标本号 320703170421729LY

锦带花 *Weigela florida* (Bunge) A. DC.

| 药 材 名 | 锦带花（药用部位：花）。

| 形态特征 | 落叶灌木，高 1 ～ 3 m。幼枝稍四方形，有 2 列短柔毛。树皮灰色。芽先端尖，具 3 或 4 对鳞片，常光滑。叶片矩圆形、椭圆形至倒卵状椭圆形，长 5 ～ 10 cm，先端渐尖，基部阔楔形至圆形，边缘有锯齿，叶面疏生短柔毛，脉上毛较密，叶背密生短柔毛或绒毛，具短柄至无柄。花单生或成聚伞花序生于侧生短枝的叶腋或枝顶；萼筒长圆柱形，疏被柔毛，萼齿长约 1 cm，不等，深达萼檐中部；花冠紫红色或玫瑰红色，长 3 ～ 4 cm，直径 2 cm，外面疏生短柔毛，裂片不整齐，开展，内面浅红色；花丝短于花冠，花药黄色；子房上部的腺体黄绿色，花柱细长，柱头 2 裂。果实长 1.5 ～ 2.5 cm，

先端有短柄状喙，疏生柔毛。花期4～6月。

| **生境分布** | 生于杂木林下、灌丛或岩缝中。江苏北部有栽培，多栽培于庭园。

| **资源情况** | 栽培资源较丰富。

| **采收加工** | 4～6月花盛开时采收，阴干或低温烘干。

| **功效物质** | 花含有十六烷酸、亚油酸等脂肪酸类成分，矢车菊素、木犀草苷等黄酮类成分，以及绿原酸、原儿茶酸等酚类成分。叶中同样含有黄酮类成分。

| **功能主治** | 活血止痛。

| **附　　注** | 本种喜光，耐阴，耐寒，怕水涝。对土壤要求不严，能耐瘠薄土壤，以深厚、湿润而腐殖质丰富的土壤为宜。

败酱科 Valerianaceae 败酱属 Patrinia 凭证标本号 320482180617095LY

败酱 *Patrinia scabiosifolia* Link

药 材 名

败酱（药用部位：全草）。

形态特征

多年生草本，高 30 ~ 200 cm。根茎横走或斜升。茎直立，黄绿色至黄棕色，有时带淡紫色，下部常被具脱落性的白色粗毛或几无毛。基生叶丛生，花时枯落；茎生叶对生，披针形或阔卵形，先端最大，向下逐渐变小，边缘有粗锯齿；靠近花序的叶片线形，全缘。花序为聚伞花序组成的大型伞房花序，顶生，具 5 ~ 7 级分枝；花序梗上部一侧具白色粗糙毛；总苞小，线形；花小；萼齿不明显；花冠钟状，黄色，上端 5 裂；雄蕊 4，2 长 2 短。瘦果长椭圆状，无翅状苞片，仅有由不发育的 2 室压扁形成的窄边；种子 1，扁平，椭圆状。花期 7 ~ 9 月，果期 9 ~ 10 月。

生境分布

生于山坡草丛中。分布于江苏连云港、淮安、南京、镇江、苏州、无锡（宜兴）等。江苏淮安（盱眙）等有栽培。

| **资源情况** | 野生及栽培资源较丰富。

| **采收加工** | 夏、秋季采收野生者，当年花开前采收栽培者，洗净，晒干。

| **药材性状** | 本品常折叠成束。根茎圆柱形，弯曲，长 5 ~ 15 cm，直径 2 ~ 5 mm，先端直径达 9 mm；表面有栓皮，易脱落，紫棕色或暗棕色，节疏密不等，节上有芽痕及根痕；断面纤维性，中央具棕色"木心"。根长圆锥形或长圆柱形，长达 10 cm，直径 1 ~ 4 mm；表面有纵纹，断面黄白色。茎圆柱形，直径 2 ~ 8 mm；表面黄绿色或黄棕色，具纵棱及细纹，有倒生粗毛。茎生叶多卷缩或破碎，两面疏被白毛，完整者多羽状深裂或全裂，裂片 5 ~ 11，边缘有锯齿；茎上部叶较小，常 3 裂。有的枝端有花序或果序，小花黄色，瘦果长椭圆形，无膜质翅状苞片。气特异，味微苦。

| **功效物质** | 根及根茎含有败酱苷、黄花败酱皂苷、败酱萜内酯 A 等三萜类成分，七叶树内酯、东莨菪内酯等香豆酸类成分，败酱烯、异败酱烯等倍半萜类成分，黄花败酱醚萜等环烯醚萜类成分，以及挥发油类成分。种子含有三萜皂苷类、脂肪酸类等成分。地上部分含有黄酮类、三萜及三萜皂苷类等资源性成分。其中，败酱皂苷元具有抑制平滑肌的作用。

| **功能主治** | 辛、苦，微寒。归肺、大肠、肝经。清热解毒，活血排脓。用于肠痈，肺痈，痈肿，痢疾，产后瘀滞腹痛。

| **用法用量** | 内服煎汤，10 ~ 15 g。外用适量，鲜品捣敷。

| **附　注** | 本种全草（败酱草）入药，可用于治疗慢性阑尾炎。根及根茎的浸膏片对中枢神经有镇静作用。

败酱科 Valerianaceae 败酱属 Patrinia 凭证标本号 320111150919019LY

攀倒甑
Patrinia villosa (Thunb.) Juss.

| 药 材 名 | 败酱（药用部位：全草）。

| 形态特征 | 二年生或多年生草本，高 50 ～ 120 cm。根茎横走或偶匍匐生长。茎直立，密被白色、倒生的粗毛或仅沿两侧各有 1 纵列倒生的短粗伏毛。基生叶丛生，卵形或宽卵形，边缘具粗锯齿，叶柄较叶片稍长；茎生叶对生，卵形或长卵形，长 4 ～ 25 cm，宽 2 ～ 18 cm，先端渐尖，基部楔形，边缘具粗齿；叶柄长 1 ～ 3 cm，上部叶近无柄。由聚伞花序组成顶生圆锥花序或伞房花序，具 5 或 6 级分枝，花序梗密被长粗糙毛或 2 纵列粗糙毛；总苞叶卵状披针形至线状披针形或线形；花萼小，萼齿 5；花冠钟状，白色，直径 4 ～ 6 mm，5 深裂；雄蕊 4，伸出花冠外。瘦果倒卵状，与宿存增大的苞片贴

生；果苞倒卵形或卵形，具 2 主脉，极少 3 脉。花期 8 ~ 10 月，果期 9 ~ 11 月。

| **生境分布** | 生于山坡草地及路旁。分布于江苏南京、镇江、无锡（宜兴）、常州（溧阳）、连云港等。

| **资源情况** | 野生资源较丰富。

| **采收加工** | 夏季将全株拔起，除去泥沙，晒干。

| **药材性状** | 本品根茎短，长约 10 cm，有的具细长的匍匐茎，断面无棕色"木心"。茎光滑，直径可达 1.1 cm。完整叶卵形或长椭圆形，不裂或基部具 1 对小裂片。花白色。苞片膜质，多具 2 主脉。

| **功效物质** | 地下部分含有白花败酱醇、白花败酱苷、马钱苷、莫罗忍冬苷等环烯醚萜类。叶含有异戊烯基黄烷酮衍生物等黄酮类成分。茎叶含有紫苏醛、紫苏醇、葎草烷衍生物等挥发油类成分。种子含有山柰酚糖苷等黄酮类成分，以及硫酸败酱苷、羟基齐墩果酸硫酸酯等萜类成分。白花败酱皂苷具有抗肿瘤活性。

| **功能主治** | 辛、苦，微寒。归胃、大肠、肝经。清热解毒，活血排脓。用于肠痈，肺痈，痈肿，痢疾，产后瘀滞腹痛。

| **用法用量** | 内服煎汤，10 ~ 15 g。外用适量，鲜品捣敷。

败酱科 Valerianaceae 缬草属 *Valeriana* 凭证标本号 320703150521061LY

缬草
Valeriana officinalis L.

| **药 材 名** | 缬草（药用部位：根及根茎）。

| **形态特征** | 多年生草本，高 100 ~ 150 cm。根茎短粗，有浓烈气味。茎中空，有纵棱，被粗毛，尤以节部较多，老时无毛。匍枝叶、基部叶在花期常枯萎；茎生叶对生，羽状深裂，卵形至宽卵形，具 5 ~ 15 奇数裂片，中央裂片与两侧裂片近同形，等大或稍大，全缘或有疏锯齿，两面及叶柄不同程度被毛。伞房状三出聚伞圆锥花序顶生；小苞片中央纸质，两侧膜质，有粗缘毛；花萼内卷；花冠淡紫红色、粉红色或白色，长约 5 mm，5 裂；雌、雄蕊明显伸出花冠。瘦果长卵状，长 4 ~ 5 mm，基部近平截，先端有羽状冠毛。花期 5 ~ 7 月，果期 6 ~ 10 月。

| **生境分布** | 生于山坡草地、林缘、路边。分布于江苏连云港、淮安（盱眙）等。江苏各地药圃常有栽培。 |

| **资源情况** | 野生及栽培资源较丰富。 |

| **采收加工** | 秋季采集，去净秧苗及泥土，晒干。 |

| **药材性状** | 本品根茎呈类圆柱形，较粗短，长 0.5 ～ 2 cm，直径 0.4 ～ 1.5 cm；表面黄棕色至褐色，粗糙，有叶柄残基，上端有残留茎基，中空，有的有横生分枝，远端节部有残留茎基，节间长 1 ～ 2 cm。根茎周围和下端丛生多数细根，末端纤细；表面黄棕色至褐色，具纵皱纹。质稍韧，断面周围黄褐色或褐色，中心黄白色。有特异臭气，干品更浓。味微辣而后微苦，且有清凉感。以根头粗壮、根长、表面色黄棕、气味浓烈者为佳。 |

| **功效物质** | 根含有缬草单酯 A、缬草三酯、缬草环烯醚萜三酯 B 等环烯醚萜类成分，缬草新萜醇、缬草烯酸、缬草烯醛、缬草烯醇等倍半萜类成分，松脂酚、扁桃木脂酚等木脂素类成分，穿贝海绵甾醇糖苷、烷烯酰谷甾醇衍生物等甾体类成分，以及挥发油类等资源性成分。根茎同样含有倍半萜类成分。挥发油类成分具有抗癫痫的作用。 |

| **功能主治** | 辛、苦，温。归心、肝经。安心神，祛风湿，行气血，止痛。用于心神不安，心悸失眠，癫狂，脏躁，风湿痹痛，痛经，闭经，跌打损伤。 |

| **用法用量** | 内服煎汤，3 ～ 9 g；或研末；或浸酒。外用适量，研末调敷。 |

桔梗科 Campanulaceae 沙参属 Adenophora 凭证标本号 320481151024298LY

华东杏叶沙参
Adenophora hunanensia Nannf. subsp. *huadungensis* Hong

| 药 材 名 | 华东杏叶沙参（药用部位：根）。

| 形态特征 | 多年生草本。根圆锥形。茎不分枝，高 50 ~ 100 cm。茎生叶仅下部的有短叶柄，互生；叶片卵圆形、卵形或卵状披针形，长 3 ~ 12 cm，宽 2 ~ 4 cm，先端渐尖或急尖，基部常楔状渐尖或近平截而突然变窄，沿叶柄下延，边缘具齿，表面无毛，背面沿脉疏生短毛。总状花序狭长，下部稍有分枝，有疏或稍密的短毛；花萼有短毛，裂片 5，狭披针形，长 6 ~ 8 mm，宽 1.5 ~ 2.5 mm，5 浅裂；花冠紫蓝色，钟状，长 1.5 ~ 2 cm，5 浅裂，裂片三角状卵形；花盘短筒状；花柱与花冠近等长。蒴果球状椭圆形。花期 7 ~ 9 月。

| 生境分布 | 生于山坡草丛中。分布于江苏徐州、淮安（盱眙）、南京、常州（溧

阳）、无锡（宜兴）等。

| 资源情况 | 野生资源较丰富。

| 采收加工 | 秋季采挖，除去茎叶及须根，洗净泥土，趁新鲜用竹片刮去外皮，切片，晒干。

| 功效物质 | 含有多糖类、氨基酸类、脂肪酸类、三萜类、甾体类等资源性成分。

| 功能主治 | 养阴生津，祛痰止咳。用于阴虚，肺热，痰黏，舌干口渴。

| 用法用量 | 内服煎汤，10 ~ 15 g，鲜品 15 ~ 30 g；或入丸、散剂。

桔梗科 Campanulaceae 沙参属 Adenophora 凭证标本号 320482180617382LY

沙参
Adenophora stricta Miq.

药 材 名

南沙参（药用部位：根）。

形态特征

多年生草本。根圆锥形，长达 30 cm。茎不分枝，高 50 ~ 90 cm。茎生叶互生，无柄或近无柄；叶片卵形、狭卵形、菱状狭卵形、长圆状狭卵形至条状披针形，长 3 ~ 8 cm，宽 1 ~ 4 cm，先端渐尖或急尖，基部宽楔形或楔形，边缘有不整齐的锯齿，表面无毛，背面沿脉疏生短毛。总状花序狭长，下部稍有分枝，有疏或稍密的短毛；花萼有短毛或无，裂片 5，狭披针形，长 6 ~ 8 mm，宽 1 ~ 1.5 mm，5 浅裂；花冠紫蓝色，钟状，长 1.5 ~ 1.8 cm，5 浅裂；雄蕊 5，花丝基部宽，边缘有密柔毛；花盘宽圆筒状；花柱与花冠近等长。蒴果近球形，有毛。花期 9 ~ 10 月。

生境分布

生于山坡草丛中。分布于江苏南京、镇江（句容）、常州（溧阳）、无锡（宜兴）等。

资源情况

野生资源较少。

| 采收加工 | 春、秋季采挖，除去须根，洗后趁鲜刮粗皮，洗净，干燥。

| 药材性状 | 本品呈圆柱形或圆锥形，有的弯曲或扭曲，少数 2～3 分枝，长 8～27 cm，直径 1～4.3 cm。表面黄白色或淡棕黄色，较粗糙，有不规则扭曲的皱纹，上部有细密横纹，凹陷处常有残留的棕褐色栓皮。质硬脆，易折断，折断面不平坦，类白色，多裂隙，较松泡。气微，味微甘、苦。以粗细均匀、肥壮、色白者为佳。

| 功效物质 | 根含有多糖类，氨基酸类，挥发油类，蒲公英赛酮、羽扇豆烯酮等三萜类，及胡萝卜苷、棕榈酰谷甾醇等甾体类资源性成分。其中，沙参多糖具有免疫调节的作用，可提高免疫力，有效清除机体自由基。

| 功能主治 | 苦、辛、涩，凉。养阴清肺，益胃生津，化痰，益气。用于肺热燥咳，阴虚劳嗽，干咳痰黏，胃阴不足，食少呕吐，气阴不足，烦热口干。

| 用法用量 | 内服，煮散剂，3～5 g；或入丸、散剂。

| 附　注 | 南沙参与北沙参不宜混用，南沙参为桔梗科轮叶沙参和沙参的干燥根，北沙参为伞形科珊瑚菜的干燥根。

桔梗科 Campanulaceae 沙参属 Adenophora 凭证标本号 321183151015860LY

轮叶沙参

Adenophora tetraphylla (Thunb.) Fisch.

| 药 材 名 |

南沙参（药用部位：根）。

| 形态特征 |

多年生草本。根圆锥形。茎高 60 ~ 90 cm，无毛或近无毛。茎生叶 4 ~ 6 轮生，无柄或有不明显的柄；叶片卵形、椭圆状卵形、狭倒卵形、狭披针形至条线形，长 2 ~ 6 cm，宽达 2.5 cm，先端短尖，基部狭窄，边缘具疏齿，两面有短硬毛或无毛。花序分枝长，近平展或弓曲向上，轮生，常组成大而疏散的圆锥花序；花梗极短，长 2 ~ 4 mm；花萼裂片 5，钻状，长 1 ~ 4 mm；花冠淡蓝色、蓝色或蓝紫色，细小，钟形，长 7 ~ 11 mm，口部稍缢缩，无毛，5 浅裂；雄蕊 5，常稍伸出，花丝变宽，边缘有密柔毛；花盘圆筒状；花柱伸出。蒴果倒卵状球形。花果期 7 ~ 10 月。

| 生境分布 |

生于山坡林缘。分布于江苏南京、镇江（句容、丹徒）、常州（溧阳）、无锡（宜兴）、苏州等。

| **资源情况** | 野生资源较丰富。

| **采收加工** | 春、秋季采挖，除去须根，洗后趁鲜刮去粗皮，洗净，干燥。

| **药材性状** | 本品呈圆柱形，少 2 分枝，长 5.5 ~ 14 cm，直径 0.5 ~ 2 cm。表面无纵皱纹，上部具环纹。折断面不平坦，白色，中空。以粗细均匀、肥壮、色白者为佳。味甘、微苦。

| **功效物质** | 含有多糖类、三萜类、酚酸类、香豆素类、甾醇类、挥发油类成分等。

| **功能主治** | 苦、辛、涩，凉。养阴清肺，益胃生津，化痰，益气。用于肺热燥咳，阴虚劳嗽，干咳痰黏，胃阴不足，食少呕吐，气阴不足，烦热口干。

| **用法用量** | 内服，煮散剂，3 ~ 5 g；或入丸、散剂。

桔梗科 Campanulaceae 沙参属 Adenophora 凭证标本号 320703160906493LY

荠苨
Adenophora trachelioides Maxim.

药 材 名

荠苨（药用部位：根）。

形态特征

多年生草本。茎高 60 ~ 100 cm，无毛。叶互生，有柄；叶片心状卵形或三角状卵形，长 4 ~ 12 cm，宽 2.5 ~ 6.5 cm，基部心形或近截形，边缘有不整齐的锯齿，两面疏生短毛或近无毛；叶柄长 1.4 ~ 4.5 cm。圆锥花序长达 35 cm，无毛，分枝近平展；花萼无毛，裂片 5，三角状披针形，长 7 ~ 8.5 mm；花冠白色或浅蓝色，钟状，长 2 ~ 2.5 cm，无毛，5 浅裂；雄蕊 5，花丝下部宽，边缘有密毛；花盘短圆筒状；花柱与花冠近等长。蒴果卵状球形。花期 8 ~ 9 月。

生境分布

生于山坡灌丛中。分布于江苏连云港（海州）、徐州、南京、苏州（常熟）、镇江（丹徒）、无锡（宜兴）等。

资源情况

野生资源较丰富。

| **采收加工** | 春季采挖，除去茎叶，洗净，晒干。 |

| **功效物质** | 主要含有羽扇豆烯酮等三萜类成分，棕榈酰谷甾醇、谷甾醇等甾体类成分，以及多糖类成分等。 |

| **功能主治** | 甘，寒。归肺、脾经。润燥化痰，清热解毒。用于肺燥咳嗽，咽喉肿痛，消渴，疗痈疮毒，药物中毒。 |

| **用法用量** | 内服煎汤，5 ~ 10 g。外用适量，捣敷。 |

| 桔梗科 | Campanulaceae | 党参属 | Codonopsis | 凭证标本号 | 320482180617183LY |

羊乳
Codonopsis lanceolata (Siebold et Zucc.) Trautv.

| 药 材 名 |

山海螺（药用部位：根）。

| 形态特征 |

多年生缠绕藤本。根倒卵状纺锤形，有少数须根，近上部有稀疏环纹。茎无毛，黄绿色而略带紫色。叶在主茎上互生，细小，披针形或菱状狭卵形；在小枝先端通常 2 ~ 4 簇生，近对生或轮生，有短柄，长圆状披针形至椭圆形，长 3 ~ 10 cm，宽 1.5 ~ 4 cm，通常全缘或稍有疏生的微波状齿，两面无毛，背面灰白色。花单生或成对生于枝的先端；花萼筒贴生于子房的基部，无毛，裂片卵状披针形，长 2 ~ 2.5 cm，宽 5 ~ 10 mm；花冠外面乳白色，内面深紫色，有网状脉纹，长 2 ~ 4 cm；花盘肉质，无毛，黄绿色；子房半下位，柱头 3 裂。蒴果有宿存花萼，上部 3 瓣裂；种子有翅。9 ~ 10 月开花。

| 生境分布 |

生于山坡灌木林下较阴湿处或阔叶林内。分布于江苏南京、镇江（句容）、常州（溧阳）、无锡（宜兴）等。

| **资源情况** | 野生资源一般。

| **采收加工** | 7 ~ 8 月采挖，洗净，鲜用或切片，晒干。

| **药材性状** | 本品呈圆锥形或纺锤形，长 15 ~ 30 cm，先端有细而长的芦头，具较密的环纹。主根较长，扭曲不直，表面土黄色，上部有环纹，下部有纵纹。质硬而脆，断面略平坦，形成层环明显，木部黄色。气特异，味苦、微辣。

| **功效物质** | 根含有羊乳皂苷、轮叶党参苷、羊奶参苷、羊乳苷等三萜类成分，党参苷、丁香苷等苯丙素类成分，鸢尾苷等黄酮类成分，黑麦草碱、甲氧甲酰咔啉等生物碱类成分，菠菜甾醇、豆烯甾醇等甾体类成分，以及挥发油类、有机酸类、多糖类、炔类等资源性成分。茎、叶含有山梗菜炔苷等炔类成分。此外，叶中尚含有黄酮类成分。羊乳皂苷具有抗炎的作用。

| **功能主治** | 甘、辛，平。归脾、肺经。益气养阴，解毒消肿，排脓，通乳。用于神疲乏力，头晕头痛，肺痈，乳痈，肠痈，疮疖肿毒，喉蛾，瘰疬，产后乳少，带下，毒蛇咬伤。

| **用法用量** | 内服煎汤，15 ~ 60 g，鲜品 45 ~ 120 g。外用适量，鲜品捣敷。

桔梗科 Campanulaceae 半边莲属 Lobelia 凭证标本号 320621180722002LY

半边莲 *Lobelia chinensis* Lour.

| 药 材 名 | 半边莲（药用部位：全草）。

| 形态特征 | 多年生矮小草本。茎细弱，匍匐，节上生根，高 6 ~ 15 cm，无毛。叶互生，长圆状披针形或线形，长 10 ~ 20 mm，宽 3 ~ 7 mm，先端急尖，边缘有波状小齿或近无齿，无柄或近无柄。花单生于叶腋，花梗超出叶外；萼筒长管形，基部狭窄成柄；花冠白色或红紫色，无毛或内部略带细短柔毛，5 裂，裂片近相等，偏向一侧；花药合生，下面 2 花药先端有毛。花期 4 ~ 9 月。

| 生境分布 | 生于山坡、路边、田边及河边潮湿处。江苏各地均有分布。

| 资源情况 | 野生资源较丰富。

| **采收加工** | 夏、秋季茎叶茂盛时采收，洗净，晒干。

| **药材性状** | 本品长 15 ～ 35 cm，常缠结成团。根细小，侧生纤细须根。根茎细长圆柱形，直径 1 ～ 2 mm；表面淡黄色或黄棕色，具细纵纹。茎细长，有分枝，灰绿色，节明显。叶互生，无柄；叶片多皱缩，绿褐色，展平后叶片呈狭披针形或长卵形，宽 2 ～ 5 mm，叶缘具疏锯齿。花梗细长；花小，单生于叶腋；花冠基部联合，上部 5 裂，偏向一侧。气微，味微甘而辛。以茎叶色绿、根色黄者为佳。

| **功效物质** | 全草含有水杨苷等酚苷类成分，蒙花苷、香叶木苷、橙皮苷等黄酮类成分，羟基香豆素、甲氧基香素等香豆素类成分，半边莲胺 A、B 等生物碱类成分，山梗菜炔苷、山梗菜炔苷宁等多炔类成分，以及泽泻醇乙酸酯等三萜类等资源性成分。其中，生物碱类成分具有血管调节、呼吸兴奋及抗肿瘤等作用。

| **功能主治** | 甘，平。归心、肺、小肠经。清热解毒，利尿消肿。用于痈肿疔疮，蛇虫咬伤，臌胀，水肿，湿热黄疸，湿疹湿疮。

| **用法用量** | 内服煎汤，15 ～ 30 g；或捣汁。外用适量，捣敷；或捣汁调涂。

桔梗科 Campanulaceae 袋果草属 Peracarpa 凭证标本号 320282170426441LY

袋果草
Peracarpa carnosa (Wall.) Hook. f. et Thoms.

| 药 材 名 | 袋果草（药用部位：全草）。

| 形态特征 | 纤细草本，高 5 ~ 15 cm。植株稍带肉质。根茎细长。茎基部匍匐状，无毛。叶互生，多集中生于茎上部；叶片卵圆形，长 8 ~ 25 mm，宽 6 ~ 20 mm，先端钝，基部近圆形或广楔形，边缘有钝齿，齿端有凸头；叶柄长 3 ~ 15 mm。花单生或簇生于先端叶腋；花有细梗，长 1 ~ 6 cm；花萼 5 裂，裂片线状披针形或三角形，长约 2 mm；花冠白色或带紫色，钟状，5 裂，裂片披针形或狭椭圆形，长 4 ~ 6 mm；雄蕊 5，分离，花丝基部稍扩大，花药线形，先端尖锐，分离；子房下位，3 室，各室有多数胚珠，柱头 3 裂。果实卵圆状，长 4 ~ 6 mm，先端稍收缩，如袋状，果皮膜质，先端有宿存的萼裂

片；种子多数，纺锤状椭圆形。花期 3 ~ 5 月，果期 4 ~ 11 月。

| **生境分布** | 生于林下及沟边潮湿岩石上。分布于江苏南京、镇江（丹阳、句容）、常州（溧阳）、南通、苏州、无锡（宜兴）等。

| **资源情况** | 野生资源较丰富。

| **采收加工** | 春、夏季采收，除去杂质，晒干。

| **功效物质** | 全草含有氨基酸类、糖类、萜类、甾体类等成分。

| **功能主治** | 用于筋骨痛，小儿惊风。

桔梗科 Campanulaceae 桔梗属 Platycodon 凭证标本号 320481141004029LY

桔梗
Platycodon grandiflorus (Jacq.) A. DC.

| **药 材 名** | 桔梗（药用部位：根）。

| **形态特征** | 多年生草本。茎高 20 ～ 120 cm，通常无毛，偶密被短毛，不分枝，极少上部分枝。叶全部轮生、部分轮生至全部互生，无柄或有极短的柄；叶片卵形、卵状椭圆形至披针形，长 2 ～ 7 cm，宽 0.5 ～ 3.5 cm，基部宽楔形至圆钝，先端急尖，上面无毛而绿色，下面常无毛而有白粉，有时脉上有短毛或瘤突状毛，边缘具细锯齿。花单朵顶生或数朵集成假总状花序，或有花序分枝而集成圆锥花序；花萼筒部半圆球状或圆球状倒锥形，被白粉，裂片三角形或狭三角形，有时齿状；花冠大，长 1.5 ～ 4 cm，蓝色或紫色。蒴果球状、球状倒圆锥形或倒卵状，长 1 ～ 2.5 cm，直径约 1 cm。花期 7 ～ 9 月。

| **生境分布** | 生于山坡草地。分布于江苏具山地的各市（县）。江苏淮安、盐城（射阳）、连云港等有栽培。

| **资源情况** | 野生及栽培资源较丰富。

| **采收加工** | 春、秋季采挖，洗净，除去须根，趁鲜剥去外皮或不去外皮，干燥。

| **药材性状** | 本品呈圆柱形或纺锤形，下部渐细，有的分枝，长 6 ~ 20 cm，直径 1 ~ 2 cm。表面淡黄白色，微有光泽，皱缩，有扭曲的纵沟，并有横长皮孔样斑痕及支根痕，有时可见未刮净的黄棕色或灰棕色栓皮。质硬脆，易折断，折断面略不平坦，可见放射状裂隙，皮部类白色，形成层环棕色，木部淡黄色。气微，味微甜、苦。以根肥大、色白、质充实、味苦者为佳。

| **功效物质** | 根含有桔梗皂苷、桔梗酸、桔梗色素、桔梗糖苷、桔梗苷等三萜及三萜皂苷类成分，菠菜甾醇、豆甾烯醇等甾体类成分，以及挥发油类、脂肪酸类、多糖类、聚炔类等资源性成分。茎含有氨基酸类、单糖类、脂肪酸类成分等。花含有黄酮类、酚酸类、多炔类、三萜类及甾体类成分等。桔梗皂苷 D 为主要的镇咳活性成分。

| **功能主治** | 苦、辛，平。归肺、胃经。宣肺，利咽，祛痰，排脓。用于咳嗽痰多，胸闷不畅，咽痛喑哑，肺痈吐脓。

| **用法用量** | 内服煎汤，3 ~ 10 g；或入丸、散剂。外用适量，烧灰研末敷。

桔梗科 Campanulaceae 兰花参属 Wahlenbergia 凭证标本号 320282170702500LY

蓝花参

Wahlenbergia marginata (Thunb.) A. DC.

| 药 材 名 |

兰花参（药用部位：全草或根）。

| 形态特征 |

多年生草本，有白色乳汁。根细长，长达 10 cm。茎直立或匍匐状，高 10 ~ 40 cm，多自基部分枝，无毛或下部疏生短毛。叶互生，倒披针形或线状披针形，长 1 ~ 3 cm，宽 2 ~ 4 mm，先端短尖，基部楔形至圆形，全缘或呈浅波状，无柄。花有长梗，圆锥花序顶生；萼裂片线状披针形，长 2 ~ 3 mm，直立；花冠蓝色，漏斗状钟形，长 5 ~ 8 mm，5 深裂，裂片长椭圆形。蒴果倒圆锥形，长 6 ~ 8 mm，基部窄狭成果柄。花期 5 ~ 6 月。

| 生境分布 |

生于低湿草地或山坡。分布于江苏南京、镇江（句容）、苏州（常熟）、无锡（宜兴）等。

| 资源情况 |

野生资源一般。

| 采收加工 | 夏、秋季采收，洗净，鲜用或晒干。

| 药材性状 | 本品长 10 ~ 30 cm。根细长，稍扭曲，有的有分枝，长 4 ~ 8 cm，直径 0.3 ~ 0.5 cm。表面棕褐色或淡棕黄色，具细纵纹，断面黄白色。茎丛生，纤细。叶互生，无柄；叶片多皱缩，展开后呈条形或倒披针状匙形，长 1 ~ 3 cm，宽 0.2 ~ 0.4 cm，灰绿色或棕绿色。花单生于枝顶，浅蓝紫色。蒴果圆锥形，长约 5 mm；种子多数，细小。气微，味微甜，嚼之有豆腥气。

| 功效物质 | 根含有羽扇豆烯酮等三萜类、甾醇类、糖类成分等。全草含有蓝花参酚苷、蓝花参诺苷、去甲丁香苷等苯丙素类成分，山梗菜炔苷等炔苷类成分，以及长春花苷、布卢竹柏醇糖苷等香堇酮类似物等资源性成分。

| 功能主治 | 甘、微苦，平。归脾、肺经。益气健脾，止咳祛痰，止血。用于虚损劳伤，自汗，盗汗，疳积，带下，感冒，咳嗽，衄血，疟疾，瘰疬。

| 用法用量 | 内服煎汤，15 ~ 30 g，鲜品 30 ~ 60 g。外用适量，捣敷。

菊科 Compositae 霍香蓟属 Ageratum 凭证标本号 320481151023053LY

藿香蓟 *Ageratum conyzoides* L.

| 药 材 名 | 胜红蓟（药用部位：全草）。

| 形态特征 | 一年生草本，高 50 ～ 100 cm。茎粗壮，淡红色或上部绿色，被白色柔毛。叶对生，上部互生；中部茎生叶卵形至长圆形，长 3 ～ 8 cm，宽 2 ～ 5 cm；向上、向下的叶渐小，卵形或长圆形；全部叶基部钝或宽楔形，基出脉 3 ～ 5，先端急尖，边缘具圆锯齿，两面疏被白色短柔毛和黄色腺点；具叶柄。头状花序直径 1.5 ～ 3 cm，顶生，排成伞房状；花序轴长 5 ～ 15 mm；总苞钟状或半球状，宽 5 mm；总苞片 2 层，长圆形或披针状长圆形，边缘撕裂；花冠长 1.5 ～ 2.5 mm，外面无毛或先端有微柔毛，檐部 5 裂，淡紫色。瘦果黑褐色，具 5 棱，长 1.2 ～ 1.7 mm，有白色稀疏细柔毛；冠毛鳞

片 5 或 6，长圆形，先端芒状或截形，无芒尖，长 1.5 ~ 3 mm。花果期全年。

| **生境分布** | 生于路旁、荒地、山坡、林缘等。江苏部分地区有栽培或逸为野生。

| **资源情况** | 野生及栽培资源较丰富。

| **采收加工** | 夏、秋季采收，除去根部，鲜用或切段，晒干。

| **功效物质** | 全草含有挥发油类、黄酮类、生物碱类、萜类、苯并呋喃类及甾醇类成分。生物碱类成分有石松胺、刺凌德草碱等，单萜类成分有莳基乙酸酯，倍半萜类成分有甜没药烯、叔丁基茴酮。茎中黄酮类成分母核为异黄酮，叶中黄酮类成分母核为黄酮。地上部分除含有黄酮类成分外，尚含早熟素、加州脆枝菊素等色烯类成分，以及芝麻素等木脂素类成分。挥发油类成分具有解热、镇痛等作用。

| **功能主治** | 辛、微苦，凉。清热解毒，止血，止痛。用于感冒发热，咽喉肿痛，口舌生疮，咯血，衄血，崩漏，脘腹疼痛，风湿痹痛，跌打损伤，外伤出血，痈肿疮毒，湿疹瘙痒。

| **用法用量** | 内服煎汤，15 ~ 30 g，鲜品加倍；或研末；或鲜品捣汁。外用适量，捣敷；或研末吹喉；或研末调敷。

菊科 Compositae 霍香蓟属 Ageratum 凭证标本号 3211831511111193LY

熊耳草
Ageratum houstonianum Miller

| **药 材 名** | 熊耳草（药用部位：全草）。

| **形态特征** | 一年生草本，高 30 ～ 70 cm 或有时达 1 m。无明显主根。全部叶有叶柄，柄长 0.7 ～ 3 cm。冠毛 5，膜片状，分离，长圆形或披针形，先端芒状长渐尖，有时冠毛膜片先端截形而无芒状渐尖。花果期全年。

| **生境分布** | 生于林缘和草地边缘。江苏个别植物园区有栽培或逸为野生。

| **资源情况** | 野生及栽培资源较丰富。

| **采收加工** | 夏、秋季采收，除去根部，鲜用或切段，晒干。

功效物质	根含有藿香酮、二氢藿香酮等苯并呋喃类成分，地上部分含有熊耳草素、破坏草素、伞房藿香蓟素 C 等黄酮类成分。此外，全草尚含石松胺等吡咯里西啶类生物碱，以及早熟素、β-荜澄茄烯、大牛儿烯 D 等挥发油类成分。挥发油类成分具有抗菌、杀螨活性，黄酮类成分具有抗肿瘤作用。
功能主治	清热解毒。用于中耳炎。

菊科 Compositae 兔儿风属 Ainsliaea 凭证标本号 321111190412003LY

杏香兔耳风
Ainsliaea fragrans Champ.

| **药 材 名** | 金边兔耳（药用部位：全草）。

| **形态特征** | 多年生草本。茎直立，不分枝，花葶状。叶聚生于茎基部，莲座状或假轮生；叶片厚纸质，卵形至卵状长圆形，长 2 ~ 11 cm，宽 1.5 ~ 5 cm，先端钝或具凸尖，基部深心形，全缘或具齿。头状花序常具小花 3，苞叶钻形；总苞圆柱状；总苞片约 5 层，外面 1 ~ 2 层卵形，中层近椭圆形，最内层狭椭圆形，基部长渐狭，具爪，边缘干膜质；花序托直径约 0.5 mm；花全部两性，白色，开放时具杏仁香气；花冠管纤细，长约 6 mm，檐部扩大，5 深裂，裂片线形，与花冠管近等长；花药先端钝，基部箭形；花柱分枝伸出药筒之外。瘦果圆柱状或近纺锤状，栗褐色，略压扁，长约 4 mm，具 8 纵棱，被长柔毛；冠毛多数，淡褐色，羽毛状，基部合生。花期 11 ~ 12 月。

| 生境分布 | 生于山坡阴湿处或林下、路旁、草丛中。分布于江苏南部等。

| 资源情况 | 野生资源较丰富。

| 采收加工 | 春、夏季采收，拣去杂质，抢水洗净，鲜用或切段，晒干。

| 功效物质 | 全草含有三萜类、倍半萜类、黄酮类、酚酸类等资源性成分。三萜类成分有无羁萜酮、表无羁萜醇、羊齿烯醇等，倍半萜类成分有中美菊素、二氢中美菊素C 等，黄酮类成分有柽柳素、木犀草素以及木犀草苷，酚酸类成分有绿原酸、二咖啡酰基奎宁酸等。

| 功能主治 | 苦、辛，平。归心、肺经。清热补虚，凉血止血，利湿解毒。用于虚劳骨蒸，肺痨咯血，崩漏，湿热黄疸，水肿，痈疽肿毒，瘰疬结核，跌打损伤，毒蛇咬伤。

| 用法用量 | 内服煎汤，9～15 g。外用适量，鲜品捣敷。

| 附　　注 | 本种的鲜根还可用于治疗热疖。

菊科 Compositae 牛蒡属 Arctium 凭证标本号 321284190414037LY

牛蒡
Arctium lappa L.

| 药 材 名 | 牛蒡子（药用部位：果实）、牛蒡根（药用部位：根）。

| 形态特征 | 二年生草本。具粗大的肉质直根，直径可达 4 cm。茎直立，高达 2 m，粗壮，常带紫红色或淡紫红色，有多数隆起的纵棱，植株常被稀疏的短糙毛及长蛛丝状毛，具棕黄色腺点。基生叶宽卵形，边缘具稀疏的浅波状齿，基部心形，叶柄长；茎生叶与基生叶同形或近同形。头状花序多数或少数，排列成疏松的伞房状或圆锥伞房状，顶生；总苞卵状或卵球状，直径 1.5 ～ 2 cm；总苞片多层，多数，外层三角状或披针状钻形，中、内层披针状或线状钻形，近等长，先端有软骨质钩刺；小花紫红色；花冠长 1.4 cm，管部长 8 mm，檐部长 6 mm，外面无腺点，花冠裂片长约 2 mm。瘦果两侧压扁，倒长卵形或偏斜倒长卵形，浅褐色，具细脉纹；冠毛多层，浅褐色，

冠毛糙毛状，不等长，离生，分散脱落。花果期 6 ~ 9 月。

| **生境分布** | 生于山坡、山谷、林缘、灌丛、路旁或荒地。江苏徐州（丰县、沛县、新沂）等有栽培。

| **资源情况** | 栽培资源较丰富。

| **采收加工** | **牛蒡子**：秋季果实成熟时采收果序，晒干，打下果实，除去杂质，再晒干。
牛蒡根：10 月采挖 2 年以上的根，洗净，晒干。

| **药材性状** | **牛蒡子**：本品呈长倒卵形，两端平截，略扁，微弯，长 5 ~ 7 mm，直径 2 ~ 3 mm。表面灰褐色或淡灰褐色，具多数细小黑斑，并有明显的纵棱线。先端较宽，有 1 圆环，中心有点状凸起的花柱残基；基部狭窄，有圆形果柄痕。质硬，折断后可见子叶 2，淡黄白色，富油性。果实无臭，种子气特异，味苦、微辛，稍久有麻舌感。以粒大、饱满、色灰褐者为佳。
牛蒡根：本品呈纺锤形，肉质而直立。皮部黑褐色，有皱纹，内呈黄白色。味微苦而性黏。

| **功效物质** | 果实含有牛蒡苷元、牛蒡苷、牛蒡酚、牛蒡木脂素等木脂素类成分；此外，尚含有萜类、脂肪酸类、挥发油类和甾体类化学成分。根主要含有氨基酸类、多糖类、硫炔类、多炔类、黄酮类、挥发油类及炔类化学成分；此外，尚含有硫炔类相连的愈创木烷内酯倍半萜类成分，如牛蒡种噻吩；多糖类成分如菊糖、果聚糖、木聚糖等，硫炔类成分如牛蒡酸、牛蒡醇、牛蒡醛、牛蒡酮，多炔类成分如十三碳烯三炔、十三碳烯五炔。其中，牛蒡苷元具有神经保护、抗炎等作用，牛蒡多糖具有免疫调节活性。

| **功能主治** | **牛蒡子**：辛、苦，寒。归肺、胃经。疏散风热，宣肺透疹，解毒利咽。用于风热感冒，咳嗽痰多，麻疹，风疹，咽喉肿痛，痄腮，丹毒，痈肿疮毒。
牛蒡根：苦、微甘，凉。归肺、心经。散风热，消毒肿。用于风热感冒，头痛，咳嗽，热毒面肿，咽喉肿痛，风湿痹痛，癥瘕积块，痈疖恶疮，痔疮脱肛。

| **用法用量** | **牛蒡子**：内服煎汤，5 ~ 10 g；或入散剂。外用适量，煎汤含漱。
牛蒡根：内服煎汤，6 ~ 15 g；或捣汁；或研末；或浸酒。外用适量，捣敷；或熬膏涂；或煎汤洗。

菊科 Compositae 蒿属 Artemisia 凭证标本号 320125161130014LY

黄花蒿 Artemisia annua L.

| 药 材 名 | 青蒿（药用部位：地上部分）。

| 形态特征 | 一年生草本，高 1 ~ 2 m。植株有浓烈香气。茎单生，老时褐色或红褐色。茎下部叶宽卵形或三角状卵形，长 3 ~ 7 cm，宽 2 ~ 6 cm，两面具白色腺点，3 ~ 4 回栉齿状羽状深裂，侧裂片 5 ~ 10 对，长椭圆状卵形，第 2 回分裂小裂片边缘具多枚栉齿状三角形深裂齿，中轴两侧有狭翅，叶柄长 1 ~ 2 cm，基部有假托叶；茎中部叶 2 ~ 3 回栉齿状羽状深裂，小裂片栉齿状三角形；茎上部叶与苞片叶 1 ~ 2 回栉齿状羽状深裂。头状花序球形，直径 1.5 ~ 2.5 mm，排成总状或复总状，再排成圆锥状；小苞叶线形；总苞片 3 ~ 4 层，近等长，外层长卵形或狭长椭圆形，中、内层宽卵形或卵形；花序托半球形；

花深黄色；雌花 10 ~ 18，花冠狭管状，檐部具 2 或 3 裂齿，外面有腺点，花柱线形，伸出花冠外；两性花 10 ~ 30，大部分可育，花冠管状，花药线形，上端附属物尖，长三角形，基部具短尖头，花柱与花冠近等长，分枝先端截形。瘦果椭圆状卵形，略扁。花果期 8 ~ 11 月。

| 生境分布 | 生于路旁、荒地、山坡、林缘等。江苏各地均有分布。

| 资源情况 | 野生资源较丰富。

| 采收加工 | 秋季花盛开时采割，除去老茎，阴干。

| 药材性状 | 本品茎呈圆柱形，上部多分枝，长 30 ~ 80 cm，直径 0.2 ~ 0.6 cm；表面黄绿色或棕黄色，具纵棱线；质略硬，易折断，断面中部有髓。叶互生，暗绿色或棕绿色，卷缩，易碎，完整者展平后为 3 回羽状深裂，裂片及小裂片矩圆形或长椭圆形，两面被短毛。气香特异，味微苦。以色绿、叶多、香气浓者为佳。

| 功效物质 | 主要含有单萜类、倍半萜类、二萜类、黄酮类、苯丙素类、香豆素类、黄酮类和挥发油类等多种资源性成分，单萜类成分有蒿酮、桉叶素等，倍半萜类成分有青蒿甲素、脱氧青蒿素、青蒿酸、青蒿乙酸等。其中，倍半萜类、香豆素类等成分具有解热、抗炎的活性，倍半萜类成分还具有抗菌、抗寄生虫、抗病毒、抗肿瘤等作用。

| 功能主治 | 苦、微辛，寒。归肝、胆经。清虚热，除骨蒸，解暑热，截疟，退黄。用于温邪伤阴，夜热早凉，阴虚发热，骨蒸劳热，暑邪发热，疟疾寒热，湿热黄疸。

| 用法用量 | 内服煎汤，6 ~ 15 g，治疟疾可用 20 ~ 40 g，不宜久煎，鲜品加倍；或水浸绞汁；或入丸、散剂。外用适量，研末调敷；或鲜品捣敷；或煎汤洗。

菊科 Compositae 蒿属 Artemisia 凭证标本号 320482180618292LY

奇蒿

Artemisia anomala S. Moore

| 药材名 | 刘寄奴（药用部位：带花全草）。

| 形态特征 | 多年生草本，高 80 ~ 150 cm。茎常单生，黄褐色或紫褐色。叶纸质，初时微有蛛丝状绵毛；茎下部叶卵形或长卵形，稀倒卵形，不分裂或前部有数枚浅裂齿，先端尖，边缘具细齿，基部圆形或宽楔形，叶柄长 3 ~ 5 mm；茎中部叶卵形至卵状披针形，叶柄稍短；茎上部叶与苞片叶小，无柄。头状花序长圆形或卵形，直径 2 ~ 2.5 mm，排成密穗状，再排成圆锥状；总苞片 3 ~ 4 层，背面淡黄色，外层小，卵形，中、内层长卵形至椭圆形；雌花 4 ~ 6，花冠狭管状，檐部具 2 裂齿，花柱伸出花冠外；两性花 6 ~ 8，花冠管状，花药线形，先端附属物尖，长三角形，基部圆钝，花柱略长于花

冠，分枝先端截形。瘦果倒卵形或长圆状倒卵形。花果期 6 ～ 11 月。

| **生境分布** | 生于林缘、路旁、沟边、河岸、灌丛及荒坡等。江苏各地均有分布。

| **资源情况** | 野生资源较丰富。

| **采收加工** | 春、秋季花开时采收，洗净，鲜用或晒干，扎成捆，防夜露雨淋变黑。

| **药材性状** | 本品长 60 ～ 90 cm。茎圆柱形，直径 2 ～ 4 mm，通常弯折；表面棕黄色或棕绿色，被白色毛茸，具细纵棱；质硬而脆，易折断，折断面纤维性，黄白色，中央具白色而疏松的髓。叶互生，通常干枯皱缩或脱落，展开后完整叶片呈长卵圆形，长 6 ～ 10 cm，宽 3 ～ 4 cm，叶缘有锯齿，上面棕绿色，下面灰绿色，密被白毛；叶柄短；质脆，易破碎或脱落。头状花序集成穗状圆锥花序，枯黄色。气芳香，味淡。以叶绿、花穗多者为佳。

| **功效物质** | 地上部分含有瑞诺木素、刘寄奴内酯、狭叶墨西哥蒿素等倍半萜类成分，以及三裂鼠尾草素等黄酮类成分。全草含有刘寄奴醚萜、地黄素 D 等单萜类成分，伪新乌药环氧内酯、奇蒿内酯等倍半萜类成分，奇蒿黄酮、小麦黄素等黄酮类成分，无羁萜、高粱醇等三萜类成分，以及香豆酸类、酚酸类等资源性成分。其中，黄酮类成分具有抗炎活性。

| **功能主治** | 辛、微苦，温。归心、肝、脾经。破瘀通经，止血消肿，消食化积。用于闭经，痛经，产后瘀滞腹痛，恶露不净，癥瘕，跌打损伤，金疮出血，风湿痹痛，便血，尿血，痈疮肿毒，烫火伤，食积腹痛，泄泻痢疾。

| **用法用量** | 内服煎汤，5 ～ 10 g，消食积单味可用 15 ～ 30 g；或入散剂。外用适量，捣敷；或研末掺。

| **附　　注** | 民间有地区应用刘寄奴治疗烫火伤，取适量醋炒刘寄奴研细末。治疗时采用无菌操作，用 75% 酒精冲洗创面及周围皮肤，轻轻擦去表面附着物，先撒盐末，后撒刘寄奴，用消毒纱布包扎，一般不再换药，3 ～ 5 天即愈。开发的奇蒿茶用颗粒剂，具有防暑的作用。

菊科 Compositae 蒿属 Artemisia 凭证标本号 320703141017024LY

艾蒿
Artemisia argyi Lévl. et Vaniot

| 药 材 名 | 艾叶（药用部位：叶）。

| 形态特征 | 多年生草本，高 80 ~ 250 cm。植株有浓烈香气，被灰白色柔毛及蛛丝状毛。茎单生或数个，褐色或灰黄褐色。叶片厚纸质，叶面被白色腺点，基生叶具长柄；茎下部叶近圆形或宽卵形，羽状深裂，侧裂片 2 或 3 对，裂片椭圆形或倒卵状长椭圆形，每裂片有 2 或 3 小裂齿，叶柄短；茎中部叶卵形至近菱形，1 ~ 2 回羽状深裂至半裂；茎上部叶与苞片叶羽状半裂、浅裂、3 深裂至不裂，椭圆形至线状披针形。头状花序椭圆形，直径 2.5 ~ 3.5 mm，排成穗状或复穗状，再排成圆锥状；总苞片 3 ~ 4 层，外层小，卵形，外侧被毛，中层较长，长卵形，被毛，内层薄，近无毛；花序托小；雌花 6 ~

10，花冠狭管状，檐部具 2 裂齿，紫色，花柱远伸出花冠外；两性花 8 ~ 12，花冠管状或高脚杯状，外面有腺点，檐部紫色，花药狭线形，先端附属物长三角形，花柱与花冠近等长或略长于花冠，分枝花后向外弯曲，先端截形。瘦果长卵形或长圆形。花果期 7 ~ 10 月。

| 生境分布 | 生于山坡、荒地、路旁、草地。江苏各地均有分布。江苏徐州（邳州）、淮安（盱眙）、南通（如东）、盐城（建湖）等有栽培。

| 资源情况 | 野生及栽培资源丰富。

| 采收加工 | 夏季花未开时采摘，除去杂质，晒干。

| 药材性状 | 本品多皱缩、破碎，有短柄。完整叶片展平后呈卵状椭圆形，羽状深裂，裂片椭圆状披针形，边缘有不规则粗锯齿。上表面灰绿色或深黄绿色，有稀疏的柔毛及腺点，下表面密生灰白色绒毛。质柔软。气清香，味苦。以叶厚、色青、背面色灰白、绒毛多、质柔软、香气浓郁者为佳。

| 功效物质 | 叶含有艾蒿酮、艾蒿内酯、石竹烯氧化物等倍半萜类成分，环木菠萝烯、达玛烯衍生物三萜类成分，印度荆芥素、棕矢车菊素、半齿泽兰林素等黄酮类成分，以及香豆素类、酚酸类、挥发油类等资源性成分。地上部分含有二氢道氏艾素 A 等倍半萜类成分，粗毛豚草素等黄酮类成分，以及三萜类成分。艾叶挥发油具有镇痛、抗过敏、抗病毒等作用。

| 功能主治 | 辛、苦，温。归肝、脾、肾经。温经止血，散寒止痛，祛湿止痒。用于吐血，衄血，崩漏，月经过多，胎漏下血，少腹冷痛，经寒不调，宫冷不孕；外用于皮肤瘙痒。

| 用法用量 | 内服煎汤，3 ~ 10 g；或入丸、散剂；或捣汁。外用适量，捣绒作炷或制成艾条熏灸；或捣敷；或煎汤熏洗；或炒热温熨。

菊科 Compositae 蒿属 Artemisia 凭证标本号 320481170401258LY

茵陈蒿 Artemisia capillaris Thunb.

| 药 材 名 | 茵陈（药用部位：地上部分）。

| 形态特征 | 半灌木状草本，高 40 ～ 120 cm。植株有浓烈香气，初时密被灰白色或灰黄色柔毛。常具营养枝。茎单一或数个，红褐色或褐色。营养枝上有密集叶丛，基生叶莲座状；基生叶、茎下部叶与营养枝叶卵圆形或卵状椭圆形，长 2 ～ 5 cm，宽 1.5 ～ 3.5 cm，2 ～ 3 回羽状全裂，侧裂片 2 ～ 4 对，每裂片再 3 ～ 5 全裂，末回裂片狭线形或狭线状披针形，长 5 ～ 10 mm，宽 0.5 ～ 2 mm，叶柄长 3 ～ 7 mm；茎中部叶宽卵形至卵圆形，1 ～ 2 回羽状全裂，基部裂片常半抱茎，近无柄；茎上部叶与苞片叶羽状 3 或 5 全裂，基部裂片半抱茎。头状花序卵球状，直径 1.5 ～ 2 mm，排成复总状，再排成圆锥状；小苞叶线形；总苞片 3 ～ 4 层，外层卵形或椭圆形，中、内

层椭圆形；雌花 6 ～ 10，花冠狭管状或狭圆锥状，檐部具 2 或 3 裂齿，花柱伸出花冠外，分枝先端尖；两性花 3 ～ 7，不育，花冠管状，花药线形，先端附属物长三角形，花柱短，上端棒状，2 裂，不叉开。瘦果长圆形或长卵形。花果期 7 ～ 10 月。

| **生境分布** | 生于海边或近海河谷、河边沙地与低山坡、路边较潮湿处。江苏各地均有分布。

| **资源情况** | 野生资源丰富。

| **采收加工** | 春季幼苗高 6 ～ 10 cm 时或秋季花蕾长成至花初开时采割，除去杂质和老茎，晒干。春季采收的习称"绵茵陈"，秋季采割的习称"花茵陈"。

| **药材性状** | 本品绵茵陈多卷曲成团状，灰白色或灰绿色，全体密被白色茸毛，绵软如绒。茎细小，长 1.5 ～ 2.5 cm，直径 0.1 ～ 0.2 cm，除去表面白色茸毛后可见明显的纵纹；质脆，易折断。叶具柄；展平后叶片呈 1 ～ 3 回羽状分裂，长 1 ～ 3 cm，宽约 1 cm，小裂片卵形或稍呈倒披针形、条形，先端尖锐。气清香，味微苦。花茵陈茎呈圆柱形，多分枝，长 30 ～ 100 cm，直径 2 ～ 8 mm；表面淡紫色或紫色，有纵条纹，被短柔毛；体轻，质脆，断面类白色。叶密集或多脱落；茎下部叶 2 ～ 3 回羽状深裂，裂片条形或细条形，两面密被白色柔毛；茎中部叶 1 ～ 2 回羽状全裂，基部抱茎，裂片细丝状。头状花序卵形，多数集成圆锥状，长 1.2 ～ 1.5 mm，直径 1 ～ 1.2 mm，有短梗；总苞片 3 ～ 4 层，卵形，苞片 3 裂；外层雌花 6 ～ 10，可多达 15，内层两性花 3 ～ 7。瘦果长圆形，黄棕色。气芳香，味微苦。

| **功效物质** | 主要含有香豆素类、黄酮类、色原酮类、有机酸类、烯炔类、三萜类、甾体类和醛酮类等资源性成分。香豆素类成分有滨蒿内酯、茵陈蒿素，黄酮类成分有茵陈蒿黄酮、异槲皮苷，色原酮类成分有茵陈色原酮，有机酸类成分有绿原酸、二咖啡酰基奎宁酸，烯炔类成分有茵陈二炔酮、茵陈二炔等。其中，滨蒿内酯具有镇痛、解热、抗炎、解毒等活性，挥发油类成分具有利胆、保肝等作用。

| **功能主治** | 苦、微辛，微寒。归脾、胃、膀胱经。清利湿热，利胆退黄。用于黄疸尿少，湿温暑湿，湿疮瘙痒。

| **用法用量** | 内服煎汤，10 ～ 15 g；或入丸、散剂。外用适量，煎汤洗。

菊科 Compositae 蒿属 Artemisia 凭证标本号 321322180717245LY

青蒿

Artemisia carvifolia Buch.-Ham. ex Roxb.

| 药 材 名 |

青蒿（药用部位：全草）、青蒿子（药用部位：果实）、青蒿根（药用部位：根）。

| 形态特征 |

一年生草本，高 30 ~ 150 cm。植株有香气。茎单生。基生叶与茎下部叶 3 回栉齿状羽状分裂，有长柄，花期枯萎；茎中部叶长圆状卵形至椭圆形，长 5 ~ 15 cm，宽 2 ~ 5.5 cm，2 回栉齿状羽状分裂，第 1 回全裂，侧裂片 4 ~ 6 对，裂片长圆形，每裂片具多枚长三角形栉齿或线状披针形小裂片，两侧常有 1 ~ 3 小裂齿，中轴与裂片羽轴常有小锯齿，叶柄长 0.5 ~ 1 cm，基部假托叶半抱茎；茎上部叶与苞片叶 1 ~ 2 回栉齿状羽状分裂。头状花序近半球形，直径 3.5 ~ 4 mm，下垂，排成总状，再排成圆锥状；小苞叶线形；总苞片 3 ~ 4 层，外层狭小，长卵形或卵状披针形，中层稍大，宽卵形或长卵形；花序托球形；花淡黄色；雌花 10 ~ 20，花冠狭管状，檐部具 2 裂齿，花柱伸出花冠管外，分枝先端尖；两性花 30 ~ 40，花冠管状，花药线形，附属物长三角形，花柱与花冠等长或略长。瘦果长圆形至椭圆形。花果期 6 ~ 9 月。

| **生境分布** | 生于荒坡、路旁、沟坎、海边湿地、河岸、林缘、草地及村旁。江苏各地均有分布。 |

| **资源情况** | 野生资源丰富。 |

| **采收加工** | **青蒿**：花初蕾期采割，及时晒干或切碎，晒干，置通风干燥处。
青蒿子：秋季果实成熟时割取果枝，打下果实，晒干。
青蒿根：秋、冬季采挖，洗净，切段，晒干。 |

| **药材性状** | **青蒿**：本品茎呈圆柱形，上部多分枝，长 30 ~ 80 cm，直径 0.2 ~ 0.6 cm；表面黄绿色或棕黄色，具纵棱线；质略硬，易折断，断面中部有髓。叶互生，暗绿色或棕绿色，卷缩，易碎，完整者展平后为 1 ~ 3 回羽状深裂，裂片及小裂片矩圆形或长椭圆形，两面被短毛。气香特异，味微苦。以色绿、叶多、香气浓者为佳。 |

| **功效物质** | 全草含有多种香豆素类和倍半萜内酯类成分，香豆素类成分有茵陈蒿素 C、裂叶蒿素、异戊烯氧基 -8- 甲氧基香豆素等。此外，尚含青蒿黄酮、槲皮素糖苷等黄酮类成分，蒿甾醇等甾体类成分，以及三萜类、亚精胺类、酚酸类成分等。其中，亚精胺类成分具有抗病毒活性。 |

| **功能主治** | **青蒿**：苦、微辛，寒。归肝、胆经。清退虚热，截疟，清热解暑。用于阴虚发热，骨蒸潮热，疟疾，暑热，发热无汗，胸闷头晕等。
青蒿子：甘，凉。清热明目，杀虫。用于劳热骨蒸，痢疾，恶疮，疥癣，风疹。
青蒿根：清热除蒸，燥湿除痹，凉血止血。用于劳热骨蒸，关节酸痛，大便下血。 |

| **用法用量** | **青蒿**：内服煎汤，6 ~ 15 g，治疟疾可用 20 ~ 40 g，不宜久煎；或水浸绞汁，鲜品加倍；或入丸、散剂。外用适量，研末调敷；或鲜品捣敷；或煎汤洗。
青蒿子：内服煎汤，3 ~ 6 g；或研末。外用适量，煎汤洗。
青蒿根：内服煎汤，3 ~ 15 g。 |

| **附　注** | 民间用本种捣敷治疗蜂蜇伤。 |

菊科 Compositae 蒿属 Artemisia 凭证标本号 320830160711012LY

南牡蒿

Artemisia eriopoda Bunge

| 药 材 名 | 南牡蒿（药用部位：地上部分或根）。

| 形态特征 | 多年生草本，高 30 ~ 80 cm。具短营养枝，枝上密生叶。茎常单生，基部密生短柔毛，稍带紫褐色。基生叶与茎下部叶近圆形、宽卵形或倒卵形，长 4 ~ 8 cm，宽 2.5 ~ 6 cm，1 ~ 2 回大头羽状深裂至不裂，边缘具疏齿，每侧有裂片 2 ~ 4，裂片倒卵形至宽楔形，边缘具裂片，有锯齿，基部渐狭，宽楔形，叶柄长 1.5 ~ 3 cm；茎中部叶近圆形或宽卵形，1 ~ 2 回羽状深裂或全裂；茎上部叶渐小，卵形或长卵形，羽状全裂；苞片叶 3 深裂或不裂，椭圆状披针形至线状披针形。头状花序宽卵形或近球形，直径 1.5 ~ 2.5 mm，排成穗状或总状，再排成圆锥状；小苞叶线形；总苞片 3 ~ 4 层，外层略短小，外、中层卵形或长卵形，内层长卵形；雌花 4 ~ 8，花冠

狭圆锥状，檐部具 2 或 3 裂齿，花柱伸出花冠外，分枝先端尖；两性花 6 ～ 10，不育，花冠管状，花药线形，先端附属物长三角形，花柱短，先端稍膨大，不叉开。瘦果长圆形。花果期 6 ～ 11 月。

| **生境分布** | 生于林缘、路旁、山坡、灌丛、溪边、疏林下。江苏各地均有分布。

| **资源情况** | 野生资源一般。

| **采收加工** | 夏季割取地上部分，鲜用或晒干；秋季采挖根，洗净，晒干。

| **功效物质** | 地上部分含有桉叶烯等倍半萜类成分，东莨菪内酯、七叶树内酯等香豆素类成分，以及三萜类、炔类、挥发油类等成分。

| **功能主治** | 苦、微辛，凉。祛风除湿，解毒。用于风湿关节痛，头痛，浮肿，毒蛇咬伤。

| **用法用量** | 内服煎汤，10 ～ 15 g，鲜品加倍。外用适量，捣敷。

菊科 Compositae 蒿属 Artemisia 凭证标本号 320703151015406LY

海州蒿 *Artemisia fauriei* Nakai

| **药 材 名** | 海州蒿（药用部位：地上部分）。

| **形态特征** | 多年生草本，高20～60 cm。植株初时被蛛丝状绒毛。偶有营养枝。茎常单一，紫褐色或淡褐色。叶稍肉质；基生叶卵形或宽卵形，长11～18 cm，宽8～16 cm，3～4回羽状全裂，末回裂片狭线形，长1～3 cm，宽0.5～1.5 mm，叶柄长5～13 cm，花期叶枯萎；茎下部与中部叶宽卵形，2～3回羽状全裂，基部半抱茎；茎上部叶、苞片叶倒卵形，3～5全裂或不裂。头状花序卵球状或卵球状倒圆锥形，直径2～4 mm，下垂，排成复总状，再排成圆锥状；具小苞叶；总苞片3～4层，外、中层卵形或长卵形，内层长卵形；花序托有白色托毛；雌花2～5，花冠狭管状，外面密被腺体，檐部

具 2 或 3 裂齿，花柱伸出花冠外；两性花 8 ～ 15，花冠管状，背面下部有腺点，花药线形，花柱与花冠近等长，先端稍叉开、截形。瘦果倒卵形，稍压扁。花果期 8 ～ 10 月。

| **生境分布** | 生于沿海的滩涂或沟边。分布于江苏连云港等。

| **资源情况** | 野生资源一般。

| **采收加工** | 初蕾或盛蕾期采收，除去泥土，晒干。

| **功效物质** | 主要含有挥发油类成分，包括萜类、酚类及脂肪酸类成分等。此外，地上部分尚含苯氧基色原酮类成分，如茵陈色原酮、4- 甲基茵陈色原酮等。

| **功能主治** | 辛凉解表，利湿退黄，利尿消肿。用于风热头痛，发热，黄疸，小便不利。

菊科 Compositae 蒿属 Artemisia 凭证标本号 321112180601021LY

白莲蒿

Artemisia stechmanniana Bess.

药材名

万年蒿（药用部位：全草）。

形态特征

半灌木状草本，高 50 ~ 150 cm。植株初时密被灰白色柔毛和白色腺点。根茎粗壮，常有多数木质营养枝。茎下部与中部叶长卵形、三角状卵形或长椭圆状卵形，长 2 ~ 10 cm，宽 2 ~ 8 cm，2 ~ 3 回栉齿状羽状分裂，第 1 回全裂，每侧裂片 3 ~ 5，裂片椭圆形或长椭圆形，第 2 回全裂，小裂片栉齿状披针形或线状披针形，每侧具数枚三角形的栉齿或栉齿状小裂片，叶中轴两侧具 4 ~ 7 栉齿，叶柄长 1 ~ 5 cm，假托叶栉齿状分裂；茎上部叶略小，1 ~ 2 回栉齿状羽状分裂；苞片叶栉齿状羽状分裂或不裂。头状花序近球形，直径 2 ~ 4 mm，总状排列，再排成圆锥状；总苞片 3 ~ 4 层，外层披针形或长椭圆形，中、内层椭圆形；雌花 10 ~ 12，花冠狭管状或狭圆锥状，檐部具 2 或 3 裂齿，花柱线形，伸出花冠外，分枝先端锐尖；两性花 20 ~ 40，花冠管状，花药椭圆状披针形，先端附属物长三角形，基部圆钝或有短尖头，花柱与花冠管近等长。瘦果卵状狭椭圆形或卵状狭圆锥形。

花果期 8 ~ 10 月。

| **生境分布** | 生于山坡、路旁、灌丛、草地。江苏各地均有分布。

| **资源情况** | 野生资源较丰富。

| **采收加工** | 夏末、秋初采收，除去泥土，阴干。

| **功效物质** | 含有单萜类、酚酸类、香豆素类和黄酮类资源性成分。单萜类成分有乙酸菊烯酯、蒿属醇乙酸酯、艾醇等，黄酮类成分有刺槐素、毡毛美洲茶素等。

| **功能主治** | 苦、辛，平。清热解毒，凉血止血。用于阴虚潮热，小儿惊风，肝炎，阑尾炎，创伤出血。

| **用法用量** | 内服煎汤，9 ~ 12 g。外用适量，鲜品捣敷；或干品研末撒。

菊科 Compositae 蒿属 Artemisia 凭证标本号 320721181018291LY

五月艾
Artemisia indica Willd.

| 药 材 名 | 五月艾（药用部位：地上部分）。

| 形态特征 | 半灌木状草本，高 80 ～ 150 cm。植株具浓烈的香气；初时被灰白色或淡黄色绒毛及灰白色蛛丝状毛。茎单生或少数。基生叶与茎下部叶卵形或长卵形，1 ～ 2 回羽状或大头羽状深裂，第 1 回全裂或深裂，每侧裂片 3 或 4，裂片椭圆形，第 2 回为深裂或浅裂，或为粗锯齿，中轴有时具狭翅，叶柄短，花期均枯萎；茎中部叶卵形至椭圆形，1 ～ 2 回羽状全裂或大头羽状深裂；茎上部叶羽状全裂；苞片叶 3 全裂或不分裂。头状花序长卵形至宽卵形，直径 2 ～ 2.5 mm，排成总状或复总状，再排成圆锥状；具小苞叶；总苞片 3 ～ 4 层，外层略小，中、内层椭圆形或长卵形；雌花 4 ～ 8，花冠狭管

状，檐部紫红色，具 2 或 3 裂齿，花柱伸出花冠外，分枝先端尖；两性花 8 ～
12，花冠管状，檐部紫色，花药线形，先端附属物长三角形，基部圆钝，花柱
略长于花冠，先端二叉，花后反卷，叉端扇形，有睫毛；两种花冠外面均被小
腺点。瘦果长圆形或倒卵形。花果期 8 ～ 10 月。

| **生境分布** | 生于路旁、林缘、坡地及灌丛。江苏各地均有分布。

| **资源情况** | 野生资源较丰富。

| **采收加工** | 夏、秋季间枝叶茂盛时采割，晒干或阴干。

| **功效物质** | 主要含有黄酮类、倍半萜类、挥发油类及鞣质类成分等。黄酮类成分有高丽槐
素，倍半萜类成分有石竹烯、大牦牛儿烯等。研究表明五月艾对多种杆菌及球
菌有抑制作用。其中，稀见槐黄烷酮 A、B 具有抗疟作用。

| **功能主治** | 祛风消肿，止痛止痒，调经止血。用于偏头痛，月经不调，崩漏下血，风湿痹
痛，疟疾，肿痛，疥癣，皮肤瘙痒。

菊科 Compositae 蒿属 *Artemisia* 凭证标本号 320124170821046LY

牡蒿
Artemisia japonica Thunb.

| 药 材 名 | 牡蒿（药用部位：全草）、牡蒿根（药用部位：根）。

| 形态特征 | 多年生草本，高 50 ～ 130 cm。植株有香气；初时被柔毛。常有营养枝。茎单生或少数，紫褐色或褐色。基生叶与茎下部叶倒卵形或宽匙形，长 4 ～ 7 cm，宽 2 ～ 3 cm，自叶前端斜向基部羽状深裂或半裂，裂片上端常有缺齿，具短柄；茎中部叶匙形，前端斜向基部 3 ～ 5 分裂；茎上部叶小，3 浅裂或不分裂；苞片叶长椭圆形、椭圆形、披针形或线状披针形，先端不分裂或有时浅裂。头状花序卵球形或近球形，直径 1.5 ～ 2.5 mm，基部具线形小苞叶，在分枝上排成穗状或总状，再在茎上排成圆锥状，总苞片 3 ～ 4 层，外层略小，外、中层卵形或长卵形，内层长卵形或宽卵形；

雌花 3 ~ 8，花冠狭圆锥状，檐部具 2 或 3 裂齿，花柱伸出花冠外，先端二叉，叉端尖；两性花 5 ~ 10，不育，花冠管状，花药线形，先端附属物长三角形，基部钝，花柱短，先端稍膨大，2 裂，不叉开。瘦果小，倒卵形。花果期 7 ~ 10 月。

| **生境分布** | 生于林缘、疏林下、田野、灌丛、荒地、山坡、路旁等。江苏各地均有分布。

| **资源情况** | 野生资源较丰富。

| **采收加工** | 牡蒿：夏、秋季间采收，鲜用或晒干。
牡蒿根：夏、秋季间采收，鲜用或晒干。

| **药材性状** | 牡蒿：本品茎呈圆柱形，直径 0.1 ~ 0.3 cm；表面黑棕色或棕色；质坚硬，折断面纤维状，黄白色，中央有白色疏松的髓。残留的叶片黄绿色至棕黑色，多破碎不全，皱缩卷曲；质脆，易脱落。花序黄绿色，可见长椭圆形褐色种子数枚。气香，味微苦。

| **功效物质** | 主要含有桉叶烯等倍半萜类成分，茵陈色原酮等色原酮类成分，以及三萜类、香豆素类、酚苷类、挥发油类等成分。其水提液具有活血止血、抗炎及抗氧化的作用。

| **功能主治** | 牡蒿：苦、微甘，凉。清热，凉血，解毒。用于夏季感冒，肺结核潮热，咯血，疖热，衄血，便血，崩漏，带下，黄疸性肝炎，丹毒，毒蛇咬伤。
牡蒿根：苦、微甘，平。祛风，补虚，杀虫截疟。用于产后伤风感冒，风湿痹痛，劳伤乏力，虚肿，疟疾。

| **用法用量** | 牡蒿：内服煎汤，10 ~ 15 g，鲜品加倍。外用适量，煎汤洗；或鲜品捣敷。
牡蒿根：内服煎汤，15 ~ 30 g。

菊科 Compositae 蒿属 Artemisia 凭证标本号 320830161011030LY

矮蒿
Artemisia lancea Vaniot

| 药 材 名 | 细叶艾（药用部位：全草或根）。

| 形态特征 | 多年生草本，高 80 ～ 150 cm。植株初时常被白色或黄色蛛丝状毛。茎丛生，褐色或紫红色。叶面有白色腺点；基生叶与茎下部叶卵圆形，长 3 ～ 6 cm，宽 2.5 ～ 5 cm，2 回羽状全裂，每侧裂片 3 或 4，中部裂片再次羽状深裂，每侧具小裂片 2 或 3，末回裂片线状披针形或线形，长 3 ～ 6 mm，宽 2 ～ 3 mm，叶柄短，花期枯萎；茎中部叶长卵形或椭圆状卵形，1 ～ 2 回羽状全裂，稀深裂；茎上部叶与苞片叶 3 或 5 全裂或不裂。头状花序卵形或长卵形，直径 1 ～ 1.5 mm，排成穗状或复穗状，再排成圆锥状；总苞片 3 层，外层小，狭卵形，中、内层长卵形或倒披针形；雌花 1 ～ 3，花冠狭

管状，檐部具 2 裂齿或无裂齿，紫红色，花柱伸出花冠外，分枝先端尖，外卷；两性花 2 ~ 5，花冠长管状，檐部紫红色，花药线形，先端附属物尖，长三角形，基部圆或短尖，花柱略长于花冠，分枝先端截形或扇形。瘦果小，长圆形。花果期 8 ~ 10 月。

| **生境分布** | 生于山坡、林缘、路旁、疏林、灌丛。江苏各地均有分布。

| **资源情况** | 野生资源较丰富。

| **采收加工** | 夏末秋初采收，除去泥土，晒干。

| **功效物质** | 主要含有挥发油类成分，包括莰烯、艾醇 A 等。

| **功能主治** | 全草，民间作"艾"与"茵陈"的代用品。散寒，温经，止血，安胎，清热，祛湿，消炎，驱虫。根，用于淋证。

菊科 Compositae 蒿属 Artemisia 凭证标本号 320830151025011LY

野艾蒿
Artemisia lavandulifolia DC.

| 药 材 名 | 野艾蒿（药用部位：全草）。

| 形态特征 | 多年生草本，高 50 ~ 120 cm。植株有香气。茎、叶及总苞片被灰白色或灰黄色蛛丝状柔毛。有营养枝。茎常丛生。叶面密被白色腺点，叶背密被灰白色绵毛；基生叶与茎下部叶宽卵形或近圆形，长 8 ~ 13 cm，宽 7 ~ 8 cm，2 回羽状全裂或第 2 回为深裂，具长柄；茎中部叶卵形、长圆形或近圆形，1 ~ 2 回羽状全裂或第 2 回为深裂；茎上部叶羽状全裂，近无柄；苞片叶 3 全裂或不裂，线状披针形或披针形。头状花序椭圆形或长圆形，直径 2 ~ 2.5 mm，排成密集的穗状或复穗状，再排成圆锥状；具小苞叶；总苞片 3 ~ 4 层，外层略小，卵形或狭卵形，中层长卵形，内层长圆形或椭圆形；雌

花 4 ~ 9，花冠狭管状，檐部具 2 裂齿，紫红色，花柱线形，伸出花冠外，分枝先端尖；两性花 10 ~ 20，花冠管状，檐部紫红色，花药线形，先端附属物长三角形，基部具短尖，花柱与花冠等长或略长于花冠，分枝先端扇形。瘦果长卵形或倒卵形。花果期 8 ~ 10 月。

| **生境分布** | 生于山坡、路旁、林缘、山谷、灌丛、水滨等。江苏各地均有分布。

| **资源情况** | 野生资源丰富。

| **采收加工** | 夏、秋季采收，鲜用或晒干。

| **功效物质** | 主要含有单萜类、倍半萜类、多糖类、黄酮类及挥发油类成分，具有抗菌、抗炎、抗肿瘤和免疫调节等功效。其中，单萜类成分有菊醇、龙脑等，倍半萜类成分有石竹烯、金合欢烯等。

| **功能主治** | 理气行血，逐寒调经，安胎，祛风除湿，消肿止血。用于感冒，头痛，疟疾，皮肤瘙痒，痈肿，跌打损伤，外伤出血等。

| **附　　注** | 民间一些地区有将野艾蒿放在毛毯下面来避蚊、除臭、驱虫、消毒空气及防治传染病的习俗。

菊科 Compositae 蒿属 Artemisia 凭证标本号 320703160905586LY

蒙古蒿
Artemisia mongolica (Fisch. ex Bess.) Nakai

| 药 材 名 |

蒙古蒿（药用部位：地上部分）。

| 形态特征 |

多年生草本，高 40 ～ 120 cm。植株初时密被灰白色蛛丝状柔毛。营养枝少数。茎少数或单生。茎下部叶卵形或宽卵形，2 回羽状全裂或深裂，第 1 回全裂，每侧裂片 2 或 3，裂片椭圆形或长圆形，第 2 回羽状深裂或浅裂，叶柄长，两侧常有小裂齿，花期叶枯萎；茎中部叶卵形、近圆形或椭圆状卵形，1 ～ 2 回羽状分裂，第 1 回全裂，第 2 回全裂、深裂或 3 裂；茎上部叶与苞片叶卵形或长卵形，羽状全裂或 3 或 5 全裂。头状花序椭圆形，直径 1.5 ～ 2 mm，排成穗状，再排成圆锥状；小苞叶线形；总苞片 3 ～ 4 层，外层小，卵形或狭卵形，中层长卵形或椭圆形，内层椭圆形；雌花 5 ～ 10，花冠狭管状，檐部具 2 裂齿，紫色，花柱伸出花冠外，分枝反卷，先端尖；两性花 8 ～ 15，花冠管状，背面具黄色小腺点，檐部紫红色，花药线形，先端附属物长三角形，基部圆钝，花柱与花冠近等长，分枝先端截形。瘦果长圆状倒卵形。花果期 8 ～ 10 月。

| **生境分布** | 生于山坡、灌丛、河湖岸边及路旁。江苏各地均有分布。

| **资源情况** | 野生资源丰富。

| **采收加工** | 春季采收，除去老茎及杂质，洗净泥土，晒干。

| **功效物质** | 鲜叶和嫩枝含有挥发油类成分，主要为兰香油奥、大根香叶烯 D、石竹烯、桉树脑等，具有抑菌活性。此外，尚含蒙古蒿素等三萜类成分，陆得威蒿内酯 B、二羟基异木香酸甲酯等倍半萜类成分，以及香豆素类、黄酮类等资源性成分。

| **功能主治** | 散寒除湿，温经止痛，安胎止血。用于感冒咳嗽，皮肤湿疮，痛经，胎动不安，功能失调性子宫出血；外用于灸诸疾。

菊科 Compositae 蒿属 *Artemisia* 凭证标本号 320830161011009LY

魁蒿
Artemisia princeps Pamp.

| 药 材 名 | 魁蒿（药用部位：地上部分）。

| 形态特征 | 多年生草本，高 60 ~ 150 cm。植株初时被蛛丝状毛。偶有营养枝。茎少数或单生。茎下部叶卵形或长卵形，1 ~ 2 回羽状深裂，每侧裂片 2，裂片长圆形或长圆状椭圆形，第 2 回羽状浅裂，具长柄，花期叶枯萎；茎中部叶卵形或卵状椭圆形，羽状深裂或半裂；茎上部叶小，羽状深裂或半裂；苞片叶 3 深裂或不裂。头状花序长圆形或长卵形，直径 1.5 ~ 2.5 mm，排成穗状或总状，再排成圆锥状；具小苞叶；总苞片 3 ~ 4 层，外层小，卵形或狭卵形，中层长圆形或椭圆形，内层长圆状倒卵形，边缘撕裂状；花序托凸起；雌花5 ~ 7，花冠狭管状，檐部具 2 裂齿，花柱伸出花冠外，分枝先端尖；两性花 4 ~ 9，花冠管状，黄色或檐部紫红色，外面有疏腺点，花

药线形，先端附属物长三角形，基部有小尖头，花柱与花冠近等长，分枝先端截形。瘦果椭圆形或倒卵状椭圆形。花果期 7 ~ 11 月。

| **生境分布** | 生于山坡、灌丛、林缘、路旁、沟边。江苏各地均有分布。

| **资源情况** | 野生资源丰富。

| **采收加工** | 春季采收，除去老茎及杂质，洗净泥土，晒干。

| **功效物质** | 主要含有加拿蒿素、加拿蒿宁、木香烯内酯等倍半萜类成分，以及桉叶油醇、侧柏酮、侧柏醇等挥发油类成分。全草提取物可用于炎症、腹泻，以及月经不调、血尿和痔疮等循环失调疾病；此外，对肿瘤细胞具有细胞毒性。

| **功能主治** | 解毒消肿，散寒除湿，温经止血。用于月经不调，闭经腹痛，崩漏，产后腹痛，腹中寒痛，胎动不安，鼻衄，肠风下血，赤痢下血。

菊科 Compositae　蒿属 Artemisia　凭证标本号 3208301610120011LY

猪毛蒿
Artemisia scoparia Waldst. et Kit.

| 药 材 名 | 茵陈（药用部位：地上部分）。

| 形 态 特 征 | 一年生、二年生或多年生草本，高 40 ～ 130 cm。植株有浓烈的香气，常被灰白色或黄色柔毛。有营养枝。茎常单生。基生叶近圆形或长卵形，2 ～ 3 回羽状全裂，具长柄，花期枯萎；茎下部叶长卵形或椭圆形，长 1.5 ～ 3.5 cm，宽 1 ～ 3 cm，2 ～ 3 回羽状全裂，每侧裂片 3 或 4，第 2 回羽状全裂，每侧小裂片 1 或 2，末回裂片狭线形，长 3 ～ 5 mm，宽 0.2 ～ 1 mm，具 1 或 2 小裂齿，叶柄长 2 ～ 4 cm；茎中部叶长圆形或长卵形，1 ～ 2 回羽状全裂；茎上部叶及苞片叶 3 ～ 5 全裂或不裂。头状花序近球形，直径 1 ～ 2 mm，排成复总状或复穗状，再排成圆锥状；小苞叶线形；总苞片 3 ～ 4 层，

外层卵形，中、内层长卵形或椭圆形；雌花 5 ~ 7，花冠狭圆锥状或狭管状，檐部具 2 裂齿，花柱线形，伸出花冠外，分枝先端尖；两性花 4 ~ 10，不育，花冠管状，花药线形，先端附属物长三角形，花柱短，先端膨大，2 裂，不叉开。瘦果倒卵形或长圆形，褐色。花果期 7 ~ 10 月。

| **生境分布** | 生于山坡、路旁、草地。江苏各地均有分布。

| **资源情况** | 野生资源丰富。

| **采收加工** | 春季采收，除去老茎及杂质，洗净泥土，晒干。

| **药材性状** | 本品多破碎或卷缩成团，绵软如绒，全体被灰白色或灰黄色绢质柔毛，老枝脱落近无毛。茎小，除去茸毛可见明显纵纹，长短不一；质脆，易折断。叶具柄，展平后叶片呈 1 ~ 2 回羽状分裂，裂片短毛发状，长 4 ~ 8 mm，宽 2 ~ 3 mm，稍弯曲。头状花序小而多数，球形或卵球形，直径 1 ~ 1.5 mm，具极短梗或无梗；总苞片 3 ~ 4 层，绿色，边缘膜质。有浓烈的香气，味微苦。

| **功效物质** | 根含有羊毛脂烷棕榈酸酯等三萜类成分，以及裂环胆甾等甾体类成分。叶含有月桂烯、对聚伞花素等单萜类成分。全草含有柠檬酸、苹果酸、缬草酸等有机酸类成分，侧柏醇、正丁醛、糠醛、甲庚酮、葛缕酮等挥发油类成分，以及黄酮类和香豆素类等多种成分。挥发油类成分具有缓泻作用，水浸液具有降压、降血脂、扩张冠状动脉、抗凝及促进纤维蛋白溶解等作用。

| **功能主治** | 苦、辛，微寒。归脾、胃、膀胱经。清热利湿，利胆退黄。用于黄疸尿少，湿温暑湿，湿疮瘙痒。

| **用法用量** | 内服煎汤，10 ~ 15 g；或入丸、散剂。外用适量，煎汤洗。

菊科 Compositae 蒿属 *Artemisia* 凭证标本号 320124151016001LY

蒌蒿
Artemisia selengensis Turcz. ex Bess.

| **药 材 名** | 蒌蒿（药用部位：全草）。

| **形态特征** | 多年生草本，高 60 ~ 150 cm。植株具清香气。叶及总苞片背面初时密被灰白色蛛丝状毛。茎少数或单生。茎下部叶宽卵形或卵形，长 8 ~ 12 cm，宽 6 ~ 10 cm，近掌状 3 或 5 全裂或深裂，稀 7 裂或不裂，裂片线形或线状披针形，长 5 ~ 8 cm，宽 3 ~ 5 mm，不分裂的叶片长椭圆形至线状披针形，长 6 ~ 12 cm，宽 5 ~ 20 mm，先端锐尖，边缘具细锯齿，基部渐狭成柄；无假托叶，花期下部叶常凋谢；茎中部叶近掌状 3 或 5 深裂，稀不裂；茎上部叶与苞片叶 3 深裂至不裂。头状花序长圆形或宽卵形，直径 2 ~ 2.5 mm，排成密集穗状，再排成圆锥状；总苞片 3 ~ 4 层，外层略短，卵形或

近圆形，中、内层略长，长卵形或卵状匙形，黄褐色；雌花 8 ～ 12，花冠狭管状，檐部 1 浅裂，花柱伸出花冠外，分枝先端尖；两性花 10 ～ 15，花冠管状，花药线形，先端附属物尖，长三角形，基部圆钝或微尖，花柱与花冠近等长，分枝微叉，先端截形。瘦果卵形，略扁。花果期 7 ～ 10 月。

| 生境分布 | 生于低海拔的河湖岸边与沼泽地、湿润林下、山坡、路旁、荒地等。江苏各地均有分布。江苏各地广泛栽培。

| 资源情况 | 野生及栽培资源丰富。

| 采收加工 | 春季采收，鲜用。

| 功效物质 | 根含有炔基螺癸烷及其衍生物等脂肪烃类成分。叶含有凹岩牡丹素、阿亚黄素等黄酮类成分，二氢母菊素、二氧杂双环衍生物等倍半萜类成分，伞形花内酯、东莨菪内酯等香豆素类成分，以及甾体类、环内桥接过氧化物类等资源性成分。地上部分含有萎蒿素、萎蒿内酯、道氏蒿素等倍半萜类成分。

| 功能主治 | 苦、辛，温。利膈开胃。用于食欲不振。

| 用法用量 | 内服煎汤，5 ～ 10 g。

菊科 Compositae 紫菀属 Aster 凭证标本号 320115150923002LY

三脉紫菀
Aster ageratoides Turcz.

| 药 材 名 | 山白菊（药用部位：全草或根）。

| 形态特征 | 多年生草本，高 40 ～ 100 cm。根茎粗壮。茎直立，有沟棱。叶纸质，
上面密被糙毛，下面疏被毛或仅沿脉被毛，稍有腺点；茎下部叶花
期枯萎，叶片长圆状披针形或狭披针形，长 5 ～ 15 cm，宽 1 ～ 5 cm，
中部以上急狭成楔形宽翅柄，先端渐尖，边缘有 3 ～ 7 对浅或深
锯齿；茎上部叶渐小，有浅齿或全缘，离基三出脉，侧脉 3 或 4
对。头状花序排成伞房状或圆锥伞房状；总苞倒锥状或半球状，长
5 ～ 7 mm，直径 6 ～ 10 mm；总苞片 3 层，线状长圆形，上部紫褐
色，外层较短，内层长，有短缘毛；舌状花 10 余，舌片线状长圆形，
紫色或红色；管状花黄色，花柱附属物长达 1 mm。瘦果倒卵状长圆
形，灰褐色，长 2 ～ 2.5 mm，有边肋，一面常有肋，被短粗毛；冠

毛浅红褐色或污白色，长 3 ~ 4 mm。花果期 7 ~ 12 月。

| **生境分布** | 生于山坡、田野、路边、林下。江苏各地均有分布。

| **资源情况** | 野生资源较丰富。

| **采收加工** | 夏、秋季采收，洗净，鲜用或扎把，晾干。

| **药材性状** | 本品根茎较粗壮，有多数棕黄色须根。茎圆柱形，直径 1 ~ 4 mm，基部光滑或略有毛，有时稍带淡褐色，下部茎呈暗紫色，上部茎多分枝，呈暗绿色；质脆，易折断，断面不整齐，中央有髓，黄白色。单叶互生，叶片多皱缩或破碎，完整叶展平后呈长椭圆状披针形，长 2 ~ 12 cm，宽 2 ~ 5 cm，灰绿色，边缘具疏锯齿，具明显的离基三出脉，表面粗糙，背面网脉显著。头状花序顶生，排列成伞房状或圆锥状，舌状花白色、青紫色或淡红色，管状花黄色。瘦果椭圆形，冠毛污白色或褐色。气微香，味稍苦。以叶多、带花者为佳。

| **功效物质** | 根含有皂苷类成分。地上部分含有紫菀酮、三脉紫菀皂苷 A、东风菜苷等三萜及三萜皂苷类成分，贝壳杉烷型二萜类成分，日本刺参萜酮等倍半萜类成分，以及黄酮类和甾体类成分。山白菊的乙醇提取物制成的红管药片可用于慢性支气管炎，所含的皂苷有祛痰作用，黄酮醇苷有止咳作用。

| **功能主治** | 苦、辛，凉。祛风，清热解毒，祛痰止咳。用于风热感冒，气管炎，扁桃体炎，疔疮肿毒，蛇咬伤。

| **用法用量** | 内服煎汤，15 ~ 60 g。外用适量，鲜品捣敷。

菊科 Compositae 紫菀属 Aster 凭证标本号 321183150923822LY

毛枝三脉紫菀
Aster ageratoides Turcz. var. *lasiocladus* (Hayata) Hand.-Mazz.

| 药 材 名 | 毛枝马兰（药用部位：全草）。

| 形态特征 | 多年生草本。茎被黄褐色或灰色密茸毛。叶长圆状披针形，常较小，长 4 ~ 8 cm，宽 1 ~ 3 cm，边缘有浅齿，先端钝或急尖，质厚，上面被密糙毛或两面被密茸毛，沿脉常有粗毛。总苞片厚质，被密茸毛；舌状花白色。花果期 7 ~ 12 月。

| 生境分布 | 生于山坡、田野、路边、林下。分布于江苏南部等。

| 资源情况 | 野生资源较丰富。

| 采收加工 | 夏、秋季采收，洗净，鲜用或扎把，晾干。

| 功效物质 | 全草含有三萜类、黄酮类、甾体类成分等。

| 功能主治 | 祛风热，理气止痛，解毒。用于风热感冒，头痛，咳嗽，喉痛，胸痛，蛇咬伤。

菊科 Compositae 紫菀属 Aster 凭证标本号 320703160905587LY

钻叶紫菀
Aster subulatum (Michx.) G. L. Nesom

| 药 材 名 | 瑞连草（药用部位：全草）。

| 形态特征 | 一年生草本，高 20 ~ 100 cm。主根圆柱状，向下渐狭，长 5 ~ 17 cm，直径 2 ~ 5 mm，具多数侧根和纤维状细根。茎单一，直立，基部直径 1 ~ 6 mm，自基部、中部或上部具多分枝，茎和分枝具粗棱，光滑无毛，基部、下部或有时整个带紫红色。基生叶在花期凋落；茎生叶多数，叶片披针状线形，极稀狭披针形，长 2 ~ 10 cm，宽 0.2 ~ 1.2 cm，先端锐尖或急尖，基部渐狭，通常全缘，稀有疏离的小尖头状齿，两面绿色，光滑无毛，中脉在背面凸起，侧脉数对，不明显或有时明显，上部叶渐小，近线形，全部叶无柄。头状花序极多数，直径 7 ~ 10 mm，于茎和枝先端排列成疏圆锥状花序；

花序梗纤细、光滑，具 4 ～ 8 钻形、长 2 ～ 3 mm 的苞叶；总苞钟形，直径 7 ～ 10 mm；总苞片 3 ～ 4 层，外层披针状线形，长 2 ～ 2.5 mm，内层线形，长 5 ～ 6 mm，全部总苞片绿色或先端带紫色，先端尖，边缘膜质，光滑无毛；雌花花冠舌状，舌片淡红色、红色、紫红色或紫色，线形，长 1.5 ～ 2 mm，先端具 2 浅齿，常卷曲，管部极细，长 1.5 ～ 2 mm；两性花花冠管状，长 3 ～ 4 mm，冠檐狭钟状筒形，先端 5 齿裂，花冠管细，长 1.5 ～ 2 mm。瘦果线状长圆形，长 1.5 ～ 2 mm，稍扁，具边肋，两面各具 1 肋，疏被白色微毛；冠毛 1 层，细而软，长 3 ～ 4 mm。花果期 6 ～ 10 月。

| **生境分布** | 生于路边、草地及荒野等潮湿含盐的土壤中。江苏各地均有分布。

| **资源情况** | 野生资源较丰富。

| **采收加工** | 秋季采收，切段，鲜用或晒干。

| **功效物质** | 含有酚酸类和黄酮类成分，如绿原酸、山柰酚等。药效研究发现钻叶紫菀提取物对普通烟 K326 内病毒的增殖具有显著的抑制作用。

| **功能主治** | 苦、酸，凉。清热解毒，利湿。用于湿疹。

| **用法用量** | 内服煎汤，10 ～ 30 g。外用适量，捣敷。

菊科 Compositae 紫菀属 *Aster* 凭证标本号 320102191013287LY

紫菀
Aster tataricus L. f.

药材名

紫菀（药用部位：根及根茎）。

形态特征

多年生草本，高 40 ~ 50 cm。茎直立，有沟棱，疏被粗毛。叶厚纸质，两面被糙毛；基生叶花期枯萎，长圆状或椭圆状匙形，基部渐狭成长柄，连柄长 20 ~ 50 cm，宽 3 ~ 13 cm，边缘有具小尖头的圆齿或浅齿；茎下部叶匙状长圆形，常较小，基部渐狭或急狭成宽翅柄，边缘有密锯齿；茎中部叶长圆形或长圆状披针形，全缘或有浅齿；茎上部叶小。头状花序多数，顶生，排成复伞房状；花序轴具线形苞叶；总苞半球状，长 7 ~ 9 mm；总苞片 3 层，线形或线状披针形，外层密被短毛，内层边缘干膜质，带紫红色；舌状花 20 余，舌片蓝紫色；管状花被毛；花柱附属物披针形。瘦果倒卵状长圆形，紫褐色，长 2.5 ~ 3 mm，两面各有 1 或 3 脉，上部疏被粗毛；冠毛污白色或带红色，长 6 mm，有多数不等长的糙毛。花期 7 ~ 9 月，果期 8 ~ 10 月。

生境分布

生于海拔 400 ~ 2 000 m 的低山阴坡湿地、

山顶、低山草地及沼泽地。江苏各地均有分布。

| 资源情况 | 野生资源较丰富。

| 采收加工 | 10 月下旬至翌年早春，待地上部分枯萎后，挖取根部，除去枯叶，将细根编成小辫状，晒干。

| 药材性状 | 本品根茎呈不规则块状，长 2 ~ 5 cm，直径 1 ~ 3 cm；表面紫红色或灰红色，先端残留茎基及叶柄痕，中下部丛生多数细根；质坚硬，断面较平坦，显油性。根多数，细长，长 6 ~ 15 cm，直径 1 ~ 3 mm，多编成辫状；表面紫红色或灰红色，有纵皱纹；质较柔韧，易折断，断面淡棕色，边缘一圈显紫红色，中央有细小木心。气微香，味甜、微苦。以根长、色紫红、质柔韧者为佳。

| 功效物质 | 根茎含有紫菀醇苷 A、紫菀醇苷 B、紫菀醇苷 C 等单萜类成分，紫菀萜酮、紫菀皂苷等三萜及三萜皂苷类成分，大黄酚、大黄素、大黄素甲醚等蒽醌类成分，以及黄酮类、有机酸类、木脂素类、甾体类、苯并呋喃类等资源性成分。根含有毛叶醇等炔醇及酯类成分，以及挥发油类成分。紫菀酮及表木栓醇单体有祛痰的作用，正丁醇组具有显著的镇咳效果，紫菀环肽类具有抗肿瘤活性。

| 功能主治 | 苦、辛，温。归肺经。润肺下气，消痰止咳。用于痰多喘咳，新久咳嗽，劳嗽咯血。

| 用法用量 | 内服煎汤，4.5 ~ 10 g；或入丸、散剂。

菊科 Compositae 狗娃花属 Heteropappus 凭证标本号 320321180520013LY

狗娃花
Heteropappus hispidus (Thunb.) Less.

| 药 材 名 | 狗娃花（药用部位：全草）。

| 形态特征 | 一年生或二年生草本，高 30 ～ 150 cm。茎单生或数个丛生，被粗毛。叶两面疏被毛或无毛，边缘有疏毛；基生叶及茎下部叶花期枯萎，倒卵形，长 4 ～ 13 cm，宽 5 ～ 15 mm，渐狭成长柄，全缘或有疏齿；茎中部叶长圆状披针形或线形，长 3 ～ 7 cm，宽 3 ～ 15 mm，常全缘；茎上部叶小，线形。头状花序顶生，单生或排成伞房状；总苞半球状，长 7 ～ 10 mm；总苞片 2 层，近等长，线状披针形，有时下部及边缘干膜质，背面及边缘被粗毛，常有腺点；舌状花 30 余，舌片浅红色或白色，线状长圆形；管状花花冠檐部明显长于管部。瘦果倒卵形，长 2.5 ～ 3 mm，有细边肋，被密毛；舌

状花冠毛短鳞片状，白色，或部分长糙毛状，带红色；管状花冠毛糙毛状，初时白色，后带红色，与花冠近等长。花期 7 ～ 9 月，果期 8 ～ 9 月。

| **生境分布** | 生于荒地、路旁、林缘及草地。分布于江苏连云港等。

| **资源情况** | 野生资源较丰富。

| **采收加工** | 夏、秋季采挖，洗净，鲜用或晒干。

| **功效物质** | 含萜类、黄酮类、甾体类及甾体皂苷类等成分。

| **功能主治** | 苦，凉。清热解毒，消肿。用于疮肿，蛇咬伤。

| **用法用量** | 外用适量，捣敷。

| **附　　注** | 本种民间还用于治疗痈疖肿毒、跌打损伤等。

菊科 Compositae 狗娃花属 Heteropappus 凭证标本号 320721181018288LY

阿尔泰狗娃花

Heteropappus altaicus (Willd.) Novopokr.

| 药 材 名 |

阿尔泰紫菀（药用部位：全草或根、花）。

| 形 态 特 征 |

多年生草本，高 20 ~ 60 m。茎直立，被柔毛，上部常有腺点。叶两面或下面被毛，常有腺点；基生叶花期枯萎；茎下部叶线形或长圆状披针形至近匙形，长 2.5 ~ 8 cm，宽 0.7 ~ 1.5 cm，全缘或有疏浅齿；茎上部叶渐狭小，线形。头状花序顶生，单生或排成伞房状；总苞半球状，直径 0.8 ~ 1.8 cm；总苞片 2 ~ 3 层，近等长或外层稍短，长圆状披针形或线形，先端渐尖，背面或外层被毛，常有腺点，边缘干膜质；舌状花约20，舌片浅蓝紫色，长圆状线形；管状花檐部裂片不等大。瘦果扁，倒卵状长圆形，长 2 ~ 2.8 mm，宽 0.7 ~ 1.4 mm，灰绿色或浅褐色，被绢毛，上部有腺点；冠毛污白色或红褐色，长 4 ~ 6 mm，有不等长的微糙毛。花果期 5 ~ 9 月。

| 生 境 分 布 |

生于干燥的山坡、荒地。江苏各地均有分布。

| **资源情况** | 野生资源一般。

| **采收加工** | 夏、秋季开花时采收全草或花，阴干或鲜用；春、秋季采挖根，洗净，晒干，切段。

| **功效物质** | 花含有阿尔泰狗娃花酸等二萜类成分，以及黄酮类、甾体类等成分。地上部分含有车桑子酸、车桑子酸内酯等二萜类成分，狗娃花皂苷、远志酸糖苷等三萜类成分，以及倍半萜类和黄酮类等成分。全草含有挥发油类、倍半萜类、苯并呋喃类、二萜类、三萜类等成分。其中，远志酸糖苷等三萜类成分具有抗真菌的活性。

| **功能主治** | 微苦，凉。清热降火，排脓止咳。用于热病，肝胆火旺，肺脓肿，咳吐脓血，膀胱炎，疱疹疮疖。

| **用法用量** | 内服煎汤，5 ~ 10 g。外用适量，捣敷。

菊科 Compositae 马兰属 Kalimeris 凭证标本号 320621181028004LY

马兰
Kalimeris indica (L.) Sch.-Bip.

| **药 材 名** | 马兰（药用部位：全草或根）。

| **形态特征** | 一年生或二年生草本。茎上部有短毛。叶上面有疏微毛，边缘及下面沿脉有短粗毛；基生叶花期枯萎；茎生叶披针形或倒卵状长圆形，长 3 ~ 6 cm，先端钝或尖，基部渐狭成具翅的长柄，下部及中部叶有 2 ~ 4 对浅齿或深齿，上部叶小，全缘，基部急狭，无柄。头状花序顶生，单生或排成疏伞房状；总苞半球状，长 4 ~ 5 mm；总苞片 2 ~ 3 层，倒卵状长圆形，先端钝或稍尖，上部被疏短毛，边缘干膜质，有缘毛；花序托圆锥状；舌状花 15 ~ 20，1 层，舌片浅紫色；管状花常密被短毛。瘦果极扁，倒卵状长圆形，长 1.5 ~ 2 mm，褐色，边缘具厚肋，上部被腺及短柔毛；冠毛长 0.1 ~ 0.8 mm，易脱落，不等长。花期 5 ~ 9 月，果期 8 ~ 10 月。

| 生境分布 | 生于路边、田野、山坡上。江苏各地均有分布。江苏各地均有一定面积栽培。

| 资源情况 | 野生及栽培资源丰富。

| 采收加工 | 夏、秋季采收，鲜用或晒干。

| 药材性状 | 本品根茎呈细长圆柱形，着生多数浅棕黄色细根和须根。茎圆柱形，直径 2 ~ 3 mm；表面黄绿色，有细纵纹；质脆，易折断，断面中央有白色髓。叶互生，叶片皱缩、卷曲，多已碎落，完整者展平后呈倒卵形、椭圆形或披针形，被短毛。有的于枝顶可见头状花序，花淡紫色或已结果。瘦果倒卵状长圆形，扁平，有毛。气微，味淡、微涩。

| 功效物质 | 含有倍半萜类、三萜类、挥发油类、有机酸类、黄酮类、多糖类等成分。挥发油主要以萜类化合物、脂肪族化合物和芳香族化合物为主。有机酸类成分具有抗菌作用。

| 功能主治 | 辛，凉。归肺、肝、胃、大肠经。凉血止血，清热利湿，解毒消肿。用于吐血，衄血，血痢，崩漏，创伤出血，黄疸，水肿，淋浊，感冒，咳嗽，咽痛喉痹，痔疮，痈肿，丹毒，疳积。

| 用法用量 | 内服煎汤，10 ~ 30 g，鲜品 30 ~ 60 g；或捣汁。外用适量，捣敷；或煎汤熏洗。

菊科 Compositae 东风菜属 Doellingeria 凭证标本号 321183151104980LY

东风菜
Doellingeria scaber (Thunb.) Nees

| 药 材 名 | 东风菜（药用部位：全草或根茎）。

| 形态特征 | 多年生草本，高 100 ～ 150 cm。根茎粗壮。茎直立，被微毛。叶两面被微糙毛；基生叶花期枯萎，叶片心形，长 9 ～ 15 cm，宽 6 ～ 15 cm，边缘具齿，有小尖头，先端尖，基部急狭成长 10 ～ 15 cm 的柄；茎中部叶较小，卵状三角形，基部圆形或稍截形，具短翅柄；茎上部叶小，长圆状披针形或线形。头状花序排成圆锥伞房状；花序轴长 9 ～ 30 mm；总苞半球状；总苞片约 3 层，边缘干膜质，有微缘毛，外层长 1.5 mm；舌状花约 10，舌片白色，线状长圆形；管状花檐部钟状，裂片线状披针形。瘦果倒卵圆状或椭圆状，长 3 ～ 4 mm，除边肋外，一面有 2 脉，另一面有 1 ～ 2 脉，无毛；冠毛污黄白色，长 3.5 ～ 4 mm，有多数微糙毛。花期 6 ～ 10 月，果

期 8 ~ 10 月。

| **生境分布** | 生于山坡谷地、草丛、灌丛及路旁等。江苏各地均有分布。

| **资源情况** | 野生资源较丰富。

| **采收加工** | 夏末秋初采收，除去泥土，晒干。

| **功效物质** | 根含有香橙烷二醇、愈创木烷二醇等倍半萜类成分，对薄荷醇酰基糖苷等单萜类成分，南大戟内酯 B 等二萜类成分，东风菜苷、紫菀皂苷、臭瓜苷等三萜及三萜皂苷类成分，以及麦角甾醇、菠菜甾醇等甾体类成分。地上部分含有咖啡酰基奎宁酸等类酚酸成分，该类成分具有神经保护和抗人类免疫缺陷病毒的作用。东风菜皂苷类成分具有免疫调节、抗肿瘤等活性。

| **功能主治** | 辛、甘，寒。清热解毒，祛风止痛，行血活血。用于毒蛇咬伤，风湿性关节炎，跌打损伤，感冒头痛，目赤肿痛，咽喉肿痛，肠炎，腹痛；外用于疥疮，毒蛇咬伤。

| **用法用量** | 内服煎汤，15 ~ 30 g。外用适量，鲜品捣敷。

| **附　注** | 民间有些地区将本种用于抗肿瘤，并用于治疗慢性支气管炎和毒蛇咬伤。

菊科 Compositae 苍术属 Atractylodes 凭证标本号 321183151017885LY

苍术
Atractylodes lancea (Thunb.) DC.

| 药 材 名 | 苍术（药用部位：根茎）。

| 形态特征 | 多年生草本。根茎结节状，横走。叶互生，卵状披针形至椭圆形，长 3 ~ 8 cm，宽 1 ~ 3 cm，先端渐尖，基部渐狭，不裂或下部叶常 3 裂，裂片先端尖，先端裂片极大，卵形，两侧裂片较小，基部楔形，无柄或有柄。头状花序生于茎枝先端；叶状苞片 1 列，羽状深裂，裂片刺状；总苞圆柱形，总苞片 5 ~ 8 层，卵形至披针形，有纤毛；花多数，两性或单性，多异株；花冠筒状，白色或稍带红色，上部略膨大，先端 5 裂；两性花有多数羽状分裂的冠毛；单性花一般为雌花，具 5 线状退化雄蕊。果实为倒卵圆形或长圆形，外皮灰褐色，被黄白色或棕黄色柔毛；冠毛长 0.5 ~ 0.8 cm。花期 8 ~ 10 月，果期 9 ~ 11 月。

| **生境分布** | 生于山坡灌丛、草丛中。分布于江苏镇江（句容、润州）、南京（溧水、江宁、栖霞、高淳、六合）、扬州（仪征）、常州（金坛、溧阳）、无锡（宜兴）等。 |

| **资源情况** | 野生及栽培资源较丰富。 |

| **采收加工** | 10 月中旬（寒露）至 12 月底，于晴天采挖，抖去根上的泥土，挑选根茎较大、健康、无病虫害、易于切制的家种新产品留作种苗，其余则及时摊晒数天（注意翻动，早晒晚收），使根须干燥，撞去须根，即得。 |

| **药材性状** | 本品呈不规则连珠状或结节状圆柱形，稍弯曲，偶有分枝，长 3 ~ 10 cm，直径 0.5 ~ 2 cm。表面灰棕色，有皱纹、横曲纹及须根痕，先端具茎痕。质坚实，断面黄白色或灰白色，有多数红棕色油室。气香特异。味微甘、辛、苦。 |

| **功效物质** | 主要化学成分类型为倍半萜类、烯炔类、三萜及甾体类、芳香苷类等。倍半萜类成分主要为 β- 桉叶醇、苍术酮等，聚乙炔类成分主要为苍术素。药理活性研究表明这些成分具有保肝、抗菌、抗病毒、抗肿瘤、中枢抑制及促进胃肠道蠕动、抗溃疡、抑制胃酸分泌等作用。 |

| **功能主治** | 辛、苦，温。归心、肺经。燥湿健脾，祛风散寒，明目。用于湿阻中焦，脘腹胀满，泄泻，水肿，脚气痿蹙，风湿痹痛，风寒感冒，夜盲症，眼目昏涩。 |

| **用法用量** | 内服煎汤，3 ~ 9 g；或入丸、散剂。 |

| **附　注** | 本种喜生于北亚热带季风气候、四季分明、气候温和、雨水充沛、日照充足的地区。年平均气温 15.1 ℃，常年最热月 7 月，平均气温 29.6 ℃。平均年降水量 1 018.6 mm，主要集中在 6 ~ 8 月，占全年降水量的 45 % 左右，以 7 月雨量最多。年平均无霜期 229 天。成土母质多为花岗岩、石英岩和石灰岩。土壤以排水良好、结构疏松、富含有机质的偏酸性砂壤土为宜，以丘陵山区偏北坡或半阴半阳坡的灌木林和灌木杂草林为宜，坡度在 30° ~ 50°，群落盖度适中，有适当的荫蔽和支撑。 |

菊科 Compositae 苍术属 *Atractylodes* 凭证标本号 321281170809103LY

白术
Atractylodes macrocephala Koidz.

| 药 材 名 | 白术（药用部位：根茎）。

| 形 态 特 征 | 多年生草本，高 20 ～ 60 cm。根茎结节状。茎直立，常自中下部分枝。中部茎生叶最大，叶柄长 3 ～ 6 cm，叶片全部或部分 3 ～ 5 羽状全裂，侧裂片 1 或 2 对，倒披针形、椭圆形或长椭圆形；先端裂片较大，倒长卵形、长椭圆形或椭圆形；叶纸质，两面绿色，边缘具针刺状缘毛或细刺齿。头状花序 6 ～ 10，单生于茎顶；托苞绿色，长 3 ～ 4 cm，羽状全裂；总苞大，宽钟状，直径 3 ～ 4 cm；总苞片 9 ～ 10 层，先端钝，边缘有白色蛛丝状毛，外层及中外层长卵形或三角形，中层披针形或椭圆状披针形，最内层宽线形，先端紫红色；小花紫红色，檐部 5 深裂。瘦果倒圆锥状，长 7.5 mm，被稠密的白

色长毛；冠毛为羽毛状刚毛，污白色，长 1.5 cm。花果期 8 ~ 10 月。

| 生境分布 | 生于山坡草地及林下。分布于江苏宿迁、盐城等。

| 资源情况 | 野生资源较丰富。

| 采收加工 | 冬季下部叶枯黄、上部叶变脆时采挖，除去泥沙，烘干或晒干，再除去须根。

| 药材性状 | 本品呈不规则的肥厚团块状，长 3 ~ 13 cm，直径 1.5 ~ 7 cm。表面灰黄色或灰棕色，有瘤状突起及断续的纵皱纹和沟纹，并有须根痕，先端有残留茎基和芽痕。质坚硬，不易折断；断面不平坦，黄白色至淡棕色，有散在的棕黄色点状油室，烘干者断面角质样，色较深或有裂隙。气清香，味甘、微辛，嚼之略带黏性。以个大、质坚实、断面色黄白、香气浓者为佳。

| 功效物质 | 根茎含有白术内酯、苍术酮、白术烯内酯、白术内酰胺等倍半萜类成分，白术三醇等烯烃类成分，以及多糖类、氨基酸类、挥发油类等资源性成分。其中，挥发油类成分以苍术酮含量最高，其他的主要为萜类成分。地上部分含有黄酮类、酚酸类等成分。其中白术多糖类和内酯类成分具有益智作用，内酯类成分还具有抗炎活性，多糖类成分具有免疫调节、抗脑缺血、降血糖等活性，是白术补脾益气的主要活性成分。

| 功能主治 | 苦、甘，温。归脾、胃经。补脾健胃，和中，燥湿化痰，利水止汗，安胎。用于脾虚胀满，胸膈烦闷，泄泻，水肿，痰饮，自汗，胎动不安。

| 用法用量 | 内服煎汤，3 ~ 15 g；或熬膏；或入丸、散剂。

菊科 Compositae 鬼针草属 Bidens 凭证标本号 320482181014049LY

婆婆针
Bidens bipinnata L.

药 材 名

婆婆针（药用部位：全草）。

形态特征

一年生草本，高 30 ~ 120 cm。植株各部疏被柔毛。茎直立，下部略具 4 棱。叶对生；叶柄长 2 ~ 6 cm；叶片长 5 ~ 14 cm，2 回羽状分裂，第 1 回深裂达中肋，小裂片三角形或菱状披针形，具 1 或 2 对缺刻或深裂，顶生裂片狭，先端渐尖，边缘有稀疏、不整齐的粗齿。头状花序直径 6 ~ 10 mm；花序轴果时长 2 ~ 10 cm；总苞杯状，外层总苞片 5 ~ 7，线形，开花时长约 2.5 mm，果时长约 5 mm，内层总苞片膜质，椭圆形，花后伸长为狭披针形，果时长 6 ~ 8 mm，边缘黄色；托苞狭披针形，果时长可达 12 mm；舌状花常 1 ~ 3，不育，舌片黄色，椭圆形或倒卵状披针形，长 4 ~ 5 mm，先端全缘或具 2 ~ 3 齿；盘花圆柱状，黄色，檐部 5 齿裂。瘦果圆柱状线形，略扁，具 3 ~ 4 棱，长 12 ~ 18 mm，具瘤状突起及小刚毛，先端芒刺 3 或 4，稀 2，长 3 ~ 4 mm，具倒刺毛。花期 6 ~ 7 月。

| **生境分布** | 生于路边荒地、山坡及田间等。江苏各地均有分布。

| **资源情况** | 野生资源丰富。

| **采收加工** | 夏、秋季间采收，晒干。

| **功效物质** | 含黄酮及其苷类、炔苷类、鞣质类、挥发油类及香豆素类等成分，黄酮类成分有鬼针草苷、圆盘豆素、橙酮等，炔苷类成分有鬼针聚炔苷、鬼针聚炔苷 B 等。黄酮类成分具有较好的抗炎活性。现代研究发现婆婆针具有抑菌、保护心脑血管、保肝、抗肿瘤、抗炎镇痛、降血糖、降血脂及抗干眼等药理作用。

| **功能主治** | 清热解毒，祛风除湿。用于咽喉肿痛，阑尾炎，痢疾，肝炎，肺炎，风湿性关节炎，腰痛。

菊科 Compositae 鬼针草属 Bidens 凭证标本号 320482180521315LY

金盏银盘 *Bidens biternata* (Lour.) Merr. et Sherff

| 药 材 名 | 金盏银盘（药用部位：全草）。

| 形态特征 | 一年生草本，高 30 ~ 150 cm。植株各部常被柔毛。茎直立，略具 4 棱。一回羽状复叶，顶生小叶卵形至卵状披针形，长 2 ~ 7 cm，宽 1 ~ 2.5 cm，先端渐尖，基部楔形，边缘具齿，有时一侧深裂为 1 小裂片，侧生小叶 1 或 2 对，卵形或卵状长圆形，近顶部的 1 对稍小，常不裂，基部下延，无柄或具短柄，下部的 1 对约与顶生小叶相等，具明显的柄，三出复叶状分裂或仅一侧具 1 裂片，裂片椭圆形，边缘有锯齿；总叶柄长 1.5 ~ 5 cm。头状花序直径 7 ~ 10 mm；花序轴果时长 4.5 ~ 11 cm；外层苞片 8 ~ 10，线形，内层苞片长椭圆形或长圆状披针形，背面有深色纵条纹；舌状花常 3 ~ 5，不育，舌片淡黄色，长椭圆形，先端 3 齿裂，有时无舌状花；盘花圆

柱状，檐部5齿裂。瘦果圆柱状线形，黑色，长9～19mm，具4棱，被小刚毛，先端芒刺3～4，长3～4mm，具倒刺毛。

| **生境分布** | 生于田野路旁等。分布于江苏南部等。

| **资源情况** | 野生资源较丰富。

| **采收加工** | 夏、秋季采收，除去泥土，切段，晒干。

| **药材性状** | 本品茎略具4棱；表面淡棕褐色，基部直径1～9mm，长30～150cm。叶对生；一或二回三出复叶，卵形或卵状披针形，长2～7cm，宽1～2.5cm；叶缘具细齿。头状花序干枯，具长梗。瘦果易脱落，残存花托近圆形。气微，味淡。

| **功效物质** | 全草含有海金鸡菊苷、槲皮素等黄酮类成分，鬼针聚炔苷等炔苷类成分，蒎烯、罗勒烯、没药烯环氧化物等挥发油类成分，以及甾体类、蒽醌类、脂肪酸类等资源性成分。其中，黄酮类及酚酸类成分具有抗氧化作用。

| **功能主治** | 甘、微苦，凉。清热解毒，散瘀消肿。用于感冒发热，咽喉肿痛，阑尾炎，肠炎，慢性溃疡，跌打损伤。

| **用法用量** | 内服煎汤，10～30g；或浸酒。外用适量，捣敷；或煎汤洗。

菊科 Compositae 鬼针草属 Bidens 凭证标本号 320115150923011LY

大狼杷草 *Bidens frondosa* L.

| 药 材 名 |

大狼把草（药用部位：全草）。

| 形态特征 |

一年生草本，高 20 ~ 120 cm。茎直立，疏被毛或无毛，常带紫色。叶对生；具柄；一回羽状复叶，小叶 3 ~ 5，披针形，长 3 ~ 10 cm，宽 1 ~ 3 cm，先端渐尖，边缘有粗锯齿，叶背常被稀疏短柔毛，顶生小叶具明显的柄。头状花序单个，顶生，连同总苞片直径为 12 ~ 25 mm，高约 12 mm；总苞钟状或半球状，外层总苞片 5 ~ 10，通常 8，披针形或匙状倒披针形，叶状，有缘毛，内层总苞片长圆形，长 5 ~ 9 mm，膜质，具淡黄色边缘；舌状花无或不育，极不明显；盘花两性，圆柱状，花冠长约 3 mm，檐部 5 裂。瘦果扁平，狭楔形，长 5 ~ 10 mm，近无毛或具糙伏毛，先端芒刺 2，长约 2.5 mm，具倒刺毛。花果期 4 ~ 10 月。

| 生境分布 |

生于田野湿润处。分布于江苏中南部等。

| 资源情况 |

野生资源较丰富。

| **采收加工** | 6～9 月采收，洗净，切段，晒干。

| **药材性状** | 本品茎呈暗紫色。叶对生，完整叶展开后为一回羽状复叶，小叶披针形，叶缘具粗锯齿。头状花序单生于茎端、枝端；总苞钟状或半球状；苞片叶状，具缘毛；花冠先端 5 裂。味苦。

| **功效物质** | 主要成分为圆盘豆素及其苷类、木犀草素、槲皮素、芹菜素及其苷类等，另含有十二碳 -3,5,7,9- 四炔 -11- 烯 -1,2,13- 三醇 -1- 葡萄糖苷等聚炔类成分，以及酚酸类等资源性成分。

| **功能主治** | 苦，平。养阴敛汗，清热解毒。用于体虚乏力，感冒，扁桃体炎，痢疾，肠炎；外用于皮癣，丹毒等。

| **用法用量** | 内服煎汤，15～30 g。

菊科 Compositae 鬼针草属 Bidens 凭证标本号 321183151104926LY

鬼针草 *Bidens pilosa* L.

药材名

盲肠草（药用部位：全草）。

形态特征

一年生草本，高 30 ~ 100 cm。植株疏被柔毛。茎直立，钝四棱状。茎下部叶较小，叶片 3 裂或不裂，常在开花前枯萎；茎中部叶具柄，羽状复叶，小叶 3 ~ 7，两侧小叶椭圆形或卵状椭圆形，长 2 ~ 4.5 cm，宽 1.5 ~ 2.5 cm，先端锐尖，基部近圆形或宽楔形，具短柄，顶生小叶长椭圆形或卵状长圆形，长 3.5 ~ 7 cm，先端渐尖，基部渐狭或近圆形，具长 1 ~ 2 cm 的柄，小叶边缘均具齿；茎上部叶小，3 裂或不裂，线状披针形。头状花序直径 8 ~ 9 mm；花序轴果时长 3 ~ 10 cm；总苞片 7 或 8，线状匙形，果时上部长至 5 mm；外层托苞披针形，果时长 5 ~ 6 mm，边缘黄色，内层线状披针形；舌状花无；盘花圆柱状，檐部 5 齿裂。瘦果黑色，线形圆柱状，略扁，具棱，长 7 ~ 13 mm，宽约 1 mm，上部具稀疏瘤状突起及刚毛，先端芒刺 3 或 4，长 1.5 ~ 2.5 mm，具倒刺毛。花果期 3 ~ 10 月。

| 生境分布 | 生于村旁、路边及荒坡中。江苏各地均有分布。

| 资源情况 | 野生资源较丰富。

| 采收加工 | 夏、秋季采收，鲜用或切段，晒干。

| 药材性状 | 本品茎呈钝四棱形，基部直径可达 6 mm。茎下部叶较小，常在开花前枯萎；茎中部叶对生，具柄，三出，小叶椭圆形或卵状椭圆形，叶缘具粗锯齿；顶生小叶稍大，对生或互生。头状花序总苞草质，绿色，边缘被短柔毛，托片膜质，背面褐色，边缘黄棕色；花黄棕色或黄褐色，无舌状花。有时可见 10 余长条形、具 4 棱的果实；果实棕黑色，先端有针状冠毛 3 ~ 4，具倒刺。气微，味淡。

| 功效物质 | 含有查尔酮糖苷、圆盘豆素等黄酮类成分，红花炔醇、十三烷五炔烯等聚炔类成分，以及倍半萜类、有机酸类、挥发油类、脑苷脂类成分。其中，黄酮类成分具有较好的抗氧化、保肝活性。

| 功能主治 | 甘、微苦，凉。清热，解毒，利湿，健脾。用于时行感冒，咽喉肿痛，黄疸性肝炎，暑湿吐泻，肠炎，痢疾，疳积，血虚黄肿，痔疮，蛇虫咬伤。

| 用法用量 | 内服煎汤，10 ~ 30 g，鲜品加倍；或熬膏；或捣汁。外用适量，捣敷；或煎汤洗。

菊科 Compositae 鬼针草属 Bidens 凭证标本号 321023150811043LY

狼把草 *Bidens tripartita* L.

| 药 材 名 | 狼把草（药用部位：全草）。

| 形态特征 | 一年生草本，高 20 ~ 150 cm。茎圆柱形或稍方形。叶对生；茎下部叶较小，不裂，边缘具齿，常在花期枯萎；茎中部叶具柄，有狭翅，有时下面疏被小硬毛，长椭圆状披针形，长 4 ~ 13 cm，不裂或近基部具 1 对浅裂片，常 3 ~ 5 深裂，两侧裂片披针形至狭披针形，顶生裂片较大，披针形或长椭圆状披针形，两端渐狭，裂片边缘均具疏锯齿；茎上部叶较小，披针形，3 裂或不裂。头状花序单个，顶生，直径 1 ~ 3 cm；总苞盘状，外层总苞片 5 ~ 9，线形或匙状倒披针形，具缘毛，叶状，内层总苞片长椭圆形或卵状披针形，有纵条纹，边缘透明或淡黄色；托苞线状披针形，约与瘦果等长，背面有褐色条纹，边缘透明；舌状花无；盘花两性，圆柱状，檐

部 4 裂；花药基部钝，先端有椭圆形附属物。瘦果扁，楔形或倒卵状楔形，长 6 ~ 11 mm，边缘有倒刺毛，先端芒刺常 2，稀 3 或 4，长 2 ~ 4 mm，两侧有倒刺毛。花果期 4 ~ 10 月。

| **生境分布** | 生于路边荒野及水边湿地。江苏各地均有分布。

| **资源情况** | 野生资源较丰富。

| **采收加工** | 8 ~ 9 月采收，鲜用或晒干。

| **功效物质** | 主要含有黄酮类成分，如异圆盘豆素、三羟基查尔酮、槲皮素、漆黄素及糖苷。此外尚含有香豆素类、酚酸类及鞣质类等成分，具有抗病毒、抗炎、抗肿瘤、降压、预防动脉粥样硬化、抗氧化、抗衰老等作用。

| **功能主治** | 苦、甘，平。清热解毒，利湿，通经。用于肺热咳嗽，咯血，咽喉肿痛，赤白痢疾，黄疸，月经不调，闭经，疳积，瘰疬结核，湿疹癣疮，毒蛇咬伤。

| **用法用量** | 内服煎汤，6 ~ 15 g，鲜品 31 ~ 62 g；或研末；或捣汁。外用适量，研末撒；或捣汁涂。

菊科 Compositae 金盏花属 Calendula 凭证标本号 320681160423075LY

金盏花 *Calendula officinalis* L.

| 药 材 名 | 金盏菊（药用部位：全草）、金盏菊花（药用部位：花）、金盏菊根（药用部位：根）。

| 形态特征 | 一年生草本，高 20 ~ 75 cm。茎常自基部分枝，绿色或不同程度被腺状柔毛。基生叶长圆状倒卵形或匙形，长 15 ~ 20 cm，全缘或具疏细齿，具柄；茎生叶长圆状披针形或长圆状倒卵形，无柄，长 5 ~ 15 cm，宽 1 ~ 3 cm，先端钝，稀急尖，边缘波状，具不明显的细齿，基部不同程度抱茎。头状花序单生于茎端、枝端，直径 4 ~ 5 cm；总苞片 1 ~ 2 层，披针形或长圆状披针形，外层稍长于内层，先端渐尖；小花黄色或橙黄色，长于总苞的 2 倍，舌片宽 4 ~ 5 mm；管状花檐部具三角状披针形裂片。瘦果全部弯曲，淡黄色或淡褐色，外层的瘦果大半内弯，外面常具小针刺，先端具喙，

两侧具翅，脊部具规则的横折皱。花期 4 ～ 9 月，果期 6 ～ 10 月。

| 生境分布 | 江苏各地均有分布。江苏无锡、徐州等有栽培。

| 资源情况 | 栽培资源较丰富。

| 采收加工 | **金盏菊：**春、夏季采收，鲜用或切段，晒干。
金盏菊花：春、夏季采收，鲜用或阴干。
金盏菊根：夏季花期采挖，烘干或置通风处干燥，亦可鲜用。

| 药材性状 | **金盏菊花：**本品呈扁球形或不规则球形，直径 1.5 ～ 4 cm。总苞由 1 ～ 2 层苞片组成，苞片长卵形，边缘膜质。舌状花 1 ～ 2 列，类白色或黄色；花瓣紧缩或松散，有的散离。体轻，质柔润，有的松软。气清香，味甘、微苦。
金盏菊根：本品根粗短，先端有多数茎基及叶柄残痕，质稍硬。根茎簇生多数细根，表面棕褐色，有纵皱纹，质较柔韧。气微香，味微苦。

| 功效物质 | 根及叶含有金盏花苷、齐墩果酸糖苷等三萜皂苷类。花含有金盏花苷、金盏花糖苷酯、金盏花皂苷、金盏花二醇脂肪酸酯等三萜及其皂苷类成分，金盏花黄酮苷、金盏花黄酮二苷等黄酮类成分，以及倍半萜类、香豆素类、甾体类、糖苷类、挥发油类等资源性成分。其中，三萜苷类成分具有抗炎、杀虫作用，皂苷类成分具有降血脂活性，三萜苷类及黄酮苷类成分均具有抗病毒作用。

| 功能主治 | **金盏菊：**苦，寒。清热解毒，活血调经。用于中耳炎，月经不调。
金盏菊花：淡，平。凉血止血，清热泻火。用于肠风便血，目赤肿痛。
金盏菊根：微苦，平。活血散瘀，行气止痛。用于癥瘕，疝气，胃寒疼痛。

| 用法用量 | **金盏菊：**内服煎汤，5 ～ 15 g。外用适量，鲜品取汁滴耳。
金盏菊花：内服煎汤，5 ～ 10 朵。外用适量，捣敷；或煎汤洗。
金盏菊根：内服煎汤，30 ～ 60 g，鲜品 120 g。

| 附 注 | 本种喜光，多为栽培品。

菊科 Compositae 飞廉属 Carduus 凭证标本号 321181190502277LY

节毛飞廉 *Carduus acanthoides* L.

药材名

飞廉（药用部位：全草或根）。

形态特征

二年生或多年生草本，高 20 ~ 100 cm。植株被多细胞长节毛。茎单生。基生叶及下部茎生叶长椭圆形或倒披针形，边缘有锯齿或羽状浅裂至深裂，侧裂片 6 ~ 12 对，具钝三角形刺齿和黄白色针刺，向上叶渐小；茎生叶基部渐狭，两侧下延成茎翅，茎翅齿裂，齿顶及齿缘具针刺。头状花序 3 ~ 5 顶生；总苞卵状或卵圆状，直径 1.5 ~ 2.5 cm；总苞片多层，向内层渐长，最外层线形或钻状长三角形，中、内层钻状三角形至钻状披针形，最内层线形或钻状披针形，中、外层苞片先端有褐色或淡黄色的针刺，最内层及近最内层先端无针刺；小花红紫色，檐部稍长于管部，5 深裂，裂片线形。瘦果长椭圆状，中部缢缩，浅褐色，基底着生面平，先端截形，有全缘的蜡质果缘；冠毛多层，白色或稍带褐色，冠毛刚毛锯齿状，长达 1.5 cm，先端稍扁平扩大。花果期 5 ~ 10 月。

生境分布

生于山坡、草地、林缘、灌丛、田间。江苏

各地均有分布。

| **资源情况** | 野生资源较丰富。

| **采收加工** | 春、夏季采收全草，秋季采挖根，鲜用或切段，晒干。

| **药材性状** | 本品茎呈圆柱形，直径 0.2 ~ 1 cm，具纵棱，并附有绿色的翅，翅有针刺；质脆，断面髓部白色，常呈空洞。叶椭圆状披针形，长 5 ~ 20 cm，羽状深裂，裂片边缘具刺，上面绿色，具细毛或近光滑，下面具蛛丝状毛。头状花序干缩，总苞钟形，黄褐色，苞片数层，线状披针形，先端长尖成刺向外反卷，内层苞片膜质，带紫色；花紫红色，冠毛刺状，黄白色。气、味微弱。

| **功效物质** | 主要含有生物碱类、黄酮类和糖类等资源性成分，对猫和兔有明显的降压效果。

| **功能主治** | 微苦，凉。祛风，清热，利湿，凉血止血，活血消肿。用于感冒咳嗽，头痛眩晕，尿路感染，乳糜尿，带下，黄疸，风湿痹痛，吐血，衄血，尿血，月经过多，功能失调性子宫出血，跌打损伤，疔疮疖肿，痔疮肿痛，烫火伤。

| **用法用量** | 内服煎汤，9 ~ 30 g，鲜品 30 ~ 60 g；或入丸、散剂；或浸酒。外用适量，煎汤洗；或鲜品捣敷；或烧存性，研末掺。

菊科 Compositae 飞廉属 Carduus 凭证标本号 320381180524068LY

丝毛飞廉

Carduus crispus L.

| 药 材 名 |

飞廉（药用部位：全草或根）。

| 形态特征 |

二年生或多年生草本，高 40 ~ 150 cm。植株被稀疏的蛛丝状毛和多细胞长节毛。茎单一或簇生。下部茎生叶椭圆形至倒披针形，长 5 ~ 18 cm，宽 1 ~ 7 cm，羽状深裂或半裂，侧裂片 7 ~ 12 对，偏斜半椭圆形、三角形或卵状三角形，边缘具三角形齿，齿顶针刺长达 3.5 cm，有时不分裂而具锯齿或重锯齿；茎生叶向上渐狭而小，最上部为线状倒披针形或宽线形，基部渐狭，两侧沿茎下延成茎翅，边缘齿裂，具针刺。头状花序常 3 ~ 5 聚集或单独顶生，稍呈伞房状；总苞卵圆状，直径 1.5 ~ 2.5 cm；总苞片多层，最外层长三角形，由外层向内层渐狭而长，中、外层先端针刺状，内层先端无针刺；小花红色或紫色，檐部裂片线形，与管部近等长。瘦果稍压扁，椭圆形，基底着生面平，先端斜截形，有全缘的软骨质果缘；冠毛多层，白色或污白色，刚毛锯齿状，长达 1.3 cm，先端扁平扩大，整体脱落。花果期 4 ~ 10 月。

| **生境分布** | 生于田野、路旁或山地草丛中。江苏各地均有分布。

| **资源情况** | 野生资源一般。

| **采收加工** | 春、夏季采收全草，秋季采挖根，鲜用或切段，晒干。

| **药材性状** | 本品茎呈圆柱形，直径 0.2 ～ 1 cm，具纵棱，并附有绿色的翅，翅有针刺；质脆，断面髓部白色，常呈空洞。叶椭圆状披针形，长 5 ～ 18 cm，羽状深裂，裂片边缘具刺，上面绿色，具细毛或近光滑，下面具蛛丝状毛。头状花序干缩，总苞钟形，黄褐色，苞片数层，线状披针形，先端长尖成刺向外反卷，内层苞片膜质，带紫色；花紫红色，冠毛刺状，黄白色。气、味微弱。

| **功效物质** | 地上部分含有菜蓟苷、黄芪苷等黄酮类成分，以及母菊内酯、七叶树内酯等香豆素类成分，其中，黄酮类成分对免疫性肝损伤有保护作用。全草含有丝毛飞廉碱等生物碱类成分，以及黄酮类、三萜类、甾体类、脂肪酸类等资源性成分。

| **功能主治** | 微苦，凉。祛风，清热，利湿，凉血止血，活血消肿。用于感冒咳嗽，头痛眩晕，尿路感染，乳糜尿，带下，黄疸，风湿痹痛，吐血，衄血，尿血，月经过多，功能失调性子宫出血，跌打损伤，疔疮疖肿，痔疮肿痛，烫火伤。

| **用法用量** | 内服煎汤，9 ～ 30 g，鲜品 30 ～ 60 g；或入丸、散剂；或浸酒。外用适量，煎汤洗；或鲜品捣敷；或烧存性，研末掺。

菊科 Compositae 天名精属 Carpesium 凭证标本号 320116181013002LY

天名精
Carpesium abrotanoides L.

| 药 材 名 | 天名精（药用部位：全草）、鹤虱（药用部位：果实）。

| 形态特征 | 多年生粗壮草本，高 60 ～ 100 cm。植株密被短柔毛。茎圆柱状。基生叶开花前枯萎，茎下部叶广椭圆形或长椭圆形，长 8 ～ 16 cm，宽 4 ～ 7 cm，先端钝或锐尖，基部楔形，上面粗糙，下面具小腺点，边缘具不整齐的钝齿，齿端有腺体状胼胝体，叶柄长 5 ～ 15 mm；茎上部叶长椭圆形或椭圆状披针形，先端渐尖或锐尖，基部宽楔形，无柄或具短柄。头状花序多数，顶生或腋生，排成穗状；顶生花序具椭圆形或披针形苞叶 2 ～ 4，腋生花序无苞叶或具 1 ～ 2 极小的苞叶；总苞钟状，基部宽，上端稍收缩，成熟时呈扁球形，直径 6 ～ 8 mm；总苞片 3 层，外层较短，卵圆形，具缘毛，内层长

圆形；雌花狭圆柱状，长 1.5 mm；两性花圆柱状，长 2 ~ 2.5 mm，向上渐宽，檐部 5 齿裂。瘦果长约 3.5 mm。

| **生境分布** | 生于山坡、路旁或草坪上。江苏各地均有分布。

| **资源情况** | 野生资源较丰富。

| **采收加工** | 天名精：7 ~ 8 月采收，洗净，鲜用或晒干。
鹤虱：9 ~ 10 月成熟时割取地上部分，晒干，打下果实，除去杂质。

| **药材性状** | 天名精：本品根茎不明显，有多数细长的棕色须根。茎表面黄绿色或黄棕色，有纵条纹，上部多分枝；质较硬，易折断，断面类白色，髓白色、疏松。叶多皱缩或脱落，完整叶片卵状椭圆形或长椭圆形，长 10 ~ 15 cm，宽 4 ~ 7 cm，先端尖或钝，基部狭成具翅的短柄，边缘有不规则锯齿，或全缘，上面有贴生短毛，下面有短柔毛或腺点；质脆，易碎。头状花序多数，腋生，花序梗极短；花黄色。气特异，味淡、微辛。

鹤虱：本品呈圆柱状，细小，长 3 ~ 4 mm，直径不及 1 mm。表面黄褐色或暗褐色，具多数纵棱。一端收缩成细喙状，先端扩展成灰白色圆环；另一端稍尖，有着生痕迹。果皮薄，具纤维性，种皮菲薄、透明，子叶 2，类白色，稍有油性。气特异，味微苦。

| **功效物质** | 全草主要含有倍半萜类及挥发油类成分，包括天名精内酯、天名精素、天名精内酯酮、天名精内酯醇等，具有显著的抗肿瘤和细胞毒活性。天名精内酯具有镇静、解热、降压等活性。

| **功能主治** | 天名精：苦、辛，寒。归肝、肺经。清热，化痰，解毒，杀虫，破瘀，止血。用于乳蛾，喉痹，急、慢惊风，牙痛，疔疮肿毒，痔漏，皮肤痒疹，毒蛇咬伤，虫积，血瘕，吐血，衄血，血淋，创伤出血。

鹤虱：苦、辛，平；有小毒。归脾、胃、大肠经。杀虫消积。用于蛔虫病，绦虫病，蛲虫病，钩虫病，疳积。

| **用法用量** | 天名精：内服煎汤，9 ~ 15 g；或研末，3 ~ 6 g；或捣汁；或入丸、散剂。外用适量，捣敷；或煎汤熏洗及含漱。

鹤虱：内服煎汤，5 ~ 10 g，多入丸、散剂。

菊科 Compositae 天名精属 *Carpesium* 凭证标本号 321112180727017LY

烟管头草 *Carpesium cernuum* L.

| **药 材 名** | 杓儿菜（药用部位：全草）、挖耳草根（药用部位：根）。

| **形态特征** | 多年生草本，高 50 ~ 100 cm。茎下部密被白色长柔毛及卷曲短柔毛，上部疏被柔毛，后渐脱落。基生叶常在开花前枯萎；茎下部叶较大，叶片长椭圆形或匙状长椭圆形，长 6 ~ 12 cm，宽 4 ~ 6 cm，先端锐尖或钝，基部下延成长翅柄，上面被倒伏柔毛，下面被白色长柔毛，两面均有腺点，边缘有具胼胝尖的锯齿；茎中部叶椭圆形至长椭圆形；茎上部叶渐小，近全缘。头状花序单生于先端，开花时下垂；苞叶多枚，其中 2 ~ 3 较大，椭圆状披针形，长 2 ~ 5 cm，密被柔毛及腺点，其余较小，线状披针形或线状匙形，稍长于总苞；总苞壳斗状，长 7 ~ 8 mm；总苞片 4 层，外层叶状，披

针形，与内层等长或稍长，密被长柔毛，常反折，中、内层狭长圆形至线形；雌花狭圆柱状，长约 1.5 mm，中部较宽；两性花圆柱状，向上略宽，檐部 5 齿裂。瘦果长 4 ~ 4.5 mm。

| 生境分布 | 生于路边、山坡草地及林缘。江苏各地均有分布。

| 资源情况 | 野生资源较丰富。

| 采收加工 | **杓儿菜：**秋季花初开时采收，鲜用或切段，晒干。
挖耳草根：秋季采挖，切片，晒干。

| 药材性状 | **杓儿菜：**本品茎具细纵纹；表面绿色或黑棕色，被白色茸毛；折断面粗糙，皮部纤维性强，髓部疏松，最外一层表皮易剥落。叶多破碎不全，两面均被茸毛。头状花序着生于分枝的先端，花梗向下弯曲，近倒悬状；花黄棕色。气香，味苦、微辣。以新鲜、色绿、无老茎者为佳。

| 功效物质 | 全草主要含有天名精内酯酮、天名精内酯醇、土木香内酯等倍半萜类成分，烟管头草脂苷、丁香树脂酚糖苷等木脂素类成分，以及黄酮类、单萜类、甾体类和芳香族类等资源性成分。全草粗提物具有抗菌及抑制前列腺增生的作用。

| 功能主治 | **杓儿菜：**甘、苦，寒。清热解毒，消肿止痛。用于感冒发热，高热惊风，咽喉肿痛，疳腮，牙痛，尿路感染，淋巴结结核，疮疡疖肿，乳腺炎。

挖耳草根：苦，凉。清热解毒。用于痢疾，牙痛，乳蛾，子宫脱垂，脱肛。

| 用法用量 | **杓儿菜：**内服煎汤，6 ~ 15 g，鲜品 15 ~ 30 g；或鲜品捣汁。外用适量，鲜品捣敷；或煎汤含漱；或煎汤洗。

挖耳草根：内服煎汤，5 ~ 15 g。

菊科 Compositae 天名精属 Carpesium 凭证标本号 320282150730197LY

金挖耳

Carpesium divaricatum Siebold et Zucc.

| 药 材 名 |

金挖耳（药用部位：全草）、金挖耳根（药用部位：根）。

| 形态特征 |

多年生草本，高 25 ～ 150 cm。茎直立，被白色柔毛。基生叶在开花前枯萎；茎下部叶卵形或卵状长圆形，长 5 ～ 12 cm，宽 3 ～ 7 cm，先端锐尖或钝，基部圆形、稍心形或宽楔形，边缘具粗大、具胼胝尖的牙齿，上面稍粗糙，被基部球状膨大的柔毛，老时仅留毛基，下面被白色短柔毛和疏长柔毛，叶柄较叶片短或近等长，与叶片连接处有狭翅；茎中部叶长椭圆形；茎上部叶渐小，长椭圆形或长圆状披针形。头状花序单生于先端；苞叶 3 ～ 5，披针形至椭圆形，其中 2 较大，较总苞长 2 ～ 5 倍，密被柔毛和腺点；总苞卵状球形，基部宽，上部稍收缩，长 5 ～ 6 mm；总苞片 4 层，由外层向内层渐长，外层广卵形，中层狭长椭圆形，内层线形；雌花狭圆柱状，长 1.5 ～ 2 mm，檐部 4 ～ 5 齿裂；两性花圆柱状，长 3 ～ 3.5 mm，檐部 5 齿裂，管部具柔毛。瘦果长 3 ～ 3.5 mm。

| 生境分布 | 生于山坡路旁和草丛中。江苏各地均有分布。

| 资源情况 | 野生资源一般。

| 采收加工 | **金挖耳**：8 ~ 9 月花期采收，鲜用或切段，晒干。
金挖耳根：秋季采挖，鲜用或切片，晒干。

| 药材性状 | **金挖耳**：本品茎细而长，通体被有丝光毛，幼嫩处毛尤为浓密，灰绿色至暗棕色。叶多皱缩、破碎，卵状长圆形，灰绿色至棕绿色。茎基丛生细根，长 5 ~ 10 cm，暗棕色。有时带有头状花序，呈枯黄色。有青草气，味涩。

| 功效物质 | 主要含有吉马烷内酯、金挖耳素等倍半萜类成分，2- 异戊烯基 -6- 乙酰基 -8- 甲氧基 -1,3- 苯并二氧六环 -4- 酮等芳香类成分，以及单萜类、二萜类、烯烃类等资源性成分。其中，芳香类成分具有抗疟、抗肿瘤作用。

| 功能主治 | **金挖耳**：苦、辛，寒。清热解毒，消肿止痛。用于感冒发热，头风，风火赤眼，咽喉肿痛，疟腮，牙痛，乳痛，疮疖肿毒，痔疮出血，腹痛泄泻，急惊风。
金挖耳根：微苦、辛，平。止痛，解毒。用于产后腹痛，水泻腹痛，牙痛，乳蛾。

| 用法用量 | **金挖耳**：内服煎汤，6 ~ 15 g；或捣汁。外用适量，鲜品捣敷；或煎汤洗。
金挖耳根：内服煎汤，6 ~ 15 g；或捣烂冲酒。外用适量，捣敷。

菊科 Compositae 红花属 Carthamus 凭证标本号 320382180630034LY

红花 *Carthamus tinctorius* L.

| 药 材 名 |

红花（药用部位：花）、白平子（药用部位：果实）。

| 形态特征 |

一年生草本，高 50 ~ 150 cm。茎表面白色或淡白色。中、下部茎生叶披针形至长椭圆形，边缘具粗齿、重锯齿至全缘，稀羽状深裂，齿顶有针刺；向上叶渐小，披针形，边缘有锯齿，齿顶针刺较长；叶革质，两面有光泽，基部半抱茎。头状花序多数，排成伞房状，顶生，具苞叶；苞片椭圆形或卵状披针形，边缘及先端有针刺或无，先端渐长，有栉齿状针刺；总苞卵状，直径 2.5 cm；总苞片 4 层，外层竖琴状，中部或下部有缢缩，收缢以上部分叶质，绿色，边缘无针刺或有栉齿状针刺，收缢以下部分黄白色，中、内层硬膜质，倒披针状椭圆形至长倒披针形，长达 20 cm，先端渐尖；小花红色、橙红色，两性；花冠长 2.8 cm，管部长 2 cm，花冠裂片几达檐部基部。瘦果倒卵球状，乳白色，长 5.5 mm，具 4 棱，棱在果顶伸出，侧生于着生面；无冠毛。花果期 5 ~ 8 月。

| **生境分布** | 分布于江苏北部、南部等。

| **资源情况** | 野生及栽培资源较丰富。

| **采收加工** | **红花**：秋播 5 月初、春播 7 月初开始采收，以花冠先端呈金黄色、中部呈橘红色时为最佳采花期，晴天露水干后分批采摘，每隔 2 ~ 3 天采收一次，盛花期可逐日采收。采收后，除去杂质，均匀地摊在竹席上，盖一层白纸或搭棚，在阳光下自然干燥或在阴凉通风处阴干。遇阴雨天，应及时在 40 ~ 60 ℃烘房内烘干。

| **药材性状** | **红花**：本品为不带子房的筒状花，长 1 ~ 2 cm。表面红黄色或红色。花冠筒细长，先端 5 裂，裂片呈狭条形，长 5 ~ 8 mm。雄蕊 5，花药聚合成筒状，黄白色。柱头长圆柱形，先端微分叉。质柔软。气微香，味微苦。以花冠长、色红、鲜艳、质柔软、无枝刺者为佳。

| **功效物质** | 花含有大量的黄酮类、炔类、酚类、生物碱类、单萜类、倍半萜类、木脂素类、挥发油类和多糖类成分等。黄酮类成分有红花苷、前红花苷、红花黄色素、红花明苷等，炔类成分有红花莫苷、鬼针草苷等，酚类成分有苄基糖苷、绿原酸等，生物碱类成分有红花亚精胺、香豆酰亚精胺等，倍半萜类成分有红花倍半萜素等。种子含油 30.2%，油中含亚油酸 73.6% ~ 78%、油酸 12% ~ 15.2%；去油的种仁含蛋白质 61.5% ~ 63.4%。其中，红花黄色素具有镇静、催眠、抗惊厥、镇痛、抗炎、调节免疫、降压、抗心律失常等活性。

| **功能主治** | **红花**：辛，温。归心、肝经。活血通经，散瘀止痛。用于闭经，痛经，恶露不行，癥瘕痞块，胸痹心痛，瘀滞腹痛，胸胁刺痛，跌打损伤，疮疡肿痛。
白平子：活血解毒。用于痘出不快，妇女血气瘀滞腹痛。

| **用法用量** | **红花**：内服煎汤，3 ~ 10 g。养血和血宜少用，活血祛瘀宜多用。

| **附　注** | 本种原产于中亚地区，多栽培于气候温和、阳光充足、地势高、肥力中等、排水良好、质地疏松的砂壤土中。

菊科 Compositae 石胡荽属 Centipeda 凭证标本号 320382180730005LY

石胡荽

Centipeda minima (L.) A. Br. et Aschers.

| 药 材 名 | 鹅不食草（药用部位：全草）。

| 形态特征 | 一年生小草本，高 5 ~ 20 cm。茎多分枝，匍匐状，微被蛛丝状毛或无毛。叶互生，楔状倒披针形，长 7 ~ 18 mm，先端钝，基部楔形，边缘有少数锯齿，无毛或背面微被蛛丝状毛。头状花序小，扁球形，直径约 3 mm，单生于叶腋；无花序轴或花序轴极短；总苞半球状；总苞片 2 层，椭圆状披针形，绿色，边缘透明膜质，外层较大；边缘花雌性，多层，花冠细管状，长约 0.2 mm，淡绿黄色，先端 2 ~ 3 微裂；盘花两性，花冠管状，长约 0.5 mm，先端 4 深裂，淡紫红色，下部有明显的狭管。瘦果椭圆状，长约 1 mm，具 4棱，棱上有长毛；无冠毛。花果期 6 ~ 10 月。

| **生境分布** | 生于阴湿的路边、荒野。江苏各地均有分布。

| **资源情况** | 野生资源较丰富。

| **采收加工** | 花开时采收，去净泥土、杂质，晒干。

| **药材性状** | 本品多扭集成团。须根纤细，淡黄色。茎细，多分枝；质脆，易折断，断面黄白色。叶小，近无柄；叶片多皱缩或破碎，完整者展平后呈匙形，表面灰绿色或棕褐色，边缘有 3 ~ 5 齿。头状花序黄色或黄褐色。气微香，久闻有刺激感，味苦、微辛。以色灰绿、刺激性气强者为佳。

| **功效物质** | 全草主要含有石胡荽苷 B、二氢堆心菊素等倍半萜类成分，石胡荽苷 A、菊醇葡萄糖苷等单萜类成分，蒲公英赛醇、羽扇豆醇乙酸酯等三萜及三萜皂苷类成分，以及黄酮类、甾醇类、挥发油类等成分。其中，挥发油具有抗炎、抗过敏和平喘的作用。

| **功能主治** | 辛，温。归肺、肝经。发散风寒，通鼻窍，止咳。用于风寒头痛，咳嗽痰多，鼻塞不通，鼻渊流涕。

| **用法用量** | 内服煎汤，5 ~ 9 g；或捣汁。外用适量，捣敷；或捣烂塞鼻；或研末嗜鼻。

菊科 Compositae 菊属 Chrysanthemum 凭证标本号 321023170423266LY

茼蒿

Chrysanthemum coronarium L.

| 药 材 名 | 茼蒿（药用部位：地上茎叶）。

| 形态特征 | 一年生草本，高达 70 cm，全体光滑无毛或近无毛。茎不分枝或中上部分枝。基生叶花期枯萎；中、下部茎生叶长椭圆形或长椭圆状倒卵形，长 8 ~ 10 cm，无柄，2 回羽状分裂，第 1 回深裂或近全裂，侧裂片 4 ~ 10 对，第 2 回浅裂、半裂或深裂，裂片卵形或线形；上部茎生叶小。头状花序单生于茎顶或少数生于茎枝先端，呈不明显的伞房状，花序梗长 15 ~ 20 cm；总苞直径 1.5 ~ 3 cm，总苞片 4 层，内层长约 1 cm，先端膜质，扩大成附片状；舌片长 1.5 ~ 2.5 cm。舌状花的瘦果有 3 凸起的狭翅肋，肋间有 1 ~ 2 明显的间肋；管状花的瘦果有 1 ~ 2 椭圆形凸起的肋及不明显的间

肋。花果期 6 ~ 8 月。

| **生境分布** | 多为栽培，山坡路旁、水边、灌丛偶有野生。原产于地中海，江苏各地均有分布。

| **资源情况** | 栽培资源丰富。

| **采收加工** | 营养盛期采收，干燥；或春、夏季采收，鲜用。

| **功效物质** | 主要含有黄酮类、酚酸类、倍半萜内酯类、二萜类、生物碱类、甾醇类、杂环类、聚乙炔类和挥发油类等资源性成分。黄酮类如槲皮素、槲皮苷、阿福豆苷等，酚酸类如绿原酸、异绿原酸、3,5- 二咖啡酰基奎宁酸等。酚酸类成分具有抗氧化活性。

| **功能主治** | 辛、甘，凉。归心、脾、胃经。和脾胃，消痰饮，安心神。用于脾胃不和，大便不通，咳嗽痰多，烦热不安。

| **用法用量** | 内服煎汤，鲜品 60 ~ 90 g。

菊科 Compositae 菊属 *Chrysanthemum* 凭证标本号 321023170502213LY

野菊
Chrysanthemum indicum L.

| 药 材 名 | 野菊花（药用部位：头状花序）。

| 形态特征 | 多年生草本，高 25 ~ 100 cm。茎直立或铺散，具分枝，被疏毛。基生叶和茎下部叶花期枯萎；茎中部叶卵形、长卵形或椭圆状卵形，长 3 ~ 10 cm，宽 2 ~ 7 cm，羽状半裂、浅裂或具浅锯齿，基部截形、稍心形或宽楔形；叶柄长 1 ~ 2 cm，柄基有时具分裂的叶耳。头状花序直径 1.5 ~ 2.5 cm，顶生，多数，排成疏松的伞房圆锥状或少数排成伞房状；总苞片约 5 层，外层卵形或卵状三角形，中层卵形，内层长椭圆形，总苞片边缘白色或褐色，干膜质，先端钝或圆；舌状花黄色，舌片长 10 ~ 13 mm，先端全缘或具 2 ~ 3 齿。瘦果长 1.5 ~ 1.8 mm。花期 6 ~ 11 月。

| **生境分布** | 生于山坡草地、田野、灌丛及路旁。江苏各地均有分布。

| **资源情况** | 野生资源较丰富。

| **采收加工** | 采收期以秋、冬季为佳，采收时应保证花朵完整，蒸后干燥。

| **药材性状** | 本品呈类球形，直径 1.5 ~ 2.5 cm，棕黄色。总苞片 4 ~ 5 层，外层苞片卵形或卵状三角形，长 2.5 ~ 3 mm，外表面中部灰绿色或淡棕色，常被有白毛，边缘膜质；中层苞片卵形；内层苞片长椭圆形。总苞基部有的残留总花梗。舌状花 1 轮，黄色，皱缩卷曲，展平后舌片长 1 ~ 1.3 cm，先端全缘或具 2 ~ 3 齿；筒状花多数，深黄色。气芳香，味苦。以完整、色黄、气香者为佳。

| **功效物质** | 全草含有挥发油类、倍半萜类、多炔类、黄酮类、三萜类、甾体类、多糖类、香豆素类等资源性成分。挥发油类成分如日本刺参萜酮、新松香醇等，倍半萜类成分如野菊倍半萜内酯、野菊花内酯、野菊花酮、野菊花醇等，多炔类成分如螺缩醛烯醇醚多炔、异戊酰氧基二氧杂螺癸烷等，黄酮类成分如刺槐素、半齿泽兰林素等。黄酮类成分具有镇痛、抗炎、调节免疫、保肝等活性，黄酮类及内酯类成分具有抗心肌缺血的作用。有研究表明，野菊提取物可显著提高酒精诱导后肝细胞的存活率，其中醇提物的保肝效果更佳。

| **功能主治** | 苦、辛，微寒。归肝、心经。清热解毒，泻火平肝。用于疔疮痈肿，目赤肿痛，头痛眩晕。

| **用法用量** | 内服煎汤，10 ~ 15 g，鲜品 30 ~ 60 g。外用适量，捣敷；或煎汤漱口；或煎汤淋洗。

菊科 Compositae 菊属 Chrysanthemum 凭证标本号 320102191026305LY

菊花脑

Chrysanthemum indicum L. var. *edule* Kitam.

| 药 材 名 | 菊花脑（药用部位：全草）。

| 形态特征 | 本种与野菊的区别在于本种叶片两面较光滑；头状花序直径 1 ～ 1.5 cm，外层总苞片较内层总苞片约短 1/2，无毛。

| 生境分布 | 江苏各地均有分布。

| 资源情况 | 野生资源丰富。

| 采收加工 | 秋季花期割取，晒干。

| 功效物质 | 全草富含蛋白质类、脂肪类、维生素类、黄酮类和挥发油等成分，嫩茎叶挥发油具有抗氧化作用。

| **功能主治** | 苦、辛，凉。清热解毒。用于鼻炎，风火赤眼，疮疡痈肿，咽喉肿痛，蛇咬伤，湿疹，皮肤瘙痒。

| **用法用量** | 内服煎汤，15 ~ 30 g。外用适量，捣敷；或煎汤熏洗。

| **附　注** | （1）本种为江苏南京别具风味的特色蔬菜，具有清火消暑的功效。

（2）本种属短日照植物，强光照有利于茎叶生长，耐寒，耐热，耐贫瘠和干旱，忌水涝，不择土质，适应性强，在肥沃、排水良好的土壤中生长得更为健壮。

菊科 Compositae 菊属 Chrysanthemum 凭证标本号 320703151013297LY

甘菊
Chrysanthemum lavandulifolium (Fisch. ex Trautv.) Makino

| 药 材 名 | 野菊花（药用部位：头状花序）、野菊（药用部位：全草或根）。

| 形态特征 | 多年生草本，高 30 ~ 150 cm。茎直立，疏被柔毛。基生叶和下部茎生叶花期脱落；中部茎生叶宽卵形至椭圆状卵形，长 2 ~ 5 cm，宽 1.5 ~ 4.5 cm，2 回羽状分裂，第 1 回全裂或几全裂，第 2 回半裂或浅裂，第 1 回侧裂片 2 ~ 4 对，最上部叶羽状分裂、3 裂或不裂，两面或叶背被柔毛；中部茎生叶的叶柄长 5 ~ 10 mm，柄基有时具叶耳。头状花序直径 10 ~ 20 mm，常多数在茎、枝先端排成复伞房状；总苞碟状，直径 5 ~ 7 mm；总苞片约 5 层，外层线形或线状长圆形，中、内层卵形、长椭圆形至倒披针形，总苞片先端圆形，边缘白色或浅褐色，干膜质；舌状花黄色，舌片椭圆形，长 5 ~

7.5 mm，先端全缘或具 2 ～ 3 浅裂齿。瘦果长 1.2 ～ 1.5 mm。花果期 5 ～ 11 月。

| 生境分布 | 生于山坡、草地、荒丛。江苏各地均有分布。

| 资源情况 | 野生资源较丰富。

| 采收加工 | **野菊花：**花心 2/3 开放时分批采收，收获时将花所在的枝从分叉处割下或剪下，扎成小把，阴干；或直接剪取花头，干燥。

野菊：夏、秋季采收，鲜用或晒干。

| 药材性状 | **野菊花：**本品类球形，直径 1.5 ～ 2.5 cm，棕黄色。总苞片 4 ～ 5 层，外层苞片卵形或三角形，长 2.5 ～ 3 mm，外表面中部灰绿色或淡棕色，常被白毛，边缘膜质；中层苞片卵形；内层苞片长椭圆形。总苞基部有残留的总花梗。舌状花 1 轮，黄色，皱缩卷曲，先端全缘或 2 ～ 3 浅裂，筒状花多数，深黄色。气芳香，味苦。

野菊：本品主根细。茎自基部分枝，被白色绵毛。叶灰绿色，叶片长圆形或卵形，长 2 ～ 4 cm，宽 1 ～ 1.5 cm，2 回羽状深裂，先端裂片卵形至宽线形，先端钝或短渐尖；叶柄长，基部扩大。总苞直径 5 ～ 7 mm，被疏绵毛至几无毛；总苞片膜质；花托凸起，锥状球形；花黄棕色。气香，味微苦、涩。

| 功效物质 | 主要富含桉叶油醇、β- 水芹烯、母菊薁、芳樟醇、桉叶素等挥发油类成分；此外，还含有黄酮类、糖类、氨基酸类、核苷类等资源性成分。花油中有抗氧化和抑制微生物滋生的化学成分。

| 功能主治 | **野菊花：**苦、辛，微寒。归肝、心经。清热解毒，泻火平肝。用于疔疮痈肿，目赤肿痛，头痛眩晕。

野菊：清热解毒。用于感冒，气管炎，肝炎，高血压，痢疾，痈肿，疔疮，目赤肿痛，瘰疬，湿疹。

| 用法用量 | **野菊花：**内服煎汤，10 ～ 15 g，鲜品 30 ～ 60 g。外用适量，捣敷；或煎汤漱口；或煎汤淋洗。

野菊：内服煎汤，6 ～ 12 g，鲜品 30 ～ 60 g；或捣汁。外用适量，捣敷；或煎汤洗；或熬膏涂。

菊科 Compositae 菊属 *Chrysanthemum* 凭证标本号 320506150825199LY

菊花

Chrysanthemum morifolium Ramat.

| **药 材 名** | 菊花（药用部位：头状花序）。

| **形态特征** | 多年生草本，高 60 ~ 150 cm。茎直立，分枝或不分枝，被柔毛。叶互生，有短柄；叶片卵形至披针形，长 5 ~ 15 cm，羽状浅裂或半裂，基部楔形，下面被白色短柔毛。头状花序大小不一，直径 2.5 ~ 20 cm，单个或数个集生于茎枝先端或腋生；总苞片多层，外层绿色，条形，边缘膜质，外面被柔毛；舌状花白色或黄色，无雄蕊，雌蕊 1，花柱短，柱头 2 裂；管状花两性，位于花须中央，黄色，花冠管状，先端 5 裂，聚药雄蕊 5，雌蕊 1，子房下位，长圆形，花柱线形。瘦果柱状，无冠毛。花期 10 ~ 11 月。

| **生境分布** | 江苏各地广泛栽培。

| **资源情况** | 栽培资源丰富。

| **采收加工** | 9 ～ 12 月初采收，蒸汽杀青，热风干燥烘干。

| **药材性状** | 本品亳菊呈倒圆锥形或圆筒形，有时稍压扁成扇形，直径 1.5 ～ 3 cm。总苞碟状，总苞片 3 ～ 4 层，卵形或椭圆形，草质，黄绿色或褐绿色，外面被柔毛，边缘膜质，花托半球形，无托片或托毛。舌状花数层，雌性，位于外围，类白色，劲直，上举，纵向折缩，散生金黄色腺点；管状花多数，两性，位于中央，为舌状花所隐藏，黄色，先端 5 齿裂。瘦果不发育，无冠毛。体轻，质柔润，干时松脆。气清香，味甘、微苦。滁菊呈不规则球形或扁球形，直径 1.5 ～ 2.5 cm。舌状花白色，不规则扭曲，内卷，边缘皱缩，有时可见淡褐色腺点；管状花大多隐藏。贡菊呈扁球形或不规则球形，直径 1.5 ～ 2.5 cm。舌状花白色或类白色，斜升，上部反折，边缘稍内卷而皱缩，通常无腺点；管状花少，外露。杭菊呈碟形或扁球形，直径 2.5 ～ 4 cm，常数个相连成片。舌状花类白色或黄色，平展或微折叠，彼此粘连，通常无腺点；管状花多数，外露。以花朵完整不散瓣、色白（黄）、香气浓郁、无杂质者为佳。

| **功效物质** | 头状花序主要含有黄酮类、酚酸类、挥发油类等化学成分，目前开发利用较多的资源性化学成分主要为黄酮类和酚酸类成分。黄酮类成分主要有山柰酚、槲皮素、芹菜素、木犀草素、香叶木素、金合欢素、异泽兰黄素及相关糖苷，具有防治心血管疾病、抗肿瘤、抗疟、抗氧化、抗菌消炎、降血糖、降血脂、降压等功效。酚酸类成分主要有绿原酸、petasiphenol、紫丁香苷、奎宁酸、咖啡酸等，具有抗氧化、抗炎及抑菌活性。挥发油是菊花发挥辛凉解表作用的重要物质基础。

| **功能主治** | 甘、苦，微寒。归肺、肝经。疏风清热，平肝明目，解毒。用于风热感冒，头痛眩晕，目赤肿痛，眼目昏花，疮痈肿毒。

| **用法用量** | 内服煎汤，10 ～ 15 g；或入丸、散剂；或泡茶。外用适量，煎汤洗；或捣敷。

菊科 Compositae 菊属 *Chrysanthemum* 凭证标本号 320703150820353LY

委陵菊

Chrysanthemum potentilloides (Hand.-Mazz.) Shih

药材名

委陵菊（药用部位：全草或叶、花）。

形态特征

多年生草本，高 30 ~ 70 cm。茎直立或基部弯曲，表面灰白色，密被厚实的贴伏短柔毛。基生叶及下部茎生叶花期枯萎；中部茎生叶宽卵形至宽三角状卵形，长 1.5 ~ 3 cm，宽 2 ~ 3.5 cm，2 回羽状分裂，第 1 回全裂，侧裂片 2 对，第 2 回深裂至浅裂，裂片椭圆形，宽 2.5 ~ 3 mm，边缘具齿；向上叶渐小；叶面被稀疏短柔毛，叶背灰白色，密被贴伏短柔毛，柄基有抱茎分裂的叶耳。头状花序 8 ~ 10，顶生，排成复伞房状或伞房状；总苞碟状，直径 1 ~ 1.5 cm；总苞片 4 层，外层线形或线状倒披针形，先端圆形，中层椭圆形，内层短，总苞片外面被稠密短柔毛，边缘白色或褐色，干膜质；舌状花黄色，舌片长 8 ~ 10 mm，先端具 2 或 3 细齿。花期 8 ~ 10 月。

生境分布

生于林缘、向阳山坡及低山丘陵地。分布于江苏北部等。

| **资源情况** | 野生资源一般。

| **采收加工** | 夏末秋初采收全草，除去泥土，晒干。

| **功效物质** | 含有黄酮类、萜类、甾体类等成分。

| **功能主治** | 清热解毒，疏风散热，散瘀，明目，降血压。用于防治流行性脑脊髓膜炎，预防流行性感冒、感冒，高血压，肝炎，痢疾，痈疖疔疮。

| **附　注** | 民间还用本种治疗痈疖肿毒、跌打损伤等。

菊科 Compositae　菊苣属 Cichorium　凭证标本号 320924170530049LY

菊苣
Cichorium intybus L.

| 药 材 名 |

菊苣（药用部位：地上部分）、菊苣根（药用部位：根）。

| 形态特征 |

多年生草本，高 40 ～ 100 cm。茎单生，直立，有纵棱，疏被弯曲的长糙毛、刚毛或几无毛。基生叶花期宿存，倒披针状长椭圆形，连叶柄长 15 ～ 34 cm，宽 2 ～ 4 cm，大头状倒向羽状深裂、浅裂或具齿，侧裂片 3 ～ 6 对；茎生叶少数，较小，卵状倒披针形至披针形，基部圆形或戟形，半抱茎；叶两面疏被多细胞长节毛。头状花序多数，顶生，单生或 2 ～ 8 穗状排列；总苞圆柱状，长 8 ～ 12 mm；总苞片 2 层，外层披针形，上半部绿色，草质，有长缘毛，下半部淡黄白色，革质，内层线状披针形，下部稍坚硬，总苞片背面常疏被头状、具柄的长腺毛和长单毛；舌状花蓝色，长约 14 mm，有色斑。瘦果倒卵状、椭圆状或倒楔状，外层瘦果压扁，紧贴内层总苞片，具 3 ～ 5 棱，先端截形，褐色，有棕黑色斑；冠毛长 0.2 ～ 0.3 mm，2 ～ 3 层，鳞片状。花果期 5 ～ 10 月。

| 生境分布 | 生于山坡、田野及荒地。江苏有零星栽培。

| 资源情况 | 野生及栽培资源较丰富。

| 采收加工 | 菊苣：春、夏季采收，切段，晒干。
菊苣根：春、夏季采收，切片，晒干。

| 功效物质 | 根含有多糖类、倍半萜类、生物碱类、聚乙烯类、三萜类、黄酮类和酚酸类等资源性成分。倍半萜类成分有菊苣萜苷 B、莴苣苦素、苦苣菜苷等，生物碱类成分的结构母核为咔啉酸，聚乙烯类成分有西北蒿环氧化物。地上部分含有倍半萜类、香豆素类、单萜类、黄酮类、有机酸类、三萜类、蒽醌类等物质。倍半萜类成分有菊苣内酯、菊苣素等。菊苣多糖具有降血糖的作用。

| 功能主治 | 菊苣：苦，寒。清热解毒，利尿消肿。用于湿热黄疸，肾炎水肿，胃脘胀痛，食欲不振。
菊苣根：微苦，凉。清热，健胃。用于消化不良，胸腹胀闷。

| 用法用量 | 菊苣：内服煎汤，3 ~ 9 g。外用适量，煎汤洗。
菊苣根：内服研末，3 ~ 6 g。

| 附 注 | 本种作为功能型饲料添加剂，具有促进双歧杆菌增殖、增强畜禽抗病害能力的作用。本种作为保健型蔬菜，营养丰富、口感鲜嫩，具有清肝利胆、解酒、减肥、开胃健脾等作用。

菊科 Compositae 蓟属 Cirsium 凭证标本号 321183150612716LY

蓟

Cirsium japonicum Fisch. ex DC.

| 药 材 名 | 大蓟（药用部位：地上部分）。

| 形态特征 | 多年生草本，高 30 ~ 150 cm。具块根。茎具棱，被多细胞长节毛，头状花序下部的茎灰白色，密被绒毛及多细胞节毛。基生叶卵形、长倒卵形、椭圆形或长椭圆形，羽状深裂，基部渐狭成翅柄，边缘有针刺及刺齿，侧裂片 6 ~ 12 对，有锯齿，有时 2 回羽状分裂，齿顶针刺长达 6 mm；茎生叶与基生叶同形，向上渐小，基部半抱茎。头状花序常直立，数个顶生；总苞钟状，直径约 3 cm；总苞片约 6 层，外面沿中肋有黑色黏腺，由外向内渐长，外层与中层卵状三角形至长三角形，先端有长 1 ~ 2 mm 的针刺，内层披针形或线状披针形，先端渐尖；小花红色或紫色，管部略短于檐部，不

等 5 浅裂。瘦果压扁，偏斜楔状倒披针形，先端斜截形；冠毛浅褐色，多层，整体脱落，长羽毛状刚毛长达 2 cm，内层向先端呈纺锤状扩大或渐细。花果期 4 ～ 11 月。

| **生境分布** | 生于山坡林下、林缘、灌丛、草地、荒地、田间、路旁。江苏各地均有分布。

| **资源情况** | 野生资源较丰富。

| **采收加工** | 夏、秋季盛花期割取，鲜用或晒干。

| **药材性状** | 本品茎呈圆柱形，直径 0.5 ～ 1.5 cm；表面绿褐色或棕褐色，有纵棱，被灰白色毛；质松脆，断面黄白色，髓部白色，常中空。叶皱缩，多破碎，完整叶片展平后呈倒披针形或倒卵状椭圆形，羽状深裂，边缘具不等长的针刺，上表面灰绿色或黄棕色，下表面色较浅，两面有白色毛。头状花序顶生，圆球形或椭圆形，总苞枯黄色，苞片披针形，4 ～ 6 层。冠毛羽状，黄白色。气微，味淡。以色绿、叶多者为佳。

| **功效物质** | 根含有黄酮类、酚酸类、聚乙炔类、甾体类、烃类等成分。地上部分含有柳穿鱼苷、蒙花苷、芹菜素等黄酮类成分，络石苷等木脂素类成分，以及三萜类、有机酸类、甾体类等成分。黄酮类成分具有促凝血、保肝、降血糖等作用。

| **功能主治** | 甘、微苦，凉。归心、肝经。凉血止血，行瘀消肿。用于吐血，咯血，衄血，便血，尿血，崩漏，外伤出血，疮疡肿痛，瘰疬，湿疹，肝炎，肾炎。

| **用法用量** | 内服煎汤，5 ～ 10 g，鲜品 30 ～ 60 g。外用适量，捣敷。止血宜炒炭用。

| **附　注** | 大蓟与鲜奶适量混合，捣成膏外敷可用于治疗带状疱疹，对肠风、肠痛、痈疮肿毒、疔疮、中毒、肿痛效果也佳。

菊科 Compositae 蓟属 Cirsium 凭证标本号 320311201014009LY

线叶蓟

Cirsium lineare (Thunb.) Sch.-Bip.

| 药 材 名 |

线叶蓟（药用部位：全草或根）。

| 形态特征 |

多年生草本，高 60 ~ 150 cm。茎有纵棱，被稀疏的蛛丝状毛及多细胞长节毛或几无毛。中、下部茎生叶长椭圆形、披针形或倒披针形，向上叶渐小；全部茎生叶不分裂，先端急尖、钝或尾状渐尖，基部渐狭，边缘有细密的针刺，针刺内弯或平展，稀叶两侧边缘具浅齿；中、下部茎生叶具翅柄，上部茎生叶无柄，上面被多细胞长或短节毛，下面被稀疏的蛛丝状薄毛。头状花序排成圆锥伞房状，顶生；总苞卵状或长卵状，直径 1.5 ~ 2 cm；总苞片约 6 层，向内层渐长，外层与中层三角形及三角状披针形，先端有针刺，内层披针形或三角状披针形，最内层线形或线状披针形，红色；小花紫红色，檐部与管部近等长，不等 5 深裂。瘦果倒棱锥状，先端截形；冠毛浅褐色，多层，整体脱落；长羽毛状刚毛长达 1.5 cm。花果期 9 ~ 10 月。

| 生境分布 |

生于山坡或路旁。分布于江苏南部等。

| 资源情况 | 野生资源一般。

| 采收加工 | 秋季采收，鲜用或晒干。

| 功效物质 | 主要含有线叶蓟尼酚、去甲线叶蓟尼酚等黄酮类成分，以及豆甾醇葡萄糖苷、豆甾醇苷等甾醇类成分。黄酮类成分具有抗氧化活性。

| 功能主治 | 酸，温。活血散瘀，解毒消肿。用于月经不调，闭经，痛经，乳腺炎，跌打损伤，尿路感染，痈疖，蛇咬伤。

| 用法用量 | 内服煎汤，15 ~ 30 g。外用适量，捣敷。

| 附　　注 | 本种可用于治疗毒蛇咬伤，在民间有着广泛的应用。

菊科 Compositae 蓟属 Cirsium 凭证标本号 320125150505092LY

刺儿菜
Cirsium setosum (Willd.) MB.

| 药 材 名 |

小蓟（药用部位：地上部分）。

| 形态特征 |

多年生草本，高 20 ～ 50 cm。有长根茎。茎直立，幼时被白色蛛丝状毛，有棱。叶互生；基生叶花期枯萎；中下部茎生叶椭圆形或椭圆状披针形，长 7 ～ 10 cm，宽 1.5 ～ 2.5 cm，两面被白色蛛丝状毛，先端短尖或钝，基部窄狭或钝圆，近全缘或有疏锯齿；无叶柄。头状花序直立；雌雄异株；雄花序总苞长约 18 mm，雌花序总苞长约 25 mm；总苞片 6 层，外层短，长椭圆状披针形，中、内层披针形，先端长尖，具刺；花序托凸起，有托毛；雄花花冠长 17 ～ 20 mm，花冠裂片长 9 ～ 10 mm；雌花花冠长约 26 mm，花冠裂片长约 5 mm，紫红色；花药紫红色，长约 6 mm，退化雄蕊的花药长约 2 mm。瘦果略扁平，椭圆形或长卵形；冠毛羽状。花期 4 ～ 7 月。

| 生境分布 |

生于荒地、路旁、田间。江苏各地均有分布。

| **资源情况** | 野生资源丰富。

| **采收加工** | 5～6 月盛花期割取，鲜用或晒干。

| **药材性状** | 本品茎呈圆柱形，长 30～45 cm，直径 2～4 mm；表面绿色或微带紫棕色，有纵棱和柔毛；质脆，易折断，断面纤维性，中空。叶多皱缩或破碎，完整者展平后呈长椭圆形或长圆状披针形，长 7～10 cm，宽 1.5～2.5 cm；全缘或微波状，有细密的针刺，上表面绿褐色，下表面灰绿色，两面均有白色蛛丝状毛。头状花序顶生，总苞钟状，苞片黄绿色，6 层，线形或披针形，花冠多脱落。冠毛羽状，常外露。气弱，味微苦。以色绿、叶多者为佳。

| **功效物质** | 含有黄酮类、萜类、苯丙素类、苯乙醇苷类、生物碱类、酰胺类及植物甾醇类等多种资源性成分。其中，黄酮类成分具有抗炎、止血、促凝血、抗菌作用，多糖类成分具有延缓衰老的活性。

| **功能主治** | 甘、微苦，凉。归肝、脾经。凉血止血，散瘀解毒，消痈。用于衄血，吐血，尿血，血淋，便血，崩漏，外伤出血，痈肿疮毒。

| **用法用量** | 内服煎汤，5～10 g，鲜品 30～60 g；或捣汁。外用适量，捣敷。

菊科 Compositae 茼蒿属 *Glebionis* 凭证标本号 321323180522135LY

南茼蒿
Glebionis segetum (L.) Fourr.

| 药 材 名 | 南茼蒿（药用部位：全草）。

| 形态特征 | 一年生草本，高 20 ~ 60 cm。植株光滑无毛或近光滑无毛。茎直立，富肉质。叶片椭圆形、倒卵状披针形或倒卵状椭圆形，边缘有不规则的大锯齿，少羽状浅裂，长 4 ~ 6 cm，基部楔形，无柄。头状花序单生于茎端或少数生于茎枝先端，但不形成伞房花序状，花序轴长约 5 cm；总苞直径 1 ~ 2 cm，内层总苞片先端膜质，扩大几成附属物状；舌片长达 1.5 cm。舌状花的瘦果有 2 具狭翅的侧肋，间肋不明显，每面 3 ~ 6，贴近；管状花的瘦果约有 10 肋，等形等距，椭圆状。花果期 3 ~ 6 月。

| 生境分布 | 生于冷凉温和、土壤相对湿度保持在 70% ~ 80% 的环境下。分布

于江苏北部、南部等。江苏各地均有栽培。

| 资源情况 | 栽培资源丰富。

| 采收加工 | 于生长 40 ~ 50 天、植株高 20 cm 左右时选大株分期、分批采收，鲜用。

| 功效物质 | 主要富含黄酮类、酚酸类、香豆素类、挥发油类和粗纤维类成分，具有宽中理气、消食开胃、增加食欲、促进肠道蠕动的作用。此外，还富含多种氨基酸类、脂肪类，以及含量较高的钠盐、钾盐及矿物盐。本品能调节体内水分代谢，通利小便，消除水肿。

| 功能主治 | 调和脾胃，通利二便，利水消肿，消除痰饮。用于肝气不舒，偏坠气痛，小便不利。

| 用法用量 | 内服煎汤，鲜品 60 ~ 90 g。

菊科 Compositae | 白酒草属 Conyza | 凭证标本号 320323150918249LY

野塘蒿

Conyza bonariensis (L.) Cronq.

| 药 材 名 |

野塘蒿（药用部位：全草）。

| 形态特征 |

一年生或二年生草本，高 20 ~ 50 cm。茎直立或斜升，常具不育侧枝，密被毛。基生叶花期常枯萎；茎下部叶倒披针形或长圆状披针形，长 3 ~ 5 cm，宽 3 ~ 10 mm，先端尖或稍钝，基部渐狭成长柄，羽状浅裂或具粗齿；茎中、上部叶狭披针形或线形，长 3 ~ 7 cm，宽 3 ~ 5 mm，具短柄或无柄，茎中部叶具齿，茎上部叶全缘，两面均密被糙毛。头状花序多数，顶生，排成总状或总状圆锥花序。总苞椭圆状卵形，长约5 mm；总苞片 2 ~ 3 层，线形，先端尖，背面密被灰白色短糙毛，外层稍短或短于内层之半，内层边缘干膜质；花序托稍平，有明显的蜂窝孔；雌花多层，白色，花冠细管状，无舌片或先端仅有 3 ~ 4 细齿；两性花淡黄色，花冠管状，檐部 5 齿裂。瘦果线状披针形，长 1.5 mm，压扁，疏被短毛；冠毛 1 层，淡红褐色，长约 4 mm。花期 5 ~ 10 月。

| 生境分布 |

生于路边、田野。江苏各地均有分布。

| 资源情况 | 野生资源较丰富。

| 采收加工 | 夏、秋季采收，除去泥土，鲜用或切段，晒干。

| 功效物质 | 主要含有挥发油类、聚乙炔类、倍半萜类、三萜类、生物碱类、黄酮类、甾醇类等资源性成分。挥发油类成分有母菊林素甲酯、泪柏醇、柠檬烯等，聚乙炔类成分有毛叶菊酯，倍半萜类成分有豚草素、蓝喉豚草素、二氢豚草素等，黄酮类成分有孔雀草苷、金圣草酚等。挥发油类成分具有抗炎、抗菌的活性。

| 功能主治 | 苦，凉。清热祛湿，行气止痛，消胀，缓泻。用于感冒，疟疾，急性风湿性关节炎，气滞胀满，大便燥结。

| 用法用量 | 内服煎汤，9～12 g。外用适量，捣敷。

| 附　　注 | 本种的挥发油具有抗金黄色葡萄球菌、大肠埃希菌、铜绿假单胞菌和伤寒沙门菌等活性。

菊科 Compositae 白酒草属 Conyza 凭证标本号 321323180522137LY

小蓬草
Conyza canadensis (L.) Cronq.

| 药 材 名 | 小飞蓬（药用部位：全草）。

| 形态特征 | 一年生草本，高 50 ~ 100 cm。茎直立，具棱，疏被长硬毛。基生叶花期常枯萎；茎下部叶倒披针形，长 6 ~ 10 cm，宽 1 ~ 1.5 cm，先端尖或渐尖，基部渐狭成柄，具疏齿或全缘；茎中、上部叶较小，线状披针形或线形，近无柄，全缘或具 1 ~ 2 齿，两面或上面疏被短毛，边缘被缘毛。头状花序多数，顶生，排成圆锥状；总苞近圆柱状，长 2.5 ~ 4 mm；总苞片 2 ~ 3 层，线状披针形或线形，外层约比内层短一半，背面疏被毛，内层边缘干膜质；花序托平；舌状花多数，白色，舌片稍超出花盘，线形，先端具 2 钝齿；两性花淡黄色，花冠管状，具 4 或 5 齿裂。瘦果线状披针形，长 1.2 ~

1.5 mm；冠毛污白色，1 层，糙毛状，长 2.5 ~ 3 mm。花期 5 ~ 9 月。

| 生境分布 | 生于旷野、荒地、田边和路旁。江苏各地均有分布。

| 资源情况 | 野生资源较丰富。

| 采收加工 | 春、夏季采收，除去泥土，晒干。

| 药材性状 | 本品茎直立，表面黄绿色或绿色，具细棱及粗糙毛。单叶互生，叶片展平后呈线状披针形，基部狭，先端渐尖，具疏锯齿或全缘，有长缘毛。多数小头状花序集成圆锥花序状，花黄棕色。气香特异，味微苦。

| 功效物质 | 主要含有挥发油类、生物碱类、黄酮类、三萜类、有机酸类、鞣脂类等资源性成分。其中，挥发油类成分可有效治疗支气管炎和膀胱炎，多糖类成分具有抗血小板聚集的活性，小蓬草内酯和小蓬草黄酮具有抗真菌的活性。

| 功能主治 | 微苦、辛，凉。消炎止血，祛风湿。用于血尿，水肿，肝炎，胆囊炎，小儿头疮等。

| 用法用量 | 内服煎汤，15 ~ 30 g。外用适量，鲜品捣敷。

| 附　注 | 我国民间用本种治疗伤口、关节炎引起的肿胀和疼痛，且本种的挥发油作为利尿剂、收敛剂被收录于《美国药典》。

菊科 Compositae 白酒草属 Conyza 凭证标本号 321112180724014LY

苏门小蓬草

Conyza sumatrensis (Retz.) Walker

| 药 材 名 |

竹叶艾（药用部位：全草）。

| 形态特征 |

一年生或二年生草本，高 80 ～ 150 cm。茎具纵棱，下部带红紫色，被灰白色糙短毛和开展的疏柔毛。基生叶花期枯萎；茎下部叶倒披针形或披针形，长 6 ～ 10 cm，宽 1 ～ 3 cm，先端尖或渐尖，基部渐狭成柄，边缘上部每边具 4 ～ 8 粗齿，基部全缘；茎中、上部叶渐小，狭披针形或近线形，具齿或全缘，两面密被短糙毛。头状花序多数，顶生，排成圆锥状；总苞短圆柱状，长约 4 mm；总苞片 3 层，线状披针形或线形，背面被糙短毛，外层稍短或比内层短一之半，内层边缘干膜质；花序托稍平，具明显的小窝孔；雌花多层，管部细长，舌片淡黄色或淡紫色，丝状，先端具 2 细裂；两性花 6 ～ 11，花冠淡黄色，檐部狭漏斗形，上端具 5 齿裂。瘦果线状披针形，长 1.2 ～ 1.5 mm，压扁，被贴微毛；冠毛 1 层，初时白色，后变黄褐色。花期 5 ～ 10 月。

| 生境分布 |

生于山坡草地、旷野和路旁。江苏各地均有

分布。

| **资源情况** | 野生资源较丰富。

| **采收加工** | 夏、秋季采收，切段，晒干。

| **功效物质** | 主要含有吡喃酮类、三萜类、黄酮类、鞣脂类、生物碱类、甾醇类、挥发油类等资源性成分。

| **功能主治** | 辛，平。化痰，通络，止血。用于咳嗽痰多，风湿痹痛，子宫出血。

| **用法用量** | 内服煎汤，3 ～ 10 g。

菊科 Compositae 金鸡菊属 Coreopsis 凭证标本号 320830150607008LY

剑叶金鸡菊

Coreopsis lanceolata L.

| 药 材 名 | 线叶金鸡菊（药用部位：全草）。

| 形态特征 | 多年生草本，高 30 ～ 70 cm。具纺锤状根。茎直立，无毛或基部被软毛，上部有分枝。叶较少，在茎基部成对簇生，有长柄；叶片匙形或线状倒披针形，基部楔形，先端钝或圆，长 3.5 ～ 7 cm，宽 1.3 ～ 1.7 cm；茎上部叶少数，全缘或 3 深裂，裂片长圆形或线状披针形，顶裂片较大，长 6 ～ 8 cm，宽 1.5 ～ 2 cm，基部狭，先端钝，叶柄常长 6 ～ 7 cm，基部膨大，有缘毛。头状花序单生于茎端，直径 4 ～ 5 cm；总苞片内、外层近等长，披针形，长 6 ～ 10 mm，先端尖；舌状花黄色，舌片倒卵形或楔形；管状花狭钟形。瘦果圆状或椭圆状，长 2.5 ～ 3 mm，边缘有宽翅，先端有 2 短鳞片。花

期 5 ~ 9 月。

| **生境分布** | 江苏各地广泛栽培。

| **资源情况** | 栽培资源丰富。

| **采收加工** | 盛花期采收，干燥。

| **功效物质** | 花含有剑叶金鸡菊苷、黄烷酮、查耳酮等黄酮类成分，以及大花金鸡菊苷等苯丙素类成分；其中，总黄酮类成分具有抗过敏、抗氧化及抗肿瘤的活性。全草含有聚炔类、噻吩类、倍半萜类、三萜类、苯丙素类、酚类及甾体类等资源性成分。

| **功能主治** | 辛，平。化瘀消肿，清热解毒。用于刀伤，无名肿毒。

| **用法用量** | 外用适量，捣敷。

| **附　注** | （1）本种耐寒、耐旱，耐半阴，适应性强，对二氧化硫有较强的抗性。对土壤要求不严，喜阳光充足的环境及排水良好的砂壤土。
（2）本种原产于北美洲。

菊科 Compositae　金鸡菊属 Coreopsis　凭证标本号 320115170710003LY

两色金鸡菊 *Coreopsis tinctoria* Nutt.

| 药 材 名 | 蛇目菊（药用部位：全草）。

| 形态特征 | 一年生草本，无毛，高 30 ~ 100 cm。茎直立，上部有分枝。叶对生，茎下部及中部叶有长柄，2 回羽状全裂，裂片线形或线状披针形，全缘；茎上部叶无柄或下延成翅状柄，线形。头状花序多数，有细长花序轴，直径 2 ~ 4 cm，排列成伞房状或疏圆锥花序状；总苞半球状；总苞片外层较短，长约 3 mm，内层卵状长圆形，长 5 ~ 6 mm，先端尖；舌状花黄色，舌片倒卵形，长 8 ~ 15 mm；管状花红褐色，狭钟形。瘦果长圆状或纺锤状，长 2.5 ~ 3 mm，两面光滑或有瘤状突起，先端有 2 细芒。花期 5 ~ 9 月，果期 8 ~ 10 月。

| 生境分布 | 江苏各地广泛栽培。

| 资源情况 | 栽培资源较丰富。

| 采收加工 | 7 ~ 10 月早晨露水已干时采收，选择花朵大部分开放、花瓣平直、花心展开者，用食指和中指夹住花梗，向上折断，烘干或阴干，切忌堆放。阴干处理的应及时放置于竹帘或其他晾具上，疏松铺开一层，每天用手翻动，忌剧烈翻动，以免影响品质，7 ~ 12 天后收起。

| 功效物质 | 主要含有黄酮类、苯丙素类、倍半萜类、聚炔类及甾醇类等成分。其中，黄酮类成分主要分布在花中，如槲皮万寿菊苷等，具有扩张血管、降血脂、抗氧化等活性。

| 功能主治 | 甘，平。清热解毒，化湿。用于急、慢性痢疾，目赤肿痛。

| 用法用量 | 内服煎汤，15 ~ 30 g。外用适量，捣敷。

| 附　　注 | （1）本种喜光，忌树荫，怕风害，耐寒力强，耐干旱，耐瘠薄；喜湿润的气候及土壤，过于干旱则分枝较少，植株发育缓慢，花期缺水会影响花的数量和质量；喜肥，喜排水良好的中性或微碱性的砂壤土。花能经受微霜，但幼苗生长和分枝期需要较高的气温，适宜生长温度为 20 ℃左右。本种在肥沃土壤中栽培易徒长倒伏，凉爽季节生长较佳。
（2）本种原产于北美洲。

菊科 Compositae 秋英属 Cosmos 凭证标本号 320830170518005LY

秋英
Cosmos bipinnata Cav.

| 药 材 名 | 波斯菊（药用部位：全草或花序、种子）。

| 形态特征 | 一年生或多年生草本，高1～2m。根纺锤状，多须根，或近茎基部有不定根。茎无毛或稍被柔毛。叶2回羽状深裂，裂片线形或丝状线形。头状花序单生，直径3～6cm；花序轴长6～18cm；总苞片外层披针形或线状披针形，近革质，淡绿色，具深紫色条纹，上端长狭尖，与内层等长，长1～1.5cm，内层椭圆状卵形，膜质；托苞平展，上端呈丝状，与瘦果近等长；舌状花紫红色、粉红色或白色，舌片椭圆状倒卵形，长2～3cm，宽1.2～1.8cm，有3～5钝齿；管状花黄色，长6～8mm，管部短，上部圆柱形，有披针状裂片；花柱具短突尖的附属物。瘦果黑紫色，长8～12mm，无毛，

上端具长喙，有 2 或 3 尖刺。花期 6 ~ 8 月，果期 9 ~ 10 月。

| **生境分布** | 江苏各地均有分布，江苏部分地区有栽培。

| **资源情况** | 栽培资源较丰富。

| **采收加工** | 花盛开时采收全草、花序，晒干；种子成熟后适时采收种子，由于种子易脱落，应于清晨采收。

| **功效物质** | 种子含有黄酮类、木脂素类、甾体类、芳香族化合物等。叶含有挥发油类。花含有大波斯菊苷、金圣草酚糖苷等黄酮类成分。其中，秋英三萜醇类成分具有抗炎活性，秋英花酚类成分具有抗氧化活性。

| **功能主治** | 甘，平。归心、肺经。清热解毒，明目化湿。用于急、慢性痢疾，目赤肿痛；外用于痈疮肿毒。

| **用法用量** | 内服煎汤，全草 31 ~ 62 g。外用适量，鲜全草加红糖捣敷。

| **附　　注** | （1）本种喜光，耐贫瘠土壤，忌肥，忌炎热，忌积水，不耐寒。
（2）本种原产于墨西哥。

菊科 Compositae 大丽花属 *Dahlia* 凭证标本号 320621181125007LY

大丽花 *Dahlia pinnata* Cav.

| 药 材 名 |

大理菊（药用部位：块根）。

| 形态特征 |

多年生草本。有巨大棒状块根。茎直立，多分枝，高 1.5 ~ 2 m，粗壮。叶 1 ~ 3 回羽状全裂，上部叶有时不分裂，裂片卵形或长圆状卵形，下面灰绿色，两面无毛。头状花序大，有长花序轴，常下垂，宽 6 ~ 12 cm；总苞片外层约 5，卵状椭圆形，叶质，内层膜质，椭圆状披针形；舌状花 1 层，白色、红色或紫色，常卵形，先端有不明显的 3 齿或全缘；管状花黄色，栽培品种有时全部为舌状花。瘦果扁平，长圆形，长 9 ~ 12 mm，宽 3 ~ 4 mm，黑色，有 2 不明显的齿。花期 6 ~ 12 月，果期 9 ~ 10 月。

| 生境分布 |

江苏各地庭院均有栽培。

| 资源情况 |

栽培资源丰富。

| 采收加工 | 秋季采挖，洗净，鲜用或晒干。

| 药材性状 | 本品呈长纺锤形，微弯，有的已压扁，有的切成两瓣，长 6 ~ 10 cm，直径 3 ~ 4.5 cm。表面灰白色或类白色，未去皮的黄棕色，有明显而不规则的纵沟纹，先端有茎基痕，先端及尾部均呈纤维状。质硬，不易折断，断面类白色，角质化。气微，味淡。

| 功效物质 | 全草含有十三碳二烯四炔、十四碳二烯三炔、苯基庚三炔等炔类成分，以及黄酮类、多糖类等成分。块根富含多聚果糖和菊糖。

| 功能主治 | 辛、甘，平。清热解毒，散瘀止痛。用于腮腺炎，龋齿疼痛，无名肿毒，跌打损伤。

| 用法用量 | 内服煎汤，6 ~ 12 g。外用适量，捣敷。

| 附 注 | （1）有些地区加工本种的块根伪充天麻，系伪品。
（2）本种不耐寒，霜后茎叶立刻枯萎；畏酷暑，在夏季气候凉爽、昼夜温差大的地区生长开花较好。生长期对水分要求严格，不耐干旱且忌积水，喜腐殖质丰富的砂壤土。喜光，但夏季强光时需略遮阴。
（3）本种原产于墨西哥的高原地区。

| 菊科 | Compositae | 蓝刺头属 | *Echinops* | 凭证标本号 | 320830160712004LY |

华东蓝刺头 *Echinops grijsii* Hance

| **药 材 名** | 禹州漏芦（药用部位：根）。

| **形态特征** | 多年生草本，高 30 ~ 80 cm。植株密被蛛丝状毛。茎直立，单生。叶纸质；基生叶及下部茎生叶有长柄，叶片椭圆形、长椭圆形至卵状披针形，长 10 ~ 15 cm，宽 4 ~ 7 cm，羽状深裂，裂片边缘具刺状缘毛；向上叶渐小；中部茎生叶披针形或长椭圆形，羽状深裂，无柄或具短柄；叶上面绿色，下面白色或灰白色，密被毛。复头状花序单生于茎顶，头状花序长 1.5 ~ 2 cm，基毛多数，白色，不等长；总苞片 24 ~ 28，外层与基毛近等长，线状倒披针形，具白色长缘毛，上部椭圆形，褐色，具短缘毛，中层长椭圆形，上部边缘具短缘毛，先端芒刺状短渐尖，内层长椭圆形，先端芒状齿裂或芒状片裂；小

花蓝色，花冠 5 深裂，花冠管外面有腺点。瘦果倒圆锥状，长 1 cm，被棕黄色长毛；冠毛杯状，冠毛鳞片线形，边缘糙毛状，大部分合生。花果期 7 ~ 10 月。

| **生境分布** | 生于海拔 120 m 以上的山坡草地、荒坡或丘陵沙地。江苏各地均有分布。

| **资源情况** | 野生资源一般。

| **采收加工** | 春、秋季采挖，除去须根及泥沙，晒干。

| **药材性状** | 本品呈类圆柱形，稍扭曲，长 10 ~ 25 cm，直径 0.5 ~ 1.5 cm。表面灰黄色或灰褐色，具纵皱纹，先端有纤维状棕色硬毛。质硬，不易折断，断面皮部褐色，木部呈黄黑相间的放射状纹理。气微，味微涩。

| **功效物质** | 含有大量的噻吩类成分，以及挥发油类、三萜类及甾体类等成分。噻吩类成分有 α- 三联噻吩、卡多帕亭、异卡多帕亭、5-（4-O- 异戊酰基丁炔 -1）- 联噻吩等，挥发油类成分有柠檬烯、薄荷酮、异薄荷酮、葎草烯、红没药烯等，三萜及其皂苷类成分有地榆皂苷 I、蒲公英萜醇乙酸酯、熊果酸等。噻吩类成分具有杀虫、抗真菌、抗人类免疫缺陷病毒等作用，三萜皂苷类成分具有保肝活性。

| **功能主治** | 苦，寒。归胃经。清热解毒，排脓止血，消痈，下乳。用于诸疮痈肿，乳痈肿痛，乳汁不通，瘰疬疮毒等。

| **用法用量** | 内服煎汤，4.5 ~ 9 g。

| **附　　注** | （1）蓝刺头 *Echinops davuricus* Fisch. ex Hornem. 曾与漏芦属祁州漏芦 *Rhaponticum uniflorum* (L.) DC. 一起作为漏芦的基原收载于《中国药典》中。现代研究已证实，两者的化学成分及疗效各不相同，2020 年版《中国药典》将祁州漏芦的根称漏芦，将本种与蓝刺头的根称禹州漏芦。

（2）本种为我国特有种。

菊科 Compositae 鳢肠属 *Eclipta* 凭证标本号 320111140829017LY

鳢肠
Eclipta prostrata L.

| 药 材 名 | 墨旱莲（药用部位：地上部分）。

| 形态特征 | 一年生草本，高达 60 cm。茎直立、斜升或平卧，被贴生糙毛。叶长圆状披针形或披针形，无柄或具短柄，长 3 ~ 10 cm，宽 5 ~ 25 mm，先端渐尖，边缘有细锯齿或呈波状，两面密被硬糙毛。头状花序直径 6 ~ 8 mm；花序轴长 2 ~ 4 cm；总苞球状钟形；总苞片 5 ~ 6，绿色，2 层，长圆形或长圆状披针形，外层较内层稍短，背面及边缘被白色短伏毛；花序托凸起，托苞披针形或线形；舌状花 2 层，长 2 ~ 3 mm，舌片短，先端 2 浅裂或全缘；管状花多数，白色，长约 1.5 mm，先端 4 齿裂；花柱分枝钝，有乳头状突起。瘦果暗褐色，长约 2.8 mm，雌花的瘦果三棱状，两性花的瘦果扁

四棱状，先端截形，具 1 ~ 3 细齿，基部稍缩小，边缘具白色的肋，表面有小瘤状突起。花期 6 ~ 9 月。

| **生境分布** | 生于低洼湿润地带和水田中。江苏各地均有分布。

| **资源情况** | 野生资源丰富。

| **采收加工** | 花开时采割，晒干。

| **药材性状** | 本品全体被白色粗毛。茎圆柱形，多分枝，直径 2 ~ 7 mm；表面灰绿色或稍带紫色，有纵棱；质脆，易折断，断面黄白色，中央为白色疏松的髓部，有时中空。叶对生，多卷缩或破碎，墨绿色，完整叶片展平后呈披针形，长 3 ~ 10 cm，宽 0.5 ~ 2.5 cm，全缘或稍有细锯齿，近无柄。头状花序单生于枝端，直径 6 ~ 11 mm，总花梗细长，总苞片 5 ~ 6，黄绿色或棕褐色，花冠多脱落。瘦果扁椭圆形，棕色，表面有小瘤状突起。气微香，味淡、微咸、涩。以色黑绿、叶多者为佳。

| **功效物质** | 地上部分主要含有三萜类、香豆素类、黄酮类、甾体类、噻吩类和挥发油类等成分。三萜皂苷类成分的结构母核包括蒲公英赛烷型、齐墩果烷型。香豆素类成分均为呋喃型，主要有蟛蜞菊内酯、去甲蟛蜞菊内酯、异去甲基蟛蜞菊内酯等；蟛蜞菊内酯是发挥保肝作用的物质基础，其作为 Na^+-K^+-ATP 酶及异构酶 II 型的抑制剂，具有抑制乳腺癌的肺转移、干预肺纤维化和肺癌形成的作用。挥发油类成分主要为单萜类和倍半萜类，占地上部分总挥发油的 84.57%。

| **功能主治** | 甘、酸，凉。归肝、肾经。滋补肝肾，凉血止血。用于牙齿松动，须发早白，眩晕耳鸣，腰膝酸软，阴虚血热，吐血，衄血，尿血，血痢，崩漏下血，外伤出血。

| **用法用量** | 内服煎汤，9 ~ 30 g；或熬膏；或捣汁；或入丸、散剂。外用适量，捣敷；或捣绒塞鼻；或研末敷。

| **附　注** | 本种喜湿耐旱，抗盐耐瘠、耐阴，能在含盐量达 0.45% 的中、重度盐碱地上生长。

菊科 Compositae 一点红属 *Emilia* 凭证标本号 320282140825130LY

一点红
Emilia sonchifolia (L.) DC.

| 药 材 名 | 羊蹄草（药用部位：全草）。

| 形态特征 | 一年生草本，高 25 ~ 40 cm。茎直立或斜升。叶片质厚，长 5 ~
10 cm，宽 2.5 ~ 6.5 cm，大头羽状分裂，顶生裂片大，宽卵状三角
形，先端钝或近圆形，具不规则齿，侧生裂片常 1 对，长圆形或长
圆状披针形，先端钝或尖，具波状齿，上面深绿色，下面常紫色，
两面被短卷毛；中部茎生叶较小，卵状披针形或长圆状披针形，基
部箭状抱茎，全缘或有不规则细齿；上部茎生叶少数，线形。头状
花序顶生，常 2 ~ 5 排成疏伞房状，开花前下垂，花后直立；花序
轴长 2.5 ~ 5 cm；总苞圆柱状，长 8 ~ 14 mm；总苞片 8 ~ 9，1 层，
长圆状线形或线形，约与小花等长，边缘狭干膜质；小花粉红色或

紫色，长约 9 mm，管部细长，檐部渐扩大，具 5 深裂。瘦果圆柱状，长 3 ～ 4 mm，具 5 肋；冠毛多数，白色。花果期 7 ～ 10 月。

| **生境分布** | 生于山坡荒地、田埂、路旁，亦有栽培。分布于江苏无锡（宜兴）等。

| **资源情况** | 野生资源一般。

| **采收加工** | 夏、秋季采收，洗净，晒干或趁鲜切段，晒干。

| **药材性状** | 本品长约 30 cm。根茎细长，圆柱形，浅棕黄色。茎少分枝，细圆柱形，有纵纹，灰青色。基部叶卵形、琴形，茎上部叶较小，基部稍抱茎；纸质。头状花序干枯，花多已脱落，花托及总苞残存，苞片茶褐色，膜质。瘦果浅黄褐色，冠毛极多，白色。有干草气，味淡、略咸。以干燥叶多者为佳。

| **功效物质** | 全草主要含有鼠李素、异鼠李素、槲皮素和木犀草素等黄酮类成分，具有良好的抗氧化作用；此外，尚含有生物碱类、三萜类、醇类、烷烃类、甾体类及有机酸类等成分，生物碱类成分有橙黄胡椒酰胺乙酸酯、多榔菊碱、克氏千里光碱等。

| **功能主治** | 苦，凉。清热解毒，散瘀消肿。用于上呼吸道感染，口腔溃疡，肺炎，乳腺炎，肠炎，细菌性痢疾，尿路感染，疮疖痈肿，湿疹，跌打损伤。

| **用法用量** | 内服煎汤，9 ～ 18 g，鲜品 15 ～ 30 g；或捣汁含咽。外用适量，煎汤洗；或捣敷。

菊科 Compositae 飞蓬属 Erigeron 凭证标本号 320481151024049LY

一年蓬
Erigeron annuus (L.) Pers.

| 药 材 名 | 一年蓬（药用部位：全草）。

| 形态特征 | 一年生或二年生草本，高 30 ~ 100 cm。茎直立，被硬毛。叶两面有时疏被短硬毛；基生叶花期枯萎，长圆形或宽卵形，长 4 ~ 17 cm，宽 1.5 ~ 4 cm，先端尖或钝，基部具翅柄，边缘具粗齿；茎下部叶与基生叶同形；茎中部叶和上部叶较小，长圆状披针形或披针形，长 1 ~ 9 cm，宽 5 ~ 20 mm，先端尖，边缘具不规则齿，或近全缘；茎最上部叶线形。头状花序排成疏圆锥状；总苞半球状；总苞片 3 层，披针形，近等长或外层稍短，淡绿色或带褐色，背面密被腺毛和疏长节毛；舌状花 2 层，舌片线形，平展，白色或有时淡蓝色，先端具 2 齿，花柱分枝线形；盘花管状，黄色，檐部近倒

锥形。瘦果披针形，长约 1.2 mm，压扁，疏被柔毛；雌花的冠毛极短，鳞片状，合生成冠状，两性花的冠毛 2 层，外层鳞片状，内层刚毛 10 ～ 15，长约 2 mm。花期 6 ～ 9 月。

| 生境分布 | 生于山坡、路边及田野中。江苏各地均有分布。

| 资源情况 | 野生资源较丰富。

| 采收加工 | 夏、秋季采收，洗净，鲜用或晒干。

| 药材性状 | 本品疏被粗毛。根呈圆锥形，有分枝，黄棕色，具多数须根。茎呈圆柱形，长 40 ～ 80 cm，直径 2 ～ 4 mm；表面黄绿色，有纵棱线；质脆，易折断，断面有大形白色的髓。单叶互生，叶片皱缩或已破碎，完整者展平后呈披针形，黄绿色。有的于枝顶和叶腋可见头状花序排列成伞房状或圆锥状，花淡棕色。气微，味微苦。

| 功效物质 | 主要含有飞蓬黄烷酮、槲皮素、芹菜素等黄酮类成分。此外，尚含有倍半萜类、三萜类、酚酸类、挥发油类等资源性成分。其中，黄酮类成分具有扩张冠状动脉的作用，大香叶烯具有较强的生物信息素样作用。

| 功能主治 | 甘、苦，凉。归胃、大肠经。消食止泻，清热解毒，截疟。用于消化不良，胃肠炎，齿龈炎，疟疾，毒蛇咬伤。

| 用法用量 | 内服煎汤，30 ～ 60 g。外用适量，捣敷。

菊科 Compositae 泽兰属 *Eupatorium* 凭证标本号 321183150921750LY

大麻叶泽兰
Eupatorium cannabinum L.

| 药材名 | 大麻叶佩兰（药用部位：全草）。

| 形态特征 | 多年生草本，高 50 ~ 150 cm。根茎粗壮，有节，生多数细根。茎直立，全部或下部淡紫红色，不分枝或仅在茎顶有伞房状花序分枝，茎基部直径达 5 cm；全部茎枝被短柔毛，花序分枝及花梗上的毛较密，花期中下部毛脱落。叶对生，有短柄，柄长 0.5 cm；中、下部茎生叶 3 全裂，中裂片大，长 6 ~ 11 cm，宽 2 ~ 3 cm，长椭圆形或长披针形，基部楔形或宽楔形，先端渐尖或长渐尖，侧生裂片小，与中裂片同形；上部茎生叶渐小，3 全裂或不分裂；下部茎生叶花期脱落；全部茎生叶两面粗涩，质地稍厚，被稀疏白色短柔毛及腺点，下面毛较密，羽状脉，侧脉 5 ~ 6 对，边缘有锯齿。头状花序

多数在茎顶及枝端排成密集的复伞房花序，花序直径 5 ~ 8 cm；总苞钟状，长 6 mm，含 3 ~ 7 小花；总苞片 9 ~ 10，2 ~ 3 层，覆瓦状排列，外层短，卵状披针形，长 2 mm，外面被短柔毛，中、内层渐长，披针形，长 5 ~ 6 mm，边缘膜质，先端急尖并染紫红色；花紫红色、粉红色或淡白色，花冠长约 5 mm，外面被稀疏黄色腺点。瘦果黑褐色，圆柱状，长 3 mm，具 5 棱，散布黄色腺点；冠毛白色，长约 5 mm。

| 生境分布 | 生于小山山顶、山坡草丛或村落竹林内。分布于江苏无锡（宜兴）等。

| 资源情况 | 野生资源较丰富。

| 采收加工 | 夏季花未开时采收，除尽泥沙，晒干或阴干。

| 药材性状 | 本品被短柔毛。茎粗大，基部木质化。叶对生，有短柄，多皱缩，绿色或黄绿色，中、下部茎生叶 3 全裂，中裂片大，完整者展平后呈长椭圆形或长披针形，长 6 ~ 11 cm，宽 2 ~ 3 cm，先端渐尖或长渐尖，基部楔形或宽楔形，上部茎生叶渐小。气微香，味苦、涩。

| 功效物质 | 地上部分主要含有矢车菊黄素、粗毛豚草素等黄酮类成分，泽兰苦素、过氧大麻叶泽兰内酯等倍半萜类成分，刺凌德草碱、仰卧天芥菜碱等生物碱类成分，以及三萜类、甾体类等资源性成分。根、叶、花含有芦荟烯醇和 α-萜品烯等挥发油类成分。

| 功能主治 | 辛，平。清暑，辟秽，化湿。用于夏季伤暑，发热头痛，湿邪内蕴，脘痞不饥，口苦苔腻。

| 用法用量 | 内服煎汤，4 ~ 9 g。

| 附　注 | 本种民间还用于治疗痈疖肿毒、跌打损伤等。

菊科 Compositae 泽兰属 Eupatorium 凭证标本号 320482181015072LY

多须公 *Eupatorium chinense* L.

| **药 材 名** | 广东土牛膝（药用部位：根）、华泽兰（药用部位：全草）。 |

| **形态特征** | 多年生草本或半灌木，高 70 ~ 200 cm。茎中部以下木质，被白色短柔毛。叶对生，几无柄；中部茎生叶卵形、宽卵形，稀卵状披针形至长卵形，长 4.5 ~ 10 cm，宽 3 ~ 5 cm，基部圆形，先端渐尖或钝，羽状脉 3 ~ 7 对；向上及向下的叶渐小，下部茎生叶花期枯萎；全部茎生叶被白色短柔毛及黄色腺点，边缘具圆锯齿。头状花序顶生，排成复伞房状；总苞钟状，长约 5 mm；小花 5；总苞片3 层，外层短，卵形或披针状卵形，外面被短柔毛及稀疏腺点，中、内层渐长，长椭圆形或长椭圆状披针形，上部及边缘白色干膜质，背面有黄色腺点；花白色、粉色或红色；花冠长 5 mm，外面疏被 |

黄色腺点。瘦果淡黑褐色，椭圆状，长 3 mm，具 5 棱，散生黄色腺点。花果期 6 ~ 11 月。

| 生境分布 | 生于丘陵山区的密林下阴湿处。江苏各地均有分布。

| 资源情况 | 野生资源较丰富。

| 采收加工 | **广东土牛膝**：秋季采挖，洗净，切段，晒干。
华泽兰：夏末秋初采收，除去泥土，晒干。

| 药材性状 | **广东土牛膝**：本品呈须状圆柱形，长 10 ~ 35 cm，最长可达 50 cm，直径 0.2 ~ 0.4 cm，外表黄棕色。质坚硬而脆，易折断，断面白色。略有甘草气，味淡。

| 功效物质 | 全草主要含有萜类、黄酮类、苯并呋喃类等资源性成分，茎和叶主要含有倍半萜类成分，根主要含有苯并呋喃类成分，其中，苯并呋喃类成分及其多聚体具有良好的抗肿瘤活性。

| 功能主治 | **广东土牛膝**：苦、甘，凉。清热利咽，凉血散瘀，解毒消肿。用于咽喉肿痛，白喉，吐血，血淋，赤白下痢，跌打损伤，痈疮肿毒，毒蛇咬伤，烫火伤。
华泽兰：苦、辛，平；有毒。清热解毒，疏肝活血。用于风热感冒，胸胁痛，脘痛腹胀，跌打损伤，痈肿疮毒，蛇咬伤。

| 用法用量 | **广东土牛膝**：内服煎汤，10 ~ 20 g，鲜品 30 ~ 60 g。外用适量，捣敷；或煎汤洗。孕妇禁服。
华泽兰：内服煎汤，10 ~ 20 g，鲜品 30 ~ 60 g。外用适量，捣敷；或煎汤洗。

菊科 Compositae 泽兰属 *Eupatorium* 凭证标本号 320922180715024LY

佩兰
Eupatorium fortunei Turcz.

| 药 材 名 | 佩兰（药用部位：地上部分）。

| 形态特征 | 多年生草本，高 40 ~ 100 cm，全体及花有香气。茎直立，绿色或红紫色，被稀疏的短柔毛。中部茎生叶较大，叶片 3 全裂或 3 深裂，中裂片较大，长椭圆形、长椭圆状披针形或倒披针形，长 5 ~ 10 cm，宽 1.5 ~ 2.5 cm，先端渐尖，侧生裂片与中裂片同形而较小，叶柄长 7 ~ 10 mm；上部茎生叶常不分裂，或全部茎生叶不裂，披针形、长椭圆状披针形或长椭圆形，长 6 ~ 12 cm，宽 2.5 ~ 4.5 cm，两面光滑，叶脉羽状，边缘具齿，叶柄长 1 ~ 1.5 cm；中部以下茎生叶渐小，基生叶花期枯萎。头状花序顶生，排成复伞房状；总苞钟状，长 6 ~ 7 mm；总苞片 2 ~ 3 层，外层短，卵状披针形，中、内层渐

长，长椭圆形，总苞片紫红色，先端钝；花白色或带微红色，花冠长约 5 mm，外面无腺点。瘦果黑褐色，长椭圆状，具 5 棱，长 3 ~ 4 mm；冠毛白色，长约 5 mm。花果期 7 ~ 11 月。

| **生境分布** | 生于路边灌丛及山沟路旁。江苏淮安（盱眙）有少量栽培。

| **资源情况** | 野生及栽培资源较丰富。

| **采收加工** | 夏、秋季分 2 次采割，除去杂质，晒干。

| **药材性状** | 本品茎呈圆柱形，长 30 ~ 100 cm，直径 2 ~ 5 mm；表面黄棕色或黄绿色，有明显的节及纵棱线，节间长 3 ~ 7 cm；质脆，断面髓部白色或中空。叶对生，多皱缩、破碎，完整叶展平后通常 3 裂，裂片长圆形或长圆状披针形，边缘有锯齿，表面绿褐色或暗绿色。气芳香，味微苦。以质嫩、叶多、色绿、香气浓郁者为佳。

| **功效物质** | 主要富含具有抗炎、祛痰、抗病毒等活性的挥发油类和蒲公英甾醇、蒲公英甾醇乙酸酯等三萜类成分，2-*O*-*β*-D-吡喃葡萄糖基反式肉桂酸、异鼠李素-3-*O*-芸香糖苷等酚酸类和黄酮类及黄酮苷类成分，以及具有抗肿瘤活性的生物碱类成分。

| **功能主治** | 辛，平。归脾、胃经。芳香化湿，醒脾开胃，发表解暑。用于湿浊中阻，脘痞呕恶，口中甜腻，口臭，多涎，暑湿表证，湿温初起，发热倦怠，胸闷不舒。

| **用法用量** | 内服煎汤，6 ~ 10 g，鲜品 15 ~ 30 g。

| **附　注** | 古籍中多次出现佩兰"护发、药浴"的记载，说明佩兰具有外用之法，今后可对其外用进行研究与开发。

菊科 Compositae 泽兰属 Eupatorium 凭证标本号 320115170714071LY

白头婆

Eupatorium japonicum Thunb.

| 药材名 |

白头婆（药用部位：全草）。

| 形态特征 |

多年生草本，高 50 ~ 200 cm。茎直立，中下部或全部淡紫红色，被白色短柔毛。叶对生；叶柄长 1 ~ 2 cm；中部茎生叶椭圆形、卵状长椭圆形或披针形，长 6 ~ 20 cm，宽 2 ~ 6.5 cm，基部宽或狭楔形，先端渐尖，叶脉羽状，侧脉约 7 对；向上及向下的叶渐小，基部叶花期枯萎；叶两面被柔毛及黄色腺点，边缘具粗锯齿或重锯齿。头状花序顶生，排成伞房状或复伞房状；总苞钟状，长 5 ~ 6 mm；小花 5；总苞片 3 层，外层极短，披针形，中、内层渐长，长椭圆形或长椭圆状披针形，绿色或带紫红色，先端钝或圆形；花白色或带红紫色或粉红色，花冠长 5 mm，外面密被黄色腺点。瘦果淡黑褐色，椭圆状，长 3.5 mm，具 5 棱，被多数黄色腺点；冠毛白色，长约 5 mm。花果期 6 ~ 11 月。

| 生境分布 |

生于海拔 120 ~ 3 000 m 的山坡草地、林下、灌丛、沼泽湿地及河岸水旁。江苏各地均有分布。

| **资源情况** | 野生资源较丰富。

| **采收加工** | 夏、秋季采收，洗净，鲜用或晒干。

| **功效物质** | 富含挥发油类、黄酮类及生物碱类成分，具有良好的抗肿瘤、抗炎及抗骨质疏松等活性。

| **功能主治** | 祛暑发表，化湿和中，理气活血，解毒。用于夏伤暑湿，发热头痛，胸闷腹胀，消化不良，胃肠炎，感冒，咳嗽，咽喉炎，扁桃体炎，月经不调，跌打损伤，痈肿，蛇咬伤。

菊科 Compositae 泽兰属 Eupatorium 凭证标本号 320115150923015LY

林泽兰
Eupatorium lindleyanum DC.

| 药 材 名 | 野马追（药用部位：地上部分）。

| 形态特征 | 多年生草本，高 30 ~ 150 cm。地下具短根茎，四周丛生须根，支根纤细，淡黄白色。茎直立，上部分枝，淡褐色或带紫色，散生紫色斑点，被粗毛，幼时尤密。叶对生，无柄或几无柄；叶片条状披针形，长 5 ~ 12 cm，宽 1 ~ 2 cm，不裂或基部 3 裂，边缘有疏锯齿，两面粗糙，无毛，或下面或仅沿脉有细柔毛，下面有黄色腺点，基出 3 脉，脉在下面隆起。头状花序；总苞钟状；总苞片淡绿色或带紫红色，先端急尖；头状花序含 5 筒状两性花。瘦果长 2 ~ 3 mm，有腺点，无毛；冠毛污白色，比花冠筒短。花果期 5 ~ 12 月。

| 生境分布 | 生于湿润山坡、草地或溪旁。分布于江苏镇江（句容）、常州（金

坛）、南京（溧水）、淮安（盱眙）等。

| **资源情况** | 野生资源一般。

| **采收加工** | 秋季花初开时割取，晒干扎成捆即可。收获时要注意保持植株完整，尤其不要碰落叶子。

| **功效物质** | 主要含有倍半萜类、黄酮类、三萜类、挥发油类、有机酸类及其他类成分，其中对倍半萜类化合物的研究最多。

| **功能主治** | 化痰，止咳，平喘。用于痰多，咳嗽，气喘。

| **附　　注** | 本种怕旱，栽培时宜选择潮湿、腐殖质较多的土壤。药用地上部分收割后，地下根翌年仍可发出新苗。一次栽种可以连续收获多年，一般栽种后第 2 ~ 3 年收获量最高。

菊科 Compositae 牛膝菊属 Galinsoga 凭证标本号 320381180816047LY

牛膝菊
Galinsoga parviflora Cav.

| 药 材 名 | 辣子草（药用部位：全草）、向阳花（药用部位：花）。

| 形态特征 | 一年生草本，高 10 ~ 80 cm。茎纤细，基部直径不足 1 mm，或粗
壮，基部直径约 4 mm，不分枝或自基部分枝，分枝斜升，全部
茎枝被疏散或上部稠密的贴伏短柔毛和少量腺毛，茎基部和中部
花期脱毛或稀毛。叶对生，卵形或长椭圆状卵形，长（1.5 ~ ）
2.5 ~ 5.5 cm，宽（0.6 ~ ）1.2 ~ 3.5 cm，基部圆形、宽或狭楔
形，先端渐尖或钝，基出 3 脉或不明显五出脉，在叶下面稍凸起，
在上面平，叶柄长 1 ~ 2 cm；向上及花序下部的叶渐小，通常披
针形；全部茎生叶两面粗涩，被白色稀疏贴伏的短柔毛，沿脉和
叶柄上的毛较密，边缘具浅锯齿、钝锯齿或波状浅锯齿，花序下部

的叶有时全缘或近全缘。头状花序半球形，有长花梗，多数在茎枝先端排成疏松的伞房花序，花序直径约 3 cm；总苞半球状或宽钟状，宽 3 ～ 6 mm；总苞片约 5，1 ～ 2 层，外层短，内层卵形或卵圆形，长 3 mm，先端圆钝，白色，膜质；舌状花 4 ～ 5，舌片白色，先端 3 齿裂，筒部细管状，外面被稠密的白色短柔毛；管状花花冠长约 1 mm，黄色，下部被稠密的白色短柔毛；托片倒披针形或长倒披针形，纸质，先端 3 裂、不裂或侧裂。瘦果长 1 ～ 1.5 mm，具 3 棱或中央的瘦果具 4 ～ 5 棱，黑色或黑褐色，常压扁，被白色微毛；舌状花冠毛毛状，脱落，管状花冠毛膜片状，白色，披针形，边缘流苏状，固结于冠毛环上，整体脱落。花果期 7 ～ 10 月。

| 生境分布 | 生于林下、庭院、绿化带、园区、荒地、河谷地、溪边、路边、低洼农田等，在土壤肥沃而湿润的地带生长数量较多。江苏各地均有分布。江苏各地有少量栽培。

| 资源情况 | 野生及栽培资源较丰富。

| 采收加工 | 辣子草：夏、秋季采收，洗净，鲜用或晒干。
向阳花：秋季采摘，晒干。

| 功效物质 | 全草含有牛膝菊苷、三羟基黄烷酮等黄酮类成分，贝壳杉烷型二萜类成分，熊果酸型三萜类成分，以及有机酸类、挥发油类和甾醇类等成分。挥发油类成分具有抗菌作用。

| 功能主治 | 辣子草：淡，平。清热解毒，止咳平喘，止血。用于扁桃体炎，咽喉炎，黄疸性肝炎，咳喘，肺结核，新星疮，外伤出血。
向阳花：微苦、涩，平。清肝明目。用于夜盲症，视力模糊。

| 用法用量 | 辣子草：内服煎汤，30 ～ 60 g。外用适量，研末敷。
向阳花：内服煎汤，15 ～ 25 g。

菊科 Compositae 鼠曲草属 Pseudognaphalium

宽叶鼠曲草 Pseudognaphalium adnatum (Candolle) Y. S. Chen

| 药 材 名 |

地膏药（药用部位：全草或叶）。

| 形态特征 |

一年生或多年生粗壮草本。茎直立，高 0.5 ~ 1 m，基部直径 4 ~ 8 mm，下部通常不分枝或罕有分枝，上部有伞房状分枝，密被紧贴的白色绵毛，节间长 1 ~ 2 cm。基生叶花期凋落；茎中部及下部叶倒披针状长圆形或倒卵状长圆形，长 4 ~ 9 cm，宽 1 ~ 2.5 cm，基部长渐狭，下延抱茎，但无耳，先端短尖，近革质，两面密被白色绵毛，中脉在两面均高起，侧脉 1 对，常因被密绵毛而不明显；上部花序枝的叶小，线形，长 1 ~ 3 cm，宽 2 ~ 5 mm，先端短尖，两面密被白色绵毛。头状花序少数或较多数，直径 5 ~ 6 mm，在枝端密集成球状，并在茎上部排成大的伞房花序；总苞近球形，直径 5 ~ 6 mm；总苞片 3 ~ 4 层，干膜质，淡黄色或黄白色，外层倒卵形或倒披针形，先端浑圆，长约 4 mm，内层长圆形或狭长圆形，长约 4 mm；雌花多数，结实，花冠丝状，长约 3 mm，顶部 3 ~ 4 齿裂，具腺点，花柱分枝纤细；两性花较少，通常 5 ~ 7，花冠管状，长约 3 mm，上部稍扩大，檐部 5 裂，裂片浑圆，具腺点。瘦果圆柱形，长约 0.5 mm，具乳头状突起；冠毛白色，长约 3 mm。花期 8 ~ 10 月。

| **生境分布** | 生于海拔 500 ~ 3 000 m 的山坡、路旁、灌丛。江苏各地均有分布。

| **资源情况** | 野生资源较丰富。

| **采收加工** | 一般鲜用，也可于秋季采收，晒干。

| **功效物质** | 主要含有苯酞类、黄酮类及三萜类成分。

| **功能主治** | 苦，寒。清热燥湿，解毒散结，止血。用于湿热痢疾，痈疽肿毒，瘰疬，外伤出血。

| **用法用量** | 内服煎汤，9 ~ 15 g。外用适量，捣敷。

菊科 Compositae 鼠曲草属 Pseudognaphalium 凭证标本号 320703170420704LY

鼠曲草 *Pseudognaphalium affine* (D. Don) Anderberg

药材名

鼠曲草（药用部位：全草）。

形态特征

一年生草本，高 10 ～ 80 cm。茎直立或斜升，被白色厚绵毛。叶匙状倒披针形或倒卵状匙形，长 5 ～ 7 cm，宽 11 ～ 14 mm；上部叶长 15 ～ 20 mm，宽 2 ～ 5 mm，基部渐狭，稍下延，先端圆，具尖头，两面被白色绵毛。头状花序直径 2 ～ 3 mm，顶生，排成密集伞房状；总苞钟状，直径 2 ～ 3 mm；总苞片 2 ～ 3 层，金黄色或柠檬黄色，有光泽，外层倒卵形或匙状倒卵形，背面基部被绵毛，内层长匙形；花序托中央稍凹下；雌花多数，花冠细管状，3 齿裂；两性花少数，管状，向上渐扩大，檐部 5 浅裂，裂片三角形。瘦果倒卵状或倒卵形圆柱状，长约 0.5 mm，有乳头状突起；冠毛粗糙，污白色，易脱落，长约 1.5 mm，基部合生成 2 束。花期 1 ～ 4 月、8 ～ 11 月。

生境分布

生于荒地、草坡、田间等湿润处。江苏各地均有分布。

| 资源情况 | 野生资源较丰富。

| 采收加工 | 春季花开时采收，去净杂质，晒干；鲜品随采随用。

| 药材性状 | 本品密被灰白色绵毛。根较细，灰棕色。茎常自基部分枝成丛，长 15～30 cm，直径 1～2 mm。叶皱缩、卷曲，展平后叶片呈条状匙形或倒披针形，长 2～6 cm，宽 0.3～1 cm，全缘，两面均密被灰白色绵毛；质柔软。头状花序顶生，多数，金黄色或棕黄色，舌状花及管状花多已脱落，花托扁平，有花脱落后的痕迹。气微，味微甘。以色灰白、叶及花多者为佳。

| 功效物质 | 主要含有绿原酸、咖啡酸等酚酸类成分，汉黄芩素、金合欢素、异泽兰黄素、金丝桃苷等黄酮类成分，以及香豆素类、挥发油类、生物碱类、甾体类、萜类等资源性成分。全草对支气管哮喘、肺癌、慢性阻塞性肺疾病等呼吸系统疾病有良好的防治作用。黄酮类成分为抗炎、抗氧化作用的活性成分。

| 功能主治 | 甘、微酸，平。归肺经。化痰止咳，祛风除湿，解毒。用于咳喘痰多，风湿痹痛，泄泻，水肿，蚕豆病，赤白带下，痈肿疔疮，阴囊湿痒，荨麻疹，高血压。

| 用法用量 | 内服煎汤，6～15 g；或研末；或浸酒。外用适量，煎汤洗；或捣敷。

菊科 Compositae 鼠曲草属 *Pseudognaphalium* 凭证标本号 321084180605026LY

秋鼠曲草
Pseudognaphalium hypoleucum (DC.) Hilliard et B. L. Burtt.

| 药 材 名 |

天水蚁草（药用部位：全草）。

| 形态特征 |

粗壮草本，高 70 cm。茎直立，基部常木质，初时被白色厚绵毛。茎下部叶线形，长约 8 cm，宽约 3 mm，基部略狭，稍抱茎，先端渐尖，上面有腺毛，有时沿中脉疏被蛛丝状毛，下面厚被白色绵毛；茎中部叶和上部叶较小。头状花序直径约 4 mm，顶生，密集排成伞房状；花黄色；总苞球状，直径约 4 mm；总苞片 4 层，金黄色或黄色，有光泽，外层倒卵形，背面被白色绵毛，内层线形；雌花多数，花冠丝状，先端 3 齿裂；两性花较少，花冠管状，两端向中部渐狭，檐部 5 浅裂，裂片卵状渐尖。瘦果卵状或卵形圆柱状，先端平截；冠毛绢毛状，粗糙，污黄色，长 3 ~ 4 mm。花期 8 ~ 12 月。

| 生境分布 |

生于山坡、草丛、林缘或路旁。江苏各地均有分布。

| 资源情况 |

野生资源一般。

| **采收加工** | 夏、秋季采收，洗净，鲜用或晒干。

| **功效物质** | 主要含有黄酮类成分。

| **功能主治** | 苦、甘，微寒。疏风清热，解毒，利湿。用于感冒，咳嗽，泄泻，痢疾，风湿痛，疮疡，瘰疬。

| **用法用量** | 内服煎汤，9～15 g。外用适量，鲜品捣敷。

| 菊科 | Compositae | 合冠鼠曲草属 | *Gamochaeta* | 凭证标本号 | 3201251505051 80LY |

匙叶合冠鼠曲草

Gamochaeta pensylvanica (Willdenow) Cabrera

| 药 材 名 |

匙叶鼠曲草（药用部位：全草）。

| 形态特征 |

一年生草本。茎直立或斜升，高 30 ～ 45 cm，基部直径 3 ～ 4 mm，基部斜倾分枝或不分枝，有沟纹，被白色绵毛，节间长 2 ～ 3 cm。茎下部叶无柄，倒披针形或匙形，长 6 ～ 10 cm，宽 1 ～ 2 cm，基部长渐狭，下延，先端钝、圆，或有时中脉延伸成刺尖状，全缘或微波状，上面被疏毛，下面密被灰白色绵毛，侧脉 2 ～ 3 对，细弱，有时不明显；茎中部叶倒卵状长圆形或匙状长圆形，长 2.5 ～ 3.5 cm，叶片于中上部向下渐狭而长下延，先端钝、圆或中脉延伸成刺尖状；茎上部叶小，与茎中部叶同形。头状花序多数，长 3 ～ 4 mm，宽约 3 mm，数个成束簇生，再排列成顶生或腋生、紧密的穗状花序；总苞卵形，直径约 3 mm；总苞片 2 层，污黄色或麦秆黄色，膜质，外层卵状长圆形，长约 3 mm，先端钝或略尖，背面被绵毛，内层与外层近等长，稍狭，线形，先端钝、圆，背面疏被绵毛；花托干时除四周边缘外几完全凹入，无毛；雌花多数，花冠丝状，长约 3 mm，先端 3 齿裂，花柱分枝较两性花的长；

两性花少数，花冠管状，向上渐扩大，檐部 5 浅裂，裂片三角形或有时先端近浑圆，无毛。瘦果长圆形，长约 0.5 mm，有乳头状突起；冠毛绢毛状，污白色，易脱落，长约 2.5 mm，基部联合成环。花期 12 月至翌年 5 月。

| **生境分布** | 生于田野、园圃。分布于江苏连云港、南京（溧水）等。

| **资源情况** | 野生资源一般。

| **采收加工** | 夏、秋季采收，洗净，鲜用或晒干。

| **功效物质** | 主要含有黄酮类、挥发油类、萜类及甾体类成分等。

| **功能主治** | 清热解毒，宣肺平喘。用于感冒，风湿关节痛。

菊科 Compositae 向日葵属 Helianthus 凭证标本号 321284190702060LY

向日葵 *Helianthus annuus* L.

| 药 材 名 |

向日葵（药用部位：果实、花、花盘、茎内髓心、叶、根）。

| 形态特征 |

一年生高大草本，高1～3m。茎直立，粗壮，被白色粗硬毛，不分枝或有时上部分枝。叶互生，心状卵圆形或卵圆形，先端急尖或渐尖，基出脉3，边缘有粗锯齿，两面被短糙毛，有长柄。头状花序极大，直径10～30cm，单生于茎顶，常下倾；总苞片多层，叶质，卵形至卵状披针形，先端尾状渐尖，被长硬毛或纤毛；花序托平或稍凸，托苞片半膜质；舌状花多数，黄色，舌片开展，长圆状卵形或长圆形，不结实；管状花极多数，棕色或紫色，有披针形裂片，可育。瘦果倒卵形或卵状长圆形，稍压扁，长10～15mm，有细肋，常被白色短柔毛，上端有2鳞片状早落的冠毛。花期7～9月，果期8～9月。

| 生境分布 |

江苏各地均有栽培。

| **资源情况** | 野生及栽培资源较少。 |

| **采收加工** | 秋季果实成熟后，割取花盘，晒干，打下果实，再晒干；夏季花开时采摘花，鲜用或晒干；秋季采收花盘，去净果实，鲜用或晒干；秋季采收茎内髓心，鲜用或晒干；夏、秋季采收叶，鲜用或晒干；夏、秋季采挖根，洗净，鲜用或晒干。 |

| **药材性状** | 本品瘦果呈浅灰色或黑色，扁长卵形或椭圆形，内藏种子1，淡黄色。叶多皱缩，完整叶片呈广卵圆形，长10～20 cm，宽8～25 cm，先端急尖或渐尖，边缘具锯齿，两面均粗糙。气微，味淡。 |

| **功效物质** | 花主要含有雪叶向日葵素、绢毛向日葵素等黄酮类成分，睫毛向日葵酸、贝壳杉烯酸等二萜类成分，向日葵醇、向日葵皂苷、向日葵皂苷元等三萜类成分，以及蒿酮、柠檬醛等挥发油类成分。花粉富含三萜类、黄酮类及脂肪酸类成分。种子主要富含麦角甾烯醇类甾体成分，绿原酸、隐绿原酸等酚酸类成分，以及三萜类、糖类、脂肪酸类、有机酸类等资源性成分。叶主要含有向日葵环氧内酯、向日葵萜内酯、向日葵精等倍半萜类成分，以及黄酮类、有机酸类、脂肪酸类等成分。向日葵茎心多糖具有免疫调节作用，向日葵黄色素具有抗氧化活性。 |

| **功能主治** | 果实，甘，平。透疹，止痢，透痈脓。用于疹发不透，血痢，慢性骨髓炎。花，微甘，平。祛风，平肝，利湿。用于头晕，耳鸣，小便淋沥。花盘，甘，寒。归肝经。清热，平肝，止痛，止血。用于高血压，头痛，头晕，耳鸣，脘腹痛，痛经，子宫出血，疮疹。茎内髓心，甘，平。归膀胱经。清热，利尿，止咳。用于淋浊，带下，乳糜尿，百日咳，风疹。叶，苦，凉。降压，截疟，解毒。用于高血压，疟疾，疔疮。根，甘，淡，微寒。归胃、膀胱经。清热利湿，行气止痛。用于淋浊，水肿，带下，疝气，脘腹胀痛，跌打损伤。 |

| **用法用量** | 果实，内服捣碎，15～30 g；或开水炖。外用适量，捣敷；或榨油涂。花，内服煎汤，15～30 g。花盘，内服煎汤，15～60 g。外用适量，捣敷；或研末敷。茎内髓心，内服煎汤，9～15 g。叶，内服煎汤，25～30 g，鲜品加倍。外用适量，捣敷。根，内服煎汤，9～15 g，鲜品加倍；或研末。外用适量，捣敷。 |

| **附　注** | 本种对土壤要求不严格，在各类土壤上均能生长，有较强的耐盐碱能力。 |

菊科 Compositae 向日葵属 Helianthus 凭证标本号 320830161012001LY

菊芋
Helianthus tuberosus L.

| 药 材 名 | 菊芋（药用部位：块茎、茎叶）。

| 形态特征 | 多年生草本，高 1 ~ 3 m。有块状的地下茎及纤维状根。茎直立，被白色短糙毛或刚毛。叶多数对生，茎上部叶互生；茎下部叶卵圆形或卵状椭圆形，长 10 ~ 16 cm，宽 3 ~ 6 cm，基部宽楔形、圆形或微心形，先端渐尖，边缘有粗锯齿，离基三出脉，上面被白色短粗毛，下面被柔毛，叶脉上有短硬毛；茎上部叶长椭圆形至宽披针形，基部下延成短翅状，有长柄。头状花序直径 2 ~ 5 cm，单生于茎顶；苞叶 1 ~ 2，线状披针形；总苞片多层，披针形，长 14 ~ 17 mm，宽 2 ~ 3 mm，背面被短伏毛，边缘被开展的缘毛；托苞长圆形，长 8 mm，背面有肋，先端有不等的 3 浅裂；舌状花

常 12 ~ 20，舌片黄色，开展，长椭圆形，长 1.7 ~ 3 cm；管状花黄色，长 6 mm。瘦果小，楔形，上端有 2 ~ 4 有毛的锥状扁芒。花期 8 ~ 9 月。

| 生境分布 | 生于沟边、路旁荒地、石坡地和宅院周围。江苏沿海滩涂多有栽培。

| 资源情况 | 栽培资源较丰富。

| 采收加工 | 秋季采挖块茎，鲜用或晒干；夏、秋季采收茎叶，鲜用或晒干。

| 药材性状 | 本品根茎呈块状。茎上部分枝，被短糙毛或刚毛。基部叶对生，茎上部叶互生，长卵形至卵状椭圆形，长 10 ~ 15 cm，宽 3 ~ 6 cm，具 3 脉，上表面粗糙，下表面有柔毛，叶缘具锯齿，先端急尖或渐尖，基部宽楔形，叶柄具狭翅。

| 功效物质 | 块茎主要含有菊糖、果糖低聚糖等糖类、三萜类、脂肪酸类成分，以及 β-D- 果糖转移酶等酶类成分等。茎叶含有向日葵精、向日葵醇 A、柄花菊素等倍半萜类成分，以及酚酸类、香豆素类、黄酮类、鞣质类等成分。花粉含有胡萝卜素、毛茛黄素、隐黄质等四萜类成分。菊芋蛋白质类成分具有兴奋肠平滑肌的作用，菊芋菊糖类成分具有抗氧化的作用。

| 功能主治 | 甘、微苦，凉。清热凉血，消肿。用于热病，肠热出血，跌打损伤，骨折肿痛。

| 用法用量 | 内服煎汤，10 ~ 15 g；或块根 1 个，生嚼服。外用适量，鲜茎叶捣敷。

| 附　注 | 本种耐寒抗旱，耐瘠薄，对土壤要求不严，在一些不宜种植其他作物的土地上，如废墟、宅边、路旁都可生长。

菊科 Compositae 泥胡菜属 Hemistepta 凭证标本号 320111170513010LY

泥胡菜 *Hemistepta lyrata* (Bunge) Bunge

| 药 材 名 | 泥胡菜（药用部位：全草或根）。

| 形态特征 | 一年生草本，高 30 ～ 100 cm。茎常单生，被蛛丝状毛。基生叶及中、下部茎生叶长椭圆形或倒披针形，大头羽状深裂或近全裂，裂片边缘具三角形锯齿或重锯齿，叶上面绿色，下面灰白色，有长柄，基部扩大抱茎。头状花序排成疏松伞房状或单生；总苞宽钟状或半球状，直径 1.5 ～ 3 cm；总苞片多层，草质，最外层长三角形，中、外层椭圆形或卵状椭圆形，最内层线状长椭圆形或长椭圆形，中、外层苞片外面上方近先端有直立、鸡冠状凸起的紫红色附属物；小花紫色或红色，檐部 5 深裂，裂片线形。瘦果压扁，圆锥状，长 2.2 mm，深褐色，有 13 ～ 16 细肋，先端斜截形，基底着

生面平或稍偏斜；冠毛 2 层，白色，异型，外层羽毛状刚毛长 1.3 cm，基部联合，整体脱落，内层冠毛 3 ~ 9，极短，鳞片状，着生于一侧，宿存。花果期 3 ~ 8 月。

| **生境分布** | 生于山坡、林缘、林下、草地、荒地、田间、路旁。江苏各地均有分布。

| **资源情况** | 野生资源一般。

| **采收加工** | 夏、秋季采收，洗净，鲜用或晒干。

| **药材性状** | 本品全草长 30 ~ 80 cm。茎具纵棱，光滑或略被绵毛。叶互生，多卷曲、皱缩，完整叶片呈倒披针状卵圆形或倒披针形，羽状深裂。常有头状花序或球形总苞。瘦果圆柱形，长 2.2 mm，具纵棱及白色冠毛。气微，味微苦。

| **功效物质** | 全草含有泥胡菜素、异珀菊内酯等倍半萜类成分，泥胡菜三萜醚、蒲公英萜醇等三萜类成分，泥胡菜鞘氨醇等鞘氨醇类成分，以及黄酮类、酚酸类等成分。

| **功能主治** | 辛、苦，寒。清热解毒，散结消肿。用于痔漏，痈肿疔疮，乳痈，淋巴结炎，风疹瘙痒，外伤出血，骨折。

| **用法用量** | 内服煎汤，9 ~ 15 g。外用适量，捣敷；或煎汤洗。

菊科 Compositae 旋覆花属 Inula 凭证标本号 320321180708003LY

欧亚旋覆花 *Inula britannica* L.

| 药 材 名 | 旋覆花（药用部位：头状花序）。

| 形态特征 | 多年生草本，20 ~ 70 cm。茎直立，单生或数个簇生，常有不定根，被长柔毛。基生叶花期常枯萎，叶片长椭圆形或披针形，长 3 ~ 12 cm，宽 1 ~ 2.5 cm，下部渐狭成长柄；茎中部叶长椭圆形，长 5 ~ 13 cm，宽 0.6 ~ 2.5 cm，基部心形或有耳，半抱茎，先端尖或稍尖，具疏齿或近全缘，上面无毛或疏被伏毛，下面密被伏柔毛，有腺点；茎上部叶渐小。头状花序 1 ~ 5，顶生，直径 2.5 ~ 5 cm；花序轴长 1 ~ 4 cm；总苞半球状，长达 1 cm；总苞片 4 ~ 5 层，最外层常较长，反折，外层线状披针形，有腺点和缘毛，内层披针状线形；舌状花舌片线形，黄色；管状花花冠上部稍宽大，裂片三角

状披针形。瘦果圆柱状，长 1 ~ 1.2 mm，被短毛；冠毛 1 层，白色，与管状花花冠近等长，有 20 ~ 25 微糙毛。花期 7 ~ 9 月，果期 8 ~ 10 月。

| 生境分布 | 生于河岸、田边、路旁、湿润坡地。分布于江苏北部等。

| 资源情况 | 野生资源一般。

| 采收加工 | 7 ~ 10 月分批采收，晒干。

| 药材性状 | 本品花序直径 1 ~ 2 cm，总苞片 4 ~ 5 层，外层苞片上部叶质，下部革质。舌状花花冠长 1 ~ 2 cm，宽 1 ~ 1.5 mm。管状花花冠长 4 ~ 6 mm。冠毛 20 ~ 25。以完整、朵大、色黄、无枝梗者为佳。

| 功效物质 | 花富含黄酮类、倍半萜类、三萜类、酚酸类、生物碱类、甾体类等资源性成分。黄酮类成分有孔雀草素及其糖苷、印度荆芥苷等，倍半萜类成分有欧亚旋覆花灵、欧亚旋覆花素、欧亚旋覆花内酯等，三萜类成分有表无羁萜醇、蒲公英萜醇脂肪酸酯等。全草还含有挥发油类。其中，倍半萜内酯类成分具有抗炎、抗肿瘤等作用，总黄酮类成分具有抗脑缺血、抑制血管平滑肌等活性，三萜类成分具有保肝作用。

| 功能主治 | 苦、辛、咸，微温。归肺、胃、大肠经。降气，消痰，行水，止呕。用于风寒咳嗽，痰饮蓄结，胸膈痞闷，喘咳痰多，呕吐嗳气，心下痞硬。

| 用法用量 | 内服煎汤，3 ~ 10 g，纱布包煎或滤去毛。

菊科 Compositae 旋覆花属 Inula 凭证标本号 321084180725127LY

旋覆花
Inula japonica Thunb.

| 药 材 名 | 旋覆花（药用部位：头状花序）、金沸草（药用部位：地上部分）。

| 形态特征 | 多年生草本，高 30 ~ 70 cm。茎单生或数个簇生，直立，有时具不定根。基生叶常较小，花期枯萎；茎中部叶长圆形至披针形，长 4 ~ 13 cm，宽 1.5 ~ 4 cm，基部狭，常有圆形、半抱茎的小耳，先端渐尖，边缘有疏齿，或全缘，上面有疏毛或近无毛，下面有疏伏毛和腺点；茎上部叶渐狭小，线状披针形。头状花序直径 3 ~ 4 cm，排成疏散的伞房状；总苞半球状，直径 13 ~ 17 mm，长 7 ~ 8 mm；总苞片约 6 层，线状披针形，最外层常叶质而较长，有缘毛，其余近等长，内层有腺点和缘毛；舌状花黄色，较总苞长 2 ~ 2.5 倍，舌片线形；管状花具三角状披针形裂片。瘦果长

1 ～ 1.2 mm，圆柱状，有 10 沟，先端截形，疏被短毛；冠毛为 20 余白色的微糙毛，与管状花近等长，1 层。花期 6 ～ 10 月，果期 9 ～ 11 月。

| 生境分布 | 生于山坡路旁、湿润草地、河岸、田埂。江苏各地均有分布。

| 资源情况 | 野生资源丰富。

| 采收加工 | 旋覆花：7 ～ 10 月分批采收，晒干。
金沸草：7 ～ 10 月采收，晒干。

| 药材性状 | 金沸草：本品茎呈圆柱形，长 30 ～ 60 cm，直径 2 ～ 5 mm；表面绿褐色或暗棕色，有多数细纵纹；质脆，断面黄白色，呈纤维状，髓部中空。叶互生，叶片披针形或长圆形，多破碎，绿黑色或绿灰色，基部渐狭，无柄，全缘或有疏齿；叶脉在背面隆起，中脉 1，侧脉 8 ～ 13 对。有时可见茎端生有扁球形的干燥头状花序，直径 1 ～ 1.5 cm。气微，味苦。以色绿褐、叶多、带花者为佳。

| 功效物质 | 花含有欧亚旋覆花内酯、乙酰欧亚旋覆花内酯等倍半萜类成分，贝壳杉羧酸糖苷类二萜成分，孔雀草素、孔雀草苷等黄酮类成分，以及酚酸类等资源性成分。地上部分含有倍半萜类、二萜类、苯甲酸衍生物类及甾体类等成分。旋覆花素具有镇咳作用，倍半萜内酯类成分具有抗肿瘤活性。

| 功能主治 | 旋覆花：苦、辛、咸，微温。归肺、胃、大肠经。降气，消痰，行水，止呕。用于风寒咳嗽，痰饮蓄结，胸膈痞闷，喘咳痰多，呕吐嗳气，心下痞硬。
金沸草：咸，温。归肺、大肠经。散风寒，化痰饮，消肿毒，祛风湿。用于风寒咳嗽，伏饮痰喘，胁下胀痛，疔疮肿毒，风湿疼痛。

| 用法用量 | 旋覆花：内服煎汤，3 ～ 10 g，纱布包煎或滤去毛。
金沸草：内服煎汤，3 ～ 9 g；或鲜品捣汁。外用适量，捣敷；或煎汤洗。

菊科 Compositae 旋覆花属 Inula 凭证标本号 320721180713249LY

线叶旋覆花

Inula linariifolia Turcz.

| **药 材 名** | 金沸草（药用部位：地上部分）。

| **形态特征** | 多年生草本，高 30 ～ 80 cm。茎直立，单生或数个簇生，上部常被长毛和腺体，基部常有不定根。基生叶和茎下部叶花期常宿存，叶片线状披针形或椭圆状披针形，长 5 ～ 15 cm，宽 7 ～ 15 mm，下部渐狭成长柄，边缘常反卷，具不明显的小锯齿，先端渐尖，质较厚，下面有腺点，被蛛丝状短柔毛或长伏毛；茎中部叶渐无柄；茎上部叶渐狭小，线状披针形至线形。头状花序直径 1.5 ～ 2.5 cm，单生或 3 ～ 5 排成伞房状；总苞半球状，长 5 ～ 6 mm；总苞片约 4 层，等长，最外层有时叶状，较总苞稍长，外层较短，线状披针形，内层较狭，有缘毛；舌状花较总苞长 2 倍，舌片黄色，长圆状线形；

管状花具尖三角形裂片。瘦果圆柱状，有细沟，被短粗毛；冠毛为多数白色微糙毛，与管状花花冠等长，1层。花期7～9月，果期8～10月。

| 生境分布 | 生于山坡、荒地、路旁、田边。江苏各地均有分布。

| 资源情况 | 野生资源较丰富。

| 采收加工 | 7～10月采收，晒干。

| 药材性状 | 本品茎呈绿褐色或深褐色，长20～50 cm，直径2～4 mm。叶披针形或线形，多破碎，叶端尖或稍钝，基部宽大，半抱茎，全缘或稍呈浅波状弯曲，边缘反卷，上表面无毛，下表面密被白色柔毛。头状花序较小，直径0.8～1 cm。以色绿褐、叶多、带花者为佳。

| 功效物质 | 主要含有泽兰黄醇素、菠叶素、刚毛黄酮等黄酮类成分，以及倍半萜类成分等。

| 功能主治 | 咸，温。归肺、大肠经。散风寒，化痰饮，消肿毒，祛风湿。用于风寒咳嗽，伏饮痰喘，胁下胀痛，疔疮肿毒，风湿疼痛。

| 用法用量 | 内服煎汤，3～9 g；或鲜品捣汁。外用适量，捣敷；或煎汤洗。

菊科 Compositae 旋覆花属 Inula

总状土木香 *Inula racemosa* Hook. f.

| 药 材 名 | 总状土木香（药用部位：根）。

| 形态特征 | 多年生草本，高 60 ~ 200 cm。根茎块状。茎基部木质，上部被长密毛。基生叶和茎下部叶椭圆状披针形，长 20 ~ 50 cm，宽 10 ~ 20 cm，边缘有不规则的齿或重齿，先端尖，上面被基部膨大的糙毛，下面被黄绿色密绒毛，具长柄；茎中部叶长圆形或卵圆状披针形，有时深裂，基部宽或心形，半抱茎；茎上部叶较小。头状花序直径 5 ~ 8 cm，排成总状；总苞长 8 ~ 22 mm，宽 2.5 ~ 3 cm；总苞片 5 ~ 6 层，外层叶质，内层较外层长约 2 倍，最内层干膜质，有缘毛；舌状花的舌片线形，长约 2.5 cm，先端有 3 齿；管状花长 9 ~ 9.5 mm。瘦果棱锥状，具 4 ~ 5 棱，具长 3 ~ 4 mm

的细沟；冠毛污白色，长 9 ~ 10 mm，有 40 余个具微齿的毛。花期 8 ~ 9 月，果期 9 月。

| **生境分布** | 江苏部分地区有栽培。

| **资源情况** | 栽培资源一般。

| **采收加工** | 春初、秋末采挖，去净残茎，切片，晒干。

| **功效物质** | 根中挥发油类成分占 2% ~ 2.5%，主要为土木香内酯、异土木香内酯、二氢土木香内酯等倍半萜类成分。此外，尚含有三萜类、木脂素类、酚酸类、甾体类等资源性成分。其中，倍半萜类成分具有抗肿瘤活性。

| **功能主治** | 健脾和胃，行气止痛，驱虫。用于胃脘、胸腹胀痛，呕吐泄泻，痢疾，食积，虫积。

| **用法用量** | 内服煎汤，3 ~ 9 g；或入丸、散剂。

| **附　　注** | （1）本种根的功用与土木香 *Inula helenium* L. 大致相同。
（2）本种适宜栽培于砂壤土中。

菊科 Compositae 苦荬菜属 Ixeris 凭证标本号 320125150505170LY

中华苦荬菜 *Ixeris chinensis* (Thunb.) Nakai

| 药 材 名 | 山苦荬（药用部位：全草或根）。

| 形态特征 | 多年生草本，高 5 ~ 47 cm。根茎极短缩。茎直立，单生或簇生。基生叶长椭圆形、倒披针形或线形，连叶柄长 2.5 ~ 15 cm，宽 2 ~ 5.5 cm，先端钝、急尖或渐狭，基部渐狭成翅柄，不分裂，全缘，或边缘有尖齿，或羽状浅裂至深裂，侧裂片 2 ~ 7 对，自中部向两端渐小，基部侧裂片常为锯齿状；茎生叶 2 ~ 4，稀 1 或无，长披针形或长椭圆状披针形，不裂，全缘，基部耳状抱茎。头状花序顶生，排成伞房状；总苞圆柱状，长 6 ~ 8 mm；总苞片 3 ~ 4 层，外层及最外层宽卵形，内层长椭圆状倒披针形；舌状花 21 ~ 25，浅黄色至亮黄色。瘦果褐色，长椭圆状，长 4 ~ 6 mm，有 10 隆起

的钝肋，肋上有上指的小刺毛，先端急尖成细丝状喙，长 2.8 mm；冠毛白色，微糙，长 5 mm。花果期 5 ~ 10 月。

| 生境分布 | 生于山坡路旁、田野、河边灌丛。分布于江苏淮安、南京等。

| 资源情况 | 野生资源较少。

| 采收加工 | 早春采收，洗净，鲜用或晒干。

| 药材性状 | 本品长 20 ~ 40 cm。茎多数，光滑无毛，基部簇状分枝。叶多皱缩，完整基生叶展平后呈线状披针形或倒披针形，连叶柄长 2.5 ~ 15 cm，宽 1 ~ 4 cm，先端尖锐，基部下延成窄叶柄，边缘具疏小齿或不规则羽裂，有时全缘；茎生叶无叶柄。头状花序排列成疏伞房状聚伞花序，未开放的总苞呈圆筒状，长 6 ~ 8 mm；总苞片 3 ~ 4 层，外层极小，卵形，内层线状披针形，边缘薄膜质。瘦果狭披针形，稍扁平，红棕色，具长喙，冠毛白色。气微，味苦。以色绿者为佳。

| 功效物质 | 主要含有苦荬菜内酯 D、苦荬菜苷 A、中华小苦荬倍半萜内酯等倍半萜类成分，以及黄酮类、三萜类成分等。

| 功能主治 | 苦，寒。清热解毒，消肿排脓，凉血止血。用于肠痈，肺脓肿，肺热咳嗽，肠炎，痢疾，胆囊炎，盆腔炎，疮疖肿毒，阴囊湿疹，吐血，衄血，血崩，跌打损伤。

| 用法用量 | 内服煎汤，10 ~ 15 g；或研末，3 g。外用适量，捣敷；或研末调涂；或煎汤熏洗。

菊科 Compositae 苦荬菜属 Ixeris 凭证标本号 321112180720039LY

剪刀股
Ixeris japonica (Burm. f.) Nakai

| **药 材 名** | 剪刀股（药用部位：全草）。

| **形态特征** | 多年生草本，高 12 ~ 35 cm。匍匐茎具不定根与叶。基生叶花期宿存，匙状倒披针形或长圆形，长 3 ~ 11 cm，宽 1 ~ 2 cm，基部渐狭成翅柄，边缘具齿，羽状半裂至深裂或大头羽状半裂至深裂，侧裂片 1 ~ 3 对，集中在叶片的中下部，先端急尖或钝，顶裂片椭圆形、长倒卵形或长椭圆形，先端钝或圆，有小尖头；茎生叶少数，与基生叶同形、长椭圆形或长倒披针形，无柄或渐狭成短柄。头状花序 1 ~ 6，顶生，排成伞房状；总苞钟状，长 1 ~ 1.4 cm；总苞片 2 ~ 3 层，外层极短，卵形，内层长，长椭圆状披针形或长披针形，外面先端有时具鸡冠状突起；舌状花 20 余，黄色。瘦果褐色，

近纺锤状，长 5 mm，有 10 隆起的尖翅肋，先端急尖成长 2 mm 的细丝状喙；冠毛白色，不等长，长约 6.5 mm。花果期 3 ~ 5 月。

| 生境分布 | 生于海边沙地、田野。分布于江苏连云港等。

| 资源情况 | 野生资源较丰富。

| 采收加工 | 春季采收，洗净，鲜用或晒干。

| 药材性状 | 本品主根呈圆柱形或纺锤形，表面灰黄色至棕黄色。叶基生，多破碎或皱缩、卷曲，完整者展平后呈匙状倒披针形，长 3 ~ 11 cm，宽 1 ~ 2 cm，先端钝，基部下延成叶柄，全缘、具稀疏的锯齿或羽状深裂。花茎上常有不完整的头状花序或总苞。偶见长圆形瘦果，扁平。气微，味苦。

| 功效物质 | 全草含有黄酮类、倍半萜类成分等。

| 功能主治 | 苦，寒。归胃、肝、肾经。清热解毒，利尿消肿。用于肺脓肿，咽痛，目赤，乳腺炎，痈疽疮疡，水肿，小便不利。

| 用法用量 | 内服煎汤，10 ~ 15 g。外用适量，捣敷。

菊科 Compositae 黄瓜菜属 Paraixeris 凭证标本号 320829170422097LY

苦荬菜
Paraixeris denticulata (Houtt.) Nakai

| 药 材 名 | 苦荬菜（药用部位：全草）。

| 形态特征 | 一年生或二年生草本，高 30 ～ 120 cm。茎单生，直立。基生叶及
下部茎生叶花期枯萎；中、下部茎生叶卵形、椭圆形至披针形，不
分裂，长 3 ～ 10 cm，宽 1 ～ 5 cm，先端急尖或钝，有宽翅柄或无柄，
基部圆形，圆耳状，抱茎，边缘具齿或重锯齿，或全缘；上部茎生
叶与中、下部茎生叶同形而渐小，无柄。头状花序多数，顶生，排
成伞房状或伞房圆锥状；总苞圆柱状，长 7 ～ 9 mm；总苞片 2 层，
外层极小，卵形，内层长，披针形或长椭圆形，有时在外面先端之
下有角状突起，背面沿中脉海绵状加厚；舌状花约 15，黄色。瘦
果长椭圆状，压扁，黑色或黑褐色，长约 2 mm，有 10 ～ 11 隆起

的钝肋，上部沿脉有小刺毛，向上渐尖成喙；冠毛白色，糙毛状，长 3.5 mm。花果期 5 ~ 11 月。

| **生境分布** | 生于山坡林缘、林下、田边、岩隙。江苏各地均有分布。

| **资源情况** | 野生资源丰富。

| **采收加工** | 春季采收，鲜用或晒干。

| **药材性状** | 本品长约 50 cm。茎呈圆柱形，直径 1 ~ 4 mm，多分枝，光滑无毛，有纵棱；表面紫红色至青紫色；质硬而脆，断面髓部呈白色。叶皱缩，完整者展开后呈舌状卵形，长 4 ~ 8 cm，宽 1 ~ 4 cm，先端尖，基部耳状，微抱茎，边缘具不规则锯齿，无毛，表面黄绿色。头状花序着生于枝顶，黄色，冠毛白色；总苞圆筒形。果实纺锤形或圆形，稍扁平。气微，味苦、微酸、涩。以身干、无杂质、无泥者为佳。

| **功效物质** | 茎叶含有脂肪酸类成分，总脂肪酸含量达 86.21%，其中亚油酸含量最高。此外，还含有苦荬菜醇 A、苦荬菜醇 B 等倍半萜类成分。

| **功能主治** | 苦，寒。清热解毒，消肿止痛。用于痈疖疔毒，乳痈，咽喉肿痛，黄疸，痢疾，淋证，带下，跌打损伤。

| **用法用量** | 内服煎汤，9 ~ 15 g，鲜品 30 ~ 60 g。外用适量，捣敷；或捣汁涂；或研末调搽；或煎汤洗；或煎汤漱口。

| **附 注** | 民间还用本种治疗毒虫咬伤等。

菊科 Compositae 小苦荬属 Ixeridium 凭证标本号 320102190611118LY

尖裂假还阳参
Ixeridium sonchifolium (Maxim.) Shih

| **药 材 名** | 苦碟子（药用部位：全草）。

| **形态特征** | 一年生或二年生草本，高 15 ～ 60 cm。根茎极短。茎单生，直立。基生叶莲座状，匙形至长椭圆形，连叶柄长 3 ～ 15 cm，宽 1 ～ 3 cm，不分裂或大头羽状深裂，顶裂片大，侧裂片 3 ～ 7 对，边缘具齿，叶柄具宽翅；中、下部茎生叶长椭圆形、匙状椭圆形至披针形，羽状浅裂或半裂，稀大头羽状分裂，基部心形或耳状抱茎；上部茎生叶心状披针形，全缘，稀具齿，先端渐尖，基部心形或圆耳状扩大抱茎。头状花序顶生，排成伞房状或伞房圆锥状；总苞圆柱状，长 5 ～ 6 mm；总苞片 3 层，外面无毛，外层及最外层短，卵形或长卵形，内层长披针形；舌状花约 17，黄色。瘦果黑色，纺锤状，长 2 mm，有 10 隆起的钝肋，上部沿肋有小刺毛，先端成细丝状喙；

冠毛白色，微糙毛状，长 3 mm。花果期 3 ~ 5 月。

| **生境分布** | 生于山坡或平原路旁、林下、河滩。分布于江苏南京、淮安、南通等。

| **资源情况** | 野生资源一般。

| **采收加工** | 5 ~ 7 月采收，洗净，鲜用或晒干。

| **药材性状** | 本品长短不一。根呈倒圆锥形，具少数分枝。茎呈细长圆柱形，上部具分枝，直径 1.5 ~ 4 mm；表面绿色、深绿色至黄棕色，有纵棱，无毛，节明显；质轻脆，易折断，折断时有粉尘飞出，断面略呈纤维性，外圈黄绿色，髓部呈白色。叶互生，多皱缩、破碎，完整叶展平后呈卵状长圆形，长 2 ~ 5 cm，宽 0.5 ~ 2 cm，先端急尖，基部耳状抱茎。头状花序密集成伞房状，有细梗，总苞片 3 层；舌状花黄色，雄蕊 5，雌蕊 1，柱头 2 裂，子房上端具多数丝状白色冠毛。瘦果黑色，类纺锤形。气微，味微甘、苦。

| **功效物质** | 全草含有黄酮类、三萜类、酚类及香豆素内酯类等资源性成分。

| **功能主治** | 苦、辛，寒。止痛消肿，清热解毒。用于头痛，牙痛，胃痛，手术后疼痛，跌打伤痛，阑尾炎，肠炎，肺脓肿，咽喉肿痛，痈肿疮疖。

| **用法用量** | 内服煎汤，9 ~ 15 g；或研末。外用适量，煎汤熏洗；或研末调敷；或捣敷。

| **附　注** | 民间还用本种治疗痢疾等。

菊科 Compositae 马兰属 Kalimeris 凭证标本号 321324170712163LY

全叶马兰 *Kalimeris integrifolia* Turcz. ex DC.

| 药 材 名 | 全叶马兰（药用部位：全草）。

| 形态特征 | 多年生草本，高 30 ~ 70 cm。茎直立，单生或数个丛生，被细硬毛。叶两面密被粉状短绒毛；茎下部叶花期枯萎；茎中部叶多而密，线状披针形、倒披针形或长圆形，长 2.5 ~ 4 cm，宽 4 ~ 6 mm，先端钝或渐尖，常有小尖头，基部渐狭，无柄，全缘，边缘稍反卷；茎上部叶较小，线形。头状花序顶生，单生或排成疏伞房状；总苞半球状，长 4 mm；总苞片 3 层，外层近线形，内层长圆状披针形，先端尖，上部有短粗毛及腺点；舌状花 20 余，1 层，舌片淡紫色；管状花花冠长 3 mm，管部长 1 mm，有毛。瘦果倒卵形，长 1.8 ~ 2 mm，浅褐色，压扁，有浅色边肋，或一面有肋，呈三棱状，

上部有短毛及腺点；冠毛带褐色，长 0.3 ~ 0.5 mm，不等长，易脱落。花期 6 ~ 10 月，果期 7 ~ 11 月。

| **生境分布** | 生于山坡、林缘、灌丛、路旁。江苏各地均有分布。

| **资源情况** | 野生资源较丰富。

| **采收加工** | 8 ~ 9 月采收，洗净，晒干。

| **功效物质** | 全草主要含有黄酮类成分。根含有大量的果聚糖等糖类成分。

| **功能主治** | 苦，寒。清热解毒，止咳。用于感冒发热，咳嗽，咽炎。

| **用法用量** | 内服煎汤，15 ~ 30 g。

| **附　　注** | 民间还用本种治疗慢性支气管炎。

菊科 Compositae 翅果菊属 *Pterocypsela* 凭证标本号 321084180823200LY

翅果菊
Pterocypsela indica (L.) Shih

| 药 材 名 | 山莴苣（药用部位：全草）。

| 形态特征 | 多年生草本，高 50 ~ 130 cm。茎直立，常单生，常淡红紫色。中、下部茎生叶披针形、长披针形或长椭圆状披针形，长 10 ~ 26 cm，宽 2 ~ 3 cm，先端渐尖至急尖，基部心形、心状耳形或半抱茎，全缘或具微齿，稀缺刻状或羽状浅裂；向上叶渐小，无柄；全部叶两面光滑，无毛。头状花序多数，顶生，排成伞房状或伞房圆锥状；总苞片 3 ~ 4 层，常淡紫红色，中、外层三角形或三角状卵形，先端急尖，内层长披针形，先端长渐尖；舌状花约 20，蓝色或蓝紫色。瘦果长椭圆状或椭圆状，褐色或绿褐色，压扁，长约 4 mm，中部有 4 ~ 7 线形或线状椭圆形、不等粗的小肋，先端稍狭，边缘呈厚翅状；

冠毛白色，2 层，刚毛纤细，锯齿状，不脱落。花果期 7 ~ 9 月。

| **生境分布** | 生于山坡林缘、林下、草地、河岸。江苏各地均有分布。

| **资源情况** | 野生资源较丰富。

| **采收加工** | 春、夏季采收，洗净，鲜用或晒干。

| **药材性状** | 本品根呈圆锥形，多自顶部分枝，长 5 ~ 15 cm，直径 0.7 ~ 1.7 cm，先端有圆盘形的芽或芽痕；表面灰黄色或灰褐色，具细纵皱纹及横向的点状须根痕，经加工蒸煮者呈黄棕色，半透明状；质坚实，较易折断，折断面近平坦，隐约可见不规则的形成层环纹，有时有放射状裂隙；气微臭，味微甜而后苦。茎长条形而抽皱。叶互生，无柄，叶形多变，叶缘不分裂、深裂或全裂，基部扩大成戟形半抱茎。有的可见头状花序或果序。果实黑色，有灰白色长冠毛。气微，味微甜而后苦。

| **功效物质** | 主要含有三萜类、黄酮类和倍半萜内酯类成分。

| **功能主治** | 苦，寒。清热解毒，活血，止血。用于咽喉肿痛，肠痈，疮疖肿毒，子宫颈炎，产后瘀血腹痛，疣瘤，崩漏，痔疮出血。

| **用法用量** | 内服煎汤，9 ~ 15 g。外用适量，鲜品捣敷。

菊科 Compositae 莴苣属 Lactuca 凭证标本号 320803180703161LY

莴苣
Lactuca sativa L.

| 药 材 名 |

莴苣（药用部位：茎叶、果实）。

| 形态特征 |

一年生或二年生草本，高 25 ~ 100 cm。茎直立，单生，表面白色。基生叶及茎下部叶倒披针形、椭圆形或椭圆状倒披针形，长 6 ~ 15 cm，宽 1.5 ~ 6.5 cm，先端急尖、短渐尖或圆形，基部心形或箭头状半抱茎，边缘波状或有细锯齿；向上叶渐小，与基生叶及茎下部叶同形或披针形；花序分枝下部的叶及分枝上的叶极小，卵状心形，基部心形或箭头状抱茎，全缘。头状花序多数，顶生，排成圆锥状；总苞果期卵球状，总苞片 5 层，最外层宽三角形，外层三角形或披针形，中层披针形至卵状披针形，内层线状长椭圆形，全部总苞片先端急尖；舌状花约 15。瘦果倒披针状，长 4 mm，压扁，浅褐色，每面有 6 ~ 7 细脉纹，先端急尖成长约 4 mm 的细丝状喙；冠毛 2 层，纤细，微糙毛状。花果期 2 ~ 9 月。

| 生境分布 |

江苏各地均有分布。

| 资源情况 | 栽培资源丰富。

| 采收加工 | 嫩茎肥大时采收茎叶，多为鲜用；夏、秋季果实成熟时割取地上部分，晒干，打下果实，除去杂质，贮藏于通风干燥处。

| 功效物质 | 根富含各种维生素类、糖类、氨基酸类、矿物元素等营养成分，还含有莴苣苷、大托菊苷等倍半萜类成分。花含有芳香类、脂肪酸类等成分。种子含有莴苣宁素、莴苣素草酸酯等倍半萜类，以及三萜类、苯丙素类等成分。其中，种子挥发油类成分具有镇痛作用。

| 功能主治 | 茎叶，苦、甘，凉。归胃、小肠经。利尿，通乳，清热解毒。用于小便不利，尿血，乳汁不通，蛇虫咬伤，肿毒。果实，通乳，利尿，活血行瘀。用于乳汁不通，小便不利，跌打损伤，瘀肿疼痛，阴囊肿痛。

| 用法用量 | 内服煎汤，30 ~ 60 g。外用适量，捣敷。

| 附　注 | 本种耐寒，喜冷凉的气候，不耐高温，喜湿润，需肥量较大，宜在有机质丰富、保水保肥的黏壤土或壤土中生长。

菊科 Compositae 稻槎菜属 *Lapsana* 凭证标本号 321183150414642LY

稻槎菜
Lapsana apogonoides Maxim.

| 药 材 名 | 稻槎菜（药用部位：全草）。

| 形态特征 | 一年生矮小草本，高 7 ~ 20 cm。茎柔软、纤细，基部簇生分枝及莲座状叶丛，被细柔毛或无毛。基生叶椭圆形至长匙形，长 3 ~ 7 cm，宽 1 ~ 2.5 cm，大头羽状全裂或几全裂，顶裂片卵形、菱形或椭圆形，边缘有稀疏的小尖头或齿，齿顶有小尖头，侧裂片 2 ~ 3 对，椭圆形，有时具刺尖；叶柄长 1 ~ 4 cm；茎生叶少数，与基生叶同形，向上渐小，不裂。头状花序 6 ~ 8，顶生，排成疏松伞房圆锥状，果期稍下垂；总苞椭圆状或长圆状，长约 5 mm；总苞片草质，2 层，外层卵状披针形，内层椭圆状披针形，先端喙状；舌状花黄色，两性。瘦果淡黄色，稍压扁，长椭圆形或长椭圆状倒披

针形，长 4.5 mm，有 12 粗细不等的细纵肋，肋上有微粗毛，先端两侧各有 1 下垂的长钩刺，无冠毛。花果期 1 ~ 6 月。

| 生境分布 | 生于田野、荒地及路边。江苏各地均有分布。

| 资源情况 | 野生资源较丰富。

| 采收加工 | 春、秋季采收，洗净，鲜用或晒干。

| 功效物质 | 主要含有菊糖等糖类、蛋白质类、脂肪类、维生素类成分，以及磷、钙、镁等矿物元素。

| 功能主治 | 苦，平。清热解毒，透疹。用于咽喉肿痛，痢疾，疮疡肿毒，蛇咬伤，麻疹透发不畅。

| 用法用量 | 内服煎汤，15 ~ 30 g；或捣汁。外用适量，鲜品捣敷。

菊科 Compositae 大丁草属 Leibnitzia 凭证标本号 320111150411002LY

大丁草

Leibnitzia anandria (L.) Nakai

| 药 材 名 | 大丁草（药用部位：全草）。

| 形态特征 | 多年生草本。植株分春秋二型。春型者根茎短，植株常被蛛丝状毛。叶基生，莲座状，叶片常倒披针形或倒卵状长圆形，长 2 ～ 6 cm，宽 1 ～ 3 cm，先端钝圆，常具短尖头，基部渐狭、钝、平截或有时为浅心形，边缘具齿、深波状或琴状羽裂，具柄。花葶单生或数个丛生；苞叶疏生，线形；头状花序单生，倒锥形；总苞略短于冠毛；总苞片约 3 层，内层长；花序托平，无毛；雌花花冠舌状，舌片长圆形，先端有时具不整齐的 3 齿，带紫红色，内唇 2 裂；两性花花冠管状，二唇形，外唇宽，先端具 3 齿，内唇 2 裂；花药先端圆，尾部尖；花柱分枝先端钝圆。瘦果纺锤状，被白色粗毛；冠毛

粗糙，污白色。秋型者植株较高，花葶长可达 30 cm，头状花序外层的雌花管状二唇形。花期春、秋季。

| **生境分布** | 生于山顶、山谷丛林、荒坡、沟边。江苏各地均有分布。

| **资源情况** | 野生资源一般。

| **采收加工** | 夏、秋季采收，洗净，鲜用或晒干。

| **药材性状** | 本品卷缩成团，枯绿色。根茎短，下生多数细须根，植株有大小之分。基生叶丛生，莲座状；叶片椭圆状宽卵形，长 2 ~ 5.5 cm，先端钝圆，基部心形，边缘浅齿状。花葶长 8 ~ 19 cm，有的具白色蛛丝状毛，有条形苞叶；头状花序单生，直径 2 cm，小植株花序边缘为舌状花，淡紫红色，中央花管状，黄色，植株仅有管状花。瘦果纺锤形，两端收缩。气微，味辛、辣、苦。

| **功效物质** | 主要含有黄酮类、香豆素类、苯并吡喃类等成分。其中，大丁苷及其苷元具有抗菌的作用。

| **功能主治** | 苦，寒。清热利湿，解毒消肿。用于肺热咳嗽，湿热泻痢，热淋，风湿关节痛，痈疖肿毒，臁疮，蛇虫咬伤，烫火伤，外伤出血。

| **用法用量** | 内服煎汤，15 ~ 30 g；或浸酒。外用适量，捣敷。

菊科 Compositae 橐吾属 Ligularia 凭证标本号 320703150818380LY

窄头橐吾
Ligularia stenocephala (Maxim.) Matsum. et Koidz.

| 药 材 名 | 狭头橐吾（药用部位：根）。

| 形态特征 | 多年生草本，高 40 ~ 170 cm。根肉质，细而长。茎直立。基生叶
与茎下部叶具柄，柄长 27 ~ 75 cm，基部具狭鞘，叶片心状戟形、
肾状戟形，稀箭形，长 2.5 ~ 17 cm，宽 6 ~ 32 cm，先端急尖、三
角形或短尖，边缘有整齐的尖锯齿，齿端具软骨质尖头，基部宽心
形，弯缺宽，两侧裂片尖三角形，边缘具尖齿及 1 ~ 2 大齿，有时
下面脉上具短毛，叶脉掌状；茎中、上部叶与下部叶同形，具柄或
无柄，鞘膨大。总状花序长可达 90 cm；苞片卵状披针形至线形；
花序轴长 1 ~ 7 mm；头状花序辐射状，多数；小苞片线形；总苞狭
筒状至宽筒状，长 8 ~ 12 mm；总苞片 5 ~ 7，2 层，长圆形，先端

三角形，内层边缘干膜质；舌状花 1 ~ 5，黄色，舌片线状长圆形或倒披针形；管状花 5 ~ 10。瘦果倒披针形，长 5 ~ 10 mm；冠毛白色、黄白色或褐色，长 5 ~ 8 mm，短于管部。花果期 7 ~ 12 月。

| **生境分布** | 生于潮湿山坡、岩边、水边、林下。分布于江苏连云港等。

| **资源情况** | 野生资源一般。

| **采收加工** | 夏、秋季采挖，除去茎叶，洗净，晒干。

| **功效物质** | 根含有窄头橐吾素、窄头橐吾因、窄头橐吾宁、呋喃橐吾酮等苯并呋喃类成分；此外，还含有芳香衍生物类、生物碱类、苯并二氧（杂）芑类、倍半萜类、三萜类、甾醇类等资源性成分。叶含有三萜类、酚酸类成分。窄头橐吾宁及其他苯并呋喃类成分具有抗肿瘤的作用。

| **功能主治** | 苦、辛，平。清热，解毒，散结，利尿。用于乳痈，水肿，瘰疬，河豚鱼中毒。

| **用法用量** | 内服煎汤，30 ~ 60 g。外用适量，鲜品捣敷。

菊科 Compositae 母菊属 Matricaria 凭证标本号 320684160528018LY

母菊
Matricaria recutita L.

| 药材名 | 母菊（药用部位：全草或花）。

| 形态特征 | 一年生草本，高 30 ~ 40 cm，全体无毛。茎具沟纹，上部多分枝。茎下部叶长圆形或倒披针形，长 3 ~ 4 cm，宽 1.5 ~ 2 cm，2 回羽状全裂，无柄，基部稍扩大，裂片线形，先端具短尖头；茎上部叶卵形或长卵形。头状花序异型，直径 1 ~ 1.5 cm，顶生，排成伞房状；总苞片 2 层，苍绿色，先端钝，边缘白色，干膜质，全缘；花序托长圆锥状，中空；舌状花 1 列，舌片白色，反折，长约 6 mm；管状花多数，花冠黄色，长约 1.5 mm，中部以上扩大，檐部 5 裂。瘦果长 0.8 ~ 1 mm，淡绿褐色，侧扁，略弯，先端斜截形，背面圆形凸起，腹面及两侧有 5 白色细肋，无冠状冠毛。花果期 5 ~ 7 月。

| **生境分布** | 江苏各地均有栽培。

| **资源情况** | 栽培资源一般。

| **采收加工** | 5～7月在上午或下午2点以后阳光不强烈时采摘花，晒干；7～9月采收全草，晒干。

| **功效物质** | 全草和花含有挥发油类成分，其中，全草挥发油成分含量为0.46%，主要为兰香油薁、母菊薁等。花还含有槲皮万寿菊素、金丝桃苷等黄酮类成分，以及香豆素类、酚酸类、内酯类、氨基酸类、多糖类等资源性成分；花中胆碱含量约为0.32%。

| **功能主治** | 辛、微苦，凉。清热解毒，止咳平喘，祛风湿。用于感冒发热，咽喉肿痛，肺热咳喘，热痹肿痛，疮肿。

| **用法用量** | 内服煎汤，10～15g。

| **附　注** | 本种有很强的生命力，可以适应各种类型的土壤和环境，甚至可在pH 8～9的碱性土地上正常生长。

菊科 Compositae 毛连菜属 Picris 凭证标本号 321183150923794LY

毛连菜 *Picris hieracioides* L.

| 药 材 名 | 毛连菜（药用部位：全草或根、花序）。

| 形态特征 | 二年生草本，高 16 ~ 120 cm。茎直立，有纵沟纹，被光亮的分叉锚状硬毛。基生叶花期枯萎；下部茎生叶长椭圆形或宽披针形，长 8 ~ 34 cm，宽 0.5 ~ 6 cm，先端渐尖、急尖或钝，全缘或边缘具尖齿或钝齿，基部渐狭成翅柄；中部和上部茎生叶披针形或线形，较下部茎生叶小，无柄，基部半抱茎；最上部茎生叶小，全缘；茎生叶两面被光亮的分叉锚状硬毛，脉上较多。头状花序多数，顶生，排成伞房状或伞房圆锥状；总苞圆柱形钟状，长达 1.2 cm；总苞片 3 层，外面被硬毛和短柔毛，外层短，线形，内层长，线状披针形，边缘白色，干膜质；舌状花黄色，花冠筒被白色短柔毛。瘦果纺锤

状，长约 3 mm，棕褐色，有纵肋，肋上有横皱纹；冠毛白色，外层极短，糙毛状，内层长，羽毛状，长约 6 mm。花果期 6 ～ 9 月。

| **生境分布** | 生于山坡草地、林下、沟边、田间、沙滩地。分布于江苏长江以北的地区等。

| **资源情况** | 野生资源较少。

| **采收加工** | 夏、秋季采收全草或根，洗净，晒干；夏季花开时采收花序，洗净，晒干。

| **功效物质** | 根富含毛连菜烯酮、毛连菜萜烯醇乙酸酯、异毛连菜烯醇、毒莴苣醇、毒莴苣酮等三萜类成分。花含有黄酮类及内酯类成分。全草富含毛连菜苷 A、毛连菜苷 B、毛连菜苷 C 及山莴苣素等三萜类成分。

| **功能主治** | 全草，苦、咸，微温。泻火，解毒，祛瘀止痛。用于无名肿毒，高热。根，利小便。用于腹部胀满，跌打损伤。花序，宣肺止血，化痰平喘。

| **用法用量** | 内服煎汤，3 ～ 9 g。

菊科 Compositae 风毛菊属 Saussurea 凭证标本号 320323150919255LY

风毛菊
Saussurea japonica (Thunb.) DC.

| **药 材 名** | 八楞木（药用部位：全草）。

| **形态特征** | 二年生草本，高 50 ~ 200 cm。茎直立，被稀疏的短柔毛及金黄色
的小腺点。基生叶与下部茎生叶具柄，长 3 ~ 6 cm，有狭翅；叶片
椭圆形、长椭圆形或披针形，常羽状深裂，侧裂片 7 ~ 8 对，中部
的较大，全缘或偶具少数大锯齿；两面密被凹陷的淡黄色小腺点。
头状花序多数，排成伞房状或伞房圆锥状，顶生；总苞圆柱状，
直径 5 ~ 8 mm，被白色稀疏的蛛丝状毛；总苞片 6 层，外层长卵
形，先端稍扩大，紫红色，中层与内层倒披针形或线形，先端有扁
圆形、紫红色的膜质附属物，附属物边缘有锯齿；小花紫色，长
10 ~ 12 mm，管部长 6 mm，檐部长 4 ~ 6 mm。瘦果深褐色，圆柱

状，长 4 ~ 5 mm；冠毛白色，2 层，外层糙毛状，长 2 mm，内层羽毛状，长 8 mm。花果期 6 ~ 11 月。

| 生境分布 | 生于山坡、林下、路旁、灌丛、荒地、田野。江苏各地均有分布。

| 资源情况 | 野生资源一般。

| 采收加工 | 7 ~ 8 月采收，洗净，切段，鲜用或晒干。

| 药材性状 | 本品茎呈类圆柱形，长 70 ~ 100 cm，直径可达 9 mm，上部分枝，基部稍膨大；表面棕色，具棱及狭翅；质坚而轻，易折断，断面髓白色，中央有 1 小孔。叶多皱缩，暗绿色或棕色，基生叶及下部茎生叶完整者展平后呈长圆形，边缘羽状深裂，下延成具翅的柄，先端叶片小，呈披针状，全缘，具短毛、腺点。头状花序排列成紧密的伞房状，总苞疏被蛛丝状毛，苞片黄绿色，花冠紫红色。瘦果长圆形，冠毛淡褐色。气弱，味微苦。以叶多、色绿、质嫩者为佳。

| 功效物质 | 地上部分含有挥发油类，其主要成分为 β- 檀香萜醇，含量达 16.8%。此外，还含有风毛菊诺苷、松脂酚糖苷等木脂素类，风毛菊内酯、风毛菊内酯葡萄糖苷等倍半萜内酯类，以及三萜类、黄酮类等资源性成分。

| 功能主治 | 苦、辛，平。祛风除湿，散瘀止痛。用于风湿痹痛，跌打损伤。

| 用法用量 | 内服煎汤，9 ~ 15 g；或浸酒。外用适量，捣敷；或煎汤洗。

菊科 Compositae 鸦葱属 Scorzonera 凭证标本号 320323170511869LY

华北鸦葱 *Scorzonera albicaulis* Bunge

| 药 材 名 |

丝茅七（药用部位：根）。

| 形态特征 |

多年生草本，高达 120 cm。茎单生或簇生，被白色绒毛。基生叶与茎生叶线形、宽线形或线状长椭圆形，长 4 ~ 30 cm，宽 0.3 ~ 2 cm，全缘，稀具浅波状微齿，两面光滑无毛，三或五出脉，两面明显；茎生叶基部鞘状扩大，抱茎。头状花序顶生，排列成伞房状或聚伞状，无毛；总苞圆柱状，直径约 1 cm，果期增大；总苞片约 5 层，被柔毛，果期近无毛，先端急尖或钝，外层三角状卵形或卵状披针形，中、内层椭圆状披针形、长椭圆形至宽线形；舌状花黄色。瘦果圆柱状，有多数隆起的纵肋，先端渐细，呈喙状；冠毛污黄色，其中 3 ~ 5 超长，长达 2.4 cm，其余长 1.8 cm，大部分呈羽毛状，羽枝蛛丝毛状，上部呈细锯齿状，整体脱落。花果期 5 ~ 9 月。

| 生境分布 |

生于荒地、田间、山谷、山坡林下、林缘或灌丛。江苏各地均有分布。

| **资源情况** | 野生资源较少。

| **采收加工** | 夏、秋季采挖，洗净，鲜用或晒干，或蒸后晒干。

| **药材性状** | 本品呈长圆形，肉质，长 5 ~ 10 cm，直径 1 ~ 1.5 cm。鲜品横切面白色，并有乳汁流出。干品表面褐色或棕黑色，纵横皱缩不平，有时呈剥裂状，先端常有茎叶残基。气微，味微甘。

| **功效物质** | 根主要含有挥发油类成分，其中正十五烷酸含量最高，达挥发油类成分的62.18%，亚油酸含量次之，为挥发油类成分的17.55%。茎叶和花中同样富含挥发油类成分。

| **功能主治** | 苦，凉。清热解毒，凉血散瘀。用于风热感冒，痈肿疔毒，带状疱疹，月经不调，乳少不畅，跌打损伤。

| **用法用量** | 内服煎汤，6 ~ 15 g。外用适量，鲜品捣敷；或取茎中白汁涂。

菊科 Compositae 鸦葱属 Scorzonera 凭证标本号 320115160410015LY

鸦葱
Scorzonera austriaca Willd.

| 药 材 名 | 鸦葱（药用部位：全草或根）。

| 形态特征 | 多年生草本，高5～53 cm。茎直立，簇生或单生，不分枝，光滑，无毛。基生叶宽卵形、宽椭圆形、倒披针形、线状长椭圆形或线形，连叶柄长4～33 cm，宽0.3～5 cm，先端急尖、渐尖、钝或圆，向基部渐狭成柄，柄基鞘状，两面光滑，无毛，离基三出脉或五出脉，边缘皱波状；茎生叶少数，鳞片状、披针形或钻状披针形，基部心形，半抱茎或贴茎。头状花序单生于茎顶；总苞圆柱状；总苞片约5层，外面光滑，无毛，先端钝或急尖，外层三角形或偏斜三角形，中层长披针形，内层长椭圆状披针形；舌状花黄色。瘦果圆柱状，有多数隆起纵肋，长1.4 cm，肉红色；冠毛污黄色，长

2 cm，大部分羽毛状，羽枝纤细，蛛丝毛状，上端为细锯齿状；冠毛与瘦果连接处有蛛丝状毛环。花果期4～9月。

| **生境分布** | 生于山坡、丘陵地、沙丘、荒地或灌木林下。江苏各地均有分布。

| **资源情况** | 野生资源一般。

| **采收加工** | 夏、秋季采收，洗净，鲜用或晒干。

| **功效物质** | 根含有橡胶烃类、菊糖等多糖类，以及鸦葱二聚内酯、愈创木内酯衍生物等倍半萜类成分。

| **功能主治** | 苦、辛，寒。清热解毒，消肿散结。用于疔疮痈肿，乳痈，跌打损伤，劳伤。

| **用法用量** | 内服煎汤，9～15 g；或熬膏。外用适量，捣敷；或取汁涂。

菊科 Compositae 鸦葱属 Scorzonera 凭证标本号 320830150509039LY

桃叶鸦葱
Scorzonera sinensis Lipsch. et Krasch. ex Lipsch.

| 药 材 名 | 老虎嘴（药用部位：根）。

| 形态特征 | 多年生草本，高 5 ～ 35 cm。茎多数，上部有少数分枝，表面灰绿色。叶片肉质，光滑，无毛，灰绿色，离基三出脉；基生叶长椭圆形、长椭圆状披针形或线状披针形，长 2 ～ 10 cm，宽 4 ～ 11 mm，先端渐尖，基部渐狭成柄，柄基鞘状；茎生叶披针形至线状长椭圆形，先端急尖或渐尖，基部楔形，不抱茎，互生或对生。头状花序单生于茎端或 2 茎生；总苞狭圆柱状；总苞片 4 ～ 5 层，外面无毛或被蛛丝状柔毛，外层小，卵形或宽卵形，先端急尖，中层长椭圆形或披针形，先端钝或稍渐尖，内层线状披针形；舌状花约 20，黄色，稀白色。瘦果圆柱状，长 5 ～ 7 mm，淡黄色，有多数隆起的纵

肋，先端初时被稀疏柔毛；冠毛白色，长 2.2 cm，羽毛状，羽枝蛛丝毛状，纤细，先端微锯齿状。花果期 4 ~ 8 月。

| 生境分布 | 生于山坡草地、沙滩、河滩。分布于江苏北部等。

| 资源情况 | 野生资源一般。

| 采收加工 | 夏季采挖，洗净，晒干。

| 功效物质 | 主要含有多糖类、苯丙素类、木脂素及木脂素苷类、倍半萜及倍半萜苷类和黄酮类成分。

| 功能主治 | 辛，凉。疏风清热，解毒。用于风热感冒，咽喉肿痛，乳痈，疔疮。

| 用法用量 | 内服煎汤，9 ~ 15 g。

菊科 Compositae 狗舌草属 Tephroseris 凭证标本号 320830160409024LY

狗舌草

Tephroseris kirilowii (Turcz. ex DC.) Holub

药 材 名

狗舌草（药用部位：全草）。

形态特征

多年生草本，高 20～60 cm。植株常密被白色蛛丝状毛或近无毛。茎近葶状，直立。基生叶莲座状，具短柄，花期宿存，长圆形或卵状长圆形，长 5～10 cm，宽 1.5～2.5 cm，先端钝，具小尖，基部渐狭成翅柄；茎生叶少数，下部叶倒披针形、倒披针状长圆形，长 4～8 cm，宽 5～15 mm，先端钝至尖，基部半抱茎，上部叶小，披针形，苞片状。头状花序顶生，排成伞房状；花序轴被黄褐色腺毛，基部具苞片；总苞近圆柱状钟形，长 6～8 mm；总苞片 18～20，披针形或线状披针形，绿色或紫色，边缘狭，干膜质；舌状花 13～15，舌片黄色，长圆形，先端具 3 细齿，具 4 脉；管状花多数，花冠黄色；花药附属物卵状披针形。瘦果圆柱状，长约 2.5 mm，密被硬毛；冠毛白色，长约 6 mm。花期 2～8 月。

生境分布

生于山坡草地。江苏各地均有分布。

| **资源情况** | 野生资源较丰富。

| **采收加工** | 夏末秋初采收，除去泥土，晒干。

| **功效物质** | 主要含有狗舌草苷 A、狗舌草苷 B 等苷类成分，百蕊草宁碱等生物碱类成分，长春花苷等单萜类成分，以及黄酮类和生物碱类资源性成分。其中，总黄酮具有较强的抗肿瘤作用。

| **功能主治** | 苦，寒。清热解毒，利尿，活血，杀虫。用于肺脓肿，疖肿，尿路感染，肾炎水肿，口腔炎，跌打损伤，湿疹，疥疮，阴道毛滴虫病。

| **用法用量** | 内服煎汤，9 ～ 15 g，鲜品加倍；或入丸、散剂。外用适量，鲜品捣敷。

菊科 Compositae 蒲儿根属 Sinosenecio 凭证标本号 320282140825389LY

蒲儿根
Sinosenecio oldhamianus (Maxim.) B. Nord.

| 药 材 名 |

肥猪苗（药用部位：全草）。

| 形态特征 |

二年生或多年生草本，高 40 ~ 120 cm。植株常被白色蛛丝状毛及长柔毛。茎直立。基生叶花期枯萎，具长柄；下部茎生叶卵状圆形或近圆形，长 3 ~ 8 cm，宽 3 ~ 6 cm，先端尖或渐尖，基部心形，边缘具重锯齿，齿端具干膜质尖头，掌状脉 5，叶柄长 3 ~ 6 cm；上部茎生叶渐小，基部楔形，具短柄；最上部茎生叶卵形或卵状披针形。头状花序多数，顶生，排成复伞房状；花序轴长 1.5 ~ 3 cm，基部常具 1 线形苞片；总苞宽钟状，长 3 ~ 4 mm；总苞片约 13，1 层，长圆状披针形，紫色，边缘干膜质；舌状花约 13，舌片黄色，长圆形，先端具 3 细齿；管状花多数，花冠黄色，檐部钟状，裂片卵状长圆形；花药附属物卵状长圆形；花柱分枝外弯。瘦果圆柱状，长 1.5 mm；舌状花瘦果无毛，无冠毛；管状花瘦果被短柔毛，具长约 3 mm 的白色冠毛。花期 1 ~ 12 月。

| 生境分布 |

生于丘陵山区的密林下、阴湿处。分布于江

苏无锡（宜兴）等。

| **资源情况** | 野生资源较丰富。

| **采收加工** | 夏季采收，除去泥土，鲜用或晒干。

| **功效物质** | 花含有泽兰素、金丝桃苷等黄酮类成分。

| **功能主治** | 辛、苦，凉；有小毒。清热解毒，利湿，活血。用于痈疮肿毒，尿路感染，湿疹，跌打损伤。

| **用法用量** | 内服煎汤，9 ~ 15 g，鲜品大剂量可用 60 ~ 90 g。外用适量，鲜品捣敷。

菊科 Compositae 千里光属 Senecio 凭证标本号 320481140716168LY

千里光

Senecio scandens Buch.-Ham.

| 药 材 名 |

千里光（药用部位：地上部分）。

| 形态特征 |

多年生攀缘草本。根茎木质，植株被柔毛或近无毛。茎长 2 ~ 5 m。叶片卵状披针形至长三角形，长 2.5 ~ 12 cm，宽 2 ~ 4.5 cm，先端渐尖，基部宽楔形、截形、戟形或心形，常具浅或深齿，稀全缘，有时细裂或羽状浅裂，叶脉羽状，侧脉 7 ~ 9 对，叶柄长 5 ~ 20 mm，有时基部具耳；茎上部叶变小，披针形或线状披针形。头状花序顶生，排成复聚伞圆锥状；花序轴长 1 ~ 2 cm，具苞片和 1 ~ 10 小苞片；总苞圆柱状钟形，长 5 ~ 8 mm，具托苞；总苞片 12 ~ 13，线状披针形，边缘宽，干膜质，具 3 脉；舌状花 8 ~ 10，舌片黄色，长圆形，具 3 细齿，具 4 脉；管状花多数，花冠黄色，檐部漏斗状，裂片卵状长圆形；花药基部有钝耳，附属物卵状披针形；花柱分枝长约 1.8 mm。瘦果圆柱状，长约 3 mm，被柔毛；冠毛白色，长约 7.5 mm。

| 生境分布 |

生于林下、山坡灌丛。江苏各地均有分布。

| **资源情况** | 野生资源较丰富。

| **采收加工** | 全年均可采收，除去泥土，晒干。

| **药材性状** | 本品全长 60 ~ 100 cm，或切成长 2 ~ 3 cm 的小段。茎细长，直径 2 ~ 7 mm；表面深棕色或黄棕色，具细纵棱；质脆，易折断，断面髓部白色。叶多卷缩、破碎，完整者展平后呈椭圆状三角形或卵状披针形，边缘具不规则锯齿，暗绿色或灰棕色；质脆。有时枝梢带有枯黄色头状花序。瘦果有纵沟，冠毛白色。气微，味苦。以叶多、色绿者为佳。

| **功效物质** | 地上部分含有千里光碱、千里光菲灵碱、千里光碱氮氧化物等生物碱类，蓝花楹酮等烯酮类，以及千里光内酯等内酯类等成分。全草含有倍半萜类、生物碱类、黄酮类等成分，其中，黄酮类成分具有抗炎、抗病毒、抗肿瘤的作用，吡咯里西啶类成分具有肝毒性。

| **功能主治** | 苦、辛，寒。清热解毒，明目，利湿。用于痈肿疮毒，感冒发热，目赤肿痛，泄泻痢疾，皮肤湿疹。

| **用法用量** | 内服煎汤，15 ~ 30 g。外用适量，煎汤洗；或熬膏搽；或鲜品捣敷；或捣汁点眼。

菊科 Compositae 虾须草属 Sheareria 凭证标本号 320803180721182LY

虾须草
Sheareria nana S. Moore

| 药 材 名 | 虾须草（药用部位：全草）。

| 形态特征 | 一年生草本，高 15 ~ 40 cm。茎直立，自基部分枝，直径 2 ~ 3 mm，绿色或有时稍带紫色，无毛或稍被细毛。叶稀疏，线形或倒披针形，长 1 ~ 3 cm，宽 3 ~ 4 mm，无柄，先端尖，全缘，中脉明显，在下面凸起；上部叶小，鳞片状。头状花序顶生或腋生，直径 2 ~ 4 mm；花序轴长 3 ~ 5 mm；总苞片 4 ~ 5，2 层，宽卵形，长约 2 mm，稍被细毛，外层较内层小；雌花舌状，白色，有时淡红色，舌片宽卵状长圆形，长 1.5 mm，宽 1 mm，近全缘或先端有小钝齿；两性花管状，上部钟状，具 5 齿，长 1.5 ~ 2 mm。瘦果长椭圆形，褐色，长 3.5 ~ 4 mm；无冠毛。

| **生境分布** | 生于山坡、田边、湖边草地。分布于江苏南部等。

| **资源情况** | 野生资源一般。

| **采收加工** | 夏、秋季采收，除去泥土，鲜用或晒干。

| **功效物质** | 主要含有萜类、酚酸类和甾体类成分，部分二萜类和三萜类成分具有较好的抗肿瘤活性。

| **功能主治** | 苦，平。清热解毒，利水消肿。用于疮疡肿毒，水肿，风热头痛。

| **用法用量** | 内服煎汤，15 ～ 30 g。外用适量，捣敷。

菊科 Compositae 豨莶属 Siegesbeckia 凭证标本号 321023150812045LY

豨莶
Siegesbeckia orientalis L.

| 药 材 名 | 豨莶草（药用部位：地上部分）。

| 形态特征 | 一年生草本，高 30 ～ 100 cm。茎直立，被灰白色短柔毛。基生叶花期枯萎；茎中部叶三角状卵圆形或卵状披针形，长 4 ～ 10 cm，宽 1.8 ～ 6.5 cm，基部宽楔形，下延成翅柄，先端渐尖，边缘浅裂或具粗齿，具腺点，两面被毛，基生三出脉；向上叶渐小，卵状长圆形，边缘浅波状，或全缘，近无柄。头状花序直径 1.5 ～ 2 cm，多数聚生于枝端，排成圆锥状；花序轴密被短柔毛；总苞宽钟状；总苞片 2 层，叶质，背面被紫褐色、头状、具柄的腺毛；外层总苞片 5 ～ 6，线状匙形或匙形，内层总苞片卵状长圆形或卵圆形；外层托苞长圆形，内弯，内层托苞倒卵状长圆形；花黄色；雌花花冠管部

长约 0.7 mm；两性花檐部钟状，先端 4 ~ 5 裂，裂片卵圆形。瘦果倒卵圆状，有 4 棱，长 3 ~ 3.5 mm。花期 4 ~ 9 月，果期 6 ~ 11 月。

| **生境分布** | 生于山野、荒草地、灌丛、林缘、林下及耕地。江苏各地均有分布。

| **资源情况** | 野生资源较丰富。

| **采收加工** | 夏季花开前或花期采割，晒至半干，置于通风处晾干。

| **药材性状** | 本品茎呈圆柱形，表面灰绿色、黄棕色或紫棕色，有纵沟及细纵纹，枝对生，节略膨大，密被白色短柔毛；质轻而脆，易折断，断面有明显的白色髓部。叶对生，多脱落或破碎；完整的叶片三角状卵形或卵状披针形，长 4 ~ 10 cm，宽 1.8 ~ 6.5 cm，先端钝尖，基部宽楔形，下延成翅柄，边缘有不规则浅裂或粗齿；两面被毛，下表面有腺点。有时在茎顶或叶腋可见黄色头状花序。气微，味微苦。

| **功效物质** | 主要含有 9β-羟基-8β-异丁酰氧基木香烯内酯等内酯类及二萜类等资源性成分。

| **功能主治** | 辛、苦，寒。归肝、肾经。祛风湿，利关节，解毒。用于风湿痹痛，筋骨无力，腰膝酸软，四肢麻痹，半身不遂，风疹湿疮。

| **用法用量** | 内服煎汤，9 ~ 12 g，大剂量可用 30 ~ 60 g；或捣汁；或入丸、散剂。外用适量，捣敷；或研末撒；或煎汤熏洗。

菊科 Compositae 豨莶属 Siegesbeckia 凭证标本号 320381181027006LY

腺梗豨莶
Siegesbeckia pubescens Makino

| **药 材 名** | 豨莶草（药用部位：地上部分）。

| **形态特征** | 一年生草本，高 30 ~ 110 cm。茎直立，粗壮，被开展的灰白色长柔毛和糙毛。基生叶卵状披针形，花期枯萎；茎中部叶卵圆形或卵形，长 3.5 ~ 12 cm，宽 1.8 ~ 6 cm，基部宽楔形，下延成具翅、长 1 ~ 3 cm 的柄，先端渐尖，边缘有尖头状粗齿；茎上部叶渐小，披针形或卵状披针形；基生三出脉，两面被平伏短柔毛，沿脉有长柔毛。头状花序直径 1.8 ~ 2.2 cm，多数，顶生，排成松散的圆锥状；花序轴密被紫褐色、头状、具柄的腺毛和长柔毛；总苞宽钟状；总苞片 2 层，叶质，背面密被紫褐色、头状、具柄的腺毛，外层线状匙形或宽线形，内层卵状长圆形；雌花舌片先端 2 ~ 3 齿裂，稀 5 齿裂，管部

长 1 ~ 1.2 mm；两性花长约 2.5 mm，檐部钟状，先端 4 ~ 5 裂。瘦果倒卵圆状，具 4 棱。花期 5 ~ 8 月，果期 6 ~ 10 月。

| 生境分布 | 生于山坡、林缘、灌丛、草地、荒野。江苏各地均有分布。

| 资源情况 | 野生资源一般。

| 采收加工 | 夏季花开前或花期采割，晒至半干，置于通风处晾干。

| 药材性状 | 本品枝上部被长柔毛和紫褐色腺点。叶卵圆形或卵形，边缘有不规则小锯齿。

| 功效物质 | 主要含有海松烷型二萜、贝壳杉烷型二萜等多种二萜类成分。

| 功能主治 | 辛、苦，寒。归肝、肾经。祛风湿，利关节，解毒。用于风湿痹痛，筋骨无力，腰膝酸软，四肢麻痹，半身不遂，风疹湿疮。

| 用法用量 | 内服煎汤，9 ~ 12 g，大剂量可用 30 ~ 60 g；或捣汁；或入丸、散剂。外用适量，捣敷；或研末撒；或煎汤熏洗。

菊科 Compositae 水飞蓟属 Silybum 凭证标本号 321202190511068LY

水飞蓟
Silybum marianum (L.) Gaertn.

| 药 材 名 | 水飞蓟（药用部位：果实）。

| 形态特征 | 一年生或二年生草本，高 1.2 m。茎有纵棱，被白色粉末和蛛丝状毛。基生叶与下部茎生叶具柄，椭圆形或倒披针形，羽状浅裂至全裂；茎生叶向上渐小，长卵形至披针形，羽状浅裂至不裂，先端渐尖，基部心形，半抱茎至抱茎；叶上面绿色，具大型白色花斑，边缘具针刺。头状花序多数，顶生；总苞球状或卵球状，直径 3 ~ 5 cm；总苞片 6 层，中、外层革质，宽匙形至披针形，上部圆形、三角形或近菱形，坚硬，边缘或基部具针刺，先端具长针刺，内层线状披针形，无针刺及附属物；小花红紫色，稀白色，管部长约为檐部的 2 倍，檐部 5 裂。瘦果压扁，长椭圆形或长倒卵形，具深褐色斑点，

先端具果缘；冠毛白色，刚毛状，由外向内渐长，长达 1.5 cm，冠毛刚毛锯齿状，整体脱落，最内层冠毛极短，柔毛状，全缘，排列在冠毛环上。花果期 5 ~ 10 月。

| 生境分布 | 江苏东部沿海地区有栽培。

| 资源情况 | 栽培资源较丰富。

| 采收加工 | 夏、秋季采收，晒干。

| 功效物质 | 花含有原木脂宁等木脂素类成分。果实含有黄酮类及木脂素类成分。种子含有黄酮类及脂类成分等。全草含有羊毛脂烷型、环木菠萝醇型等三萜类成分；此外，还含有水飞蓟宾、水飞蓟亭等黄酮类成分，丹参酮、异丹参酮等二萜醌类成分，丹参素、原儿茶醛等酚类成分，以及甾醇类、鞘氨醇类、酰胺类等资源性成分。水飞蓟宾具有降压、保护心肌、抗心律失常、抗肿瘤等活性，水飞蓟素具有降血脂、抗血小板聚集、抗肺损伤、保肝、改善肾功能等作用。

| 功能主治 | 苦，凉。清热解毒，疏肝利胆。用于肝胆湿热，胁痛，黄疸。

| 用法用量 | 内服煎汤，6 ~ 15 g；或制成冲剂、胶囊剂、丸剂。

菊科 Compositae 一枝黄花属 Solidago 凭证标本号 320506141010154LY

加拿大一枝黄花 Solidago canadensis L.

药材名

加拿大一枝黄花（药用部位：全草）。

形态特征

多年生草本，高 30 ~ 300 cm。茎 1 ~ 20，直立，下部无毛或疏被绒毛，中、上部密被毛。叶茎生；中、下部叶花期枯萎，基部渐狭至无柄，叶片狭卵状披针形，长 50 ~ 190 mm，宽 5 ~ 30 mm，边缘具锐齿，叶脉 3，先端渐尖，背面无毛或沿脉被毛；中、上部叶与下部叶相似，长 30 ~ 120 mm，宽 8 ~ 12 mm，中部叶最大，向上渐小，边缘具 3 ~ 8 锯齿或细齿，有时近全缘。头状花序 70 ~ 150，有时极多偏向一侧，呈偏棱锥形圆锥状排列；花序轴长 3 ~ 3.4 mm；小苞片线状三角形；总苞狭钟状；总苞片 3 ~ 4 层，不等长，先端尖或钝，外层披针形，内层线状披针形；舌状花常 8 ~ 14，盘花常 3 ~ 6，花冠黄色。瘦果狭倒圆锥状，具肋；冠毛白色，长 1.8 ~ 2.2 mm。

生境分布

生于山坡、荒地、田野、路边。江苏各地均有分布。

| **资源情况** | 野生资源丰富。

| **采收加工** | 夏、秋季采收，晒干。

| **功效物质** | 根含有一枝黄花内酯、克拉维醇等克罗烷型二萜类成分、去氢母菊炔内酯、三炔酸甲酯等炔类成分，以及麝香草酚、可巴烯等挥发油类成分。茎含有羽扇豆烷型、熊果酸型、环木菠萝烯醇型等三萜类成分。花含有加拿大一枝黄花内酯、一枝黄花二萜烯酮、表一支黄花二萜烯酮醚等二萜类成分，以及黄酮类、酚酸类成分。此外，全草还含有加拿大一枝黄花皂苷等三萜皂苷类成分，大牻牛儿烯、荜澄茄烯等倍半萜类成分，白藓碱糖苷、甲氧基白藓碱糖苷等生物碱类成分。加拿大一枝黄花内酯具有抗肿瘤作用。

| **功能主治** | 疏风清热，抗菌消炎。

菊科 Compositae 一枝黄花属 Solidago 凭证标本号 320482181014045LY

一枝黄花 *Solidago decurrens* Lour.

| 药 材 名 | 一枝黄花（药用部位：全草）。

| 形态特征 | 多年生草本，高 9 ~ 100 cm。茎直立，单生或簇生，不分枝或中部以上有分枝。叶质地较厚，两面、沿脉及叶缘有短柔毛或下面无毛；中部茎生叶椭圆形、长椭圆形、卵形或宽披针形，长 2 ~ 5 cm，宽 1 ~ 2 cm，下部楔形，渐狭成翅柄，中部以上边缘有细齿，或全缘；向上叶渐小；下部茎生叶与中部茎生叶同形，有翅柄。头状花序直径 6 ~ 9 mm，在茎上部排成紧密或疏松的总状或伞房圆锥状，成复头状花序；总苞片 4 ~ 6 层，披针形或狭披针形，先端急尖或渐尖；舌状花舌片椭圆形，长 6 mm。瘦果长约 3 mm，无毛，稀先端疏被柔毛。花果期 4 ~ 11 月。

| 生境分布 | 生于林缘、林下、灌丛、山坡及草地。江苏各地均有分布。

| 资源情况 | 野生资源较丰富。

| 采收加工 | 秋季花果期采挖，除去泥沙，晒干。

| 药材性状 | 本品茎呈圆柱形；表面暗紫红色或灰绿色，具纵纹，光滑无毛，茎端有稀毛；质坚而脆，易折断，断面纤维性，中央有疏松的白色髓。单叶互生，下部叶具长柄，多脱落，上部叶无柄或近无柄；叶片多破碎而皱缩，上面黄绿色，下面淡绿色，展平后呈卵圆形、长圆形或披针形，长 2 ~ 5 cm，宽 1 ~ 2 cm，先端尖、渐尖或钝，基部狭缩而形成翅状叶柄，边缘有尖锐锯齿，上部叶锯齿较疏至全缘，有睫毛。头状花序集生于茎顶，排成总状或圆锥状，苞片 4 ~ 6 层，膜质宿存，花冠黄色，多脱落，冠毛黄白色，外露。气清香，味苦。以叶多、色绿者为佳。

| 功效物质 | 含有二萜内酯类、倍半萜类、三萜类、黄酮类及酚酸类等多种资源性成分。

| 功能主治 | 辛、苦，凉。清热解毒，疏散风热。用于喉痹，乳蛾，咽喉肿痛，疮疖肿毒，风热感冒。

| 用法用量 | 内服煎汤，9 ~ 15 g，鲜品 20 ~ 30 g。外用适量，鲜品捣敷；或煎汁搽。

菊科 Compositae 苦苣菜属 Sonchus 凭证标本号 320621181124003LY

苣荬菜 *Sonchus arvensis* L.

| 药 材 名 | 牛舌头（药用部位：全草）。

| 形 态 特 征 | 多年生草本，高 30 ～ 150 cm。花序部分密被头状、具柄的腺毛。茎直立，有细条纹。基生叶和中、下部茎生叶倒披针形或长椭圆形，羽状或倒向羽状深裂至浅裂，长 6 ～ 24 cm，宽 1.5 ～ 6 cm，侧裂片 2 ～ 5 对，边缘有小锯齿或小尖头；上部茎生叶披针形或钻形，小，叶基部渐狭成翅柄；中部以上茎生叶无柄，基部圆耳状，半抱茎，先端急尖、短渐尖或钝。头状花序顶生，排成伞房状；总苞钟状，长 1 ～ 5 cm，基部被绒毛；总苞片 3 层，披针形，先端长渐尖，外面沿中脉有 1 行头状、具柄的腺毛；舌状花多数，黄色。瘦果稍压扁，长椭圆形，长约 4 mm，每面有 5 细肋，肋间有横皱纹；冠毛白色，

长 1.5 cm，柔软，彼此纠缠，基部合生成环。花果期 1 ~ 9 月。

| **生境分布** | 生于山坡、山谷林缘、林下或平地田间。江苏各地均有分布。

| **资源情况** | 野生资源较丰富。

| **采收加工** | 花开前采收，鲜用或晒干。

| **药材性状** | 本品根呈圆柱形，下部渐细；表面淡黄棕色，先端具基生叶痕和茎。茎圆柱形，表面淡黄棕色。叶皱缩或破碎，上面深绿色，下面灰绿色，完整叶片展平后呈宽披针形或长圆状披针形，长 8 ~ 16 cm，宽 1.5 ~ 2.5 cm，先端有小尖刺，基部圆耳状抱茎。有时带有残存的头状花序。质脆，易碎。气微，味淡、微咸。

| **功效物质** | 全草含有苦苣菜黄酮苷、异菜蓟苷等黄酮类成分，毒莴苣醇、蒲公英萜醇等三萜类成分，绿原酸、菊苣酸等酚酸类成分，以及挥发油类、糖脂类等资源性成分。其中，挥发油类成分具有抗肿瘤活性。

| **功能主治** | 苦，寒。清热解毒。用于肠痈，痢疾，痔疮，遗精，白浊，乳痈，疮疖肿毒，烫火伤。

| **用法用量** | 内服煎汤，9 ~ 15 g，鲜品 30 ~ 60 g；或鲜品绞汁。外用适量，煎汤熏洗；或鲜品捣敷。

菊科 Compositae 苦苣菜属 Sonchus 凭证标本号 320303200818038LY

续断菊

Sonchus asper (L.) Hill.

| 药 材 名 | 大叶苣荬菜（药用部位：全草或根）。

| 形态特征 | 一年生草本，高 20 ~ 50 cm。有时花序部分被头状、具柄腺毛。茎直立，单生或数个簇生，有纵纹。基生叶与茎生叶同形而较小；中、下部茎生叶长椭圆形至匙状椭圆形，长 7 ~ 13 cm，宽 2 ~ 5 cm，先端渐尖至钝，基部渐狭成翅柄或无柄，耳状抱茎；上部茎生叶披针形，不裂，基部圆耳状抱茎；有时下部或全部茎生叶羽状浅裂、半裂或深裂，侧裂片 4 ~ 5 对；叶及裂片边缘有尖齿刺。头状花序顶生，排成伞房状；总苞钟状，长约 1.5 cm；总苞片 3 ~ 4 层，向内层渐长，草质，外层长披针形或长三角形，中、内层长椭圆状披针形至宽线形，先端急尖，外面无毛；舌状花黄色。瘦果倒披针状，

褐色，长 3 mm，压扁，两面具 3 细纵肋，肋间无横皱纹；冠毛白色，长达 7 mm，彼此纠缠，基部合生成环。花果期 5 ~ 10 月。

| **生境分布** | 生于山坡、林缘及水边。江苏各地均有分布。

| **资源情况** | 野生资源较丰富。

| **采收加工** | 春、夏季花开前采收，鲜用或切段，晒干。

| **功效物质** | 主要含有倍半萜内酯类、紫罗兰酮衍生物、黄酮类等成分。

| **功能主治** | 苦，寒。清热解毒，止血。用于疮疡肿毒，小儿咳喘，肺痨咯血。

| **用法用量** | 内服煎汤，9 ~ 15 g，鲜品加倍。外用适量，鲜品捣敷。

菊科 Compositae 苦苣菜属 Sonchus 凭证标本号 320621181110020LY

长裂苦苣菜 *Sonchus brachyotus* DC.

| **药 材 名** | 苣荬菜（药用部位：全草）。

| **形态特征** | 一年生草本，高 50 ~ 100 cm。茎直立，有纵条纹。基生叶与下部茎生叶卵形、长椭圆形或倒披针形，长 6 ~ 19 cm，宽 1.5 ~ 11 cm，羽状深裂至浅裂，稀不裂，向基部渐狭，具短翅柄或无，基部圆耳状，半抱茎，侧裂片 3 ~ 5 对，顶裂片披针形，全缘，有或无缘毛，或具缘毛状微齿，先端急尖、钝或圆；中、上部茎生叶与下部茎生叶同形；最上部茎生叶宽线形或宽线状披针形。头状花序数枚，顶生，排成伞房状；总苞钟状，长 1.5 ~ 2 cm；总苞片 4 ~ 5 层，先端急尖，外面无毛，最外层卵形，中层长三角形至披针形，内层长披针形；舌状花多数，黄色。瘦果长椭圆状，褐色，稍压扁，长

约 3 mm，每面有 5 隆起的纵肋，肋间有横皱纹；冠毛白色，纤细，柔软，纠缠，单毛状，长 1.2 cm。花果期 6 ～ 9 月。

| **生境分布** | 生于山坡、草地、河边或盐碱地。分布于江苏北部等。

| **资源情况** | 野生资源较丰富。

| **采收加工** | 夏季花开前采收，晒干。

| **功效物质** | 主要含有咖啡酸、亚油酸等有机酸类成分，芦丁、荭草素、木犀草素等黄酮类成分，以及挥发油类、甾醇类等成分。

| **功能主治** | 清热解毒，利湿排脓，凉血止血。用于咽喉肿痛，疮疖肿毒，痔疮，急性细菌性痢疾，肠炎，肺脓肿，急性阑尾炎，吐血，衄血，咯血，尿血，便血，崩漏。

| **用法用量** | 内服煎汤，9 ～ 15 g；或捣汁。外用适量，捣敷；或研末调敷；或煎汤洗。

菊科 Compositae 苦苣菜属 Sonchus 凭证标本号 321084180605031LY

苦苣菜 *Sonchus oleraceus* L.

| 药 材 名 | 苦菜（药用部位：全草）。

| 形态特征 | 一年生或二年生草本，高 40 ~ 150 cm。植株无毛或花序部分被头状、具柄的腺毛。茎直立，单生，有纵棱或条纹。基生叶及中、下部茎生叶长椭圆形至倒披针形，羽状或大头羽状深裂，或椭圆形、三角状戟形或圆形，不裂，基部渐狭成翅柄；中部茎生叶长 3 ~ 12 cm，宽 2 ~ 7 cm，基部急狭成翅柄，柄基加宽，耳状抱茎；上部茎生叶与中、下部茎生叶同形，有时分裂，先端渐尖，基部半抱茎；叶片或裂片全缘或具齿。头状花序顶生，数个排成伞房状、总状或单生；总苞钟状，长 1.5 cm；总苞片 3 ~ 4 层，向内层渐长，外层披针形或长三角形，中、内层披针形至线状披针形；舌状花多

数，黄色。瘦果褐色，长椭圆状或倒披针状，长 3 mm，压扁，每面具 3 细肋，肋间有横皱纹，无喙；冠毛白色，长 7 mm，单毛状。花果期 5 ～ 12 月。

| **生境分布** | 生于山坡、山谷林缘、林下或平地田间。江苏各地均有分布。

| **资源情况** | 野生资源较丰富。

| **采收加工** | 冬、春、夏季花开前采收，鲜用或晒干。

| **药材性状** | 本品根呈纺锤形，灰褐色，有多数须根。茎呈圆柱形，上部呈压扁状，长 45 ～ 95 cm，直径 4 ～ 8 mm；表面黄绿色，基部略带淡紫色，具纵棱，上部有暗褐色腺毛；质脆，易折断，断面中空。叶互生，皱缩、破碎，完整叶展平后呈椭圆状广披针形，琴状羽裂，裂片边缘有不整齐的短刺状齿。有的在茎顶可见头状花序，舌状花淡黄色，或有的已结果。气微，味微咸。

| **功效物质** | 全草含有黑麦草内酯、山地蒿酮等倍半萜类成分，白桦脂酸、羽扇豆醇等三萜类成分，槲皮素、山萘苷素等黄酮类成分，以及挥发油类、甾醇类等资源性成分。其中，黄酮类成分具有抗脑缺血、保肝等作用。

| **功能主治** | 苦，寒。归心、脾、胃、大肠经。清热解毒，凉血止血。用于肠炎，痢疾，黄疸，淋证，咽喉肿痛，痈疮肿毒，乳腺炎，痔漏，吐血，衄血，咯血，尿血，便血，崩漏。

| **用法用量** | 内服煎汤，15 ～ 30 g。外用适量，鲜品捣敷；或煎汤熏洗；或取汁涂搽。

菊科 Compositae 甜叶菊属 Stevia 凭证标本号 320113190907112LY

甜叶菊 *Stevia rebaudiana* (Bertoni) Bertoni Hemsl.

| 药 材 名 |

甜叶菊（药用部位：叶）。

| 形 态 特 征 |

多年生草本，高 1 ~ 1.5 m。根稍肥大，长可达 25 cm。茎直立，基部稍木质化，上部柔嫩，密生短绒毛。叶对生或茎上部叶互生；叶片倒卵形、匙状披针形至宽披针形，长 2 ~ 11 cm，宽 1.5 ~ 4 cm，先端钝，基部楔形下延，上半部边缘有浅粗锯齿，两面被柔毛；茎下部叶具短柄，茎上部叶无柄；叶脉三出。头状花序直径 3 ~ 5 mm，排成松散的伞房状；总苞圆柱状，长约 6 mm；总苞片 5 ~ 6，近等长，背面被短柔毛；花序托平，无毛；小花 4 ~ 6，管状，白色，有时花冠基部浅紫红色；雄蕊外露；柱头伸出花冠外，2 裂，反卷。瘦果长纺锤状，长 2.5 ~ 3 mm，稍扁，黑褐色；冠毛多数，长 4 ~ 5 mm。花期 7 ~ 9 月，果期 9 ~ 11 月。

| 生 境 分 布 |

江苏有引种栽培。

| **资源情况** | 栽培资源较少。

| **采收加工** | 春、夏、秋季采收，鲜用或晒干。

| **药材性状** | 本品多破碎或皱缩，草绿色，完整的叶片展平后呈倒卵形至宽披针形，长 4.5 ~ 9.5 cm，宽 1.5 ~ 3.5 cm；先端钝，基部楔形；中、上部边缘有粗锯齿，下部全缘；三出脉，中央主脉明显，两面均有柔毛；具短叶柄，叶片常下延至叶柄基部；薄革质。质脆，易碎。气微，味极甜。

| **功效物质** | 主要含有甜叶菊素、甜叶菊苷、甜菊双糖苷、甜叶菊苷、瑞宝甜菊苷等二萜类成分。此外，还含有香豆素类、黄酮类、酚酸类、挥发油类等资源性成分。其中，甜叶菊苷具有抗心律失常、降压、降血糖等作用。

| **功能主治** | 甘，平。生津止渴，降压。用于消渴，高血压。

| **用法用量** | 内服煎汤，3 ~ 10 g；或代茶饮。

菊科 Compositae 兔儿伞属 Syneilesis 凭证标本号 321112180529014LY

兔儿伞 *Syneilesis aconitifolia* Maxim.

| 药 材 名 |

兔儿伞（药用部位：全草或根）。

| 形 态 特 征 |

多年生草本，高 70 ~ 120 cm。茎直立，紫褐色，具纵肋。茎下部叶具长柄，叶片盾状圆形，直径 20 ~ 30 cm，掌状 7 ~ 9 深裂，每裂片再 2 ~ 3 浅裂，小裂片线状披针形，边缘具不等长锐齿，先端渐尖，初时反折成闭伞状，密被蛛丝状绒毛，后开展成伞状，无毛，叶柄长 10 ~ 16 cm，基部抱茎；茎中部叶较小，裂片常 4 ~ 5；其余叶苞片状，披针形，向上渐小，无柄或具短柄。头状花序多数，在茎端密集排成复伞房状；花序轴长 5 ~ 16 mm，具数枚线形小苞片；总苞圆柱状，长 9 ~ 12 mm，基部有 3 ~ 4 小苞片；总苞片 5，1 层，长圆形，边缘干膜质；小花 8 ~ 10，花冠淡粉白色，管部狭，檐部狭钟状，5 裂；花药变紫色，基部短箭形；花柱分枝伸长，先端钝，被微毛。瘦果圆柱状，长 5 ~ 6 mm，具肋；冠毛污白色或变红色，糙毛状。花期 6 ~ 7 月，果期 8 ~ 10 月。

| **生境分布** | 生于山坡、荒地、林缘或路旁。江苏各地均有分布。

| **资源情况** | 野生及栽培资源一般。

| **采收加工** | 春、夏季采收，鲜用或切段，晒干。

| **药材性状** | 本品根茎呈扁圆柱形，多弯曲，长 1 ~ 4 cm，直径 0.3 ~ 0.8 cm；表面棕褐色，粗糙，具不规则的环节和纵皱纹，两侧向下生多条根。根类圆柱状，弯曲，长 5 ~ 15 cm，直径 0.1 ~ 0.3 cm；表面灰棕色或淡棕黄色，密被灰白色根毛，具细纵皱纹；质脆，易折断，折断面略平坦，皮部白色，木部棕黄色。气微特异，味辛、凉。

| **功效物质** | 根主要含有单萜类成分。地上部分含有毛叶菊酯、大牻牛儿烯等倍半萜类成分，兔儿伞碱、乙酰兔儿伞碱等生物碱类成分，以及单萜类、黄酮类等资源性成分。

| **功能主治** | 辛、苦，微温；有毒。祛风除湿，舒筋活血，解毒消肿。用于风湿麻木，肢体疼痛，跌打损伤，月经不调，痛经，痈疽肿毒，瘰疬，痔疮。

| **用法用量** | 内服煎汤，10 ~ 15 g；或浸酒。外用适量，鲜品捣敷；或煎汤洗；或取汁涂。

菊科 Compositae 万寿菊属 Tagetes 凭证标本号 320481141004363LY

万寿菊 *Tagetes erecta* L.

| 药 材 名 | 万寿菊花（药用部位：花）。

| 形态特征 | 一年生草本，高 30 ~ 150 cm。茎直立，粗壮，具细纵棱。叶片羽状分裂，长 5 ~ 10 cm，宽 4 ~ 8 cm，裂片长椭圆形至线状披针形，边缘具锐锯齿，齿端常有长细芒，基部常有 1 腺体，沿叶缘有少数腺体。头状花序单生，直径 5 ~ 8 cm，花序轴先端呈棍棒状膨大；总苞长 1.5 ~ 2 cm，宽 1 ~ 1.5 cm，杯状至圆柱状，先端具齿尖，有腺点；舌状花金黄色、黄色、暗橙色或橙色，有时带红斑，舌片倒卵形，长 8 ~ 14 mm，宽 6 ~ 12 mm，基部收缩成长爪，先端微凹；管状花花冠黄色，长 9 ~ 14 mm，先端具 5 齿裂。瘦果线形，基部缩小，黑色或褐色，长 8 ~ 12 mm，被短柔毛；冠毛有 1 ~ 2 长芒

状刚毛和 2 ～ 3 短而钝的鳞片。花期 7 ～ 9 月。

| **生境分布** | 生于向阳温暖湿润处。江苏有栽培。

| **资源情况** | 栽培资源较丰富。

| **采收加工** | 夏、秋季采收，鲜用或晒干。

| **药材性状** | 本品茎呈圆柱形，具纵条纹，基部簇生数条小纺锤形块根，具纵皱纹，表面灰白色。叶条形，数枚基生，展平后呈条状披针形。有的可见穗状花序，呈螺旋状扭转。气微，味淡、微甘。

| **功效物质** | 根含有噻吩类成分。茎叶含有黄酮类、鞣质类及甾体类成分。花含有孔雀草苷、万寿菊属苷、槲皮万寿菊素等黄酮类成分，叶黄素、花药黄素、隐黄素、胡萝卜烯等类胡萝卜素成分，达玛烯二醇、熊果醇等三萜类成分，以及维生素类、挥发油类等资源性成分。其中，叶黄素具有抗突变的作用。

| **功能主治** | 苦、微辛，凉。清热解毒，化痰止咳。用于上呼吸道感染，百日咳，结膜炎，口腔炎，牙痛，咽炎，眩晕，小儿惊风，闭经，小儿腹痛，痈疮肿毒。

| **用法用量** | 内服煎汤，9 ～ 15 g；或研末。外用适量，研末醋调敷；或鲜品捣敷。

菊科 Compositae 万寿菊属 Tagetes 凭证标本号 321322180819193LY

孔雀草 *Tagetes patula* L.

| **药 材 名** | 孔雀草（药用部位：全草）。

| **形态特征** | 一年生草本，高 30 ～ 100 cm。茎直立，通常近基部分枝，分枝斜开展。叶羽状分裂，长 2 ～ 9 cm，宽 1.5 ～ 3 cm，裂片线状披针形，边缘有锯齿，齿端常有长细芒，齿的基部通常有 1 腺体。头状花序单生，直径 3.5 ～ 4 cm，花序梗长 5 ～ 6.5 cm，先端稍增粗；总苞长 1.5 cm，宽 0.7 cm，长椭圆形，上端具锐齿，有腺点；舌状花金黄色或橙色，带有红斑，舌片近圆形，长 8 ～ 10 mm，宽 6 ～ 7 mm，先端微凹；管状花花冠黄色，长 10 ～ 14 mm，与冠毛等长，具 5 齿裂。瘦果线形，基部缩小，长 8 ～ 12 mm，黑色，被短柔毛；冠毛鳞片状，其中 1 ～ 2 呈长芒状，2 ～ 3 短而钝。花期 7 ～ 9 月。

| **生境分布** | 生于海拔 750 ~ 1 600 m 的山坡草地、林中。江苏各地的庭园有栽培。

| **采收加工** | 夏、秋季采收，鲜用或晒干。

| **资源情况** | 栽培资源较丰富。

| **功效物质** | 花主要含有孔雀草素、万寿菊素、万寿菊苷、万寿菊酮等黄酮类成分，叶黄素、堆心菊烯、叶黄素脂肪酸酯等类胡萝卜素成分，罗勒烯、生育醌等挥发油类成分，以及单萜类、苯并呋喃类、挥发油类等资源性成分。种子含有黄酮类成分。秧苗、茎含有苯并呋喃类成分。根和叶含有噻吩类成分。其中，三联噻吩类成分具有抗真菌作用，槲皮万寿菊素、孔雀草素等具有晶状体醛糖还原酶抑制活性。

| **功能主治** | 苦，凉。清热解毒，止咳。用于风热感冒，咳嗽，百日咳，痢疾，腮腺炎，乳痛，疖肿，牙痛，口腔炎，目赤肿痛。

| **用法用量** | 内服煎汤，9 ~ 15 g；或研末。外用适量，研末，醋调敷；或鲜品捣敷。

菊科 Compositae 蒲公英属 Taraxacum 凭证标本号 321323180405177LY

蒲公英 *Taraxacum mongolicum* Hand.-Mazz.

| **药 材 名** | 蒲公英（药用部位：全草）。

| **形态特征** | 多年生草本。根圆柱状，黑褐色。叶倒卵状披针形、倒披针形或长圆状披针形，长 4 ~ 20 cm，宽 1 ~ 5 cm，先端钝或急尖，边缘羽状深裂、倒向羽状深裂、大头羽状深裂或具波状齿，每侧裂片 3 ~ 5，基部渐狭成叶柄，叶柄及主脉常带红紫色，疏被白色蛛丝状毛。花葶 1 至数个，高 10 ~ 25 cm，上部紫红色，密被白色蛛丝状毛；头状花序 1，直径 3 ~ 4 cm；总苞钟状；总苞片 2 ~ 3 层，外层卵状披针形或披针形，边缘干膜质，先端紫红色，增厚或具角状突起，内层线状披针形，先端紫红色，具小角状突起；舌状花黄色，舌片背面具紫红色条纹；花药和柱头暗绿色。瘦果倒卵状

披针形，暗褐色，长 4 ~ 5 mm，上部具小刺，下部具成行排列的小瘤，喙基圆锥状至圆柱状，喙长 6 ~ 10 mm；冠毛白色，长约 6 mm。花期 4 ~ 9 月，果期 5 ~ 10 月。

| 生境分布 | 生于山坡草地、路边、田野、河滩。江苏各地均有分布。

| 资源情况 | 野生资源丰富。

| 采收加工 | 4 ~ 5 月花开前或刚开花时连根采收，除净泥土，晒干。

| 药材性状 | 本品呈皱缩、卷曲的团块状。根圆锥状，多弯曲，长 3 ~ 7 cm；表面棕褐色，抽皱，根头部有棕褐色或黄白色的茸毛，有的已脱落。叶基生，多皱缩、破碎，完整叶倒披针形，长 6 ~ 15 cm，宽 2 ~ 3.5 cm，绿褐色或暗灰色，先端尖或钝，边缘倒向浅裂或羽状分裂，裂片牙齿状或三角形，基部渐狭，下延成柄状，下表面主脉明显，被蛛丝状毛。花茎 1 至数条，每条顶生头状花序；总苞片多层，外面总苞片数层，先端有或无小角，内面 1 层较外层长，先端有小角，花冠黄褐色或淡黄白色。有的可见多数具白色冠毛的长椭圆形瘦果。气微，味微苦。

| 功效物质 | 根含有蒲公英酮内酯、蒲公英酸葡萄糖苷等倍半萜类成分，吲哚衍生物、烟酰胺等生物碱类成分，蒲公英苦素 B、丁香酸等酚类及酚酸类成分，以及甾体类成分。地上部分含有蒲公英碱、咔啉衍生物、吲哚衍生物等生物碱类成分，蒙古蒲公英素 B 等倍半萜类成分，蒲公英萜醇乙酸酯、香树脂醇乙酸酯等三萜类成分，蒲公英酚素等酚类成分，以及单萜类、香豆素类、黄酮类、甾体类资源性成分。其中，黄酮类成分具有抗氧化活性，多糖类成分具有抗应激作用。

| 功能主治 | 苦、甘，寒。归肝、胃经。清热解毒，消肿散结，利尿通淋。用于疔疮肿毒，乳痈，瘰疬，目赤，咽痛，肺痈，肠痈，湿热黄疸，热淋涩痛。

| 用法用量 | 内服煎汤，10 ~ 30 g，大剂量可用至 60 g；或捣汁；或入散剂。外用适量，捣敷。

菊科 Compositae 蒲公英属 *Taraxacum* 凭证标本号 320621181124119LY

药用蒲公英 *Taraxacum officinale* F. H. Wigg.

|药 材 名|

蒲公英（药用部位：全草）。

|形态特征|

多年生草本。叶狭倒卵形、长椭圆形，稀倒披针形，长 4 ~ 20 cm，宽 10 ~ 15 mm，大头羽状深裂或羽状浅裂，稀具波状齿，每侧裂片 4 ~ 7，全缘或具齿，叶基有时红紫色，有时沿主脉疏被蛛丝状毛。花葶多数，高 5 ~ 40 cm，先端被蛛丝状毛，基部常红紫色；头状花序单一，直径 2.5 ~ 4 cm；总苞宽钟状，长 13 ~ 25 mm；总苞片绿色，先端渐尖，无角，外层总苞片宽披针形至披针形，反卷，边缘有时干膜质，等宽或稍宽于内层总苞片，内层总苞片长为外层总苞片的 1.5 倍；舌状花亮黄色，花冠喉部及舌片下部的背面密生短柔毛，舌片背面有紫色条纹；柱头暗黄色。瘦果浅黄褐色，长 3 ~ 4 mm，中部以上有小尖刺，其余部分具小瘤状突起，先端突然缢缩为喙基，喙长 7 ~ 12 mm；冠毛白色，长 6 ~ 8 mm。花果期 6 ~ 8 月。

|生境分布|

生于山坡草地、路边、田野、河滩。江苏各

地均有分布。

| **资源情况** | 野生资源较丰富。

| **采收加工** | 花开前或刚开花时连根采收，除净泥土，晒干。

| **药材性状** | 本品呈皱缩、卷曲的团块状。根圆锥状，多弯曲，长 3 ~ 7 cm；表面棕褐色，抽皱，根头部有棕褐色或黄白色的茸毛，有的已脱落。叶基生，多皱缩、破碎，完整叶倒披针形，长 6 ~ 15 cm，宽 0.1 ~ 1.5 cm，绿褐色或暗灰色，先端尖或钝，边缘倒向浅裂或羽状分裂，裂片牙齿状或三角形，基部渐狭，下延成柄状，下表面主脉明显，被蛛丝状毛。花茎 1 至数条，每条顶生头状花序；总苞片多层，外面总苞片数层，先端有或无小角，内面 1 层较外层长，先端有小角，花冠黄褐色或淡黄白色。有的可见多数具白色冠毛的长椭圆形瘦果。气微，味微苦。

| **功效物质** | 主要含有倍半萜类、生物碱类、酚酸类、黄酮类和多糖类等资源性成分。

| **功能主治** | 苦、甘，寒。归肝、胃经。清热解毒，消肿散结，利尿通淋。用于疔疮肿毒，乳痈，瘰疬，目赤，咽痛，肺痈，肠痈，湿热黄疸，热淋涩痛。

| **用法用量** | 内服煎汤，10 ~ 30 g，大剂量可用至 60 g；或捣汁；或入散剂。外用适量，捣敷。

菊科 Compositae 女菀属 Turczaninowia 凭证标本号 320124170821045LY

女菀
Turczaninowia fastigiata (Fisch.) DC.

| **药 材 名** | 女菀（药用部位：全草或根）。

| **形态特征** | 多年生草本。株高 30 ~ 100 cm。根茎粗壮。茎直立，被短柔毛，下部常无毛，上部有伞房状细枝。茎下部叶花期枯萎，线状披针形，长 3 ~ 12 cm，宽 3 ~ 15 mm，基部渐狭成短柄，先端渐尖，全缘；茎中部以上叶渐小，披针形或线形，下面灰绿色，被密短毛及腺点，上面无毛，边缘有糙毛，稍反卷，中脉及三出脉在下面凸起。头状花序直径 5 ~ 7 mm，多数在枝端密集；花序轴纤细，有长 1 ~ 2 mm 的苞叶；总苞长 3 ~ 4 mm；总苞片被密短毛，先端钝，外层长圆形，长约 1.5 mm，内层倒披针状长圆形，上端及中脉绿色；花 10 余；舌状花白色，管部长 2 ~ 3 mm；管状花长 3 ~

4 mm。瘦果长圆形，基部尖，长约 1 mm，被密柔毛或后稍无毛；冠毛约与管状花花冠等长。花果期 8 ~ 10 月。

| 生境分布 | 生于山坡、草地、路旁。江苏各地均有分布。

| 资源情况 | 野生资源一般。

| 采收加工 | 春、夏季采收全草，晒干；秋季采挖根，切段，晒干。

| 功效物质 | 全草含有槲皮素、芹菜素等黄酮类成分，以及香豆素类等成分。根含有挥发油类成分。

| 功能主治 | 辛，温。温肺化痰，健脾利湿。用于咳嗽气喘，泻痢，小便短涩。

| 用法用量 | 内服煎汤，9 ~ 15 g。

菊科 Compositae　苍耳属 Xanthium　凭证标本号 320115150829007LY

苍耳
Xanthium sibiricum Patrin ex Widder

| **药 材 名** | 苍耳子（药用部位：带总苞的果实）。

| **形态特征** | 一年生草本，高 20 ～ 120 cm。植株被灰白色糙伏毛。茎直立。叶
互生，叶片三角状卵形或心形，长 4 ～ 25 cm，宽 5 ～ 20 cm，近全
缘或有 3 ～ 5 不明显浅裂，先端尖或钝，基部稍心形或截形，边缘
有不规则粗齿，基出脉 3，下面苍白色；叶柄长 3 ～ 11 cm。雄头状
花序球形，直径 4 ～ 6 mm，总苞片长圆状披针形，花序托柱状，托
苞倒披针形，长约 2 mm，雄花多数，花冠钟形，先端具 5 宽裂片，
花药长圆状线形；雌头状花序椭圆形，外层总苞片披针形，内层总
苞片合生成囊状，宽卵形或椭圆形，瘦果成熟时变坚硬，连喙部长
12 ～ 20 mm，宽 4 ～ 7 mm，外面疏生具钩的刺，刺长 1 ～ 5 mm，

常有腺点，喙坚硬，锥形，常不等长，有时合生成 1 喙。瘦果 2，倒卵形。花期 7 ~ 8 月，果期 9 ~ 10 月。

| 生境分布 | 生于平原、丘陵、低山、荒野、路边。江苏各地均有分布。

| 资源情况 | 野生资源丰富。

| 采收加工 | 9 ~ 10 月果实成熟、由青转黄，叶已大部分枯萎脱落时，选晴天割下全株，脱粒，收集果实，扬净杂质，晒干。

| 药材性状 | 本品包在总苞内，呈纺锤形或卵圆形，长 1 ~ 1.5 cm，直径 0.4 ~ 0.7 cm；表面黄棕色或黄绿色，全体有钩刺，先端有 2 较粗的刺，分离或连生，基部有柄痕；质硬而韧，横切面中间有 1 隔膜，2 室，各有 1 瘦果。瘦果略呈纺锤形，一面较平坦，先端具 1 凸起的花柱基，果皮薄，灰黑色，具纵纹。种皮膜质，浅灰色，有纵纹；子叶 2，有油性。气微，味微苦。以粒大、饱满、色黄棕者为佳。

| 功效物质 | 果实含有脂肪油类、糖类、氨基酸类等营养成分，苍耳噻嗪双酮苷等生物碱类成分，苍耳硫氮二酮等含硫成分，以及咖啡酸、阿魏酸、绿原酸等酚酸类成分。地上部分含有苍耳内酯 A、苍耳内酯 B 等倍半萜类成分。其中，生物碱类及倍半萜类成分具有免疫调节的作用，多糖类成分具有镇咳活性。

| 功能主治 | 苦、甘、辛，温；有小毒。归肺、肝经。散风寒，通鼻窍，祛风湿。用于风寒头痛，鼻塞流涕，鼻衄，鼻渊，风疹瘙痒，湿痹拘挛。

| 用法用量 | 内服煎汤，3 ~ 10 g；或入丸、散剂。外用适量，捣敷；或煎汤洗。

菊科 Compositae 黄鹌菜属 Youngia 凭证标本号 320830150426004LY

黄鹌菜
Youngia japonica (L.) DC.

| 药 材 名 | 黄鹌菜（药用部位：全草或根）。

| 形态特征 | 一年生草本，高 10 ~ 100 cm，全体被柔毛。茎直立，单生或簇生。基生叶倒披针形、椭圆形至宽线形，长 2.5 ~ 13 cm，宽 1 ~ 4.5 cm，大头羽状深裂或全裂，稀不裂，顶裂片卵形至卵状披针形，先端圆或急尖，边缘有时具齿，侧裂片 3 ~ 7 对，向基部渐小，最下方的侧裂片耳状；叶柄长 1 ~ 7 cm，有或无翅；茎生叶 1 ~ 2，有时无。头状花序顶生，排成伞房状；总苞圆柱状，长 4 ~ 5 mm；总苞片 4 层，外层及最外层极短，宽卵形，内层及最内层长，披针形，边缘白色，干膜质，内面具短糙毛，外面无毛；舌状花 10 ~ 20，黄色。瘦果纺锤状，压扁，褐色或红褐色，长 1.5 ~ 2 mm，先端渐细，无

喙，有 11 ~ 13 粗细不等的纵肋，肋上有小刺毛；冠毛长 2.5 ~ 3.5 mm，糙毛状。花果期 4 ~ 10 月。

| **生境分布** | 生于山坡、山谷、林缘、林下、草地、河边沼泽地、田间与荒地上。江苏各地均有分布。

| **资源情况** | 野生资源丰富。

| **采收加工** | 春季采收全草，秋季采挖根，鲜用或切段，晒干。

| **功效物质** | 全草含有黄鹌菜醇 A、黄鹌菜醇苷、曲折斑鸠菊苷等倍半萜类成分，风毛菊苷 B、二咖啡酰基奎宁酸等酚酸类成分，蒲公英萜醇、过氧蒲公英萜醇、熊果酸等三萜类成分，以及黄酮类、甾体类等资源性成分。其中，萜类成分具有免疫调节的作用，黄酮类成分具有抗菌活性。

| **功能主治** | 甘、微苦，凉。清热解毒，利尿消肿。用于感冒，咽痛，结膜炎，乳痈，疮疖肿毒，毒蛇咬伤，痢疾，肝硬化腹水，急性肾炎，淋浊，血尿，带下，风湿性关节炎，跌打损伤。

| **用法用量** | 内服煎汤，9 ~ 15 g，鲜品 30 ~ 60 g；或捣汁。外用适量，鲜品捣敷；或捣汁含漱。

菊科 Compositae 百日菊属 Zinnia 凭证标本号 320621181125003LY

百日菊 *Zinnia elegans* Jacq.

| 药 材 名 | 百日草（药用部位：全草）。

| 形态特征 | 一年生草本，高 30 ~ 100 cm。茎直立，被糙毛或长硬毛。叶宽卵圆形或长圆状椭圆形，长 5 ~ 10 cm，宽 2.5 ~ 5 cm，基部稍心形抱茎，两面粗糙，下面密被短糙毛，基生三出脉。头状花序单个顶生；总苞宽钟状；总苞片多层，宽卵形或卵状椭圆形，外层长约为内层的一半，边缘黑色；托苞上端有紫红色、流苏状的三角形附属物；舌状花深红色、玫瑰色、紫堇色或白色，舌片倒卵圆形，先端2 ~ 3 齿裂或全缘，上面被短毛，下面被长柔毛；管状花黄色或橙色，檐部裂片卵状披针形，上面密被黄褐色绒毛。舌状花瘦果倒卵圆形，长 6 ~ 7 mm，扁平，腹面正中和两侧边缘各有 1 棱，先端截

形，基部渐狭，密被毛；管状花瘦果极扁，倒卵状楔形，长 7 ~ 8 mm，疏被毛，先端有短齿。花期 6 ~ 9 月，果期 7 ~ 10 月。

| **生境分布** | 江苏城镇多有栽培。

| **资源情况** | 野生资源较丰富。

| **采收加工** | 春、夏季采收，鲜用或切段，晒干。

| **功效物质** | 主要含有哈阿格百日菊内酯等倍半萜内酯类成分，以及酚酸类、黄酮类成分。

| **功能主治** | 苦、辛，凉。清热，利湿，解毒。用于湿热痢疾，淋证，乳痈，疖肿。

| **用法用量** | 内服煎汤，15 ~ 30 g。外用适量，鲜品捣敷。

泽泻科 Alismataceae 泽泻属 *Alisma* 凭证标本号 321183151017884LY

窄叶泽泻 *Alisma canaliculatum* A. Braun et Bouche.

| 药 材 名 |

大箭（药用部位：全草）。

| 形态特征 |

多年生水生或沼生草本。根茎极短，直径1 ~ 3 cm。叶基生；沉水叶条形，叶柄状；挺水叶披针形或线状披针形，稍呈镰状弯曲，长7 ~ 20 cm，宽1 ~ 3 cm，先端与基部均渐狭，叶脉3 ~ 5，叶柄长3 ~ 30 cm，基部宽，扩大成鞘，边缘膜质。花茎高达1 m，直立；圆锥状复伞形花序；花两性；外轮花被片长圆形，长3 ~ 3.5 mm，具5 ~ 7脉，边缘膜质，内轮花被片白色，近圆形，边缘不整齐；雄蕊6，花药黄色；心皮多数，排列成1轮，整齐，柱头小，向背部弯曲；花托在果期外凸，半球形。瘦果倒卵形或近三角形，长2 ~ 2.5 mm，背部宽，具1明显的沟槽，两侧果皮厚纸质，不透明，果喙自顶部伸出；种子深紫色，矩圆形。花果期5 ~ 10 月。

| 生境分布 |

生于湖溪、水塘、沼泽地区。分布于江苏连云港、南京、镇江、苏州、无锡（宜兴）等。

| 资源情况 | 野生资源较丰富。

| 采收加工 | 8 ~ 9 月采收，鲜用或晒干。

| 功能主治 | 淡、微辛，平。清热利湿，解毒消肿。用于小便不通，水肿，无名肿毒，皮肤疱疹，湿疹，蛇咬伤。

| 用法用量 | 内服煎汤，31 ~ 62 g；或浸酒。

泽泻科 Alismataceae　泽泻属 Alisma　凭证标本号 321284190913014LY

东方泽泻 *Alisma orientale* (Sam.) Juz.

| 药 材 名 | 泽泻（药用部位：块茎）、泽泻叶（药用部位：叶）、泽泻实（药用部位：果实）。

| 形态特征 | 多年生沼生草本。根茎短球形。叶多数，基生；叶片卵形或椭圆形，先端尖，基部楔形或心形，长 3.5 ～ 11.5 cm，宽 1.5 ～ 6 cm；叶柄长达 60 cm，基部鞘状，边缘膜质。花序长 20 ～ 70 cm，常 3 ～ 9 轮分枝，轮生的分枝再分枝，成圆锥状复伞形花序；花两性，直径约 6 mm，花梗不等长；外轮花被片卵形，长 2 ～ 2.5 mm，边缘窄膜质，具 5 ～ 7 脉，绿色或稍带紫色，宿存；内轮花被片倒卵形，白色或淡红色，边缘波状，膜质，较外轮大，脱落；花丝基部宽，向上渐窄，花药黄绿色或黄色；花柱短，长约 0.5 mm，直立；花托在果期中部呈凹形，高约 0.4 mm。瘦果扁平，倒卵形，背部具 1 ～ 2

浅沟，腹部自果喙处凸起，呈膜质翅，两侧果皮纸质，半透明或否，果喙长约0.5 mm；种子紫红色。花果期 5 ～ 10 月。

| **生境分布** | 生于湖泊、水塘、沟渠、沼泽中。江苏各地均有分布。江苏各地均有栽培。

| **资源情况** | 野生及栽培资源一般。

| **采收加工** | 泽泻：冬季叶枯萎时采挖，除去茎叶及须根，洗净，用微火烘干，再撞去须根及粗皮。

泽泻叶：夏季采收，鲜用或晒干。

泽泻实：夏、秋季果实成熟后分批采收，用刀割下果序，扎成小束，挂于空气流通处，脱粒，晒干。

| **药材性状** | 泽泻：本品呈类球形、椭圆形或卵圆形，长 2 ～ 7 cm，直径 2 ～ 6 cm。表面黄白色或淡黄棕色，有不规则的横向环状浅沟纹及多数细小凸起的须根痕，底部有的有瘤状芽痕。质坚实，断面黄白色，粉性，有多数细孔。气微，味微苦。以块大、色黄白、光滑、质充实、粉性足者为佳。

泽泻叶：本品多皱缩、卷曲，完整者展平后呈椭圆形、长椭圆形或宽卵形，长 3.5 ～ 11 cm，宽 1.5 ～ 6 cm。两面均为绿色或黄绿色，先端锐尖或钝尖，基部圆形或心形，全缘。叶柄长 20 ～ 30 cm，呈细长圆柱状，基部稍膨大成鞘状。质脆，易破碎。气微，味微酸、涩。

| **功效物质** | 块茎主要含有泽泻醇 A、泽泻醇 B、泽泻醇 C、表泽泻醇 A、泽泻薁醇，以及泽泻薁醇氧化物等三萜类成分。叶含有维生素 C 及矿物元素锰、钙。果实含有淀粉。

| **功能主治** | 泽泻：甘、淡，寒。归肾、膀胱经。利水渗湿，泻热通淋。用于小便不利，热淋涩痛，水肿胀满，泄泻，痰饮眩晕，遗精。

泽泻叶：微咸，平。益肾，止咳，通脉，下乳。用于虚劳，咳喘，乳汁不下，疮肿。

泽泻实：甘，平。归脾、肝、肾经。祛风湿，益肾气。用于风痹，肾亏体虚，消渴。

| **用法用量** | 泽泻：内服煎汤，6 ～ 12 g；或入丸、散剂。

泽泻叶：内服煎汤，15 ～ 30 g。外用适量，捣敷。

泽泻实：内服煎汤，6 ～ 9 g。

泽泻科 Alismataceae 慈姑属 Sagittaria 凭证标本号 320803180825199LY

矮慈姑 *Sagittaria pygmaea* Miq.

| 药 材 名 | 鸭舌头（药用部位：全草）。

| 形态特征 | 一年生、稀多年生沼生或沉水草本。有时具短根茎。匍匐茎短细，根状，末端的芽几不膨大，常当年萌发形成新株。叶基生；叶片线状披针形，长 2 ～ 20 cm，宽 0.2 ～ 1 cm，先端钝，基部鞘状，常具横脉。花茎直立，高 10 ～ 20 cm，常挺水；花序总状，长 2 ～ 10 cm；苞片长 2 ～ 3 mm，椭圆形，膜质；花常轮生，单性；外轮花被片绿色，倒卵形，具条纹；内轮花被片白色，圆形或扁圆形，较花萼略长；雌花 1，无梗，或与 2 雄花组成 1 轮，心皮多数，两侧压扁，密集成球状，花柱从腹侧伸出，向上；雄花 2 ～ 5，具梗，雄蕊多数。瘦果近倒卵形，长约 3 mm，扁平，两侧有薄翅，边缘

具鸡冠状齿裂；果喙自腹部伸出。花果期 5 ～ 11 月。

| **生境分布** | 生于沼泽、池塘及水稻田中。分布于江苏扬州（宝应）、南京、苏州（吴江）等。

| **资源情况** | 野生资源一般。

| **采收加工** | 夏、秋季采收，鲜用或晒干。

| **功能主治** | 淡，寒。归脾经。清肺利咽，利湿解毒。用于肺热咳嗽，咽喉肿痛，小便热痛，痈疖肿毒，湿疮，烫火伤，蛇咬伤。

| **用法用量** | 内服煎汤，鲜品 15 ～ 30 g。外用适量，捣敷。

泽泻科 Alismataceae 慈姑属 Sagittaria 凭证标本号 321084180821162LY

野慈姑 *Sagittaria trifolia* L.

| 药材名 | 慈姑（药用部位：球茎）、慈姑叶（药用部位：地上部分）。

| 形态特征 | 多年生沼生或水生草本。根茎横走，粗壮，球状或长圆球状，直径 2 ~ 3 cm。叶片常为箭形，裂片三角状箭形至线形，3 裂片狭长，顶裂片稍短于侧裂片，宽 1.5 ~ 23 cm；叶柄边缘膜质，具横脉。花茎直立，粗壮；花序总状或圆锥状，基部具 1 ~ 2 轮分枝，每分枝具花多轮，每轮具 2 ~ 3 花；苞片 3；花单性；花被片反折，外轮花被片广卵形，内轮花被片白色或淡黄色；雌花常 1 ~ 3 轮，心皮多数，密集成球状；雄花多轮，雄蕊多数，花药黄色。瘦果倒卵形，具翅，先端一侧向外弯成喙，果喙短，长 1 ~ 2 mm；种子褐色。花果期 7 ~ 10 月。

| **生境分布** | 生于沼泽地、湖泊边缘。分布于江苏连云港、盐城、扬州（宝应）等。

| **资源情况** | 野生资源一般。

| **采收加工** | **慈姑**：秋季初霜后至翌春发芽前采收，洗净，鲜用或晒干。

慈姑叶：夏、秋季采收，鲜用，或切段，晒干。

| **功效物质** | 全草含有慈姑醇。

| **功能主治** | **慈姑**：活血凉血，止咳通淋，散结解毒。用于产后血闷，胎衣不下，带下，崩漏，衄血，呕血，咳嗽痰血，淋浊，疮肿，目赤肿痛，角膜白斑，瘰疬，睾丸炎，骨膜炎，毒蛇咬伤。

慈姑叶：清热解毒，凉血化瘀，利水消肿。用于咽喉肿痛，黄疸，水肿，恶疮肿毒，丹毒，瘰疬，湿疹，蛇虫咬伤。

| **用法用量** | **慈姑**：内服煎汤，15～30 g；或绞汁。外用适量，捣敷；或磨汁沉淀后点眼。

泽泻科 Alismataceae　慈姑属 *Sagittaria*　凭证标本号 320621181027034LY

慈姑
Sagittaria trifolia L. var. *sinensis* (Sims) Makino

| 药 材 名 | 慈姑（药用部位：球茎）、慈姑叶（药用部位：地上部分）、慈姑花（药用部位：花）。

| 形态特征 | 多年生沼泽草本。植株高大，粗壮。根茎球形或长圆形。叶片宽大、肥厚，常呈三角状箭形。圆锥花序高大，长 20～90 cm；雄花多轮，生于上部，雌花生于下部；花被片 6，排成 2 列，外轮 3 为萼片，绿色，内轮 3 为花瓣，白色，基部常紫色；心皮多数，密集成球形。瘦果斜倒卵形，扁平，边缘有薄翅，先端一侧向外弯曲成喙；种子褐色，具小突起。花果期 7～10 月。

| 生境分布 | 生于沼泽地、湖泊边缘。江苏各地普遍有栽培。

| 资源情况 | 栽培资源丰富。

| 采收加工 | 慈姑：同野慈姑。

慈姑叶：夏、秋季采收，鲜用或切段，晒干。

慈姑花：秋季花开时采收，鲜用。

| 药材性状 | 慈姑：本品鲜品呈长卵圆形或椭圆形，长 2.2 ~ 4.5 cm，直径 1.8 ~ 3.2 cm；表面黄白色或黄棕色，有的微呈青紫色，具纵皱纹和横环状节，节上残留红棕色的鳞叶，鳞叶脱落后显淡绿黄色；先端具芽，长 5 ~ 7 cm，或具芽脱落的圆形痕；基部钝圆或平截；切断面类白色，水分较多，富含淀粉。干品多纵切或横切成块状，切面灰白色。粉性强。气微，味微苦、甜。

| 功效物质 | 全草含有慈姑醇。

| 功能主治 | 慈姑：活血凉血，止咳通淋，散结解毒。用于产后血闷，胎衣不下，带下，崩漏，衄血，呕血，咳嗽痰血，淋浊，疮肿，目赤肿痛，角膜白斑，瘰疬，睾丸炎，骨膜炎，毒蛇咬伤。

慈姑叶：清热解毒，凉血化瘀，利水消肿。用于咽喉肿痛，黄疸，水肿，恶疮肿毒，丹毒，瘰疬，湿疹，蛇虫咬伤。

慈姑花：微苦，寒。归肝、脾经。清热解毒，利湿。用于疔肿，痔漏，湿热黄疸。

| 用法用量 | 慈姑：内服煎汤，15 ~ 30 g；或绞汁。外用适量，捣敷；或磨汁沉淀后点眼。

慈姑叶：内服煎汤，10 ~ 30 g；或捣汁。外用适量，研末调敷；或鲜品捣敷。

慈姑花：内服煎汤，3 ~ 9 g。外用适量，鲜品捣敷。

花蔺科 Butomaceae 花蔺属 Butomus 凭证标本号 320382180630008LY

花蔺
Butomus umbellatus L.

| 药 材 名 | 花蔺（药用部位：茎叶）。

| 形态特征 | 多年生水生草本。根茎横生或斜向生长，粗壮，节上具多数须根。叶基生，线形至剑形，长 30 ~ 100 cm，宽 3 ~ 10 mm，无柄，顶部渐尖，基部扩大成鞘状，鞘缘膜质。伞形花序，花序基部有 3 卵状披针形苞片；花茎圆柱状，直立，长约 70 cm，有纵条纹；花梗长 4 ~ 10 cm；花两性；花被片 6，2 轮，外轮较小，萼片状，绿色而稍带红色，内轮较大，花瓣状，淡红色；雄蕊 9，花丝扁平，基部稍宽；雌蕊柱头纵折状向外弯曲，心皮 6，排成 1 轮，子房含多数胚珠。蓇葖果成熟时沿腹缝线开裂，先端具长喙；种子多数，细小，有沟槽。花果期 7 ~ 10 月。

| **生境分布** | 生于沼泽或浅水塘中。分布于江苏淮安、连云港、扬州（宝应）、盐城（东台）、南通（如东）等。 |

| **资源情况** | 野生资源丰富。 |

| **采收加工** | 夏、秋季采收，洗净，阴干。 |

| **功能主治** | 清热解毒，止咳平喘。 |